**Direito Chinês
Contemporâneo**

Direito Chinês Contemporâneo

2015

Organização:
FABRÍCIO BERTINI PASQUOT POLIDO
MARCELO MACIEL RAMOS

DIREITO CHINÊS CONTEMPORÂNEO

© ALMEDINA, 2015

COORDENADORES: Fabrício Bertini Pasquot Polido, Marcelo Maciel Ramos
DIAGRAMAÇÃO: Almedina
DESIGN DE CAPA: FBA.

ISBN: 978-858-49-3046-3

Dados Internacionais de Catalogação na Publicação (CIP)
(Câmara Brasileira do Livro, SP, Brasil)

Direito chinês contemporâneo / organização
Fabrício Bertini Pasquot Polido, Marcelo Maciel Ramos.
São Paulo : Almedina, 2015.

ISBN 978-85-8493-046-3

1. Brasil - Relações - China 2. China -
Filosofia e religião 3. China - Relações
exteriores 4. Direito - China 5. Direito comercial -
China 6. Direito internacional - China
I. Polido, Fabrício Bertini Pasquot. II. Ramos,
Marcelo Maciel.

15-05722

CDU-341

Índices para catálogo sistemático:

1. China : Direito internacional 341

Este livro segue as regras do novo Acordo Ortográfico da Língua Portuguesa (1990).

Todos os direitos reservados. Nenhuma parte deste livro, protegido por copyright, pode ser reproduzida, armazenada ou transmitida de alguma forma ou por algum meio, seja eletrônico ou mecânico, inclusive fotocópia, gravação ou qualquer sistema de armazenagem de informações, sem a permissão expressa e por escrito da editora.

Outubro, 2015

EDITORA: Almedina Brasil
Rua José Maria Lisboa, 860, Conj. 131 e 132, Jardim Paulista | 01423-001 São Paulo | Brasil
editora@almedina.com.br
www.almedina.com.br

NOTA DOS ORGANIZADORES

HORIZONTES E DESAFIOS DO DIRIETO CHINÊS CONTEMPORÂNEO

Etienne Balazs, em seu livro *A burocracia celeste*, chamava atenção, já na década de 1960, para a rapidez com a qual a China percorreu o longo caminho que separa um império débil de uma potência industrial moderna. A perplexidade do sinólogo francês merece ser aqui reproduzida:

> "(...) estraçalhada, dominada, desesperada, miserável, humilhada e confusa, a China tornou-se, em dez anos, uma nação segura de sua força que cresce a cada dia, e que está em vias de se tornar uma potência de primeira ordem e de impor o seu peso sobre o destino do mundo, mesmo que uma grande parte desse mundo finja ignorar sua existência. É a corrida contra o relógio, corrida frenética de tirar o fôlego. A metamorfose que outros precisaram de muitos séculos para concluir, a China quer realizar em algumas décadas. Este caso caracterizado por aquilo que se designa pelo clichê 'aceleração da história', inconcebível antes, realiza-se no meio do século XX sob os nossos olhos escandalizados ou maravilhados – através de choques, de recuos temporários e de 'saltos à frente'"[1].

Decorridos mais de 50 anos, o relato não só se confirma como fato do passado, como promessa cumprida, mas também ele se mantém extraordinariamente atual. A China já é uma potência de primeira grandeza. Impõe cada vez mais seu peso sobre o destino do planeta e, embora não ignoremos mais a sua força, continuamos a assistir atônitos a sua metamorfose e a sua corrida frenética. Seguimos escandalizados e maravilhados com seu

---

[1] BALAZS, Etienne. *La bureaucratie céleste: recherches sur l'économie la société de la Chine tradicionnelle*. Paris: Gallimard, 1968, p. 313.

vigor e, ao mesmo tempo, incapazes de compreender todas as suas contradições e complexidades.

Como assimilar, em um salto à chinesa, uma civilização milenar que se desconstrói e se reconstrói a uma velocidade estarrecedora? Como passar de um estado de ignorância, quase integral, para a compreensão de uma cultura intricada e original?

Na medida em que a China abala todos os padrões normais de transformação cultural, econômica e tecnológica, o estudo de seus elementos e de suas modificações torna-se especialmente complexo para aqueles que, de fora ou de longe, dispõem-se a investigá-la. Para juristas a tarefa não é menos desafiadora. Mesmo se a ignorância sobre os complexos meandros da cultura chinesa não representasse em si uma dificuldade, a rapidez das mudanças pelas quais passaram o Direito Chinês nas últimas décadas é tão espetacular que manter-se atualizado e assimilar os significados e rumos dessas transformações são tarefas espinhosas.

É precisamente nesse cenário de necessária (re)descoberta que este livro oferece uma introdução sistemática para universitários, especialistas, diplomatas e estudiosos sobre a cultura chinesa e o *Direito Chinês Contemporâneo*. Da análise dos fundamentos culturais, dos valores e das doutrinas que mais influenciaram o desenvolvimento político e normativo da China, procuramos construir um repertório sobre os principais aspectos do seu direito interno e de sua atuação nas relações internacionais.

Conscientes da necessidade de apresentar ao público lusófono uma obra inédita e abrangente sobre os principais aspectos de conformação e fundamentos do sistema jurídico chinês, suas concepções culturais e desafios presentes, os coautores, aqui reunidos, buscaram consolidar o extenso trabalho de pesquisa bibliográfica e os profícuos debates nos seminários temáticos conduzidos no PROGRAMA DE PÓS-GRADUAÇÃO EM DIREITO DA UNIVERSIDADE FEDERAL DE MINAS GERAIS (UFMG), dentro da linha de pesquisa *Estado, Razão e História*. Durante o primeiro e segundo semestres de 2014, sob nossa orientação, o espaço alcançado pela disciplina *"Direito Chinês Contemporâneo: Diálogos entre Cultura, Relações Internacionais e Direito Comparado"* permitiu estabelecer rico ambiente de reflexões acadêmicas sobre temas que relacionam o Brasil a outros países emergentes, como a China, em paradoxos, transformações e valores que afetam seus ordenamentos sociais, políticos e econômicos, tendo no Direito um contraponto de análise crítica e reflexiva.

NOTA DOS ORGANIZADORES

Igualmente, dentro do espírito de fundação do *Centro de Estudos sobre a Ásia Oriental* da UFMG, um dos primeiros organismos dessa modalidade no país, e da crescente relevância da China no contexto político e econômico internacional, o livro, ora oferecido à comunidade brasileira, tem como objetivo não apenas estimular o desenvolvimento de estudos chineses em nosso país. Ele vai mais além. Busca suprir as lamentáveis lacunas, no ambiente acadêmico e em círculos internacionalistas, de estudos especializados em língua portuguesa dedicados ao Direito chinês.

A obra tem como ponto de partida o capítulo *Raízes do Pensamento Chinês: Confucionismo, Taoísmo e Legalismo*, que vem abordar as peculiaridades da tradição cultural chinesa, em breve síntese das principais escolas do pensamento chinês antigo. O capítulo 2, *A Reinvenção do Confucionismo na China Contemporânea*, parte das origens desta que é a doutrina que maior impacto teve sobre as construções políticas e as experiências normativas da civilização chinesa, expondo seus principais elementos, os esforços de ruptura produzidos pelos eventos do século XX e o inesperado (ou inevitável) ressurgimento do Confucionismo nos debates políticos das últimas décadas. O capítulo 3, *A Experiência Normativa na China: passado e presente*, trata do processo de ocidentalização do Direito Chinês, catalizado pela queda da Dinastia Qing em 1912. Das reformas legais promovidas pelo Partido Nacionalista Chinês (1912-1949) às transformações levada a cabo pela Revolução Comunista (1949), ele apresenta uma síntese dos desenvolvimentos e possibilidades que decorrem da abertura da China a partir de Dèng Xiǎopíng. O capítulo 4, *Tradição Chinesa e Direitos Humanos*, dedica-se à analise das resistências que a própria estrutura social e as compreensões tradicionais sobre o indivíduo e sobre o político impõem aos Direitos Humanos. O capítulo 5, *China Contemporânea e Democracia*, encerra essa primeira parte do livro, expondo as tensões entre as perspectivas republicanas e comunistas que marcaram os primeiros três quartos do século XX na China e as especifidades do contexto em que se inserem os discursos democráticos atuais.

O capítulo 6, *Organização Política e Judiciária na República Popular da China*, oferece uma contribuição sobre a estrutura do Estado, os processos de produção e de interpretação do Direito e a organização do Poder Judiciário na China, colocando em questão a independência dos tribunais e dos juízes e suas interfaces com os outros poderes. No capítulo 7, *Direito Constitucional na China*, são analisadas as perspectivas históricas e evolutivas das constituições chinesas e da Constituição de 1982, com ênfase nos seus princípios fundamentais e suas disposições sobre a organização do poder no Estado chinês. O capítulo 8, *Codificação e Direito Civil na China*, parte da herança da tradição chinesa para examinar os esforços de codificação empreendidos durante o período republicano, bem como as regras gerais do Direito Civil chinês na atualidade. No capítulo 9, *Direito de Propriedade e Propriedade Intelectual na China*, são apresentados os elementos do direito de propriedade e de propriedade intelectual no ordenamento jurídico chinês, particularmente no quadro de influência do movimento codificador europeu. O capítulo 10, *Litígio e Mediação: a cultura da conciliação*, discute as peculiaridades da cultura do "não litígio" na China, das razões da preferência histórica pela conciliação em lugar dos procedimentos institucionais, bem como dos caminhos atuais de resolução de litígios. O capítulo 11, *Trabalho, do Conceito ao Direito*, promove profundo exame culturalista do conceito de trabalho nas tradições da China e do Ocidente, a partir do qual são investigadas as condições para a construção do Direito do Trabalho no Ocidente e as dificuldades para sua incorporação na contemporaneidade chinesa. O capítulo 12, *Direito do Trabalho na China*, apresenta um quadro das questões trabalhistas na China contemporânea, desde as novas proteções e mecanismos introduzidos pela lei de contrato de trabalho chinesa, bem como as lacunas do direito chinês em relação as relações coletivas de trabalho e a fragilidade do sindicalismo no país. O capítulo 13, *Educação Jurídica e Profissões Legais na China*, encerrando a segunda parte do livro, analisa o quadro complexo de organização da educação legal e das profissões jurídicas, particularmente no contexto Pós-Revolução Cultural, das reformas promovidas por Dèng Xiǎopíng e das transformações advindas da globalização econômica e inserção internacional do Estado chinês.

Na terceira parte da obra, o capítulo 14, *Direito Internacional e Relações Internacionais na China*, estabelece retrospectiva analítica do Direito Internacional na China no século XX, fornecendo noções gerais das relações internacionais e da política extena chinesa, com destaque para a consolidação da China como potência no século XXI. O capítulo 15, *Direito Internacional Privado na China*, discute as premissas e o desenvolvimento histórico do Direito Internacional Privado na China, abordando os seus princípios gerais, as regras de conflito de leis e as principais novidades legislativas introduzidas no sistema de direito internacional privado chinês. No Capítulo 16, *A Lei de Direito Internacional Privado de 2010 na Suprema*

NOTA DOS ORGANIZADORES

Corte do Povo da China, são discutidas as orientações da Suprema Corte na recente opinião sobre a interpretação da Lei chinesa de Direito Internacional Privado, vinculante para os tribunais inferiores, destacando a relevância da matéria para a regulação da vida internacional da pessoa e das relações jurídicas privadas com elementos estrangeiros. O capítulo 17, *Contratos Internacionais e Arbitragem na China*, analisa a recente experiência do país em matéria de contratos internacionais, desde a prática relativa à Convenção de Viena sobre Venda e Compra Internacional de Mercadorias de 1980, passando pelos princípios sobre Contratos Comerciais Internacionais do UNIDROIT até a orientação dos tribunais chineses e da arbitragem relativamente à Convenção de Nova York de 1958. No capítulo 18, *A China e a Organização Mundial do Comércio*, são examinados o contexto e o processo de acessão da China à OMC e os reflexos econômicos e jurídicos dali decorrentes, em particular as recentes questões envolvendo a manipulação cambial e o *dumping* social. O capítulo 19, *Economia, política e relações internacionais da China contemporânea*, encerra a terceira e última parte livro, com atualíssima exposição sobre o *boom* econômico chinês, a singularidade de insersão do país na ordem política mundial e a forma como as questões ambientais são tratadas.

A fim de levar para o leitor o que há de mais atual nos debates e nas reflexões intelectuais sobre a China e seu sistema jurídico, utilizamos aqui as pesquisas e artigos de eminentes sinólogos, dos mais diversos campos do saber e dos mais diversos países. Os capítulos da obra **Direito Chinês Contemporâneo**, portanto, foram concebidos para proporcionar uma introdução didática e sintética do universo cultural e jurídico da China. Nosso leitor, à medida que desbrave os temas aqui revelados, encontrará nas referências bibliográficas de cada capítulo uma rica fonte para aprofundamento futuro.

Fabrício Bertini Pasquot Polido
Marcelo Maciel Ramos

Belo Horizonte, abril de 2015

AGRADECIMENTOS

Agradecemos ao Lucas Costa dos Anjos, Rafael Machado da Rocha, Maíra Cristina Corrêa Fernandes e Cecília Lopes Guimarães Pereira pelo auxílio inestimável na organização desta obra

PREFÁCIO

É uma satisfação para quem estuda a geopolitica e as relações internacionais deparar-se com uma contribuição acadêmica brasileira ao conhecimento do pensamento e da cultura da civilização multimilenar da China, país que é detentor do maior ecúmeno nacional do sistema internacional contemporâneo.

O livro "Direito Chinês Contemporâneo", que ora chega ao público leitor brasileiro, é um instigante projeto editorial de autoria dos professores Fabrício Bertini Pasquot Polido e Marcelo Maciel Ramos, enriquecido com a participação de mais de uma dezena de professores pesquisadores engajados no estudo e análise de aspectos teóricos essenciais da cultura clássica relevantes para a compreensão do universo jurídico chinês do presente, em comparação com iguais questões que se apresentam de modo perene na cultura ocidental.

Os dois ilustres professores do Programa de Pos-graduação em Direito da Universidade Federal de Minas Gerais tiveram a excelente ideia de convidar vários de seus pares estudiosos do direito e da China para empreenderem uma jornada de grande valor não somente no estrito meio acadêmico, mas também de abertura de um diálogo transcultural e transcivilizacional de enorme importancia para o amadurecimento do Estado e da sociedade nacional brasileira.

Os seus dezenove capitulos apresentam-se em três partes: – a cultura clássica e o direito na China antiga; o sistema legal e suas instituições na China de hoje; e a China e as relações internacionais contemporâneas. O esforço do grupo de pesquisadores se volta para a definição de um campo de saber que se defina como jurídico no interior da concepção chinesa de mundo e a partir daí estruturam varias linhas de interpretação da forma chinesa de pensar os conceitos de justiça e verdade.

Não há dúvida de que se trata de um grande empreendimento cultural, epistêmico e político o livro organizado pelos professores da Faculdade de Direito da Universidade Federal de Minas Gerais.

Cultural: ao introduzir, no debate universitário em língua portuguesa, autores do pensamento chinês clássico, permitindo abertura de novos horizontes ao pensar em nosso meio acadêmico universitário, que se encontra excessivamente dependente de clichês e modismos fabricados nos laboratórios do pensamento ocidental contemporâneo.

Epistêmico: ao avançar fórmulas teóricas num campo de saber inovador, na trilha da obra seminal de François Jullien, na busca de renovar o pensar jurídico atual brasileiro por meio de uma reflexão que leva em conta a peculiaridade do pensamento chinês.

Político: ao contribuir para o debate acerca da necessária e imperiosa revisão da política externa brasileira (tradicionalmente voltada para o hemisfério ocidental e conformada com seu papel de potência regional) – com o tema da parceria estratégica de dimensão global sino-brasileira no sistema internacional contemporaneo.

Por todas essas razões devemos saudar o lançamento dessa obra coletiva, dedicada ao estudo comparado do direito na China, organizada pelos professores Fabricio Polido e Marcelo Ramos, que será certamente um marco na formação de estudiosos do mundo chinês no Brasil. Estudos cada vez mais necessários ao incremento do conhecimento mútuo brasileiro-chinês, dois países chave para a estabilidade e o desenvolvimento na época da mundialização.

Rio de Janeiro, 12 de maio de 2015.

SEVERINO CABRAL, D. Sc.
Diretor-Presidente do Instituto Brasileiro de Estudos de China e Asia-Pacífico-IBECAP
Membro do Corpo Permanente da Escola Superior de Guerra-ESG

SUMÁRIO

PARTE 1
A CULTURA E O DIREITO NA CHINA:
ENTRE A TRADIÇÃO E O DEVIR

CAPÍTULO 1
RAÍZES DO PENSAMENTO CHINÊS: CONFUCIONISMO,
TAOÍSMO E LEGALISMO 27
1. Introdução 27
2. As peculiaridades fundamentais das manifestações da tradição cultural
chinesa – Um esforço de classificação de um fenômeno social complexo ... 28
3. Confucionismo, Taoísmo e Legalismo – Um exercício de reconstrução
conceitual 31
    3.1. O Confucionismo (儒教 Rú jiào) 32
    3.2. O Taoismo (道教 Dào jiào) 36
    3.3. O Legalismo (法学 Fǎ xué) 39
4. Conclusões 41
    Referências Bibliográficas 41

CAPÍTULO 2
A REINVENÇÃO DO CONFUCIONISMO
NA CHINA CONTEMPORÂNEA 43
1. Introdução 43
2. O Confucionismo e sua doutrina 44
    2.1. Confúcio e seus principais seguidores 44
    2.2. O aprendizado (學 Xué) 47

DIREITO CHINÊS CONTEMPORÂNEO

2.3. A Grande Virtude (仁 rén)	48
3. A reinvenção da tradição	50
3.1. Os horizontes de expectativas	50
3.2. Do Marxismo ao Confucionismo	52
3.3. Confucionismo Político e Confucionismo Espiritual	55
4. Conclusões	57
Referências Bibliográficas	57

CAPÍTULO 3

A EXPERIÊNCIA NORMATIVA NA CHINA: PASSADO E PRESENTE

	59
1. Introdução	59
2. Legalismo e Confucionismo: confronto teórico e convivência prática	60
2.1. Confucionismo	61
2.2. Legalismo	63
2.3. A convivência entre o Confucionismo e o Legalismo	65
3. A transformação da Tradição Jurídica Chinesa: o processo de ocidentalização do Direito Chinês	68
3.1. A queda da Dinastia Qing (1912), a ascensão do Partido Nacionalista Chinês (1912-1949) e as reformas legais.	68
3.2. A experiência legal na Revolução Comunista (1949), na Revolução Cultural (1966-1976) e o desenvolvimento do sistema jurídico a partir de Dèng Xiăopíng.	72
4. Considerações finais	74
Referências Bibliográficas	75

CAPÍTULO 4

TRADIÇÃO CHINESA E DIREITOS HUMANOS

	77
1. Introdução	77
2. Estrutura social chinesa	78
3. Evolução e origens do Estado de Direito na China	82
4. A visão sobre o indivíduo e os direitos humanos	87
5. Conclusões	90
Referências bibliográficas	92

CAPÍTULO 5

CHINA CONTEMPORÂNEA E DEMOCRACIA

	93
1. Considerações iniciais	93

2. A revolução republicana: a preocupação chinesa com a modernidade	94
3. O controle político do partido comunista chinês: a implementação da civilização industrial	99
4. A abertura econômica da China e o discurso do Estado de Direito na China: o pragmatismo político-jurídico chinês	103
5. Considerações finais	108
Referências bibliográficas	109

PARTE 2
O SISTEMA LEGAL CHINÊS E SUAS INSTITUIÇÕES

CAPÍTULO 6
ORGANIZAÇÃO POLÍTICA E JUDICIÁRIA NA REPÚBLICA
POPULAR DA CHINA 115

1. Introdução	115
2. Constitucionalismo e Estado de Direito	117
3. A organização política da República Popular da China: a estrutura fundamental das instituições chinesas	119
3.1. Esboço histórico	119
3.2. A estrutura do Estado chinês	121
3.3. Processo de Produção e de interpretação do Direito	121
4. O Poder Judiciário e as instituições judiciais na China. A independência dos tribunais e dos juízes. Interface com os outros poderes	124
4.1. Panorama das instituições judiciais na China	124
4.2. A independência do Poder Judiciário	127
5. Conclusões	134
Referências bibliográficas	135

CAPÍTULO 7
DIREITO CONSTITUCIONAL NA CHINA 137

1. Introdução	137
2. Breves considerações históricas	137
2.1. Da antiguidade ao Império (2200 a.C – 1912 d.C)	138
2.2. A China republicana (Desde 1912)	140
2.2.1 O governo nacionalista do Kuomintang (1912-1949)	141
2.2.2. O movimento comunista na China	142

DIREITO CHINÊS CONTEMPORÂNEO

3. A Constituição de 1982	144
3.1. Princípios fundamentais	147
3.2. Sistema partidário	149
3.3. Assembleia Popular Nacional	150
3.4. Conselho de Estado	152
3.5. Sistema unitário	152
3.6. Direitos e deveres fundamentais	153
3.7. Interpretação, supervisão e aplicação	154
4. Conclusão	155
Referências bibliográficas	156

CAPÍTULO 8

CODIFICAÇÃO E DIREITO CIVIL NA CHINA	159
1. Introdução	159
2. Herança histórica do Direito Civil chinês	159
2.1. O Código Civil do KMT (1929-1930)	161
2.2. Emergência do Direito Civil na República Popular da China	162
2.3. Tentativas de codificação na República Popular da China (RPC)	164
2.3.1. Primeira tentativa – 1954	164
2.3.2. Segunda tentativa – 1962	166
2.3.3. Terceira tentativa – 1979	166
2.3.4. A Lei de Princípios Gerais de Direito Civil	168
2.3.5. Status atual do Direito Civil chinês	174
3. Conclusões	175
Referências bibliográficas	176

CAPÍTULO 9

DIREITO DE PROPRIEDADE E PROPRIEDADE INTELECTUAL NA CHINA	179
1. Considerações iniciais	179
2. Direito de propriedade na China	180
3. Propriedade intelectual na China	187
4. Categorias de propriedade intelectual na China	190
4.1. Marcas e nomes de domínio	190
4.2. Patentes	191
4.3. Direitos de autor e programas de computador	192
4.4. Indicações geográficas	193

SUMÁRIO

5. Considerações finais	194
Referências bibliográficas	195

CAPÍTULO 10
LITÍGIO E MEDIAÇÃO: A CULTURA DA CONCILIAÇÃO 197

1. Introdução	197
2. A Cultura da Conciliação	198
2.1. O "não litígio"	198
2.2. Os fundamentos culturais do "não-litígio"	202
3. A mediação	204
4. Hoje: um sistema de resolução de litígios com múltiplos caminhos	206
5. Conclusões	212
Referências bibliográficas	213

CAPÍTULO 11
TRABALHO, DO CONCEITO AO DIREITO:
ENTRE A CHINA E O OCIDENTE 215

1. Introdução: uma abordagem cultural do trabalho	215
2. A dualidade no conceito ocidental de trabalho	219
3. O trabalho na tradição chinesa	227
4. A centralidade das ideias de sujeito e de resistência na construção do direito do trabalho no Ocidente	235
5. A incorporação do Direito do Trabalho na China contemporânea	239
6. Considerações finais	248
Referências bibliográficas	248

CAPITULO 12
DIREITO DO TRABALHO NA CHINA 253

1. O fortalecimento da legislação do trabalho: a ênfase na melhora das relações individuais	253
1.1 As mudanças trazidas pela Lei sobre o Contrato de Trabalho para limitar o poder discricionário do empregador	254
1.2. As mudanças no mecanismo de resolução de litígios trabalhistas e as vias legais a permitirem que os empregados defendam seus interesses	257
2. As lacunas do Direito do Trabalho: as relações coletivas de trabalho amplamente ignoradas	258

DIREITO CHINÊS CONTEMPORÂNEO

2.1.	A fraqueza do sindicalismo: seu papel restritivo na empresa	258
2.2	Rumo a uma introdução do mecanismo de consulta (negociação) coletiva para os salários?	260
2.3.	Qual futuro para a greve?	262
3.	Conclusão	264
	Referências Bibliográficas	265

CAPÍTULO 13
EDUCAÇÃO JURÍDICA E PROFISSÕES LEGAIS NA CHINA   267
1. Introdução   267
2. Breve retrospecto histórico: do desmantelamento ao resgate da cultura jurídica na China   271
3. Educação jurídica e ensino do Direito   276
4. Requisitos para formação e qualificação na advocacia   283
5. Conclusões   290
Referências bibliográficas   291

PARTE 3
DIREITO E RELAÇÕES INTERNACIONAIS NA CHINA

CAPÍTULO 14
DIREITO INTERNACIONAL E RELAÇÕES INTERNACIONAIS
NA CHINA   297
1. Considerações iniciais   297
2. Retrospecto do Direito Internacional na China   298
   2.1. A questão de Taiwan   301
   2.2. A abertura econômica e a nova abordagem do direito internacional na China   302
3. Regionalismo e multilateralismo no continente asiático   303
4. Relações Internacionais e política externa   305
   4.1. China: uma potência emergente?   307
5. Considerações finais   309
Referências bibliográficas   310

CAPÍTULO 15
DIREITO INTERNACIONAL PRIVADO NA CHINA   311
1. Introdução   311

SUMÁRIO

2. A história do Direito Internacional Privado chinês   313
  2.1. As primeiras manifestações   313
  2.2. O Direito Internacional Privado moderno   315
    2.2.1. Da queda da dinastia Qing à ascensão da República Popular da China   315
    2.2.2. As três primeiras décadas da República Popular da China   316
    2.2.3. A necessidade e o avanço normativo do direito internacional privado.   318
3. O Direito Internacional Privado chinês contemporâneo   322
  3.1. Considerações gerais acerca da Lei sobre Conflito de Leis   324
  3.2. Principais novidades introduzidas pela Lei no sistema de direito internacional privado chinês   324
    3.2.1. A residência habitual   325
    3.2.2. O princípio da autonomia da vontade   326
    3.2.3. O tratamento igualitário entre "lex fori" e lei estrangeira   328
4. Conclusões   328
  Referências bibliográficas   329

CAPÍTULO 16
A LEI DE DIREITO INTERNACIONAL PRIVADO DE 2010
NA SUPREMA CORTE DO POVO DA CHINA   331
1. Introdução   331
2. As questões tratadas pela Interpretação da Corte e sua relevância prática   334
3. As condições de aplicação da Lei de 2010   334
4. O escopo da autonomia da vontade e as condições para uma escolha de lei válida   338
5. Questões relativas à "parte geral" da codificação   344
6. A noção de "residência habitual" e "local de incorporação"   351
  Referências Bibliográficas   353

CAPÍTULO 17
CONTRATOS INTERNACIONAIS E ARBITRAGEM NA CHINA   369
1. Introdução   369
2. A Convenção de Viena sobre a Compra e Venda Internacional de Mercadorias e a China   370
  2.1. Panorama geral sobre a Convenção de Viena sobre a Compra e Venda Internacional de Mercadorias   370

DIREITO CHINÊS CONTEMPORÂNEO

2.2. A adesão pela China da CISG e seu impacto na legislação
doméstica   371
3. Os Princípios sobre Contratos Comerciais Internacionais
do UNIDROIT e a China   374
    3.1. Panorama Geral sobre os Princípios sobre Contratos Comerciais
Internacionais do UNIDROIT   374
    3.2. Princípios UNIDROIT e o direito chinês sobre contratos   375
4. Convenção de Nova York, arbitragem e as cortes chinesas   377
    4.1. Panorama geral sobre a Convenção de Nova York   378
    4.2. Ordem pública e as cortes chinesas   379
5. Conclusões   383
    Referências bibliográficas   384

CAPÍTULO 18
A CHINA E A ORGANIZAÇÃO MUNDIAL DO COMÉRCIO   387
1. Introdução   387
2. A Organização Mundial do Comércio (OMC): considerações iniciais   388
    2.1. Contexto histórico da institucionalização de um sistema
multilateral de comércio   388
    2.2. A Organização Mundial do Comércio   390
3. A acessão da China à OMC   391
    3.1. Antecedentes e negociações   391
    3.2. Compromissos firmados pela China perante a OMC por ocasião
de sua acessão   393
    3.3. Reflexos internos   396
    3.4. Reflexos econômicos da acessão da China à OMC   397
       3.4.1. Fluxos internacionais de comércio   398
       3.4.2. Fluxos internacionais de investimentos   399
4. A atuação da China na Organização Mundial do Comércio   399
    4.1. Manipulação cambial   401
    4.2. Dumping social   403
5. A China no Órgão de Solução de Controvérsias   405
    5.1. Breves reflexões sobre o caso "China: Direitos de Propriedade
Intelectual"   406
6. Conclusão   408
    Referências bibliográficas   410

SUMÁRIO

CAPÍTULO 19
ECONOMIA, POLÍTICA E RELAÇÕES INTERNACIONAIS
DA CHINA CONTEMPORÂNEA 413
1. Considerações iniciais 413
2. A economia internacional e o *boom* chinês 415
3. China e a ordem política mundial 420
4. A China na ordem ambiental internacional 422
5. O *soft power* da política internacional chinesa 424
6. Considerações finais 426
   Referências bibliográficas 427

SOBRE OS ORGANIZADORES 431

SOBRE OS AUTORES 433

PARTE 1

A CULTURA E O DIREITO NA CHINA: ENTRE A TRADIÇÃO E O DEVIR

CAPÍTULO 1
RAÍZES DO PENSAMENTO CHINÊS: CONFUCIONISMO, TAOÍSMO E LEGALISMO

RAFAEL MACHADO DA ROCHA

1. Introdução

O presente capítulo intenta delinear os contornos dos principais elementos e noções que caracterizam três importantes vertentes do pensamento chinês tradicional, quais sejam, o Confucionismo, o Taoísmo e o Legalismo. Isto é, quer-se saber como e em que medida os conceitos basilares destas três tradições culturais produzem, dentro dos respectivos contextos simbólicos, seus significados.

Para tanto, mostrar-se-á indispensável o uso de categorias instrumentais e racionais de nossa cultura e pensamento. Nada obstante, o referido emprego, embora essencial à tarefa de tradução, poderá, vez ou outra, forjar aproximações mais ou menos imprecisas.

Por esta razão, a fim de se evitar uma exposição que redunde etnocêntrica e acientífica, este breve estudo entabulará, a todo tempo, o esforço de contextualizar os confrontamentos realizados, indicando-lhes a insuficiência e os limites da representação: só assim se poderá proceder a uma compreensão que, desvelando as nuances do objeto estudado, não incorra na tentadora ilusão de universalidade.

Na primeira seção deste artigo, portanto, se delineará uma tentativa de classificar as correntes de pensamento supracitadas, identificando-lhes a natureza. Muito embora consista em um esforço despretensioso (e nem poderia não sê-lo), esta investida se provará bastante útil, sobretudo àqueles que, pela primeira vez, acessam a cultura chinesa pelas manifestações de seu pensamento tradicional.

Em sequência, serão introduzidas as noções, imagens e princípios básicos de cada uma destas três correntes. Consoante o espírito da presente análise, o objetivo, aqui, será o de construir uma exposição que se erija muito menos como um estudo demasiadamente sistemático dos objetos

DIREITO CHINÊS CONTEMPORÂNEO

abordados que como uma aproximação fundada na legítima curiosidade científica sobre aquilo que se intenta conhecer[1].

2. As peculiaridades fundamentais das manifestações da tradição cultural chinesa – Um esforço de classificação de um fenômeno social complexo

Conforme já exposto, é inevitável que, ao longo deste breve estudo, se nos defrontemos com a aplicação de palavras ocidentais a realidades que, na maior parte dos casos, projetam horizontes mais amplos que aqueles balizados pelos conceitos de nossa própria língua. Não é sem razão, pois, que se tentará, neste tópico, assinalar a insuficiência da pretensão de equivaler as compartimentadas noções ocidentais de religião e/ou de filosofia às complexas doutrinas ora em estudo.

Ora, é sabido, de antemão, que o vocábulo "filosofia" tem conotações bastante características, ligadas, sobretudo, a sua origem histórica como um produto autêntico da experiência grega. É neste contexto que o termo assume sua significação mais específica, isto é, aquela que se nos apresenta como produção intelectual que prima pela exigência racional de demonstração das causas primeiras, do princípio universal de cada coisa. Portanto, a realidade é, para os gregos, consequência última de uma causa essencial. A força deste adágio já encontra ecos nos primórdios mesmo do pensamento grego, conforme destaca José Cavalcanti de Souza:

> Tomando como ponto de partida velhos mitos, que coordena e enriquece, Hesíodo traça uma genealogia sistemática das divindades. Dele provém a ideia de que os seres individuais que constituem o universo do divino estão vinculados por sucessivas procriações, que os prendem aos mesmos antecedentes

---

[1] Impende ressaltar que o esforço de construir uma exposição cuja finalidade fosse exaurir os conceitos, noções e elementos em que se baseiam o Confucionismo, o Taoísmo e o Legalismo – bem como aqueles em que se fundam o pensamento chinês tradicional como um todo – muito provavelmente resultaria frustrado. Isto porque, conforme explica Marcel Granet: A palavra, em chinês, é algo totalmente diverso de um signo que sirva para a notação de um conceito. Não corresponde a uma noção cujo grau de abstração e generalidade se faça questão de fixar de maneira tão definida quanto possível. Ela evoca um complexo indefinido de imagens particulares, primeiro fazendo surgir a mais ativa dentre elas. GRANET, Marcel. *O pensamento chinês*. Trad. Vera Ribeira. 2 Ed. Rio de Janeiro: Contraponto, 1997. p. 34.

primordiais. Nessa genealogia sistemática percebe-se o esboço de um pensamento racional sustentado pela exigência de causalidade, a abrir caminho para as posteriores cosmogonias filosóficas[2].

Em contrapartida, não há indícios de que a cultura chinesa tenha obrado no sentido de produzir explicações semelhantes para a realidade que integrava. É assim que, conforme explica Marcel Granet:

> (No pensamento chinês,) para dar uma regra à ação e tornar o mundo inteligível não há necessidade de distinguir forças, substâncias, ou causas, nem de se embaraçar com problemas acarretados pelas ideias de matéria, movimento e trabalho [...] Quando um de seus filósofos (grifo nosso) quer explicar a invenção da roda, ele afirma que a ideia desta foi fornecida pelas sementes em redemoinhos pelo ar[3].

À vista disso, "em vez de constatar sucessões de fenômenos, os chineses registram alternâncias de aspectos[4]".

Pela síntese do que já foi exposto, fica fácil, pois, vislumbrar o inconveniente do uso da palavra "filosofia" para designar as correntes do pensamento chinês aqui estudadas. Que disto não se depreenda, contudo, que a argumentação racional inexista na tradição cultural chinesa. O que se postula é que, em última instância, a indagação acerca da possibilidade de se conhecer um objeto, no pensamento chinês, não logrou êxito em se desprender da própria realidade da coisa, tal qual se operou no Ocidente. É o que nos esclarece Marcelo Maciel Ramos, ao discorrer sobre a prática como substituta do discurso do Mundo Oriental:

> [...] o pensamento chinês não se interrogou sobre o conhecimento enquanto algo distinto da ação, enquanto um objeto autônomo, distinto da realidade viva; não fez do mundo objeto de uma ἐπιϛτόμη (episthéme) – isto é, de um saber que se distingue da coisa sobre a qual se sabe; tampouco fez deste

---

[2] SOUZA, José Cavalcanti de. *Os pré-socráticos: Fragmentos, Doxografia e Comentários*. São Paulo: Abril Cultural, 1973. p. 13.

[3] GRANET, Marcel. *O pensamento chinês, cit.*, p. 207.

[4] GRANET, Marcel. *O pensamento chinês, cit.*, p. 205.

DIREITO CHINÊS CONTEMPORÂNEO

saber objeto de uma segunda reflexão, a questionar a sua própria validade (...)
O horizonte do conhecimento na China é a ação. A preocupação principal
do confucionismo é a passagem do conhecimento (latente) à ação (sua manifestação visível). O "discurso" (a fala) só completa o seu sentido pela ação[5].

Se não parece pertinente enquadrar estas realidades nos estritos limites
semânticos do termo "filosofia", tão inconveniente se mostrará o emprego
desatento da noção de "religião". Conforme orienta Antoni Prevosti i
Monclús, a palavra 宗教 *zōngjiào* é o termo chinês atualmente aceito para
traduzir "religião". Trata-se, segundo afirma o autor, de vocábulo de origem japonesa, cunhado a partir de um obscuro texto budista chinês, no
século XX. Sua introdução na China é imputada às incursões dos missionários cristãos em território chinês, no início do mesmo século. O termo,
como se vê, é composto por 祖宗 *zǔ-zong*, que significa "antepassado",
"ancestral", bem como "estirpe" ou "clã"; e por 教 *jiào* que exprime a
noção de "ensinamento, "doutrina", "educação".

Enquanto a palavra *jiào* é, por exemplo, há séculos, aplicada ao Budismo,
ao Taoísmo religioso e ao culto de Confúcio nos templos que lhe eram
dedicados, o vocábulo nunca foi empregado para se referir ao principal
elemento da religiosidade chinesa, qual seja, o culto familiar aos antepassados. É assim que "*Jiao* no queria decir, pues, religión, sino que, como
mucho, se referia a um aspecto o uma forma especial de ésta[6]".

Ademais, pode-se afirmar que os ensinamentos das diversas escolas do
pensamento chinês possuem, em geral, enfoques cujas temáticas remontam, mais ou menos explicitamente, ao aspecto religioso. Destarte, mesmo
quando se desenvolvem com fins à elaboração de doutrinas essencialmente
éticas e políticas, perpassadas por temas afetos à vida humana e ao Estado,
estas tradições não perdem de vista seu elemento religioso-ritualístico[7].

---

[5] RAMOS, Marcelo Maciel. *A invenção do direito pelo ocidente: Uma investigação face à experiência
normativa da China*. São Paulo: Alameda, 2012. p. 80-81.

[6] MONCLÚS, Antoni Prevosti i; RÍO, Antonio José Doménech; PRATS, Ramon N. *Pensamiento
y religión em Asia oriental*. Barcelona: Editorial UOC, 2005. p. 20-21.

[7] Eis a razão pela qual MONCLÚS, DOMÉNECH DEL RÍO e PRATS, ao abordarem, por exemplo, o Confucionismo, preferem designá-lo como "*tradición espiritual*"; conceito que, à visão
dos autores, não prescinde do ingrediente filosófico em sentido estrito, nem do ingrediente
religioso, mas que, ao contrário, suprassume ambas as noções.

Neste estudo parte-se, portanto, do entendimento de que as pretensões de analisar em separado o aspecto "religioso" e o aspecto "filosófico" da cultura chinesa culminarão, normalmente, em compreensões compartimentadas e pouco rigorosas. Deste modo, adotar-se-á, ante as deficiências dos vocábulos analisados acima, a expressão "tradição cultural" ou noções equivalentes, com o afã de mais bem exprimir a complexidade e a totalidade dos elementos que integram os fenômenos sociais a seguir abordados.

3. Confucionismo, Taoísmo e Legalismo – Um exercício de reconstrução conceitual

Consoante o posicionamento de Roger T. Ames, o pensamento chinês é geralmente caracterizado pelo seu compromisso com a continuidade[8]. É assim que, ao contrário do que se passa no Ocidente – cujo pensamento desenvolveu-se numa dinâmica segundo a qual a proeminência de uma figura histórica está normalmente ligada à originalidade e à força com que suas ideias rompem com os paradigmas já estabelecidos[9] – o pensamento chinês se esforça para valorizar não as personalidades que produzem ideias contrastantes com sua herança histórico-cultural, mas aquelas que verdadeiramente incorporam, manifestam e amplificam a tradição na qual historicamente se inserem.

É por esta razão que a evolução das ideias, na tradição intelectual chinesa, tende a se manifestar não por um processo dialético de tese e antítese, com a contradição e superação de paradigmas, mas em conformidade com um processo de crescimento orgânico[10]. Esclarecendo esta afirmação, Jana S. Rošker ressalta:

[8] AMES, Roger T. *The Art of Rulership: a study of ancient Chinese political thought*. New York: State University of New York Press, 1994. p. xx-xxi.

[9] Para AMES a visibilidade de Descartes, Kepler ou Einstein, por exemplo, se deve diretamente ao fato de estas personalidades serem percebidas pela História como responsáveis pela instauração de novas ordens, dentro de seus respectivos campos do saber. Este paradigma histórico é, para o autor, reflexo da distinção entre sujeito e ação pressuposta na interpretação ocidental da experiência humana e é, além disso, consistente com uma percepção da investigação histórica cuja preocupação primária é a identificação do agente e, então, a imputação de responsabilidade (a este agente) por eventos passados. AMES, Roger T. *The Art of Rulership: a study of ancient Chinese political thought*. New York: State University of New York Press, 1994. p. xx.

[10] AMES, Roger T. *The Art of Rulership: a study of ancient Chinese political thought*. New York: State University of New York Press, 1994. p. xxi.

DIREITO CHINÊS CONTEMPORÂNEO

O que distingue as categorias binárias do pensamento chinês do tradicional dualismo-dicotômico do pensamento ocidental é o princípio da complementaridade, o qual constitui um método básico para o funcionamento destas mesmas categorias (...) O modelo complementar, dominante na tradição do pensamento chinês baseia-se (...) em uma oposição não contraditória entre dois polos que não se excluem, mas se complementam, e que são interdependentes[11].

Face ao exposto, pode-se antever o motivo pelo qual autores como Roger Ames optam por distinguir as fronteiras do pensamento entre Confucionismo, Taoísmo e Legalismo, sobretudo em função do modo como as figuras representativas de cada uma destas tradições culturais se posicionam ante a mudança de seus tempos. Quer-se, deste modo, assumir uma postura epistêmica que melhor se adeque à natureza do objeto estudado. Isto porque, ao invés de romper com a realidade concreta destes fenômenos, postulando verdades *a priori,* uma exposição construída sob este viés se esforça para promover uma compreensão que é, sempre que possível, informada pela ligação concreta que cada uma dessas escolas possui com as realidades do espaço e do tempo em que florescem.

3.1. O Confucionismo (儒教 *Rú jiào*)

Antoni Prevosti i Monclús ensina que o nome Confucionismo não corresponde à denominação chinesa usada para se referir a esta tradição cultural. Os chineses não falam, pois, de confucionistas, mas sim de letrados (儒 *rú*[12]). Independentemente da terminologia que utilizada, fato é que o Confucionismo (儒教 *Rú jiào*) se apresenta como uma das principais correntes tradicionais da China, podendo-se, inclusive, atribuir a ela o crédito por conferir, durante mais de dois mil anos, o conteúdo central das várias

---

[11] Rošker, Jana S. *Traditional Chinese Philosophy and the Paradigm of Structure (Li* 理*)*. Newcastle upon Tyne: Cambridge Scholars Publishing. 2012. p. 13-14. Texto original: *What distinguishes Chinese binary categories from traditional Western dualisms is the principle of complementarity, which forms a basic method for their functioning (...) the complementary model, which was dominant in the Chinese tradition of thought, is (...) based upon a noncontradictory opposition between two poles which do not exclude but complement each other, and which are interdependent.*

[12] Monclús, Antoni Prevosti i; Río, Antonio José Doménech; Prats, Ramon N. *Pensamiento y religión em Asia oriental, cit.,* p. 73.

dinastias que ali se estabeleceram.[13] Eis, portanto, o motivo pelo qual os ensinamentos de Confúcio[14] [15] figuram não apenas como a fonte primária do confucionismo, mas também como a base de uma tradição que reverbera sobre toda a história do pensamento chinês: a seus discípulos é conferido o mérito pela fundação de uma escola de pensamento que imprimiu sua marca a toda a civilização do leste da Ásia[16].

A fonte cardeal de sua doutrina é a compilação de diálogos e anedotas que recebe o nome de 論語*Lúnyŭ* ou, ainda, Diálogos de Confúcio. Produto de diferentes gerações de discípulos – como prova o fato de que em várias passagens aparecem discípulos de Confúcio já em qualidade de mestres – a obra se compartimenta em vinte livros breves[17].

A preocupação primordial do pensamento confucionista parece haver repousado sobre a desordem social e política de seu tempo. Os pensadores ligados aos primórdios desta escola se ocupavam de oferecer aos senhores de Estado chineses suas ideias sobre como governar, "dentre as quais se destaca a estreita relação da atitude ética do governante (德 *dé*) com a manutenção da ordem social e com o bom governo[18]".

---

[13] RAMOS, Marcelo Maciel. *A invenção do direito pelo ocidente: Uma investigação face à experiência normativa da China*. São Paulo: Alameda, 2012. p. 15.

[14] Conforme nos ensina GRANET, A versão em português do seu nome é uma latinização de 孔夫子 *Kŏng Fū Zĭ*, o que se traduz, literalmente, como "Mestre Kong". GRANET, Marcel. *O Pensamento Chinês*. Trad. Vera Ribeiro. Rio de Janeiro: Contraponto, 1997, p. 288.

[15] Confúcio nasceu no ano de 551 a.C., no estado de Lu, atual Shantung, e viveu até o ano de 479 a. C. Em seu tempo, destacou-se como mestre, reunindo ao redor de si numerosos discípulos. MONCLÚS, Antoni Prevosti i; RÍO, Antonio José Doménech; PRATS, Ramon N. *Pensamiento y religión en Asia oriental, cit.*, p. 46-49.

[16] MONCLÚS, Antoni Prevosti i; RÍO, Antonio José Doménech; PRATS, Ramon N. *Pensamiento y religión en Asia oriental, cit.*, p. 47.

[17] Outras referências a Confúcio se encontram, conforme ressalta MENCLÚS, em distintas obras do período dos Reinos Combatentes, especialmente no 左傳 *Zuozhuan*, no Livro de Mêncio e no 莊子 *Zhuangzi*. Mais adiante, na biografia do mestre incluída por Sima Qian no *Shiji*, escrita 370 anos após sua morte e, por fim, no *Kongi Jiayu*, que consiste em um texto tardio, elaborado em forma mitificadora, mas com alguns materiais interessantes. MONCLÚS, Antoni Prevosti i; RÍO, Antonio José Doménech; PRATS, Ramon N. *Pensamiento y religión en Asia oriental*. Barcelona: Editorial UOC, 2005. p. 47.

[18] MONCLÚS, Antoni Prevosti i; RÍO, Antonio José Doménech; PRATS, Ramon N. *Pensamiento y religión en Asia oriental, cit.*, p. 122.

Segundo AMES, para Confúcio:

> É pelo cultivo da retidão na dinâmica das relações interpessoais, bem como por sua realização no arranjo social e político que uma pessoa passa a se integrar na ordem cósmica e a participar de um universo essencialmente moral – este é, então, o Caminho (道 *dào*) dos seres humanos[19].

O processo para se realizar o Caminho (道 *dào*) no governo e na sociedade passa, assim, necessariamente, pelo compromisso do governante com sua edificação moral ou, antes, pela *eficácia* de seu poder moral (德 *dé*). Ressalta-se, neste ponto, que a regulação e o ato de governar, à luz do pensamento confuciano, não implicam de maneira alguma proibição ou bloqueio. Ao contrário, "estimula-se o modelo do exemplo concreto que imita e induz, silenciosamente e gradativamente, a ordem[20]".

Desse modo, o governante, ao aderir ao princípio da não-ação (無為 *wúwéi*), emana potência moral (德 *dé*) e influencia os indivíduos, encorajando-os pelo exemplo, à edificação de suas próprias naturezas morais. "Assim, embora aparentemente 'sem fazer nada' ele é capaz de estimular a harmonia social[21]".

Eis a razão pela qual se percebe uma ênfase recorrente no aprendizado em textos confucionistas. Aprender, contudo, não significa a simples conformação em relação a critérios externos ao indivíduo. Na verdade, a aprendizagem confuciana preconiza duas fases, sendo que somente a primeira delas se identifica com este processo de interiorização de normas sociais heteronômicas. A segunda fase, por sua vez, se traduz em um processo por meio do qual o indivíduo conscientemente apreende o conteúdo moral da norma formalmente interiorizada. Assim, é somente quando uma determinada conduta prescrita por uma norma social é informada pela substância

---

[19] AMES, Roger T. *The Art of Rulership: a study of ancient Chinese political thought*, cit., p. 2. Texto original: *It is the cultivation of rightness through the dynamics of interpersonal conduct and its realization in the social and political orders which enables people to integrate themselves into the cosmic order and to participate in an essentially moral universe – this then is the "Way" of human beings.*

[20] RAMOS, Marcelo Maciel. *A invenção do direito pelo ocidente: Uma investigação face à experiência normativa da China*, cit., p. 165.

[21] AMES, Roger T. *The Art of Rulership: a study of ancient Chinese political thought*, cit., p. 32. Texto original: *Thus, while seemingly "doing nothing" he is able to bring about social harmony.*

moral deste mesma norma que se pode dizer que uma pessoa está verdadeiramente agindo de acordo com o Caminho (道 *dào*)[22].

Nos Diálogos de Confúcio figura uma passagem central, descrevendo o próprio mestre neste processo de aprendizado:

> Aos quinze anos eu estava comprometido com a aprendizagem, aos trinta eu me mantive perseverante, aos quarenta eu não tinha dúvidas, aos cinquenta eu estava consciente dos decretos do Céu, aos sessenta meus ouvidos se tornaram órgãos obedientes da verdade, aos setenta eu pude seguir os desígnios do meu coração, sem violar o que estava correto[23].

Outro ponto importante a se destacar é o fato de que o pensamento do mestre Confúcio, a exemplo do pensamento chinês em geral, prescinde da existência de qualquer princípio ou ser transcendente. Não há que se falar em uma ruptura da realidade, que distingue entre a realidade concreta e a essência abstrata das coisas. Não se encontra na tradição intelectual chinesa uma separação consistente entre a ordem da natureza e a ordem humana, tal qual se opera no pensamento ocidental. É assim que, no lugar da consideração da natureza essencial de virtudes morais, o confucionismo está mais preocupado com um esclarecimento acerca da ação de pessoas específicas em contextos particulares.

Não se trata, contudo, de sugerir que exista na tradição confucionista uma mudança de perspectiva que passa do agente para o seu comportamento. O que se postula é simplesmente que não há qualquer razão para se raciocinar em termos dicotômicos, considerando o agente e sua ação como instâncias distintas. "O agente é, aqui, ao mesmo tempo consequência e causa de seu ato[24]". Corroborando esta posição, Hall e Ames fixam a seguinte compreensão:

---

[22] AMES, Roger T. *The Art of Rulership: a study of ancient Chinese political thought*, cit., p. 3.

[23] [s.n.t] CONFÚCIO, *The Analects 2/2/4*. Trad James Legge. Disponível em <http://ctext.org/analects/wei-zheng> Acesso em 26 de maio de 2014. Texto original: *At fifteen, I had my mind bent on learning. At thirty, I stood firm. At forty, I had no doubts. At fifty, I knew the decrees of Heaven. At sixty, my ear was an obedient organ for the reception of truth. At seventy, I could follow what my heart desired, without transgressing what was right.*

[24] HALL, David L.; AMES, Roger T. *Thinking Trough Confucius*. New York: State University of New York Press. 1987. p. 15. Texto original: *The agent is as much a consequence of his act as its cause.*

Na tradição filosófica ocidental, orientada pela noção judaico-cristã de *creatio ex nihilo,* criatividade é normalmente compreendida como uma imitação de um ato criativo transcendente. Em termos confucianos, ações criativas existem *ab initio* no mundo dos eventos naturais e devem ser avaliadas em termos de suas contribuições para a ordem de circunstâncias sociais específicas[25].

Do mesmo entendimento compartilha Anne Cheng, ao afirmar que, na tradição cultural chinesa, "o mundo enquanto ordem orgânica não é pensado fora do homem e o homem que encontra naturalmente nele seu lugar não se pensa fora do mundo. É assim que a harmonia que prevalece no curso natural das coisas deve ser mantida na existência e nas relações humana[26]".

Confúcio explora, em seus ensinamentos, a noção de uma *idade dourada.* Trata-se de um modelo de sociedade ao qual se deve aspirar. Há, como se percebe, um estímulo à emulação de um modelo ancestral exemplar. Daí a ênfase reiterada dos textos confucionistas na importância do aprendizado, o qual se efetiva, como já exposto, pela imitação e pelo exemplo. É assim que "a sabedoria chinesa procura igualar-se ao mundo, imitando-o, evocando-o em suas ações. Renuncia-se a qualquer esforço de persuasão e desconfia-se fortemente do poder da fala. Com isso, produz uma racionalidade que não procura explicitar seus próprios princípios[27]".

3.2. O Taoismo (道教 *Dào jiào*)

Como na tradição confuciana, os ensinamentos da literatura de 老子 *Lǎozǐ*[28], também sugerem a existência de uma época ancestral mais pro-

---

[25] HALL, David L.; AMES, Roger T. *Thinking Trough Confucius, cit.,* p. 16-17. Texto original: *In the Western philosophic tradition, informed by Judaeo-Christian notion of creatio ex nihilo, creativity is often understood as the imitation of a transcendent creative act. In Confucian terms, creative actions exist ab initio within the world of natural events and are to be assessed in terms of their contributions to the order of specific social circumstances.*

[26] CHENG, Anne. *Histoire de La Penseé Chinoise.* Paris: Seuil, 1997. p.38. Texto original: *Le monde en tant qu'ordre organique ne se pense pas hors de l'homme et l'homme qui y trouve naturellement sa place ne se pense pas hors du monde. C'est ainsi que l'harmonie qui prévaut dans le cours naturel des choses est à maintenir dans l'existence et les relations humaines.*

[27] RAMOS, Marcelo Maciel. *A invenção do direito pelo ocidente: Uma investigação face à experiência normativa da China, cit.,* p. 87.

[28] Para muitos autores, conforme explica MONCLÚS, o livro de 老子 *Lǎozǐ* é o marco incial do chamado Taoismo (道教 Dào jiào) Filosófico. Cf. MONCLÚS, Antoni Prevosti i; RÍO, Antonio

pícia à realização da natureza humana que os tempos atuais. Todavia, ao contrário da escola confucionista, a idealização taoista de uma *era dourada* se funda sobre a idílica representação de uma China agrária de tempos imemoráveis: um estado de natureza original não contaminado pelos artifícios morais de uma cultura distorcida. A perspectiva moralizante é, aqui, rechaçada como corruptora do caráter originário do homem. Segundo 老子 *Lǎozǐ*, as virtudes confucianas só aparecem quando se começa a perder-se do 道 *dào*[29].

A indissociável relação entre a parte e o todo e, mais especificamente, entre ser humano (人 *rén*) e a natureza (天 *tiān*), erige-se, pois, como a base elementar sobre a qual se fundará as principais indagações da tradição taoista. Poder-se-ia dizer, ademais, que essa noção essencial constitui mesmo o eixo central da explicação da experiência humana por toda a generalidade do pensamento chinês.

Sob esta perspectiva:

> Enquanto a esfera da natureza é caracterizada pelo desenvolvimento espontâneo de cada coisa, a esfera do ser humano tem não apenas a possibilidade de desenvolvimento espontâneo, em harmonia com a natureza, mas também a possibilidade de um desenvolvimento distorcido provocado pela inexplicável inclinação do ser humano a interpretar erroneamente sua realidade em termos dicotômicos, compreendendo a si mesmo como algo separado e distinto do que ele enganosamente entende como um mundo externo[30].

À vista disto, o desenho da realização humana, como concebido pelos taoistas, é traçado a partir da emulação do curso inerente da natureza e pelo retorno aos primórdios. Afastando as influências distorcidas da civi-

---

José Doménech; PRATS, Ramon N. *Pensamiento y religión en Asia oriental*. Barcelona: Editorial UOC, 2005. p. 125.

[29] MONCLÚS, Antoni Prevosti i; RÍO, Antonio José Doménech; PRATS, Ramon N. *Pensamiento y religión en Asia oriental*. Barcelona: Editorial UOC, 2005. p. 132-133.

[30] AMES, Roger T. *The Art of Rulership: a study of ancient Chinese political thought, cit.,* .p. 35. Texto original: *Whereas the sphere of nature is characterized by spontaneous development of each constituent particular, the sphere of the human being has not only the possibility of spontaneous development caused by one's unexplained proclivity to misinterpret his reality in dichotomous terms by perceiving himself as separated and distinct from what he mistakenly construes as an external world.*

lização, seríamos, enfim, capazes de consumar o estado de não-ação (無為 *wúwéi*), integrando-nos novamente à ordem imanente do universo.

A posição do governante, aqui, é vista como que análoga à posição do pai dentro da família, o qual deve propiciar (sem qualquer tipo de imposição) circunstâncias favoráveis para a autorrealização de seus filhos. Assim como o 道 *dào*, o governante não deve se interessar pelo controle. Ao contrário, o propósito daquele que governa deve ser o de conformar-se ou seguir o curso inerente da natureza, consumando, assim, a harmonia na sociedade: é por meio da não atividade, da não interferência que uma pessoa se torna um com a totalidade das coisas.

Esta correlação se evidencia ao longo do 老子 *Lǎozǐ*, em inúmeras passagens, conforme nos demonstra Ames:

> *Dào*: O *dào* está constantemente não-ativo.
> Não obstante, não há nada que ele não faça.
> Governante: Agindo de acordo com a "não-ação".
> Não há nada que não seja propriamente administrado [...][31].

Por esta razão, o Taoismo (道教 *Dào jiào*) de 老子 *Lǎozǐ* idealiza a antiguidade não por causa de sua cultura, mas, ao contrário, pela falta dela. A transmissão da tradição cultural, que para os confucionistas figura como base de sua ênfase pedagógica, representa assim, para o pensamento de 老子 *Lǎozǐ* a deterioração real da condição humana.

Enfim, explica Marcelo Maciel Ramos que:

> O não agir deixa livre o fluxo espontâneo da ordem regular do mundo. A quietude e a imitação da natureza permitem que o 道 *dào* siga seu curso sem interferência. O confucionismo, embora parta da mesma compreensão do 道 *dào*, entende, ao contrário, que é pela regularidade da ação, conforme os ritos, que se pode evocar a ordem harmônica do universo[32].

---

[31] AMES, Roger T. *The Art of Rulership: a study of ancient Chinese political thought, cit.*, .p. 39. No texto original: *Tao: the tao is constantly nonactive/ And yet there is nothing it does not to do. [37] Ruler: In acting according to "nonaction"/ there is nothing which is not properly administered.*

[32] RAMOS, Marcelo Maciel. *A invenção do direito pelo ocidente: Uma investigação face à experiência normativa da China, cit.*, p. 109.

3.3. O Legalismo (法学 *Fǎ xué*)

Em posição relativamente distinta situa-se, por sua vez, a perspectiva legalista. O pensamento da "Escola da Lei" (法学 *Fǎ xué*) tem seus principais ensinamentos sintetizados no livro 韓非子 *Hánfēizǐ*, cuja autoria se atribui a 韓非 *Hán Fēi*, um membro da alta nobreza do Estado de Han.[33] Segundo Arthur Waley[34], "fundamental para o Legalismo era o repúdio dos padrões privados de certo e errado. 'Certo' para eles queria dizer 'o que os governantes querem', 'errado' significava o que o governantes não querem[35]".

Para a escola legalista, o governante sábio é, pois, aquele que de maneira apropriada se adapta à mudança dos tempos. Na esteira e à luz deste relativismo moral, afirmavam os legalistas que períodos históricos distintos diferem também quanto aos seus problemas e, por esta razão, requerem soluções adequadas a suas respectivas conjunturas. Por este motivo sustentam que "velhos princípios de governo, mesmo quando efetivos em seus próprios contextos históricos, muito provavelmente mostrar-se-ão obsoletos[36]". Destarte, ao contrário das outras duas tradições culturais aqui estudadas, "a atitude Legalista no que concerne à sua consideração sobre períodos históricos particulares tende a ser geralmente descritiva em vez de crítica e valorativa[37]". Poder-se-ia afirmar, face ao exposto, que a finalidade do governo, sob o viés legalista, consiste sumariamente em atender aos interesses daquele que exerce o poder.

Os teóricos do Legalismo conceberam, para consecução deste fim, um modelo de administração estruturado em sistemas autorregulatórios, sendo o principal deles a codificação de um corpo de leis objetiva e

---

[33] MONCLÚS, Antoni Prevosti i; RÍO, Antonio José Doménech; PRATS, Ramon N. *Pensamiento y religión em Asia oriental*. Barcelona: Editorial UOC, 2005. p. 64.

[34] O autor lança mão da designação *"realists"* para designar o conjunto de pensadores que aqui incluiremos no que denominaremos escola legalista.

[35] WALEY, Arthur. *Three Ways of Thought in Ancient China*. California: Stanford University Press, 1982. p. 151. Texto original: *Fundamental to Realism was the rejection of private standards of right and wrong. 'Right' to them meant 'what the rulers want', 'wrong' meant what the rulers do not want.*

[36] AMES, Roger T. *The Art of Rulership: a study of ancient Chinese political thought, cit.*, p. 11. Texto original: *Old principles of government, even when proved effective in their own historical context, are more than likely obsolete.*

[37] AMES, Roger T. *The Art of Rulership: a study of ancient Chinese political thought, cit.*, p. 13. Texto original: *The Legalist attitude toward particular history periods tends to be generally descriptive rather than critical and evaluating.*

DIREITO CHINÊS CONTEMPORÂNEO

universalmente aplicáveis: uma vez vigentes, as leis assegurariam uma punição rápida e eficaz para aqueles que adotassem comportamento contrário ao estritamente prescrito. Outro importante sistema era o estabelecimento de uma máquina burocrática erigida sob o princípio da responsabilidade. Em outras palavras: uma administração composta de indivíduos aos quais incondicionalmente se imputa responsabilidade pela respectiva conduta[38].

Uma administração concebida sob este arranjo seria suficiente para garantir que o governante desfrutasse de uma posição de inatividade (無為 wúwéi).

Conforme assinala Arthur Waley:

> Mesmo a mística doutrina do wúwéi, a Não-atividade do governante por meio da qual tudo é ativado, encontra uma contrapartida não mística no Legalismo. Quando todas as exigências do governante foram corporificadas na lei e as sanções para a desobediência tornaram-se tão pesadas que ninguém se atreveria a incorrer nelas, o governante legalista pode afundar profundamente em suas almofadas e desfrutar de si mesmo, "tudo" (assim como no Taoismo) "acontecerá naturalmente[39]".

O governante figura, aqui, como "a verdadeira encarnação de autoridade da máquina governamental como um todo[40]". Sendo assim, qualquer atividade de sua parte poderia representar a ruptura de todo o sistema:

> Pela manutenção de sua atitude de wu-wei, o governante não poderá ser enganado por pessoas astutas capazes de antecipar suas reações. Ao invés de tentar adivinhar o governante, estas pessoas olharão para as leis e para as responsabilidades dos oficias como seus padrões de conduta. Além disso, o governante poderá evitar a censura por quaisquer falhas, enquanto

---

[38] AMES, Roger T. *The Art of Rulership: a study of ancient Chinese political thought*. New York: State University of New York Press, 1994. p. 50-53.

[39] WALEY, Arthur. *Three Ways of Thought in Ancient China, cit., p. 155-156*. Texto original: *Even the mystical doctrine of wu-wei, the Non-activity of the ruler by which everything is activated, finds a non-mystical counterpart in Realism. When every requirement of the ruler has been embodied in law and penalties for disobedience have been made so heavy that no one dares to incur them, the Realist ruler can sink deep into his cushions and enjoy himself; 'everything' (just as in Taoism) 'will happen of its own accord'.*

[40] AMES, Roger T. *The Art of Rulership: a study of ancient Chinese political thought, cit.*, p. 51.

RAÍZES DO PENSAMENTO CHINÊS: CONFUCIONISMO, TAOÍSMO E LEGALISMO

goza do louvor de seus subordinados. Ele pode evitar a competição pessoal com seus súditos que, em conjunto, ultrapassam-no em praticamente todos os aspectos[41].

4. Conclusões

A cultura chinesa produziu, ao longo dos séculos, um saber baseado em noções que não encontram correspondentes em nossa racionalidade. Não há como pretender apropriarmo-nos de suas razões. Mesmo que nos dedicássemos a esta tarefa por toda uma vida, o anseio de esgotar-lhes o sentido restaria infrutífero.

Confucionismo, Taoismo e Legalismo não ostentam o atributo de ciência. Tampouco equiparam-se a religiões, nos estritos termos em que a concebemos. Embora a noção de sagrado desempenhe um importante papel (seja ele reforçado ou negado) em cada uma dessas escolas, não há deuses a venerar. Eis que o pensamento chinês consolida-se, assim, sob a égide de uma sabedoria essencialmente humana, entoando uma compreensão do homem enquanto realidade una, concretamente integrado ao mundo que o cerca. O espírito chinês se nos apresenta, pois, como o outro radicalmente diverso. Vislumbrar sua sapiência significa, em última instância, investigar o abismo existente entre o que pressupomos saber e o que efetivamente sabemos sobre nós mesmos.

Referências Bibliográficas

AMES, Roger T. *The Art of Rulership: a study of ancient Chinese political thought*. New York: State University of New York Press, 1994.

CHENG, Anne. *Histoire de La Penseé Chinoise*. Paris: Seuil, 1997.

CONFÚCIO. *The Analects*. Trad James Legge. Disponível em <http://ctext.org/analects/wei-zheng> Acesso em 26 de maio de 2014.

---

[41] AMES, Roger T. *The Art of Rulership: a study of ancient Chinese political thought, cit.*, p. 51-52. Texto original: *By maintaining his attitude of wu-wei, the ruler cannot be deceived by clever people who are able to anticipate his reactions. Rather than trying to second-guess the ruler, these people look to the laws and to the responsibilities of office as their standards of conduct. Further, the ruler can avoid censure for any failures while basking in the praise of his subordinates for any successes. He can avoid personal competition with his subjects who, collectively, surpass him in virtually all respects.*

GRANET, Marcel. *O pensamento chinês*. Trad. Vera Ribeira. 2 Ed. Rio de Janeiro: Contraponto, 1997.

HALL, David L.; AMES, Roger T. *Anticipating China*. New York: State University of New York Press. 1995.

HALL, David L.; AMES, Roger T. *Thinking Trough Confucius*. New York: State University of New York Press. 1987.

MONCLÚS, Antoni Prevosti i; RÍO, Antonio José Doménech; PRATS, Ramon N. *Pensamiento y religión em Asia oriental*. Barcelona: Editorial UOC, 2005.

RAMOS, Marcelo Maciel. *A invenção do direito pelo ocidente: Uma investigação face à experiência normativa da China*. São Paulo: Alameda, 2012.

ROŠKER, Jana S. *Traditional Chinese Philosophy and the Paradigm of Structure (Li 理)*. Newcastle upon Tyne: Cambridge Scholars Publishing. 2012.

SOUZA, José Cavalcanti de. *Os pré-socráticos: Fragmentos, Doxografia e Comentários*, in: *Os Pensadores*. São Paulo: Abril Cultural, 1973.

WALEY, Arthur. *Three Ways of Thought in Ancient China*. California: Stanford University Press, 1982.

ZUFFEREY, Nicolas. *La penseé des Chinois* Paris: Marabout, 2008.

CAPÍTULO 2
A REINVENÇÃO DO CONFUCIONISMO NA CHINA CONTEMPORÂNEA

RAFAEL MACHADO DA ROCHA

1. Introdução

O presente capítulo apresenta uma breve introdução sobre as linhas gerais que definem os contornos e fornecem as chaves mestras para a compreensão do "fenômeno cultural que se confunde com o destino de toda a civilização chinesa[1]". Fala-se aqui de *um* Confucionismo que, embora se remeta a todo tempo ao próprio mestre Confúcio, alude, ademais, a toda uma tradição. Uma tradição de raízes tão profundas que, não obstante as adversidades, permaneceu viva e vivente, se reinventando e se manifestando, ora de maneira mais ostensiva, ora sob arranjos mais velados, ao longo de 2.500 anos de História de civilização chinesa.

Ainda que não se pretenda produzir uma apresentação exaustiva acerca do tema, tentar-se-á, ao longo deste artigo, apresentar *um* Confucionismo e, mais especificamente, sua transformação, a partir de marcos históricos mais ou menos bem definidos que esboçam a trajetória desta escola de pensamento na dinâmica de uma cultura milenar. Para tanto, este trabalho se dividirá em duas partes.

Numa primeira seção, concede-se espaço para ponderações a respeito das bases mais remotas do Confucionismo. Aqui, apresenta-se Confúcio e os expoentes mais clássicos desta tradição cultural. Na esteira desta expo-

---

[1] Anne Cheng, em seu livro História do pensamento chinês, assim define o "caso" Confúcio, ao apresentar o confucionismo como um "salto qualitativo", não apenas em relação à História da cultura chinesa, mas também na reflexão do homem sobre o homem. Para a autora, "Confúcio assinala na China o grande desenvolvimento filosófico que se nota paralelamente nas três outras grandes civilizações da 'idade axial', que é o I milênio antes da era cristã: mundo grego, mundo hebraico e mundo indiano." CHENG, Anne. *História do Pensamento Chinês*. Trad. Gentil Avelino Titton. Petrópolis: Vozes, 2008. p. 64.

sição, confrontam-se, de modo mais cauteloso, as noções axiais basilares em que se calca o pensamento confuciano.

Em um segundo momento, enfrenta-se a questão da tentativa da ruptura com a tradição confucionista, levada a cabo, em um primeiro momento, pela Revolução Chinesa de 1911 e o movimento de 4 de maio de 1919, quando, pela primeira vez em séculos, a China se abre de maneira mais veemente para uma miríade de ideologias e ideais ocidentais, num ímpeto de modernização sem precedentes. No mesmo sentido, questiona-se, também, o alcance da meta da Revolução Cultural de 1969, que com o mesmo intuito tenta desatar laços com uma tradição e um passado considerados anacrônicos.

Indaga-se, portanto: houve, de fato, uma ruptura com as raízes da tradição cultural chinesa? Se sim, como o Confucionismo foi capaz de ressurgir, contemporaneamente, após três décadas de intensa repressão, como discurso legitimador da governabilidade do Partido Comunista Chinês? Se não, como e em que medida as nuances do diálogo entre *uma* tradição confucionista e a ideologia marxista moldada pelo maoísmo se nos tornam evidentes numa solução dialética?

Por fim, abre-se campo para a discussão acerca do futuro político da China. Discorre-se aqui, portanto, sobre o ressurgimento de um novo Confucionismo que se pretende, mais uma vez, elevar-se ao status de elemento unificador de uma cultura historicamente eclética. Intenta-se, neste ponto, especular sobre *um* Confucionismo que se postula, por um lado, como componente central do discurso legitimador do governo vigente e que, por outro, fulgura como elemento fomentador da realização do ideal de uma nação que descobre em suas raízes o ingrediente basilar de sua identidade nacional.

2. O Confucionismo e sua doutrina
2.1. Confúcio e seus principais seguidores
A princípio, é de bom grado ressaltar que o nome Confúcio corresponde à latinização da designação chinesa 孔夫子 *Kŏng Fūzĭ*, literalmente mestre Kong[2]. Igualmente, vale a nota de que, conforme a lição de Antoni Prevosti i Monclús, na China não se fala de confucionistas ou confucianos, mas de letrados (儒 *rú*). Do mesmo modo, não há que se falar em Confucionismo,

---

[2] Seu verdadeiro nome é 仲尼丘 *Zhòng Ní Qiū*.

mas sim da Escola dos Letrados.[3] Nada obstante, este estudo lançará mão da terminologia amplamente empregada entre os ocidentais. Isto porque entendemos não haver distorções, entre as possíveis traduções, que justifiquem menos o uso de uma que de outra.

As principais fontes da doutrina confucionista estão organizadas em quatro livros: os *Diálogos de Confúcio* (论语 Lúnyǔ), o *Grande Aprendizado* (大學 Dàxué), a *Doutrina do Meio* (中庸 Zhōngyōng) e o *Livro de Mêncio* (孟子 Mèngzǐ). As obras atribuídas a Confúcio e a seus discípulos são compostas por compilações de aforismos, anedotas e conversas curtas entre o mestre e seus discípulos.

Confúcio, conforme consta tradicionalmente, nasceu em 551 a.C., no condado central de Lu (atual província de 山東 Shāndōng), e viveu até o ano de 479 a.C. Os esparsos trechos biográficos a seu respeito são retirados de obras muito posteriores à sua vida. Contudo, consoante aduz Anne Cheng:

> Segundo a lenda, Confúcio teria então deixado sua terra natal em sinal à desaprovação do governo de seu soberano. A verdade é que, aos cinquenta anos aproximadamente, ele renuncia à carreira política, por ter entendido que ela não podia ser feita senão de compromissos com soberanos que perderam o senso do mandado celeste. Em nome de um mandato que ele tem a consciência de ter recebido diretamente do Céu, Confúcio prossegue sua busca do Caminho e inicia um périplo de um doze anos através de diversos principados. [...] Com mais de sessenta anos, retorna a Lu, onde passa os últimos anos de sua vida. [...] É também nesse tempo que, segundo a tradição, teria composto, ou pelo menos retocado, os textos que lhe são atribuídos e que por isso revestem um caráter canônico. Na verdade, estes textos já existiam na época de Confúcio, que deles se serviu em seu ensino e, ao fazê-lo, sem dúvida os retocou e reinterpretou à sua maneira, numa perspectiva sobretudo ética e educativa[4].

Após a morte de Confúcio, o mestre Mêncio (cujo nome corresponde à latinização de 孟子 Mèngzǐ) tornou-se, sem dúvida, junto com 荀子 Xúnzǐ (posteriormente) um dos mais notáveis transmissores dos ensinamentos

---

[3] MONCLÚS, Antoni Prevosti i; RÍO, Antonio José Doménech; PRATS, Ramon N. *Pensamiento y religión em Asia oriental*. Barcelona: Editorial UOC, 2005. p. 73.

[4] CHENG, Anne. *História do Pensamento Chinês*. Trad. Gentil Avelino Titton, *cit.* p. 65-66.

confucionistas. Mêncio teria nascido num estado limítrofe a Lu que, conforme, acima mencionado, era a pátria de Confúcio. Ademais, segundo a tradição, o mestre teria vivido por volta 380-289 a.C., num período em que, não obstante o declínio da influência confuciana em decorrência dos crescentes conflitos armados entre os Reinos Combatentes[5], a tradição erudita permanecera viva no Estados de Qi e Lu.

No *Mèngzǐ*, obra que recebe o próprio nome do mestre, seus ensinamentos ganham um tom defensivo. Nitidamente destinada a convencer terceiros, num período em que o confucionismo disputava espaço com outras "cem escolas" (o termo, embora recorrentemente usado por sinólogos, trata-se evidentemente de uma hipérbole), sua doutrina se apresenta como um discurso bem mais homogêneo que os Diálogos de Confúcio, por exemplo, os quais se mostram como um apanhado de anedotas e aforismos. Neste sentido, explica Anne Cheng que:

> Enquanto o ensinamento de Confúcio é recolhido na forma de fragmentos que o reduzem muitas vezes a aforismos lacônicos, no *Mengzi* acontece sua transformação num discurso afinado como instrumento dialético, dando valor filosófico a uma obra notavelmente homogênea e desenvolvida, provavelmente compilada por discípulos de Mêncio, que teria talvez vivido o suficiente para retomar ele próprio o texto.

A tríade dos expoentes canônicos do Confucionismo não estaria completa sem se falar de 荀子 *Xúnzǐ*, ou Mestre Xun. *Xúnzǐ*, o grande rival de Mêncio, na tradição confuciana, viveu depois dele, mas não há fontes suficientes para se indicar com precisão suas datas de nascimento e morte. É provável, todavia, que tenha nascido entre os anos de 340 a.C. e 305 a.C., e que tenha falecido por volta de 213 a.C., certamente bastante idoso[6]. Sua principal oposição à doutrina de Mêncio está em sua afirmação de que a natureza humana, "entendida como o conjunto de nossas predisposições biológicas, [...] não inclui nada de intrinseca-

---

[5] O período dos Reinos Combatentes é marcado pelo declínio da Influência política dos Zhou e durou de 403 a.C. até a unificação da China pelo imperador Qin, da dinastia Qin, em 221 a. C.

[6] MING, Hung Ku; QIAN, Sima; WILHELM, Richard. *Introdução a Confúcio*. Trad. Vitória Davies, Verrah Chamma. Rio de Janeiro: Contraponto, 2011. p. 42.

mente ético" e, sendo assim, "aquilo que a natureza humana tem de bom é fabricado[7]".

Mais do que o *Mèngzǐ*, o *Xúnzǐ* é, de fato, a única obra da antiguidade chinesa a constituir um discurso que prima pelo estilo de continuidade e articulação. Tal fato, certamente, evidencia a aproximação do pensamento chinês, no fim do período pré-imperial, a uma forma de interlocução cada vez mais racionalizada e concatenada[8].

2.2. O aprendizado (學 *Xué*)

Confúcio acreditava que a natureza humana era indefinidamente perfectível. Há, por esta razão, em seus ensinamentos, uma ênfase recorrente no aprendizado. Trata-se, todavia, de um aprender que se inscreve e encontra seus limites no real e que, por isso, não opera segundo a relação dicotômica que coloca de um lado o conhecimento abstrato e, de outro, a experiência concreta. Trata-se de um saber que tem como horizonte a ação[9].

O mestre estava convencido da existência de uma *idade dourada*. Trata-se de um modelo de sociedade ancestral, o qual, na medida do possível, deveria ser imitado. Há, como se percebe, um estímulo à emulação de um modelo ascendente exemplar. Assim, nos explica Roger T. Ames que:

> Talvez a maior prioridade que encontramos no pensamento confucionista sobre a educação é a noção de educação pelo exemplo: tanto a tradição cultural herdada como aqueles que melhor refletem uma compreensão desta tradição [ou a própria tradição em si] têm uma função paradigmática. No esforço de Confúcio para propor um sistema social e político viável que vai não apenas solucionar as presentes dificuldades da sociedade, mas vai também proporcionar um ambiente favorável para o desenvolvimento moral humano, ele toma como ponto de partida prático a herança de um modelo formal para o qual o sociedade moderna pode tomar como orientação[10].

---

[7] CHENG, Anne. *História do Pensamento Chinês*. Trad. Gentil Avelino Titton, *cit.* p. 245-247.

[8] CHENG, Anne. *História do Pensamento Chinês*. Trad. Gentil Avelino Titton, *cit.* p. 237.

[9] Neste sentido, Marcelo Maciel Ramos, em sua tese, *A invenção do direito pelo Ocidente: Uma investigação face à experiência normativa da China*, preconiza: A preocupação principal do confucionismo é a passagem do conhecimento (latente) à ação (sua manifestação visível). O "discurso" (a fala) só completa o seu sentido pela ação.

[10] AMES, Roger T. *The Art of Rulership: a study of ancient Chinese political thought*. New York: State University of New York Press, 1994. p. 4. Texto original: *Perhaps the first priority we find in*

DIREITO CHINÊS CONTEMPORÂNEO

Nos Diálogos de Confúcio, figura a clássica passagem que descreve o próprio mestre em seu processo de aprendizado. Passagem esta que bem se presta a ilustrar a importância da assimilação (ou emulação) da tradição cultural no que tange ao aprendizado, em seus ensinamentos:

> Aos quinze anos eu estava comprometido com a aprendizagem, aos trinta eu me mantive perseverante, aos quarenta eu não tinha dúvidas, aos cinquenta eu estava consciente dos decretos do Céu, aos sessenta meus ouvidos se tornaram órgãos obedientes da verdade, aos setenta eu pude seguir os desígnios do meu coração, sem violar o que estava correto[11].

Para Anne Cheng, o aprender confucionista é, em última análise, o aprender a ser humano, eis que para o mestre "nossa 'humanidade' não [seria] um dado, ela [seria] construída e tecida nos intercâmbios entre pessoas e na busca de uma harmonia comum" e, por isso, "nunca somos humanos o bastante e [...] nunca acabaremos de tornar-nos mais humanos[12]".

2.3. A Grande Virtude (仁 *rén*)

Nos Diálogos de Confúcio, o mestre e seus interlocutores aludem, em várias passagens, à Grande Virtude. Esta virtude, embora possa assumir múltiplas manifestações é, em última instância, o próprio senso do homem ou 仁 *rén*[13].

Interessante notar que o ideograma é formado pelo agrupamento da forma simplificada do caractere 人 (que significa homem e também se pro-

---

this Confucian philosophy of education is the notion of education by example: both the inherited cultural tradition and those who best reflect an understanding of it gave a paradigmatic function. In Confucius' efforts to propound a viable social and political system which will not only lift society out of its present difficulties but will create an environment congenial to human moral development, he takes as a practical beginning the inheritance of a formal model to which modern society can look for direction.

[11] [s.n.t] CONFÚCIO, *The Analects* 2/2/4. Trad James Legge. Disponível em < http://ctext.org/analects/wei-zheng> Acesso em 17 de setembro de 2014. Texto original: *At fifteen, I had my mind bent on learning. At thirty, I stood firm. At forty, I had no doubts. At fifty, I knew the decrees of Heaven. At sixty, my ear was an obedient organ for the reception of truth. At seventy, I could follow what my heart desired, without transgressing what was right.*

[12] CHENG, Anne. *História do Pensamento Chinês*. Trad. Gentil Avelino Titton, *cit*. p. 70.

[13] A terminologia aqui adotada também está presente na tradução de Gentil Avelino Titton para *História do pensamento chinês*, de Anne Cheng. CHENG, Anne. *História do Pensamento Chinês*. Trad. Gentil Avelino Titton, *cit*. p. 70-74.

nuncia *rén*) e do caractere 二 *èr* (que significa dois). Assim é que, diante desta constatação, Antoni Prevosti i Monclús postula que "a interpretação mais comum é a de que o caractere 仁 *rén* faz referência à relação dos homens com os demais".[14] No mesmo sentido, Anne Cheng afirma que: "no campo relacional aberto pela própria grafia deste termo, o eu não pode ser concebido como uma entidade isolada das outras, retirada em sua interioridade, mas antes como um ponto de convergência de intercâmbio interpessoais[15]".

Esta reciprocidade que se estabelece com o outro e que configura o próprio senso do homem deve ser entendida no contexto da tradição Confuciana em que a piedade filial (孝 *xiào*) e o rito (禮 *lǐ*) figuram como noções centrais. Ora, dentro de uma corrente de pensamento em que a relação fundamental para a compreensão da pertença do indivíduo à própria comunidade humana consiste na relação (submissa) do filho para com seu pai, (a qual, em última análise, se traduz na própria relação entre soberano e súdito) não há que se cogitar, pois, de uma reciprocidade que coloque os indivíduos (naturalmente ocupantes de posições hierarquicamente distintas) em patamares equivalentes.

Eis por que a insistência de Confúcio na importância de se retificar os nomes, adequando-os às realidades correspondentes, nesta postulação "encontramos a convicção de que existe uma força inerente à linguagem, que não faz senão exprimir a dinâmica das relações humanas ritualizadas e que não têm, portanto, a necessidade de emanar de uma realidade transcendente[16]".

Curiosamente, o ideograma 仁 *rén* aparece pela primeira vez nos Diálogos de Confúcio justamente em uma passagem que faz referência à piedade filial (孝 *xiào*), enquanto virtude fundante de toda ação benevolente:

> O filósofo You disse: são poucos aqueles que, sendo filiais e fraternais se sentem bem em ofender seus superiores. Não há ninguém que, não se sentindo bem em ofender seus superiores, se sente bem em causar alvoroço. O homem superior volta sua atenção para suas raízes. Dado isto, todos os cur-

---

[14] MONCLÚS, Antoni Prevosti i; RÍO, Antonio José Doménech; PRATS, Ramon N. *Pensamiento y religión em Asia oriental, cit.*, p. 52.

[15] CHENG, Anne. *História do Pensamento Chinês*. Trad. Gentil Avelino Titton, *cit.* p. 71.

[16] CHENG, Anne. *História do Pensamento Chinês*. Trad. Gentil Avelino Titton, *cit.* p. 88.

sos naturalmente se endireitam. Piedade filial e submissão fraternal! – Não são elas a raiz de todas as *ações benevolentes?* [17] – grifo nosso [note-se como a tradução de James Legge aproxima a noção de 仁 rén, neste trecho específico, da ideia de benevolência].

No que concerne à importância dos ritos (禮 *lǐ*) e ao senso do homem 仁 *rén*, impende, ainda, ressaltar que se tratam, na verdade, de duas faces da mesma moeda. De acordo estão, a este respeito, as ponderações Anne Cheng:

> Confúcio realiza a respeito do *li* um "deslizamento semântico", passando do sentido sacrificial e religioso à ideia de uma atitude interiorizada de cada pessoa, que é a consciência do outro e respeito pelo outro, e que garante a harmonia das relações humanas [...] Mas, apesar deste deslizamento, o caráter sagrado do *li* é preservado em toda sua força e eficácia: na verdade, transfere-se o sagrado do domínio propriamente religioso para a esfera do humano[18].

3. A reinvenção da tradição

Em suma, pode-se se dizer que estas são as noções e elementos mais importantes para uma assimilação superficial, porém basilar, da tradição confucionista. É a partir delas que buscaremos a compreensão dos questionamentos inicialmente propostos, bem como enfrentamentos possíveis que conduzam a considerações razoáveis e respostas admissíveis.

3.1. Os horizontes de expectativas

Ruichang Wang, em seu artigo *"The Rise of Political Confucianism in Contemporary China"*, afirma que qualquer pesquisador que se importe com a China enquanto objeto de estudo, certamente não deixará de notar que o

---

[17] [s.n.t] CONFÚCIO, *The Analects 1/2*. Trad James Legge. Disponível em < http://ctext.org/analects/wei-zheng> Acesso em 17 de setembro de 2014. Texto original em inglês: *The philosopher You said, "They are few who, being filial and fraternal, are fond of offending against their superiors. There has been none, who, not liking to offend against their superiors has been fond of stirring up confusion. The superior man bends his attention to what is radical. That being established, all practical courses naturally grow up. Filial piety and fraternal submission! – are they not the root of all benevolent actions?"* Texto original em chinês tradicional: 有子曰：其為人也孝弟，而好犯上者，鮮矣；不好犯上，而好作亂者，未之有也。君子務本，本立而道生。孝弟也者，其為仁之本與.

[18] CHENG, Anne. *História do Pensamento Chinês*. Trad. Gentil Avelino Titton, *cit.* p. 79.

A REINVENÇÃO DO CONFUCIONISMO NA CHINA CONTEMPORÂNEA

país testemunha e protagoniza, na contemporaneidade, o renascimento do Confucionismo e de sua cultura tradicional. Os exemplos são abundantes: recitais de poesia clássica para crianças expandindo-se em todas as partes do país, milhares de livros sobre Confucionismo e/ou cultura tradicional empilhados e figurando entre os mais vendidos nas livrarias, frequência a palestras de "estudos nacionais" sediadas por universidades prestigiadas se tornando moda entre empresários, dentre outros[19].

Parece surpreendente que uma doutrina perseguida e taxada como antiquada por mais de duas décadas esteja assumindo um papel central na vanguarda das transformações da cultura política chinesa. Consoante sublinha Jiang Qing, em seu artigo, *"From Mind Confucianism to Political Confucianism"*, no séc. XX o Confucionismo, enquanto princípio político, sofreu severos ataques.

Para além da Revolução Chinesa de 1911, cuja principal meta era derrubar o sistema monárquico-feudalístico que, em tese, era inspirado pela tradição confuciana,[20] o movimento de 04 de maio de 1919 representou uma verdadeira investida contra os princípios do pensamento chinês tradicional. Conforme os ensinamentos de John Fairbank e Merle Goldman, o movimento de 04 de maio de 1919 foi, na verdade, uma reação nacionalista da China em oposição ao Tratado de Versalhes, que garantiu os direitos originalmente germânicos, na província de Shandong, para o Japão. Os autores explicam que houve, à época, uma forte mobilização intelectual liderada por proeminentes escritores que haviam estudado no Japão, mas que, ao retornarem à China, passaram a viver em situação de pobreza urbana e sob constante perseguição policial. Por meio de suas obras, estes escritores disseminaram a oposição aos laços do sistema familiar e incentivando a autoexpressão individual – incluso, nisto, a liberdade sexual[21].

Semelhante fenômeno ocorre em 1969, com a Revolução Cultural levada a cabo por 毛泽东 *Máo Zédōng*, quando, numa tentativa abrupta de

---

[19] WANG, Ruichang, *The Rise of Political Confucianism in Contemporary China*. In: FAN, Ruiping (ed.). *The Renaissance of Confucianism in Contemporary China*. Springer: Hong Kong, 2011. p. 33.

[20] QING, Jiang. *From Mind Confucianism to Political Confucianism*. In: FAN, Ruiping (ed.). *The Renaissance of Confucianism in Contemporary China*. Springer: Hong Kong, 2011. p. 22.

[21] FAIRBANK, John King; GOLDMAN, Merle. *China: A New History*. 2 ed. Cambridge: The Belknap Press of Harvard University Press, 2006. p. 267-268.

DIREITO CHINÊS CONTEMPORÂNEO

ruptura com o passado, os valores e instituições de cunho confucionistas são oficialmente substituídos por elementos do discurso marxista.

Louise Slavicek explica que a Revolução Cultural Chinesa foi um fenômeno que durou de 1966, quando Mao e o Partido Comunista Chinês (PCC) lançaram formalmente o movimento radical, até a morte do líder, uma década mais tarde. Segundo a autora, os objetivos centrais da Revolução eram revitalizar o fervor revolucionário do povo chinês e acelerar a evolução da República Popular da China rumo à utopia comunista. Para atingir tais objetivos, todos os resquícios culturais do capitalismo e do "passado feudal" da China haviam de ser impiedosamente destruídos, juntamente com todas as "autoridades" – de professores a altos funcionários do partido – que não estavam comprometidas com os princípios radicais de Mao. Importante ainda, neste ponto, ressaltar que a trajetória de Mao no poder, bem como a Revolução Cultural, foi marcada por uma forte oposição ao Confucionismo. Mao achava que os ensinamentos éticos e sociais altamente influentes de Confúcio eram reacionários e elitistas. Não era de se estranhar, portanto, que a tradição confucionista rapidamente tenha se tornado um dos principais focos da cruzada dos Guardas Vermelhos[22].

Neste cenário, era natural que o Confucionismo, considerado então como a tradição fundante de um sistema anacrônico, se erigisse como principal alvo dos ataques ideológicos das revoluções que visavam ao emparelhamento do progresso técnico-científico divisado pelo Ocidente.

A questão que se impõe de imediato, aqui, é a de saber como e em que medida, por detrás desses abalos, a China sofreu efetivamente transformações nos alicerces de sua cultura milenar. Importa investigar, a esta altura, se a teoria marxista teve o condão de revogar, em um plano simbólico, a validade dessa complexa e profundamente arraigada estrutura de valores que construíram ao longo de séculos de tradição o espírito da identidade chinesa.

3.2. Do Marxismo ao Confucionismo
Não obstante o PCC tenha deixado de lado a ênfase na luta de classes e abandonado a oposição radical à noção de propriedade privada, oficial-

---

[22] SLAVICEK, Louise Chipley. *Milestones in Modern History: The Chinese Cultural Revolution.* New York: Chelsea House Publishers, 2010. p. 7-13, 57-72.

mente, o pensamento marxista ainda é a base que sustenta a legitimidade do governo pelo Partido Comunista Chinês.

De fato, desde que 鄧小平 *Dèng Xiăopíng* assumiu o poder, em 1978, reformas vêm sendo implementadas com vistas à aproximação de um modo de produção capitalista.

Não é sem razão, pois, que estas reformas poderiam suscitar a ideia de que o Partido estaria abandonando seu compromisso inicial com a realização de um ideal comunista. Contudo, segundo ressalta Daniel A. Bell:

> Este desenvolvimento pode refletir [ao contrário do que se poderia imaginar] uma melhor compreensão da teoria marxista do que aquela dos dias de Mao. O PCC não precisa abandonar o compromisso com o comunismo como uma meta a longo prazo enquanto reconhecer que os países pobres devem passar pelo capitalismo no caminho [para a implementação do comunismo em seu estágio final[23]].

O autor explica que para Marx, se o comunismo for implementado sem o necessário desenvolvimento das forças de produção que sustentariam a abundância de recursos materiais, o sistema não funcionaria por muito tempo. Assim, em princípio, a defesa de um modo de produção capitalista na China poderia coexistir sem contradições com a ideologia oficial do governo:

> Do ponto de vista marxista, a questão moral de todo o processo é libertar a grande massa da necessidade de se envolver em trabalho duro. A tecnologia será altamente desenvolvida e, em um certo ponto – o momento da revolução – a propriedade privada será abolida, e máquinas farão o trabalho em favor do aperfeiçoamento material da humanidade, em vez de servir somente a interesses de uma pequena classe. A tecnologia vai fazer o trabalho sujo necessário para atender às necessidades físicas das pessoas, e as pessoas vão finalmente ser livres para ir pescar, ler livros, elaborar e criar obras de arte e assim por

---

[23] BELL, Daniel A. *China's New Confucianism: Politics and Everyday Life in a Changing Society.* United Kingdom: Princeton University Press, 2008. p. 17. Texto original: *But such developments may reflect a better understanding of Marxist theory than in Mao's day. The CCP need not abandon the commitment to communism as the long-term goal so long as it recognizes that poor countries must go through capitalism on the way.*

DIREITO CHINÊS CONTEMPORÂNEO

diante. O trabalho desagradável será limitado à manutenção de máquinas e outras tarefas necessárias para manter o sistema funcionando, mas este "domínio da necessidade" não tomaria a maior parte do dia de trabalho[24].

Recentemente, no entanto, políticos chineses assinalaram, pela primeira vez em 25 anos, uma mudança no sentido da promoção de um crescimento mais sustentável, permitindo aos grupos menos privilegiados mais acesso a oportunidades de emprego, saúde, educação de base e seguridade social[25].

É difícil, contudo, entrever quanto dessas mudanças decorrem efetivamente do compromisso do Partido com a ideologia comunista. O fato é que, paralelamente a essas transformações, os chineses testemunham a reapropriação do discurso confucionista como forma de legitimar a unidade nacional sob um ideal de harmonia confuciana a ser promovida pelo governo.

Na verdade, como bem observa Daniel A. Bell, seria possível conjecturar que os elementos da ideologia maoísta encontram ecos muitos mais legítimos na tradição confucionista que no discurso marxista. Assim, o Marxismo ao estilo chinês seria, em verdade, uma continuação do modo de vida infundido pelos primórdios da vertente mais venerável da tradição chinesa.

Para justificar sua hipótese o autor cita, a título de exemplo, a prática maoísta de um criticismo que deve sempre ser direcionado ao próprio interlocutor, antes de se dirigir a outrem.[26] Consonante a explicação de Anne Cheng, que dispõe que na realização do 仁 *rén* confucionista, "tudo

---

[24] BELL, Daniel A. *China's New Confucianism: Politics and Everyday Life in a Changing Society*, cit. p. 18. Texto original: *In the Marxist framework, the moral point of the whole ugly process is to free the large mass of humankind from the need to engage in drudge labor. Technology will be highly developed, and at a certain point – the moment of revolution – private property will be abolished, and machines made to do work for the betterment of humanity instead of the interests of one small class. Technology will do the dirty work needed to meet people's physical needs, and people will finally be free to go fishing, read books, design and create works of beauty, and so on. Unpleasant work will be limited to the maintenance of machinery and other tasks required to keep the system going, but this "realm of necessity" would not take up most of the working day.*

[25] BELL, Daniel A. *China's New Confucianism: Politics and Everyday Life in a Changing Society*, cit. p. 19.

[26] BELL, Daniel A. *China's New Confucianism: Politics and Everyday Life in a Changing Society*, cit. p. 24.

começa pela própria pessoa, no sentido de uma exigência sem limites para consigo mesmo"[27].

Ao mesmo tempo o debate acadêmico amplia cada vez mais os horizontes que balizam a reinvenção do Confucionismo enquanto princípio político. Intelectuais como Jiang Qing encabeçam o nascimento do que já parece tomar contornos de uma nova escola de neo-confucionistas[28]. Estes intelectuais postulam uma nova solução diante da aceitação tácita dos neo-confucionistas anteriores em relação à democracia liberal como único sistema político legítimo compatível com o Confucionismo, propondo um arranjo que misture representação democrática e governo meritocrático. Trata-se de uma composição que autores como Ruiping Fan e o próprio Jiang Ching denominarão *"Political Confucionism"* (*Confucionismo Político*) em oposição ao *"Mind Confucianism"* (Confucionismo Espiritual[29]).

3.3. Confucionismo Político e Confucionismo Espiritual
Segundo Ruichang Wang "Confucionismo Espiritual" e "Confucionismo Político" são um par de termos primeiramente cunhados por Jiang Qing, um expoente da Neo-Confuncionismo da China Continental (*Mainland China New Confucianism*), o qual divisa duas grandes tradições dentro do Confucionismo[30].

Estas tradições, embora complementares, contrastam-se em diversos aspectos. É assim que, enquanto o Confucionismo Político preocupa-se com o aspecto da legitimidade política ou da "realeza exterior" (外王 *wài*

---

[27] CHENG, Anne. *História do Pensamento Chinês*. Trad. Gentil Avelino Titton, *cit.* p. 73.

[28] Ruichang Wang denomina este movimento intelectual de "Mainland China New Confucianism" em oposição à geração anterior, a qual ele designa como "Modern New Confucionism".

[29] Optamos aqui por traduzir *"Mind Confucianism"* por Confucionismo Espiritual, uma vez que, conforme a compreensão que o próprio autor estabelece sobre a expressão, trata-se mais de um conjunto de compreensões compartilhadas culturalmente (como em "espírito de um povo") do que de um conjunto de elaborações mentais, como o termo *"mind"* (mente em português) faz parecer. Importante, contudo, ressaltar que a noção de "espírito", categoria abstrata racional típica do pensamento ocidental, não encontra ecos no pensamento tradicional chinês, o qual se exprime, sobretudo, pela representação de categorias eminentemente concretas. Portanto, utilizamos espiritual aqui no sentido de *conjuntos de elementos imateriais de uma cultura* em contraposição aos elementos materiais ou institucionais, como a família ou a estrutura do Estado.

[30] WANG, Ruichang, *The Rise of Political Confucianism in Contemporary China, cit.* p. 36.

wáng), o Confucionismo Espiritual debruça-se sobre o aspecto "moral interior" do indivíduo (內聖 *nèi shèng*).

Além disso, o Confucionismo Espiritual consideraria o homem como naturalmente bom (a exemplo dos ensinamentos de Mêncio), preconizando a necessidade de elevar a "espírito humano" quase que totalmente por meio do autocultivo da virtude, isto é, pelo esforço individual. Assim, o aprimoramento moral do homem não é outra coisa senão restaurar a própria humanidade (natureza humana), individualmente. Este aprimoramento moral levaria, segundo esta vertente da tradição, à manifestação exterior inevitável de um modelo sociopolítico ordenado harmonicamente[31]. Ao revés, o Confucionismo Político observa que a natureza humana não é nem boa nem ruim, mas (a exemplo dos ensinamentos de 荀子 *Xúnzǐ*) o homem pode se tornar bom se dispor de um meio dotado de instituições sócio-pólíticas que fomentem sua natureza nesse sentido[32].

Jiang Qing apregoa a importância destas duas vertentes do Confucionismo como realidades que se alternam e se complementam. A prevalência historicamente concedida ao Confucionismo "Espiritual" e a consequente aceitação, pelos neoconfucionistas modernos, da democracia liberal como único sistema político compatível com os ensinamentos da tradição têm, para o autor, causas conexas. Assim é que, lamentando a negligência em relação à rica "dimensão institucional" (外王 *wài wáng*) do Confucionismo o autor prefacia em tom profético:

> Como resultado [desta negligência], o Grande Caminho do Mestre Confúcio foi quebrado, e o Confucionismo como um todo foi mutilado, tal qual um carro com uma roda perdida e um pássaro com uma asa só. Com compatriotas tendo ouvido apenas a respeito do Confucionismo Espiritual [...] não é de se admirar que os teóricos políticos chineses só puderam se virar para o Ocidente em busca de inspiração. Meu livro se destina a reparar a tradição confucionista e apresentar o Confucionismo com todas as suas características para o mundo[33]!

---

[31] QING, Jiang. *From Mind Confucianism to Political Confucianism, cit.* p. 20.

[32] QING, Jiang. *From Mind Confucianism to Political Confucianism, cit.* p. 26.

[33] QING, Jiang. 1995. *Introduction to the Gongyang Commentary on the Springs and Autumns Annals*. Shenyang: Liaoning Education Press. Prefácio. *apud* WANG, Ruichang, *The Rise of Political Confucianism in Contemporary China, cit.* p. 37. Texto original em inglês: *As a result, Master Confucius' Great Way was broken, and the whole of Confucianism was mutilated, just like a cart with one wheel lost*

4. Conclusões

Embora o século XX tenha sido marcado por uma recusa ostensiva do passado e, consequentemente, da tradição confucionista, o presente parece fornecer uma conjuntura propícia para trazer à tona apreço chinês pelos elementos de sua própria História. Neste contexto, a China aparenta criar as condições para a construção de um modelo político propriamente chinês.

Mesmo que a retomada do Confucionismo como elemento do debate político na China não encontre, ainda, nenhuma repercussão efetiva na realidade política do Estado chinês, não há como ignorar o fato de estarmos diante de uma tradição milenar, a qual se confunde com os próprios elementos culturais hegemônicos da História da China; de uma tradição profundamente arraigada nas mentalidades.

É o que bem nos explica Anne Cheng:

> "É preferível, diz o Laozi, permanecer no centro". Em vez de sucumbir à tentação fácil de cuidar dos galhos, parte mais visível e agradável para olhar, é preferível cultivar a raiz da árvore, que, tirando vida e alimento do mais profundo da Terra enquanto cresce – aconteça o que acontecer – em direção ao Céu, é a imagem perfeita da sabedoria chinesa, de seu senso de equilíbrio, de sua confiança no homem e no mundo. É provavelmente pelas suas raízes, e não por seus ramos, que o pensamento chinês entrará realmente em comunicação com seu interlocutor, que, após ter sido budista, é hoje ocidental. Sua renovação se faz a este preço[34].

Referências Bibliográficas

AMES, Roger T. *The Art of Rulership: a study of ancient Chinese political thought*. New York: State University of New York Press, 1994.

---

and a bird with only one wing left. With countrymen having ever heard only of Mind Confucianism and having no idea of Political Confucianism, it is no wonder that Chinese political theorists can only turn to the West for inspiration. My book is meant to repair the Confucian tradition and present Confucianism with its full features to the world!

[34] CHENG, Anne. *História do Pensamento Chinês*. Trad. Gentil Avelino Titton, *cit.*, p. 41.

BELL, Daniel A. *China's New Confucianism: Politics and Everyday Life in a Changing Society*. United Kingdom: Princeton University Press, 2008.

CONFÚCIO, *The Analects 1/2*. Trad James Legge. Disponível em < http://ctext.org/analects/wei-zheng>.

CHENG, Anne. *História do Pensamento Chinês*. Trad. Gentil Avelino Titton. Petrópolis: Vozes, 2008.

FAIRBANK, John King; GOLDMAN, Merle. China: A New History. 2 ed. Cambridge: The Belknap Press of Harvard University Press, 2006.

FAN, Ruiping (ed.). *The Renaissance of Confucianism in Contemporary China*. Springer: Hong Kong, 2011.

HALL, David L.; AMES, Roger T. *Anticipating China*. New York: State University of New York Press. 1995.

HALL, David L.; AMES, Roger T. *Thinking Trough Confucius*. New York: State University of New York Press. 1987.

MING, Hung Ku; QIAN, Sima; WILHELM, Richard. *Introdução a Confúcio*. Trad. Vitória Davies, Verrah Chamma. Rio de Janeiro: Contraponto, 2011.

MONCLÚS, Antoni Prevosti i; RÍO, Antonio José Doménech; PRATS, Ramon N. *Pensamiento y religión em Asia oriental*. Barcelona: Editorial UOC, 2005.

SLAVICEK, Louise Chipley. *Milestones in Modern History: The Chinese Cultural Revolution*. New York: Chelsea House Publishers, 2010.

CAPÍTULO 3
A EXPERIÊNCIA NORMATIVA NA CHINA: PASSADO E PRESENTE

ANDRÉ GARCIA LEÃO REIS VALADARES

1. Introdução

O presente artigo visa, primordialmente, a extrair aspectos do pensamento tradicional chinês que influenciaram o Direito da China. Para tanto, revela-se necessário abordar, ainda que de maneira objetiva, elementos essenciais do Confucionismo e do Legalismo relacionados à forma de governo proposta pelas duas tradições culturais.

Registre-se, desde logo, que o Taoismo, outra tradição fundamental no pensamento chinês, não receberá, neste trabalho, tamanha importância, na medida em que seus ensinamentos perpassam, sobretudo, pela experiência mental e espiritual individual, fundada no "não agir[1]".

A partir dos subsídios das tradições chinesas – repita-se, do Confucionismo e do Legalismo –, buscar-se-á compreender a modernização e a transformação do Direito Chinês. Assim, será necessário observar as reformas iniciadas pela Dinastia Qing e continuadas pelo Partido Nacional Chinês (中國國民黨 *Zhōngguó Guómíndǎng* ou *Kuomintang* ou KMT), a evolução legislativa após a Revolução Comunista e o desenvolvimento do sistema jurídico após a morte de 毛澤東 *Máo Zédōng* e a ascensão de 鄧小平 *Dèng Xiǎopíng*.

Com essas considerações, passam-se às premissas básicas das influências recebidas pelo Direito na China, destacando-se, por conseguinte, aspectos fundamentais da tradição do pensamento chinês.

---

[1] No Capítulo 1, *Raízes do Pensamento Chinês*, Rafael Machado da Rocha, afirma que o "desenho da realização humana, como concebido pelos taoistas, é traçado a partir da emulação do curso inerente da natureza e pelo retorno aos primórdios. Afastando as influências distorcidas da civilização, seríamos, enfim, capazes de consumar o estado da não-ação, integrando-nos novamente à ordem imanente do universo".

DIREITO CHINÊS CONTEMPORÂNEO

2. Legalismo e Confucionismo: confronto teórico e convivência prática

De acordo com MACCORMACK[2], é comum, principalmente no Ocidente, ter-se a equivocada ideia de que a China tradicional não tinha "leis" como às quais os países ocidentais se sujeitavam. Essa falsa impressão, no entender do mesmo autor, teria sido difundida, principalmente, por Montesquieu, em sua obra mais famosa, "O Espírito das Leis".

Contudo, ao contrário do que alguns ainda sustentam[3], CHEN aponta que a China possui um passado de ricas fontes quando se trata de leis[4]. MACCORMACK separa o desenvolvimento do Direito Chinês em quatro etapas:

> [D]evemos distinguir os seguintes estágios na história legal registrada da China tradicional: (i) os primórdios, isto é, as leis dos primeiros reis Zhou, (ii) a codificação em lei em larga escala de alguns estados Chineses durante o sexto século a.C., (iii) as leis inspiradas no Legalismo do estado e império de Qin, e (iv) as leis inspiradas no Confucionismo, iniciando na dinastia Han, completamente desenvolvidas sob o T'ang, e continuando por todo o período imperial[5].

Os governantes 周朝 *Zhōu*, posteriormente considerados como os sábios pelos Confucianos, produziam e executavam leis que já disseminavam os valores que inspirariam, no futuro, o Confucionismo, tais como o dever de respeito ao patriarca.

MACCORMACK indica que o primeiro documento envolvendo matéria legal tido como autêntico é o 康誥 *kāng gào*, produzido pelo rei *Wu*, da Dinastia *Zhōu* (1122 – 1116 a.C.)[6]. Houve também o "Livro de Punições"

---

[2] MACCORMACK, Geoffrey. *The spirit of traditional Chinese law*. Athens: The University of Georgia Press, 1996, p. xiii.

[3] Segundo MacCormack, a visão de que não havia leis na China Tradicional ainda é sustentada por Thomas B. Stephens e por León Vandermeersch.

[4] CHEN, Jianfu. *Chinese Law: context and transformation*, cit, p. 8.

[5] MACCORMACK, Geoffrey. *The spirit of traditional Chinese law, cit.*, p. 2. Texto original: *"[W]e may distinguish the following stages in the recorded legal history of traditional China: (i) the very beginnings, that is, the laws of the early Chou kings, (ii) the large scale codifications of the law in some Chinese states during the sixth century B.C., (iii) the Legalist-inspired laws of the state and empire of Ch'in, and (iv) the Confucian-inspired laws, beginning with the Han dynasty, fully developed under the T'ang, and continuing throughout the whole imperial period.".*

[6] MACCORMACK, Geoffrey. *The spirit of traditional Chinese law, cit.*, p. 2.

(*"Book of Punishment"* ou *"Xingshu"*), escrito em 536 a.c. Mais recentemente, arqueólogos teriam encontrado textos que datam de 770 a 481 a.C., confirmando a existência de lei escrita nesse período. Ainda de acordo com CHEN, tiras de bambu encontradas em 1975 continham sofisticadas leis da Dinastia Qin (221 – 206 a.c.), representando, talvez, o mais avançado estágio de desenvolvimento do Direito naquele tempo no mundo.

O Confucionismo e o Legalismo dominaram, em aspectos políticos e jurídicos, boa parte da tradição jurídica chinesa passada de uma dinastia a outra por milhares de anos. Embora não se desconheça que cada uma delas abriu espaço para variadas e múltiplas interpretações, seus aspectos gerais serão brevemente explicados abaixo, haja vista sua influência no desenvolvimento do Direito Chinês.

2.1. Confucionismo

Confúcio, ou 孔子 *Kǒng Zǐ*, (551 – 479 a.C) fundou as bases da doutrina que recebeu o seu nome – Confucionismo –, cujos ensinamentos permearam profundamente a história da civilização chinesa e influenciou, por mais de dois mil anos, as várias dinastias que se sucederam na China[7]. Os "Analectos de Confúcio", também conhecidos como "Diálogos de Confúcio", são o livro de doutrinas de maior importância do seu pensamento.

Os ensinamentos de Confúcio têm como objetivo fulcral o alcance da realização pessoal, bem como da ordem social e política, por meio de uma construção fundamentalmente moral[8]. O cultivo da retidão e da honestidade se concebe, segundo essa doutrina, pela educação a partir da repetição dos exemplos dos antepassados. A herança da tradição cultural permitiria o desenvolvimento moral humano e o estabelecimento de uma ordem social baseada na virtude.

Mas os modos dos antepassados não deveriam ser tão somente, pura e simplesmente, repetidos. Seria necessário extrair dos atos passados, pela reflexão, o verdadeiro conteúdo moral. AMES assim traduz o pensamento confucionista:

---

[7] RAMOS, Marcelo Maciel. *A invenção do direito pelo ocidente: uma investigação face à experiência normativa da China*, cit., p. 15 e 34.

[8] AMES, Roger T. *The art of rulership: a study of ancient Chinese political thought*. New York: State University of New York Press, 1994, p. 2.

DIREITO CHINÊS CONTEMPORÂNEO

Existe uma recorrente ênfase no aprendizado nos textos Confucionistas – uma emulação do modelo exemplar dos antepassados. Mas aprender
não é simplesmente ser programado para aceitar uma série de critérios para
o comportamento humano e para se conformar cegamente com esses critérios de conduta. Em vez disso, refere-se ao processo de primeira ingestão de
normas sociais por meio de sua imposição. Esse é o aprendizado formal. (...)
Depois, pela reflexão consciente e pela introspecção, empenha-se a entender
o conteúdo moral embutido na forma. Todo esse processo é referido como a
transformação pela educação. Somente quando uma atitude social prescrita é
informada pela compreensão do conteúdo moral é que uma pessoa está realmente vivendo de acordo com o Caminho[9].

Por essa razão, segundo AMES, o Confucionismo considera a cultura
como *"cumulativa e geralmente progressiva[10]"*.

A teoria Confucionista sustenta que todos os homens são naturalmente
similares e que a diferença entre eles decorre do nível de instrução e disciplina. Ou melhor, os homens se diferenciam de acordo com o quanto a
educação resultou em crescimento moral. Nessa ordem de ideias, todos os
homens têm a mesma capacidade individual de alcançarem a moral universal – *way* – em suas relações sociais.

Relativamente a aspectos políticos, apenas um governo baseado na
moral (*lǐ*) e na virtude (*dè*) é capaz de controlar os homens. Na lição de
BODDE e MORRIS, citados por JIANFU CHEN, *"lidere as pessoas pela virtude e as mantenha em ordem pela moral estabelecida, que elas manterão sua
dignidade e irão até você[11]"*.

---

[9] AMES, Roger T. *The art of rulership: a study of ancient Chinese political thought, cit.,* p. 3. Texto
original: *"(...) there is a recurring emphasis on leaning in the Confucian texts – an emulation of the
ancients' exemplary model. But learning is not simply being programmed by the acceptance of some external
set of criteria for human behavior and blind conformity to these criteria in one's conduct. Rather, it refers
to the process of first ingesting social norms through enacting them. This is formal learning. (...) Next,
through conscious reflection and introspection one strives to understand the moral content embedded
in the form. This entire process is referred to as transformation through education. It is only when a
prescribed social action is informed by an intuited grasp of the moral content that a person is truly living
in accordance with the Way".*

[10] AMES, Roger T. *The art of rulership: a study of ancient Chinese political thought, cit.,* p. 5.

[11] BODDE, Derk e MORRIS, Clarence. *Law in Imperial China.* Cambridge: Harvard University
Press, 1994, p. 21/22 *apud* CHEN, Jianfu. *Chinese Law: context and transformation.* Leiden/

A moral (*lǐ*) compreende uma série de significados, podendo traduzir um conjunto de regras gerais que estipulam a conduta e o comportamento que mantêm a ordem social ideal[12]. Todavia, considerando a estrutura hierarquizada prezada pelo Confucionismo, as regras sociais não eram universalmente aplicáveis a todos os homens de forma igual, dependendo da posição ocupada na sociedade ou na família.

Ensina CHEN que o objetivo final de um bom governo era a correta operação da hierarquia das relações humanas[13]. De acordo com FAIRBANK, a obediência à hierarquia era o fundamento para se receber o merecido: se todos os deveres fossem cumpridos, a sociedade ficaria em ordem, em benefício de todos[14]. Isto é, a manutenção da hierarquia, pela obediência à posição social de cada um por meio da moral, era o propósito do governante de teoria Confucionista.

2.2. Legalismo

A origem do Legalismo é atribuída a 商鞅 *Shāng Yāng* (380-338 a.C.) e a 韓非 *Hán Fēi* (280-233 a.C.). Embora o nome conferido a esta escola faça referência ao Direito, RAMOS aponta que seu fundamento não lhe é afeto:

/Boston: Martinus Nijhoff, 2008, p. 10. Texto original: *"(...) lead them [the people] by virtue and keep them in order by the established morality (li), and they will keep their self-respect and come to you"*.

[12] O termo *li* também pode significar rito, elemento central da normatividade chinesa até a Revolução Comunista. RAMOS (RAMOS, Marcelo Maciel. *A invenção do direito pelo ocidente: uma investigação face à experiência normativa da China*. São Paulo: Alameda, 2012, p. 267) confronta, de forma brilhante, o rito chinês e o rito no ocidente: *"Do lado ocidental, produziu-se um ritualismo jurídico que promoveu, através da imposição de formalidades para a elaboração de normas, a fixação de limites para o exercício de qualquer prerrogativa e, com isso, a emancipação gradativa do homem em face do arbítrio (...). Na China, por outro lado, o ritualismo consiste em uma conformação imediata à natureza e aos papéis sociais que dela decorrem. Enquanto o rito chinês aprisiona o homem em uma justificação naturalista do mundo, o ritualismo jurídico o liberta de todo pertencimento concreto, seja ele natural ou social. Se o rito chinês tem como propósito a 'despessoalização do homem', fazendo desaparecer qualquer distinção individual que não se funde nos aspectos concretos da vida – no pertencimento a uma totalidade orgânica e nos papéis sociais dos quais se está naturalmente investido –, o rito jurídico, inventado pelo Ocidente sobre os seus critérios racionais, investe o homem de uma individualidade fundada abstratamente no valor universal da sua existência, a despeito de todo pertencimento concreto"*.

[13] CHEN, Jianfu. *Chinese Law: context and transformation, cit.*, p. 13. Texto original: *"(...) to rule a state was '[to] let the ruler be ruler, the minister be minister, the father be father, and the son be son'. (...) In other words, the final goal of good government was the correct operation of hierarchical human relationship"*.

[14] FAIRBANK, John King; GOLDMAN, Merle. *China: uma nova história, cit.*, p. 79.

Anota Jullien que, embora os pensadores dessa escola recebam o nome de legalistas nas línguas ocidentais, eles são pensadores políticos – como, afinal, parece ser a vocação comum e marcante de toda a tradição do pensamento chinês. Eles são teóricos de um totalitarismo, tendo colocado no centro de suas reflexões a preocupação com o poder em seu aspecto técnico ou utilitarista e não, conforme a tradução do nome pode fazer crer, com o Direito[15].

Esta escola de pensamento se fortaleceu e ganhou notoriedade na China com a Dinastia Qin (221-206 a.C). A bem da verdade, a adoção dos ideais legalistas foi um dos motivos pelos quais a Dinastia Qin se sobrepôs aos demais Estados Chineses ao fim da era dos Reinos Combatentes (403-221 a.C)[16], fundando o Estado unificado em 221 a.C. SHOUYI afirma que a prevalência dos Qins naquela oportunidade se deveu à preexistência, naquele estado, de organização política e de uma desenvolvida força produtiva[17].

Apesar da curta duração – apenas quinze anos –, a Dinastia Qin constituiu importante contribuição para o pensamento chinês. Fundado no centralismo, os Qins implementaram a burocracia, por meio do desenvolvimento de normas administrativas: o Estado unificado (governado pelo Primeiro Imperador, como se intitulou o Rei Qin Shihuang – também conhecido como Ying Zheng) foi dividido em 31 condados, cada qual administrado por magistrados indicados pelo Poder Central[18]. Estipulou-se uma estrutura piramidal[19], em que o controle do Imperador se estendia até a base da sociedade – grupos de cinco a dez famílias que compunham cada unidade da coletividade.

A unidade territorial foi seguida da uniformização da linguagem escrita, de pesos, de medidas e da moeda, tudo como forma de tornar o controle central mais eficaz. SHOUYI destaca que:

> Para governar mais eficazmente, o Primeiro Imperador ordenou que a linguagem escrita e pesos e medidas fossem padronizadas. O primeiro passo

---

[15] RAMOS, Marcelo Maciel. *A invenção do direito pelo ocidente: uma investigação face à experiência normativa da China, cit.*, p. 278.

[16] FAIRBANK, John King; GOLDMAN, Merle. *China: uma nova história.* 2ª ed. Porto Alegre: L&PM, 2007, p. 62.

[17] SHOUYI, Bai. *An outline history of China.* Beijing: Foreing Languages Press, 2005, p. 112.

[18] FAIRBANK, John King; GOLDMAN, Merle. *China: uma nova história, cit.*, p. 68.

[19] SHOUYI, Bai. *An outline history of China, cit,* p. 113.

visava simplificar a comunicação em documentos oficiais, e o segundo a tornar mais fácil a coleta de grãos, seda e outros materiais como imposto em espécie e tributo, e cálculos metrológicos para projetos de construção[20].

Em posição diametralmente oposta aos ensinamentos de Confúcio, o Legalismo parte do pressuposto de que todos os homens nascem maus[21]. E, a partir dessa suposição, essa tradição conferia à lei a função primordial de controlar a maldade por meio da imposição de punições severas.

MACCORMACK preleciona que o Legalismo prezava pelo princípio de que mesmo pequenas transgressões à lei deveriam ser punidas exemplarmente, de modo que, ao final, as pessoas não violariam a legislação posta, tornando desnecessária a própria punição[22].

Para o Legalismo, apenas com uma legislação uniforme e aplicável a todos é que se poderia governar um Estado. Inclusive, CHEN ilustra que o modelo de governo proveniente do Legalismo sugeria ignorar as diferenças entre o nobre e o humilde e sujeitar todos à lei[23].

A noção de igualdade proposta pelo Legalismo sinalizou uma inovação no pensamento Chinês. Até então, vigia na China fortíssima tradição cultural que preconizava o respeito ao patriarca e ao governante. Essa concepção era, também, a base do Confucionismo, cujos ensinamentos (na esfera individual e social) influenciariam a Dinastia posterior (Dinastia Han).

A evolução da legislação chinesa nos curtos quinze anos do império Qin, com a edição de complexa legislação penal e administrativa, foi essencial para o desenvolvimento do Direito Chinês e, como contrapartida, pela introdução de elementos do Confucionismo na lei.

2.3. A convivência entre o Confucionismo e o Legalismo

Após a supremacia da tradição legalista durante a Dinastia Qin, que extirpou qualquer influência do Confucionismo no Direito, a Dinastia Han

---

[20] SHOUYI, Bai. *An outline history of China, cit*, p. 114. Texto original: *"To rule more effectively, the First Emperor ordered that the written language and weights and measures be standardized. The first step was aimed at simplifying communication in official documents, and the second at making easier the collection of grains, silk and other materials as tax in kind and tribute, and metrological calculations for construction projects."*

[21] CHEN, Jianfu. *Chinese Law: context and transformation, cit.*, p. 14.

[22] MACCORMACK, Geoffrey. *The spirit of traditional Chinese law, cit.*, p. 4.

[23] CHEN, Jianfu. *Chinese Law: context and transformation, cit.*, p. 14.

retornou com os valores dessa tradição do pensamento e passou a introduzi-los na legislação[24]. Na lição de FAIRBANK:

> Ao aparelho estatal despótico do legalismo Qin, os Han acrescentaram uma estrutura monumental de ideias, de origem basicamente confucionista, que apresentava uma filosofia estatal abrangente. Chamamos a este amálgama legalista-confucionista 'confucionismo imperial', para distingui-lo tanto do ensinamento original de Confúcio, Mêncio e outros, quanto da filosofia secular e pessoal que surgiu na época Song e desde então tem guiado tantas vidas nos países do leste asiático hoje localizados na área da antiga dominação da cultura chinesa – China, Coréia, Vietnã e Japão[25].

O Confucionismo se tornou a filosofia oficial da Dinastia Han, uma espécie de arma ideológica do Império. Aliás, os imperadores Han acrescentaram os ideais confucionistas aos critérios de seleção oficial para cargos do Império, inclusive com provas escritas sobre os clássicos de Confúcio[26].

Nessa ordem de ideias, em vez da aplicação imediata e rigorosa da lei, recomendava-se que as pessoas deveriam, antes, ser educadas. Ou, noutros termos, que a educação moral, e não a lei, era a peça chave para manutenção da ordem social ideal[27]. Mas, a despeito da prioridade da educação moral, a lei – no sentido de punição – possuía um caráter subsidiário, porém necessário. Nesse sentido, a lei teria um efeito de curto prazo, enquanto *lǐ* influenciaria a sociedade de maneira ampla e permanente[28]. MACCORMACK explica:

> Os imperadores e governantes Confucionistas das Dinastias Han e posteriores reconheciam a necessidade prática da existência de um amplo código penal. Eles aceitavam que os ensinamentos morais por si sós não seriam suficientes para assegurar bom comportamento entre as pessoas. Leis penais, embora necessárias, seriam usadas principalmente como suplemento e refor-

---

[24] MACCORMACK, Geoffrey. *The spirit of traditional Chinese law, cit.*, p. 3.

[25] FAIRBANK, John King; GOLDMAN, Merle. *China: uma nova história, cit.*, p. 74.

[26] FAIRBANK, John King; GOLDMAN, Merle. *China: uma nova história, cit.*, p. 78.

[27] FENG, Yujun. *Legal culture in China: a comparison to western law.* In: ZNACL Yearbook, n. 15, 2009, p. 6. Disponível em: <http://www.victoria.ac.nz/law/nzacl/PDFS/Vol_15_2009/01%20 Feng.pdf>.

[28] CHEN, Jianfu. *Chinese Law: context and transformation, cit.*, p. 14.

çariam as lições obtidas pelos ensinamentos e orientações doutrinados pelo governante e por seus oficiais[29].

É dizer: quando o exercício da moral não fosse mais eficaz, o governante podia recorrer à força. Todavia, apesar de o uso da violência permanecer como prerrogativa do imperador, a preocupação com a moral e com a conduta adequada subsistia[30], pois a sua conduta exemplar o revestia de virtude. FAIRBANK põe em dúvida, porém, se, na prática, a moral se sobrepunha à violência:

> Essa linha de pensamento suscita uma importante questão, a da relação entre *wen* e *wu*. *Wen* significa basicamente a palavra escrita e, por extensão, sua influência sobre o pensamento, a moralidade, a persuasão e a cultura. Vamos chamá-la de 'a ordem civil'. *Wu* tem conotação do uso de violência e, assim, representa a ordem militar em geral. A classe de mestres confucianistas empenhava-se ao extremo na exaltação do *wen* e na depreciação do *wu*. Mesmo assim, pode-se imaginar se o *wu* (incluindo a fundação de dinastias, o extermínio de rebeldes e malfeitores e a punição dos funcionários) não deveria ser considerado o elemento mais forte e o *wen*, o mais fraco da combinação *wen-wu*[31].

Assim, com a "Confucianização do Direito[32]", o conceito de igualdade perante a Lei sustentada pelo Legalismo deu lugar à diferenciação do status social defendido pelo Confucianismo; retorna-se à convicção basilar do pensamento chinês, de que o mundo é espontaneamente harmônico e que a ordem advém da conformação ao seu desdobrar natural, e não da vontade humana[33]. Contudo, com a manutenção da associação da lei ao conceito de

---

[29] MACCORMACK, Geoffrey. *The spirit of traditional Chinese law, cit.*, p. 7. Texto original: *"The Confucian emperors and statesman of the Han and later dynasties all recognized the practical need for the existence of a wide-ranging penal code. They accepted that teaching and moral guidance alone would not suffice to secure good behavior among the people. Yet penal laws, while necessary, should principally be used to supplement and reinforce the lessons to be obtained from the teachings and guidance furnished by the ruler and his officials".*

[30] FAIRBANK, John King; GOLDMAN, Merle. *China: uma nova história, cit.*, p. 74.

[31] FAIRBANK, John King; GOLDMAN, Merle. *China: uma nova história, cit.*, p. 80.

[32] *"Confucianisation of Law".*

[33] RAMOS, Marcelo Maciel. *A invenção do direito pelo ocidente: uma investigação face à experiência normativa da China, cit.*, p. 287.

DIREITO CHINÊS CONTEMPORÂNEO

punição, a inserção dos valores de Confúcio fez erigir um detalhado sistema de legislação penal e a imposição de um grande número de regulamentos.

A bem da verdade, da Dinastia Han até a reforma realizada pela Dinastia Qing no século XX, o Confucionismo foi adotado como ideologia dominante. Todavia, na prática, o Legalismo nunca foi inteiramente descartado. Nas palavras de CHEN, *"na prática do Estado, o Legalismo continuou a prover os métodos e soluções para o governo, enquanto o Confucionismo foi mantido como a ordem desejada para a sociedade[34]"*.

3. A transformação da Tradição Jurídica Chinesa: o processo de ocidentalização do Direito Chinês

3.1. A queda da Dinastia Qing (1912), a ascensão do Partido Nacionalista Chinês (1912-1949) e as reformas legais

Somente nos últimos anos da Dinastia Qing (1644-1912 d.C.), quando os valores culturais tradicionais e o próprio sistema político chinês passaram a ser questionados interna e externamente, o império chinês foi forçado a rever sua tradição legal.

Internamente, a China via-se envolvida com corrupção no governo. Além disso, inquietações sociais eram percebidas de forma afrontosa à tradição cultural: oficiais militares passaram a trajar uniformes de estilo ocidental (inclusive com condecorações), ministros e comerciantes de alto nível começaram a usar ternos e estudantes radicais cortaram suas tranças para desafiar os governantes da Dinastia Qing[35].

Na seara internacional, a comunicação com o Ocidente admitiu o ingresso de ideias culturais, políticas e econômicas. Os privilégios concedidos aos estrangeiros a partir das duas Guerras do Ópio (1839-1842 e 1856-1860), como a abertura de portos ao comércio com o ocidente, aceleraram o processo de ocidentalização da China. Grupos de chineses passaram a estudar a tecnologia ocidental para o desenvolvimento da indústria nacional – militar e civil[36].

---

[34] CHEN, Jianfu. *Chinese Law: context and transformation, cit.*, p. 19. Texto original: *"In state practice Legalism continued to provide its methods and solutions for government, while Confucianism was upheld as a desired order for the society"*.

[35] FAIRBANK, John King; GOLDMAN, Merle. *China: uma nova história, cit.*, p. 230.

[36] SHOUYI, Bai. *An outline history of China, cit*, p. 412.

A EXPERIÊNCIA NORMATIVA NA CHINA: PASSADO E PRESENTE

Intelectuais e outras elites sociais pressionavam pela modernização do país, enfraquecendo as bases do pensamento tradicional, da cultura chinesa e da estrutura social dominante[37]. RAMOS assevera:

> A guerra sino-japonesa de 1895, a mudança social e econômica que a maior abertura para o mundo havia promovido e as várias sedições internas lançaram a última dinastia chinesa (Qing) em uma série de reformas legais, inspiradas no Direito ocidental. Em 1901, a imperatriz chinesa expediu um decreto sugerindo que os altos funcionários da corte imperial e das províncias iniciassem uma reforma das leis em vista dos modelos legais ocidentais. Em 1904, uma comissão para a codificação da lei foi estabelecida e uma reforma constitucional foi posta em marcha. Em 1905, uma comissão foi despachada para o Japão, Europa e Estados Unidos para estudar os seus parâmetros constitucionais. Vários atos legais, fortemente influenciados pelas ideias ocidentais, foram expedidos até o fim do império em 1912[38].

Como era de se esperar, o processo de ocidentalização sofria oposição de altos oficiais, que temiam o total abandono dos valores tradicionalmente prezados pelos chineses, especialmente advindos do Confucionismo. Movimentos anti-imperialismo surgiram a partir de 1899 e se alastraram pela China.

Por esse motivo, a Comissão responsável pela reedição da legislação chinesa, constituída em 1904, preocupava-se em adotar medidas preparatórias para a introdução da influência ocidental. A propósito, a lição de CHEN é digna de transcrição:

> Meras precauções, contudo, não frearam a feroz oposição a sua reforma [da Comissão]. Na verdade, praticamente todas as grandes reformas introduzidas pela Comissão de Codificação da Lei, inclusive o estabelecimento de um Poder Judiciário independente, a introdução de legislação processual e a revisão das leis penais sofreram oposição dos altos oficiais, incluindo 張之洞 *Zhāng Zhīdòng* (*Zhang Chig-tung*), um dos três alto oficiais que nomeou *Shen Jiaben* para a Comissão. Fundamentalmente, as reformas eram vistas como

---

[37] CHEN, Jianfu. *Chinese Law: context and transformation, cit.*, p. 23.
[38] RAMOS, Marcelo Maciel. *A invenção do direito pelo ocidente: uma investigação face à experiência normativa da China, cit.*, p. 294.

DIREITO CHINÊS CONTEMPORÂNEO

afronta às instituições e estruturas tradicionais, ignorando os valores tradicionais consagrados no *li* do Confucionismo e debilitando a fundação social construída sobre a moralidade social e os costumes. Para os opositores das reformas legais, elas seriam inevitáveis, mas deveriam ser construídas sobre a doutrina Confuciana da virtude, da lealdade e piedade filial. Visivelmente, sem uma revolução na ideologia, a reforma não iria triunfar[39].

Aliás, a grande influência do Confucionismo e a disseminação de teorias contrárias às reformas pró-ocidentalização foram consideradas determinantes para o fracasso da tentativa de modernização empreendida pela Dinastia Qing[40].

A queda da Dinastia Qing e a instalação da primeira República de sua história, em 1912, resultaram da Revolução de Xinhai (辛亥革命 *Xinhai Gémìng*, 1911-1912). Apesar da manutenção da legislação da Dinastia Qing até ulterior modificação, o propósito revolucionário culminou na continuidade da intenção das reformas legais, avançando na "ocidentalização" do Direito Chinês pela adoção de modelos estrangeiros em sua forma, terminologias e noções[41]. De acordo com SHOUYI:

> Eles [os revolucionários] introduziram uma ampla variedade de teorias políticas, filosofias históricas, etc., advindos do período revolucionário burguês ocidental, com o Contrato Social de Rousseau como sua doutrina e a Revolução Francesa e a Guerra de Independência Americana como seus modelos[42].

---

[39] CHEN, Jianfu. *Chinese Law: context and transformation, cit.*, p. 29. Texto original: *"Mere precautions, however, did not stop fierce opposition to his reform. Indeed, virtually every major reform introduced by the Law Codification Commission, including the establishment of an independent judiciary, the introduction of procedural laws, and the revision of criminal laws was opposed by high officials, including Zhang Zhitong (Zhang Chih-tung), one of the three high officials who nominated Shen Jiaben for appointment to the Commission. Fundamentally, the reforms were seen as challenging the traditional institutions and structures, ignoring the traditional values as embodied in Confucian li, and undermining the social foundation built on centuries-old social morality and customs. To the opponents to the reforms legal reforms were inevitable, but they had to be built upon Confucian doctrines of virtue, loyalty and filial piety. Clearly, without a revolution in ideology, the reform was not going to succeed."*

[40] YONGMING, Ai. *Why did the attempt to modernise the legal system in late Qing China fail? A sino-japanese comparative study.* Bond Law Review. V. 16: Iss. 1, 2004, p. 82 e 88.

[41] CHEN, Jianfu. *Chinese Law: context and transformation, cit.*, p. 30.

[42] SHOUYI, Bai. *An outline history of China, cit*, p. 460-461. Texto original: *"They introduced a broad range of political theories, history philosophy and so on from the Western bourgeois revolutionary*

Sob o comando do Partido Nacionalista Chinês (*Kuomintang* ou KMT), foram erigidos três princípios basilares do Direito Chinês: Nacionalismo, Democracia e Subsistência do Povo:

> Em geral, a doutrina do nacionalismo significava a reconstrução da China, internamente, em um estado unificado e, externamente, em um país forte frente a outras nações; a doutrina da soberania do povo (democracia) era a prática dos ideais democráticos ocidentais dentro do contexto chinês; e a doutrina da subsistência do povo se referia ao estabelecimento de um sistema de bem estar para a nação e a melhoria da vida das massas, principalmente pela equalização da propriedade de terras e controle de capital[43].

A aplicação da doutrina política baseada nos princípios acima fez exsurgir um novo sistema legal, conhecido como os "Seis Códigos[44]", que, comparado ao Direito Chinês tradicional, se apresentava progressivo e criativo, nas palavras de CHEN[45]. Optou-se pela proteção dos interesses nacionais, ao invés do sistema de clã ou de família; as novas organizações eram protegidas por espírito nacional, ideais democráticos[46] e felicidade do povo, diferentemente da monarquia autocrática preexistente; substituiu-se a economia baseada apenas na agricultura familiar por outra fundada na agricultura e na indústria.

Por sua vez, em confronto com as leis ocidentais, a nova legislação chinesa foi designada para proteger interesses sociais como um todo, e não liberdades individuais e interesses privados[47].

---

period with Rousseau's Social Contract as their gospel and the French Revolution and the American War of Independence as their models".

[43] CHEN, Jianfu. *Chinese Law: context and transformation, cit.*, p. 31. Texto original: *"In general, the doctrine of nationalism meant the reconstruction of China into a unified state internally and a strong country on an equal footing with other nations externally; the doctrine of people sovereignty (democracy) was the practice of Western democratic ideas within a Chinese context; and the doctrine of people's livelihood referred to the establishment of a welfare system for the nation and an improvement in the life of the masses, mainly by means of equalization of land ownership and control of capital".*

[44] Segundo Chen, o termo *"Six Codes"* não conota necessariamente seis códigos separados, sendo geralmente utilizado para compreender o corpo de leis instituídas no Governo do KMT.

[45] CHEN, Jianfu. *Chinese Law: context and transformation, cit.*, p. 32.

[46] Sobre a Democracia na China, veja o capítulo 5, *China Contemporânea e Democracia*.

[47] FENG, Yujun. *Legal culture in China: a comparison to western law, cit.*, p. 7.

DIREITO CHINÊS CONTEMPORÂNEO

Nesse sentido, o KMT admitia a ingerência do Direito ocidental, mas apenas se compatíveis com referidos princípios fundamentais. Assim, quando em comparação com as propostas de reforma da Dinastia Qing, o Partido Nacionalista, embora representasse fortemente os ideais revolucionários, foi mais capaz de balizar o processo de ocidentalização do Direito Chinês com os costumes e as tradições seculares.

3.2. A experiência legal na Revolução Comunista (1949), na Revolução Cultural (1966-1976) e o desenvolvimento do sistema jurídico a partir de Dèng Xiǎopíng

Paralelamente às inovações promovidas pelo Partido Nacionalista Chinês (KMT), o comunismo ganhava força no país. A introdução de ideais comunistas na China foi fruto do Movimento de Quatro de Maio (五四運動 *Wǔ Sì Yùndòng*) de 1919, impulsionada também pela Revolução Russa de 1917. Ávidos por reformas e em busca de um novo poder estatal[48], alguns intelectuais se afastaram da ocidentalização e passaram a sofrer influência da Rússia.

Entretanto, até a Revolução Comunista, ocorrida em 1949, a influência soviética não ensejou alterações legislativas. Apenas com a fundação da República Popular da China, naquele mesmo ano, o sistema legal chinês sofreu modificações[49]. A intenção de abolir a legislação erigida pelo KMT foi instituída no Item 2 da "Instrução do Comitê Central do Partido Comunista Chinês para a Abolição dos Seis Códigos do *Koumintang* e para a Definição dos Princípios Judiciais para as Áreas Libertadas[50]", assim estabelecido:

> A Lei, como o Estado, é uma ferramenta para a proteção de interesses de determinadas classes dominantes. (...) Como leis burguesas geralmente o fazem, os Seis Códigos passam a impressão de que todas as pessoas são iguais perante a lei. Mas na realidade, como não há verdadeiro interesse comum entre as classes dominantes e os dominados, entre as classes exploradoras e os explorados, entre o apropriador e o expropriado, entre o credor e o devedor,

[48] FAIRBANK, John King; GOLDMAN, Merle. *China: uma nova história, cit.*, p. 256.
[49] CHEN, Jianfu. *Chinese Law: context and transformation, cit.*, p. 44.
[50] *"Instruction of the Central Committee of the CPC to Abolish the Kuomintang Six Codes and to Define the Judicial Principles for the Liberated Areas"*.

A EXPERIÊNCIA NORMATIVA NA CHINA: PASSADO E PRESENTE

certamente não há verdadeiros direitos iguais. Assim, todas as leis do Kuomintang não são nada além de instrumentos designados a proteger as regras reacionárias dos latifundiários, dos compradores, dos burocratas e dos burgueses, e armas para suprimir e coagir a vasta massa do povo[51].

Com a abolição do sistema legal do KMT, a China viveu, durante a era de *Máo Zédōng* (1949-1978), um vácuo legal. Nesse período, o governo chinês tentou, por duas vezes, reconstruir o ordenamento jurídico por meio de Códigos, tomando o modelo soviético como referência. Entretanto, a primeira tentativa (durante a década de 1950) foi suplantada pela edição de leis, regulamentos e decretos esparsos, assistemáticos e incoerentes. De acordo com CHEN, 4.072 leis, regulamentos e decretos foram editados de outubro de 1949 a outubro de 1957[52]. A segunda investida, por sua vez, foi superada pela Revolução Cultural de 1966-1976. Nesse período, a legislação existente foi anulada ou suspensa e as reformas legais foram abandonadas[53]. O Direito foi colocado de lado. Se em 1949, a China possuía cerca de 60.000 operadores do Direito, esse número caiu para aproximadamente 800 em 1957[54].

Com a morte de *Máo Zédōng* em 1976 e com a ascensão de *Dèng Xiǎopíng* à liderança do Partido Comunista em 1978, a China passou pela maior alteração legislativa já vista em sua história. Num primeiro momento, dada a urgência de regulamentação, um corpo de legislação assistemático e composto por normas individuais foi erigido[55].

Após, o ideal de modernização do socialismo chinês, com a superação da economia planificada e a opção pelo socialismo de mercado em 1992,

---

[51] CHEN, Jianfu. *Chinese Law: context and transformation, cit.*, p. 44/45. Texto original: *"Law, like the state, is a tool for the protection of the interests of certain ruling classes. (...) Like bourgeois law generally, the Six Codes give the appearance that people are all equal before the law. But in reality, since there can be no real common interests between the ruling classes and the ruled, between the exploiting classes and the exploited, between the appropriator and the expropriated, between the creditor and debtor, there certainly can be no real equal legal rights. Thus all Kuomintang law are nothing but instruments designed to protect reactionary rule of the landlords, the compradores, the bureaucrats, and the bourgeoisie, and weapons to suppress and coerce the vast masses of the people".*

[52] CHEN, Jianfu. *Chinese Law: context and transformation, cit.*, p. 48.

[53] BEHR, Volker. *Development of a new legal system in the People's Republic of China*. In: Louisiana Law Review, V. 67, n. 4, 2007, p. 1163.

[54] ZIMMERMAN, James M. *China law deskbook*. American Bar Association, 2010, p. 52.

[55] CHEN, Jianfu. *Chinese Law: context and transformation, cit.*, p. 54.

DIREITO CHINÊS CONTEMPORÂNEO

preconizou a necessidade do estabelecimento de um sistema jurídico, capaz de promover a estabilidade e a ordem para o desenvolvimento econômico. A China, então, passou a adotar uma política legislativa de harmonização com as práticas internacionais (leia-se, ocidentais), como forma de atrair investimentos estrangeiros[56]. A determinação em ingressar na Organização Mundial do Comércio (OMC) e as exigências após sua entrada em 2001 colaboraram ainda mais para que a China promovesse grande esforço em prol da internacionalização de seu Direito[57].

Enfim, na lição de CHEN:

> A atitude liberal em direção à legislação estrangeira e o desejo pela experiência avançada (ocidental) tornou quase impossível traçar fontes estrangeira específicas da legislação Chinesa já que, na elaboração de cada uma dessas leis específicas, estudiosos e legisladores consultaram praticamente toda a legislação estrangeira disponível (Civil ou Common Law) nas matérias em consideração. Assim, o melhor que se pode dizer é que a legislação Chinesa, em sua forma, estrutura e metodologia, tornou-se, sem dúvida, ocidental e é em grande parte formada pelo estilo Continental em suas técnicas legislativas[58].

4. Considerações finais

De uma perspectiva história, pode-se dizer que o Direito Chinês sofreu duas revoluções (no sentido ocidental da palavra): a primeira, de curta duração (quinze anos apenas), representada pela introdução do pensamento legalista (221-206 a.C.); a segunda, mais recente, consistente na ocidentalização do Direito (a partir de 1911)[59].

O Legalismo, apesar de oficialmente afastado pela Dinastia Han (que adotou o Confucionismo como doutrina ortodoxa oficial do Estado), foi

---

[56] CHEN, Jianfu. *Chinese Law: context and transformation, cit.*, p. 69.

[57] Veja o capítulo 18, *A China na Organização Mundial do Comércio*.

[58] CHEN, Jianfu. *Chinese Law: context and transformation, cit.*, p. 73. Texto original: *"The liberal attitude towards foreign law and the hunger for advanced (western) experience has made it almost impossible to trace the specific foreign sources of Chinese legislation as, in the making of each of the specific laws, scholars and law-makers have consulted practically all of the available foreign (Civil or Common) laws on the subject-matter consideration. Thus, the best we can say is that Chinese law, in its forms, structure and methodologies, has undoubtedly become Western and is largely fashioned in a Continental style in its legislative techniques"*.

[59] FITZGERALD, C. P. *China: a short cultural history*. New York: Frederick A. Praeger, 1961, p. 137.

A EXPERIÊNCIA NORMATIVA NA CHINA: PASSADO E PRESENTE

responsável para consolidação do Estado Chinês durante a Dinastia Qin (221-206 a.C.) e continuou a influenciar, na prática, a legislação chinesa por várias dinastias posteriores. A ocidentalização, por sua vez, embora comprometida em modernizar o Direito Chinês, encontrou limites na cultura tradicional.

As reformas legais promovidas pela Dinastia Qing (em seus anos finais) e pelo Partido Nacionalista foram fundamentais para revolucionar o pensamento legal, edificando a base para o desenvolvimento do Direito Chinês pela República Popular da China a partir da opção pelo socialismo de mercado.

Entretanto, as concepções tradicionais do pensamento chinês não foram absolutamente abandonadas. Ao contrário: nas palavras de RAMOS, citando GERNET, "*se a China se ocidentalizou depois de pouco mais de um século, ela o fez à sua maneira, em função de suas experiências históricas e de seus modos de pensar: as influências estrangeiras foram ali sempre deformadas pelo prisma' de sua própria tradição*[60]".

Referências Bibliográficas

AMES, Roger T. *The art of rulership: a study of ancient Chinese political thought*. New York: State University of New York Press, 1994.

BEHR, Volker. *Development of a new legal system in the People's Republica of China*. In: Louisiana Law Review, V. 67, n. 4, 2007.

CHEN, Jianfu. *Chinese Law: context and transformation*. Leiden/Boston: Martinus Nijhoff, 2008.

BODDE, Derk; MORRIS, Clarence. *Law in Imperial China*. Cambridge: Harvard University Press, 1994.

FAIRBANK, John King; GOLDMAN, Merle. *China: uma nova história*. 2º ed. Porto Alegre: L&PM, 2007.

FENG, Yujun. *Legal culture in China: a comparison to western law*. In: ZNACL Yearbook, n. 15, 2009. Disponível em: <http://www.victoria.ac.nz/law/nzacl/PDFS/Vol_15_2009/01%20Feng.pdf>.

---

[60] GERNET, Jacques apud RAMOS, Marcelo Maciel. *A invenção do direito pelo ocidente: uma investigação face à experiência normativa da China, cit.*, p. 294/295.

FITZGERALD, C. P. *China: a short cultural history*. New York: Frederick A. Praeger, 1961.

MACCORMACK, Geoffrey. *The spirit of traditional Chinese law*. London/Athens: The University of Georgia Press, 1996.

RAMOS, Marcelo Maciel. *A invenção do direito pelo ocidente: uma investigação face à experiência normativa da China*. São Paulo: Alameda, 2012.

SHOUYI, Bai. *An outline history of China*. Beijing: Foreing Languages Press, 2005.

YONGMING, Ai. *Why did the attempt to modernise the legal system in late Qing China fail? A sino-japanese comparative study*. Bond Law Review. V. 16: Iss. 1, 2004.

ZIMMERMAN, James M. *China law deskbook*. American Bar Association, 2010.

CAPÍTULO 4
TRADIÇÃO CHINESA E DIREITOS HUMANOS

FILIPE GRECO DE MARCO LEITE

1. Introdução

A organização da sociedade e do estado na China, ao longo de toda a sua longa história, esteve intimamente conectado à visão acerca do papel do indivíduo, das instituições e do governante. As particularidades que sobrevivem até os dias de hoje quanto ao modo de ver os direitos do indivíduo e sua função na lógica social se mostram carregadas da herança da cultura tradicional chinesa, bem como condizentes com a formação da cultura e consciência da sociedade ao logo dos anos. Os alicerces da sociedade chinesa, ainda que ligeiramente abalados em determinados momentos históricos, parecem ainda assentar-se na noção tradicional moldada, em grande medida, pelos ensinamentos de Confúcio.

De igual maneira, a visão chinesa acerca da função, formação e aplicação das normas – especialmente no campo penal e de direitos humanos – mostra-se impregnada pelas noções tradicionais sobre o tema. O desenvolvimento destes campos na China moderna – a qual se orienta pela constante vontade de abertura internacional –, portanto, parece limitar-se pela herança norteadora do pensamento acerca do direito e de suas múltiplas funções na estrutura social.

A regulação das relações sociais por meio de mecanismos jurídicos, ganha, também, contornos peculiares ao longo da história da sociedade chinesa, igualmente condizente com as influencias norteadoras do pensamento Chinês tradicional. De modo semelhante, a criação de normas positivas durante a evolução da sociedade chinesa mostra-se afinada tanto com aspectos importantes do pensamento tradicional quanto, modernamente, com o desejo de abertura de mercado e de construção de uma sociedade mais legalista e moderna. A despeito das alterações significativas na orientação das mudanças e na sua justificativa ideológica ao longo da evolução da história chinesa, sob o prisma dos direitos humanos, a perspectiva adotada ao longo do tempo mostra-se produto da visão tradicional acerca do papel do indivíduo e sua posição como destinatário ou não de direitos.

Interessante ainda analisar o papel da religião e dos rituais, tanto dentro quanto fora do contexto religioso, no desenvolvimento das relações entre os indivíduos e entre estes e o estado. Diferentemente do que se observa em grande parte das civilizações ocidentais – e neste ponto evidenciando a forte influência confucionista também nesta área – a origem da normatividade das leis parece não estar conectada a nenhuma explicação divina, mas apenas na certeza de suas determinações. Desta forma, a visão sobre o Estado de direito na China é igualmente moldada pela herança da cultura tradicional, rompendo também neste ponto a lógica ocidental acerca do entendimento do direito e de sua função e limitações intrínsecas e extrínsecas.

Passaremos, portanto a analisar alguns destes aspectos norteadores do pensamento chinês através dos tempos e que moldaram de forma determinante o que veio a ser hoje percebida como a ausência de reconhecimento de direitos humanos da forma como concebidos pelas civilizações ocidentais. De igual maneira, a análise das raízes conceituais que envolvem este tema pode evidenciar de maneira contundente o caminho pelo qual tende a sociedade chinesa moderna a evoluir neste aspecto. A compreensão acerca do papel do indivíduo na sociedade e das justificativas conceituais e filosóficas que legitimam a garantia de direitos inerentes à sua existência nas sociedades ocidentais em comparação à mesma compreensão sobre o tema no pensamento Chinês tradicional pode, desta maneira, se mostrar a chave da compreensão acerca da referida percepção de ausência de garantias de direitos humanos na China.

2. Estrutura social chinesa

Enquanto nos Estados ocidentais, desde os primórdios das civilizações, a organização social baseou-se na figura do indivíduo, a civilização chinesa baseou toda a lógica e compreensão de sua estrutura social em torno da figura da família. A figura da família, portanto, ganha proporções quase alegóricas, sendo estendida às relações entre praticamente todos os atores sociais. As razões para este fenômeno, observado quase que exclusivamente na China, remonta às origens do desenvolvimento desta civilização e à relevância dada a cada tipo de interação possível no cenário social, como explica Liang Shuming:

> "A questão é: por que um fenômeno de tal maneira universal como a família, ganha tamanha importância na China? A resposta deve ser a de que na ausência de organizações coletivas, as relações entre os indivíduos e o grupo são quase inexistentes; desta maneira, as relações familiares ganham uma importância e uma densidade totalmente particulares. No Ocidente, contrariamente, a família existe, mas as relações familiares são eclipsadas pelos imperativos e pelas tensões da existência coletiva[1]".

Os pilares sociais chineses originários da organização familiar, influenciam inúmeros outros aspectos que compõem a sociedade. Um notável exemplo disto é a organização econômica e noção de propriedade observada na sociedade chinesa. Enquanto que nas sociedades ocidentais a economia gira em torno do individualismo, no sentido de buscar-se sempre o ganho pessoal nas relações econômicas, na sociedade chinesa a economia ganha contornos igualmente "familiares". Neste sentido, a noção de propriedade transcende o indivíduo e é calcada na ideia de propriedade familiar, restando praticamente avessa ao conceito de divisão de propriedade entre os membros da família, quando, por exemplo, do falecimento dos pais. Tal conceito se mostra diametralmente oposto à noção ocidental de propriedade individual e de distribuição e divisão de propriedade entre os herdeiros quando do falecimento de algum membro da família. A própria noção de hereditariedade dos bens patrimoniais que é praticamente inerente à noção de família no ocidente, parece encontra-se, esta sim, eclipsada pela noção de propriedade família típica da China tradicional.

---

[1] No original: *"La question est: porquoi un phénomène universel comme la famille a-t-il pris une telle importance en Chine? Il faut répondre qu'en l'abscence d'organisations collectives, les relations entre l'individue et le groupe sont quasi inexistentes; aussi les relations familiales y prennent-elles une importance et une densité toute particulière. En Occident, au contraire, la famille existe bien, mais les relations familiales y sont éclipse par les impeératifs et les tensions de l'existence collective." In* SHUMING, Liang. *Les idées maîtresses de la culture chinoise.* Trad. Michel Masson. Paris: CERF/Institut Ricci, 2010, p. 109.

O caráter de reciprocidade, portanto, das relações entre os membros das famílias – tanto no âmbito familiar *per se* quanto nas relações familiares alegóricas entabuladas entre o estado e os indivíduos, por exemplo – é o traço marcante da organização social chinesa, persistindo ainda que de maneira menos direta, na China moderna.

A estrutura política da China tradicional é, portanto, mímica da estrutura familiar, com suas relações recíprocas entre seus componentes: a obediência e humildade por parte dos súditos é essencial para bem servir o governante assim como é essencial na relação entre pais e filhos; a ação de governar é como a de cuidar de seus filhos novos[2]. Desta maneira, ainda que sem a existência de uma relação de contrato social e jurídico entre os indivíduos e o estado, como ocorre nas civilizações ocidentais, a organização social se desenvolve fundada na reciprocidade e na repetição das características, deveres e prerrogativas típicas das relações familiares, nas relações entre indivíduo e estado.

O centro sobre o qual gravita a sociedade chinesa tradicional, portanto, pode ser facilmente contraposto ao centro das sociedades ocidentais, de modo a revelar as diferenças significativas entre as bases sobre as quais se fundam cada uma delas e o reflexo disto no desenvolvimento da compreensão de temas como o dos direitos humanos. Enquanto nas sociedades ocidentais a base é o indivíduo e é este o destinatário dos direitos, o detentor de prerrogativas e quem é verdadeiramente responsável pela construção tanto de seu próprio caminho quanto do caminho da coletividade, na cultura tradicional chinesa o indivíduo não tem sua independência reconhecida, de modo a indicar que sua existência pressupõe uma responsabilidade:

> "Em um de meus livros eu escrevi que 'as relações recíprocas manifestam relações de obrigações; aparentemente, uma pessoa não vive para ela mesma, mas de qualquer forma para outrem'. Eu encontrei uma expressão análoga no livro de M. Zhang Dongsun, *Razão e Democracia*, quando ele fala sobre a natureza humana e sobre a pessoa (capítulo III): no pensamento chinês, as diversas tradições têm todas a mesma atitude: elas não reconhecem a independência do indivíduo e o consideram como um 'ser dependente' [*dependente being*] necessariamente de outros, mas que sua vida no mundo deve preencher

---

[2] SHUMING, *Les idées maîtresses de la culture chinoise, cit.*, p. 115.

uma responsabilidade ou, de igual modo, que é por tal responsabilidade que ele vive[3]".

A profundidade da influência exercida por esta noção de praticamente inexistência de valorização da individualidade permeia inclusive as convenções sociais chinesas, igualmente contrapostas ao que se observa nas sociedades ocidentais:

"Estes contrastes aparecem se nós comparamos as convenções sociais na China com as do Ocidente. À mesa, por exemplo, no ocidente, o chefe da família se assenta no meio, com os convidados de um lado e de outro. Além disto, os convidados mais importantes se assentam próximos ao chefe da família, e os demais cada qual mais à frente. Após a refeição, se se tira uma fotografia, segue-se a mesma regra: todos os convidados em torno do chefe da família. Na China, é o convidado que tem o lugar de honra e o chefe da família acompanha-o modestamente. Em um banquete, o convidado mais importante tem o lugar de honra, e o chefe da família fica do outro lado, com os seus a seu redor, os quais nos últimos lugares, fazem companhia ao convidado. Nós temos definitivamente duas mentalidades: na China, coloca-se o outro no local de honra com toda a modéstia, enquanto que no Ocidente permanece o egocentrismo, a colocação dos seus no local de honra[4]".

---

[3] No original: *"Dans un de mes livres, j'ai écrit que 'les relations réciproques manifestent des relations d'obligations; apparemment, une personne ne vit pas pour elle-même, mais en quelque sorte pour autrui'. Je viens de trouver une expression analogue dans le livre de M. Zhang Dongsun, Raison et démocratie, quand il parle de la nature humaine et de la personne (chapitre III) : Dans la pensée chinoise, les diverses traditions ont toutes la même attitude: elles ne reconnaissent pas l'indépendence de l'individu et considérent celui-ci comme un 'être dépendant' [dependent being] nécessairement des autres, mais que sa vie dans le monde doit remplir une responsabilité ou, identiquement, que c'est pour cette responsabilité qu'il vit".* SHUMING, *Les idées maîtresses de la culture chinoise*, cit., p. 121 e 122.

[4] No original: *"Ces contraste apparaît ççairement si l'on compare les convention sociales en Chine et en Occident. À table, par exemple, en Ocident le maître de maison s'assoit au milieu, avec les invités de part et d'autre. De plus, les invités de marque sont assis aux côtés du maître de maison, et les autres sont placés de plus en plus loin. Aprés le repas, si l'on prend une photo, il en va de même: tous les invités entourent le maître de maison. En Chine, c'est l'ivité que est a la place d'honneur, tandis que le maître de maison lui tient modestement compagnie. Dans un banquet, l'invité de marque est à la place d'honneur et le maître de maison est tout au bout, entouré de ses proches qui, aux dernières places, tiennent compagnie à l'invité. Nous avons bien là définitivement deux mentalités: en chine, on met autrui à l'honneur en toute modestie, alors qu'en Occident c'est l'égocentrisme, la mise à l'honneur de ses intimes."* SHUMING, *Les idées maîtresses de la culture chinoise*, cit., p. 123 e 124.

DIREITO CHINÊS CONTEMPORÂNEO

Os reflexos no modo como a política é vista pela sociedade chinesa são igualmente interessantes; a busca pelo equilíbrio, em contraposição, por exemplo, à polarização partidária típica das sociedades ocidentais demonstra a tentativa de valorização das relações mútuas e do intercâmbio, mesmo entre polos aparentemente opostos. Desta maneira, aproxima-se, mais uma vez, da tradição chinesa de buscar sempre a solução que parece mais óbvia e natural à maioria das situações:

> "Mas qual método permite alcançar tal ideal? Dizer 'deve-se evitar os extremos, nós devemos buscar o equilíbrio' é deixar no ar; se ater às generalidades é como não dizer nada. Se queremos uma diretiva confiável e que não peca pelo excesso, é suficiente a ética de reciprocidade, de conselhos aos colegas do grupo de respeitarem os indivíduos e aos indivíduos de darem importância ao grupo[5]".

O contraponto, portanto, entre a visão chinesa tradicional acerca da organização social com a visão ocidental acerca do mesmo aspecto e, além disto, da função e papel do indivíduo nesta construção, demonstra não somente o quão particular é a visão chinesa acerca do tema, mas também como tal visão vai influenciar profundamente todas as transformações que se sucederam na organização do estado chinês.

3. Evolução e origens do Estado de Direito na China

A compreensão acerca das origens da noção chinesa sobre o direito e as leis pode auxiliar no entendimento sobre o caminho peculiar traçado pela sociedade chinesa nesse particular, especialmente durante as mudanças mais recentes da sociedade e estado chinês. De igual maneira é a separação entre o conceito de rituais e leis, impregnada pelos conceitos tradicionais advindos de Confúcio, como explica Randall Peerenboom:

> "As teorias legais chinesas mais antigas são geralmente classificadas como *lizhi* e *fazhi*. O contraste entre o li, convencionalmente traduzido como rito

---

[5] No original: "*Mais quelle méthode permet d'atteindre cet idéal? Dire: 'il faut évitér les extrêmes, nous devons garder l'équilibre »', c'est parler en l'air; s'en tenir à des généralités, c'est comme ne rien dire. Si l'on veut une directive fiable et qui ne péche pas par exces, il suffit, selon l'étique de réciprocité, de conseiller aux partisans du groupe de respecter les individus et aux partisans de l'individu de donner son importance au groupe.*" SHUMING, *Les idées maîtresses de la culture chinoise, cit.,* p. 125.

ou rituais, e fa, convencionalmente traduzido como lei, marca uma distinção na teoria política chinesa quanto à natureza da ordem política e os meios preferidos de atingir tal ordem. Li zhi, tradicionalmente associado ao Confucionismo, refere-se à ordem política predicada em e alcançada primariamente por referência ao li ou aos rituais, ou seja, costumes, comportamentos e normas Em contraste, fa zi, associado ao Legalismo, refere-se à ordem política alcançada primariamente pela observância do fa ou das leis, isto é, comandos gerais publicamente promulgados de aplicabilidade geral e apoiados pelo poder coercitivo do Estado[6]".

A função da norma no pensamento chinês tradicional – neste ponto de clara origem na visão de Confúcio – centralizada na tentativa de ser imposta na menor medida possível[7], se mostra, portanto, bastante diversa daquela observada nas sociedades ocidentais. A justificativa para tal compreensão reside no entendimento de que as normas apoiadas por sanções podem até induzir o seu cumprimento por parte dos indivíduos externamente, mas não têm o condão de transformar o caráter dos membros da sociedade[8]. O posicionamento ativo dos indivíduos na construção de uma ordem social que reflita o seu caráter individual é frisado desde os ensinamentos de Confúcio, sendo uma das razões para a descrença, na cultura tradicional chinesa, quanto à função de ordenação social desempenhada pelas normas[9].

Esta compreensão acerca da função das normas se reflete, igualmente, na compreensão sobre o papel do governante na aplicação das regras. A figura do governante, de maneira igualmente condizente com as influências confucionista presentes ao longo da tradição chinesa, deveria prezar pelo

---

[6] No original: "*Early Chinese theories of law are often classified as lizhi* (吏治) *and fazhi* (法治). *The contrast between li, conventionally translated as rites or rituals, and fa, conventionally translated as law, marks a distinction in Chinese political theory as to the nature of political order and the preferred means of achieving such order. Li zhi, traditionally associated with Confucianism, refers to political order predicated on and achieved primarily by reference to the li or rites, that is, traditional customs, mores, and norms. In contrast, fa zhi, associated with Legalism, refers to political order attained primarily through reliance on fa or laws, that is, publicly promulgated, codified standards of general applicability backed up by the coercive power of the state.*" PEERENBOOM, Randall. *China's long march toward rule of law.* Cambridge: Cambridge University Prees, 2002, p. 28.

[7] PEERENBOOM, *China's long march toward rule of law, cit.*, p. 29.

[8] PEERENBOOM, *China's long march toward rule of law, cit.*, p. 28.

[9] PEERENBOOM, *China's long march toward rule of law, cit.*, p. 30.

DIREITO CHINÊS CONTEMPORÂNEO

governo através do exemplo ao invés de primar pela utilização da força na aplicação das regras. A indução através da persuasão ao incentivo à busca pela formação de uma sociedade harmoniosa, colocando de lado interesses pessoais deve ser, portanto, buscada constantemente pelo governante[10].

Em oposição a esta visão confucionista tradicional sobre a função da norma, surgiu na china um movimento legalista, que pregava a aplicação das normas de maneira direta e com pequeno espaço para discricionariedade. Em clara contraposição ao entendimento baseada nas ideias de Confúcio, os legalistas afirmavam que:

> "Na visão Legalista, seres humanos são auto-interessados. Para se evitar o conflito e alcançar a ordem, eles devem ser manipulados por meio de um sistema confiável e imparcial de recompensas e sanções. Leis claras e codificadas fazem com que qualquer pessoa saiba o que é esperado dela e quais serão as consequências de suas ações[11]".

Interessante notar, no entanto, que a despeito deste posicionamento claramente oposto à ideia da função e da natureza do indivíduo na construção da sociedade e na obediência aos comandos do soberano, a visão legalista acabava culminando em uma ideia, em última análise, igualmente centrada na figura daquele que exercia o poder:

> "Não obstante, o governante permanece como a autoridade máxima, tanto em teoria quanto na prática. Em última análise, a lei era o que satisfazia o governante. Desta maneira, o governante retinha a autoridade para promulgar e alterar as leis, e permanecia acima e além das leis[12]".

Em resposta aos movimentos confucionista e legalista surgiu por volta do ano 200 a.C. um movimento alternativo, que buscava alcançar algum

---

[10] PEERENBOOM, *China's long march toward rule of law, cit.*, p. 32.

[11] No original: "*In the Legalist view, humans are self-interested. To avoid conflict and achieve order, they must be manipulated through a reliable and impartial system of rewards and punishments. Clear, codified, public law lets every person know what is expected and what the consequences will be of one's actions.*" PEERENBOOM, *China's long march toward rule of law, cit.*, p. 33 e 34.

[12] No original: "*Nevertheless, the ruler remained the ultimate authority, both in theory and practice. In the final analysis, law was what pleased the ruler. Accordingly, the ruler retained the authority to promulgate and change laws, and remained above and beyond the law.*" PEERENBOOM, *China's long march toward rule of law, cit.*, p. 34.

tipo de limitação ao poder do governante, calcando sua atuação em parâmetros ligeiramente mais bem definidos:

> "A autoridade máxima reside não no governante, mas no Caminho (*dao*). O Caminho/*dao* da origem a ou determina as leis (*dao sheng fa*); o governante é apenas o meio o qual, superando preconceitos pessoais e subjetivos é capaz de apreender o objetivo do Caminho[13]".

A despeito das diferentes correntes de pensamento que buscavam explicar a função da norma e justificar sua aplicação – em maior ou menor medida – a China, durante sua história imperial, sempre gozou de um sistema legal desenvolvido e dotado tanto de direito material detalhadamente contido em códigos quanto de um sistema judiciário bem organizado[14].

Em contrapartida, o posicionamento dos indivíduos no que diz respeito ao sistema legal parece ter sofrido grande influência das ideias de Confúcio, sendo o envolvimento com procedimentos judiciais visto, por boa parte dos indivíduos, como vergonhoso ou embaraçoso[15]. Esta característica da sociedade chinesa fez surgir, muito precocemente, interessante movimento de busca por métodos informais de resolução de controvérsias:

> "Não surpreende, dados os custos para litigar e o desconforto do processo legal formal, que muitas partes, por razões de pura prudência, preferem explorar a possibilidade de resoluções informais de disputa em primeiro lugar e voltarem-se às cortes como última alternativa[16]".

O estágio de desenvolvimento dos mecanismos de aplicação e criação de normas na China, no entanto, não significou que tais mecanismos

---

[13] No original: "*Ultimate authority lies not with the ruler but with the Way (dao). The Way/dao gives rise to or determines the laws (dao sheng fa); the ruler is merely the medium who by overcoming personal, subjective biases is able to apprehend the objectively given Way.*" PEERENBOOM, *China's long march toward rule of law, cit.*, p. 35.

[14] PEERENBOOM, *China's long march toward rule of law, cit.*, p. 36.

[15] PEERENBOOM, *China's long march toward rule of law, cit.*, p. 39.

[16] No original: "*Not surprisingly given the costs of litigating and the unpleasantness of the formal legal process, many parties for purely prudential reasons preferred to explore the possibility of informal dispute resolution first and turned to the courts as a last resort.*" PEERENBOOM, *China's long march toward rule of law, cit.*, p. 39

DIREITO CHINÊS CONTEMPORÂNEO

fossem aplicados na defesa dos interesses e direitos dos indivíduos. Em uma sociedade na qual o pensamento filosófico permaneceu elitista e onde os pressupostos igualitários defendidos pelas ideias liberais não eram bem aceitos[17], a lei servia aos interesses do estado e objetivava a eficiência do governo muito mais do que a proteção do indivíduo contra um governo abusivo[18].

Na história mais recente da China, em especial no fim da era imperial e antes da era de Mao, tentativas de modernização do sistema legal chinês foram feitas, dando ênfase aos direitos humanos da maneira como compreendidos pelas civilizações ocidentais e limitando os poderes do Estado. Estas tentativas reformistas, consubstanciadas, por exemplo, na redação de uma constituição no início do século XX, não foram, no entanto, capazes de sobreviver ao turbulento período republicano que se seguiria[19].

A distorção trazida, com a ascensão de Mao, pelas ideias socialistas acerca do propósito das leis, gerou verdadeiro retrocesso no desenvolvimento do sistema jurídico chinês e das profissões relacionadas a esta área. Na visão socialista, as leis não seriam necessárias quando da transição para o comunismo, mas até que tal transição não ocorresse, as leis deveriam servir aos propósitos do proletariado, da mesma forma que nas sociedades capitalistas as leis serviriam aos propósitos da burguesia[20]. Desta maneira, foi criada uma nova constituição, baseada na constituição Soviética de 1936, e diversas reformas no sistema judiciária foram realizadas, com o intuito de fortalecer ideais políticos e combater as correntes contrarrevolucionárias. Neste sentido, durante os anos do regime socialista, a lei e a inspiração das normas deu lugar à política, enfraquecendo as profissões relacionadas ao direito e favorecendo as campanhas de mobilização das massas típicas dos anos da Revolução Cultural[21].

Durante a evolução do pensamento chinês no que diz respeito às normas, sua formação e aplicação, percebe-se uma constante centralização dos interesses do Estado em detrimento dos direitos individuais e direitos humanos. Em especial na era de Mao, a separação entre lei e política

[17] PEERENBOOM, *China's long march toward rule of law, cit.*, p. 42.

[18] PEERENBOOM, *China's long march toward rule of law, cit.*, p. 41.

[19] PEERENBOOM, *China's long march toward rule of law, cit.*, p. 43.

[20] PEERENBOOM, *China's long march toward rule of law, cit.*, p. 43 e 44.

[21] PEERENBOOM, *China's long march toward rule of law, cit.*, p. 45.

parece ter dado lugar a um sistema de direito que buscava somente reforçar as ideias políticas dominantes, sob o manto da proteção dos interesses do proletariado. A evolução do sistema e as suas características mais marcantes, reiteradas em muitos momentos históricos, parece indicar que qualquer perspectiva de um governo liberal na China encontrará entraves culturais arreigados na mentalidade chinesa construída e, em grande medida preservada, através dos muitos anos de sua história.

4. A visão sobre o indivíduo e os direitos humanos

O indivíduo, ao longo da história da China, sempre ocupou lugar secundário comparativamente ao papel da família, do governante e – principalmente nos anos de Mao – do Estado. A importância dada ao indivíduo reflete, portanto, na importância dada, principalmente nos anos mais recentes, aos direitos humanos.

A importância e centralidade da família na China tradicional, aliada às transferências conceituais dos papeis típicos das relações familiares à relação entre indivíduo e o soberano, parecem ter sido trocadas pela centralidade dada ao partido e à ideologia política durante a era Mao. Enquanto que na China tradicional o indivíduo tinha menor prestígio e autonomia posto que pertencia a uma ordem familiar baseada na reciprocidade entre as obrigações e funções, na China comunista o indivíduo é componente do proletariado, não lhe sendo atribuída, a princípio, proteção individual por meio dos sistemas do Estado.

Na China tradicional persistia a visão de que os interesses do Estado e dos indivíduos poderiam ser conciliados de forma harmônica[22], não havendo, portanto, necessidade de se fomentar uma proteção e garantia profunda de direitos individuais. Mesmo na visão de Confúcio, a ideia de normas encontra-se restrita à estreita relação observada entre o governante e o indivíduo, de forma a afirmar que as pessoas têm o direito de receber o que precisam para sua sobrevivência material e dignidade humana e o governante, por sua vez, tem o dever de prover as necessidades básicas da população[23].

A fundação da sociedade chinesa baseada na ética da reciprocidade fez inibir as buscas pela garantia de direitos individuais e direitos humanos,

---

[22] PEERENBOOM, *China's long march toward rule of law, cit.*, p. 42.
[23] FUNG, Edmund. *In Search of China's Democracy*. Cambridge University Press, 2006, p. 51-52.

de alguma maneira próxima à concepção da ideia sob o ponto de vista ocidental, por longo período. A ideia de que os direitos são garantidos apenas mediante a exigência por parte de determinada classe frente às classes dominantes, ou determinado grupo frente a um grupo rival, explica, igualmente, a situação chinesa face à questão das liberdades, uma vez considerada a intrínseca cultura do não conflito e da conformação social, arraigada na mentalidade chinesa também nesta frente.

A ausência, portanto, de garantias individuais e direitos humanos ao longo de boa parte da história da China, inclusive em sua história contemporânea, pode ser explicada analisando as raízes do pensamento chinês tradicional quanto ao posicionamento do indivíduo face às instituições sociais e à lateralidade do individualismo e da confrontação entre grupos opostos da sociedade. De igual maneira, a centralidade da família explica a falta de organização social em grupos com ideias semelhantes, como ocorreu em grande parte das civilizações ocidentais durante sua evolução. A falta de organização em grupos ideologicamente próximos e a conformação da ética de reciprocidade vigente na China geram, portanto uma situação de ausência de mecanismos para a efetiva busca de direitos individuais e de garantia de direitos humanos.

Adicionalmente, prevaleceu na China uma moral da conformação e da supressão da personalidade individual, determinando, desta maneira, a busca pela adequação social do indivíduo em grau muito mais elevado do que a busca pela imposição de suas individualidades. A consequência prática deste aspecto cultural chinês é a ausência da descoberta da esfera individual do ser humano, o que impossibilitou o desenvolvimento das formas de expressão da individualidade que são tão corriqueiras nas civilizações ocidentais:

> "A China jamais descobriu o indivíduo e este é o maior limite de sua cultura. Quando uma pessoa não tenha pura e simplesmente a oportunidade de exprimir seu ponto de vista e todos os seus sentimentos e aspirações estes se encontram reprimidos e ignorados[24]".

---

[24] No original: *"La Chine n'a jamais découvert l'individu et c'est bien la plus grande limite de sa culture. Qu'une personne n'ait purement et simplement pas l'occasion d'exprimer son point de vue, et tous ses sentiments et aspirations se trouvent réprimés et ignorés."* SHUMING, *Les idées maîtresses de la culture chinoise, cit.*, p. 322.

Mesmo que se possa identificar uma ideia embrionária de direitos humanos nos ensinamentos de Confúcio, é incorreto correlacionar tal manifestação à noção ocidental de garantia e salvaguarda de prerrogativas individuais. A razão para tanto encontra-se na ausência de qualquer identidade entre a noção de proteção de direitos assegurados ao indivíduo na cultura chinesa tradicional – confucionista – e na construção da noção de direitos humanos pelo ocidente:

> "[...] a concepção ocidental de direitos humanos é calcada em quatro princípios fundamentais: (1) proteção sobre a lei; (2) participação popular genuína no governo, isto é, democracia; (3) liberdade de escolha econômica, o que fornece a base material para a liberdade pessoal e política; e (4) liberdade da mente, espírito ou vontade[25]".

A construção, portanto, da noção de direitos humanos pelo ocidente pressupõe elementos que não podem ser encontrados na cultura chinesa tradicional – e alguns deles, em realidade, não se encontram nem mesmo na organização social da China contemporânea. Não há, nas ideias de Confúcio, a noção de que os direitos humanos e direitos individuais teriam de alguma maneira o condão de limitar a autoridade emanada seja pelo governante, seja pela autoridade familiar.

Já nas evoluções mais recentes do direito na China, quando do desenvolvimento da Constituição de 1982, houve claro indicativo de que a proteção e a vigência da lei, da maneira como entendidas no estado de direito ocidental, passariam a fazer parte da realidade jurídica chinesa, como explica Jianfu Chen:

> "A adoção da terminologia 'Governar o País de Acordo com a Lei' imediatamente instigou muito entusiasmo entre os estudiosos na China. Para os estudiosos chineses, a adoção formal da frase 'Governar o País de Acordo com a Lei' significou a aceitação final da noção de Estado de Direito e, portanto, representava um novo marco na construção Legal. De fato, discussões sobre a frase 'Governar o País de Acordo com a Lei' foram todas baseadas na noção

---

[25] No original: "[...] *the Western conception of human rights is premised on four fundamental principles: (1) protection under the law; (2) genuine popular participation in government, that is democracy; (3) economic freedom of choice, which provides the material base for personal and political freedom; and (4) freedom of the mind spirit or will.*" FUNG, *In Search of China's Democracy, cit.*, p. 51-52.

ocidental de Estado de Direito, englobando os conceitos de supremacia da lei, separação de poderes, *checks and balances,* um sistema parlamentar e a proteção de direitos humanos[26]".

Na realidade, no entanto, a ideia de Estado de direito vigente na China, nos dias atuais, parece chocar-se com a concepção ocidental sobre o tema; como é possível falar em Estado de direito sem a garantia efetiva dos quatro componentes fundamentais da concepção ocidental de direitos humanos? Sob este ponto de vista, talvez as evoluções no direito chinês ainda não tenham trazido consigo o real Estado de direito, da maneira como entendido e colocado em prática em grande parte do ocidente.

A organização da sociedade chinesa e sua percepção – persistente até hoje – sobre a figura do indivíduo, seu papel na construção das relações sociais, seu papel como destinatário de direitos e a função do estado frente a estes elementos se mostra influenciada pelo pensamento tradicional. Além disso, o arranjo social e o posicionamento do indivíduo frente às suas funções e prerrogativas na sociedade contribuíram para o parco desenvolvimento dos direitos humanos ao longo da história chinesa. Tal característica justifica, portanto, a maneira como independentemente do regime de governo e da ideologia dominante por parte daqueles que exercem o poder na China, a população permaneceu em grande medida conformada com a organização social que se apresenta, evitando conflitos com o poder vigente ou entre grupos com pensamentos antagônicos que, como observado em boa parte das civilizações ocidentais, fez surgir o reconhecimento dos direitos individuais e dos direitos humanos.

5. Conclusões

Ao longo de toda a sua história a compreensão por parte do pensamento chinês acerca do papel do indivíduo, dos seus direitos e da função pre-

---

[26] No original: "*The adoption of the terminology of 'Ruling the Country according to Law' immediately aroused much enthusiasm among scholars in China. To Chinese scholars, the formal adoption of the phrase 'Ruling the Country according to Law' meant the final acceptance of the notion of Rule of Law and thus represented a new landmark in legal construction.114 Indeed, discussions on the phrase 'Ruling the Country according to Law' have all been based on the Western notion of Rule of Law, embracing the concepts of supremacy of law, judicial independence, equality before the law, separation of powers, checks and balances, a parliamentary system and the protection of human rights.*" In CHEN, Jianfu. Chinese Law: context and transformation. Martinus Nijhoff Publishers, Boston: 2008. p. 97.

cípuo das normas, esteve intimamente conectada à percepção tradicional sobre a organização social. Esta herança por parte da cultura chinesa mostra claros reflexos tanto na organização social que vige na China atual quanto na sua inconsistente história de garantia de direitos individuais e proteção de direitos humanos.

Adicionalmente, a compreensão das raízes do pensamento chinês tradicional, posto que é dele que deriva a construção da mentalidade chinesa contemporânea – de maneira muito semelhante à construção da mentalidade ocidental influenciada por aspectos das culturas grega, romana, cristã, *etc.* – permite a projeção quanto ao futuro da China no que diz respeito à vigência de um Estado de direito, a garantia dos direitos humanos e, em suma, os rumos do desenvolvimento desta sociedade que é hoje um importante componente das relações internacionais e do comércio mundial.

O foco constante neste tópico e a aparente falta de compreensão por parte do ocidente quanto à forma que a China lida com questões como liberdade de expressão, liberdade de imprensa, garantias individuais e todos os demais aspectos que são característicos das civilizações ocidentais pode ser melhor decifrado se for feita uma análise histórica das raízes de todos estes comportamentos, considerando a forte influência do pensamento chinês tradicional que permanece até os dias de hoje. Mais uma vez a China se mostra um Estado extremamente ligado, ainda que inconscientemente, à cultura tradicional, a qual se revela uma das ferramentas mais úteis à compreensão das inúmeras peculiaridades deste país.

A realidade contemporânea da China, no entanto, revela que a despeito da íntima conexão com o seu passado, suas tradições arraigadas na forma como muitos conceitos foram sendo construídos e a contraposição de muitos dos aspectos de sua cultura jurídica àqueles caros às civilizações ocidentais, em matéria de proteção de direitos humanos, a China não parece, em momento algum de sua história, ter alcançado a sua efetiva garantia e proteção. Se, de um lado, no pensamento confucionista não fazia sentido falar na existência de direitos humanos – a despeito da preocupação com certas garantias "fundamentais" do indivíduo e obrigações do governo – de outro, a evolução da construção jurídica e constitucional na China moderna parece ter criado um estado de direito fictício, que aspira equiparar-se à teoria e à prática ocidental, mas que não é capaz de sustentar-se posto que lhe falta precisamente a efetiva garantia e proteção de todos os componentes do conceito de direitos humanos cunhado pela cultura ocidental.

DIREITO CHINÊS CONTEMPORÂNEO

Referências bibliográficas

CHEN, Jianfu. *Chinese Law*: context and transformation. Martinus Nijhoff Publishers, Boston: 2008.

FUNG, Edmund. In Search of China's Democracy. Cambridge University Press, 2006.

PEERENBOOM, Randall. *China's long march toward rule of law*. Cambridge University Press, 2002.

SHUMING, Liang. *Les idées maîtresses de la culture chinoise*. Trad. Michel Masson. Paris: CERF/Institut Ricci, 2010.

CAPÍTULO 5
CHINA CONTEMPORÂNEA E DEMOCRACIA

PABLO LEURQUIN

1. Considerações iniciais

A China do século XX é marcada por uma intensa incorporação de discursos ocidentais, em especial, o da Democracia e o do Estado de Direito. O objetivo do presente artigo é analisar as motivações desse processo e suas nuances para melhor compreender a apropriação desses conceitos no ordenamento jurídico chinês.

Estudar uma civilização milenar e extremamente complexa, como é o caso da chinesa, impõe desafios que impedem qualquer expectativa de exaurir a temática no presente trabalho. Nesse contexto, visando compreender o objeto de estudo de maneira mais completa, buscou-se destacar os elementos políticos e jurídicos presentes no processo de incorporação desses discursos ocidentais.

Com base especialmente na obra de John Fairbank e Merle Goldman[1], destacam-se três momentos da história da China pós-século XX: a Revolução Republicana de 1911; a Revolução Comunista de 1949; e a Era Pós-Mao, com a chegada de 鄧小平 *Dèng Xiǎopíng* ao poder em 1978. É importante frisar que não se pretende realizar uma reconstrução histórica desse período, na realidade, o que se quer é estabelecer uma linha de argumentação jurídico-política a partir desses acontecimentos. Essas constatações permitiram a divisão do artigo em três seções.

Na primeira, "A Revolução Republicana: a preocupação chinesa com a modernidade", buscou-se relacionar a apropriação do discurso da Democracia com as pretensões de inserção chinesa na Modernidade. A Revolução Republicana é então um marco importante na tentativa de

---

[1] FAIRBANK, John King; GOLDMAN, Merle. *China: Uma nova História*. 2 ed. Porto Alegre: L&PM, 2007.

ocidentalização das instituições chinesas, na medida em que traduz, sob forte influência japonesa, uma preocupação de unificação consistente do Estado Chinês.

Na segunda seção, "O controle político do Partido Comunista Chinês: a implementação da civilização industrial", serão apresentadas as mudanças socioeconômicas deflagradas na época em decorrência da unificação política em torno do Partido Comunista Chinês (PCC). Elas são fundamentais para compreender as alterações na estrutura social, devidas especialmente à Revolução Cultural, que foi uma tentativa de reconstrução cultural baseada no pensamento de 毛澤東 *Máo Zédōng*.

Por fim, na última seção, "A abertura econômica e o discurso do Estado de Direito: o pragmatismo político-jurídico chinês", será explorada a retomada da preocupação com a apropriação dos conceitos ocidentais de Estado de Direito e Democracia. Entretanto, diferentemente dos fundamentos demarcados no início do século XX, nesse momento, a China retoma esses discursos para inserir-se, com base em um pragmatismo político, no contexto da intensificação da Globalização.

2. A revolução republicana: a preocupação chinesa com a modernidade

A China do final do século XIX é marcada por um desastre moral que decorre em boa parte do descrédito que se conferia à dinastia Qing (1644--1911). De acordo com John Fairbank e Merle Goldman, a reputação na China imperial era algo tão importante quanto a própria vida humana. A opinião moral era mais relevante que as considerações legais e essa ideia se desdobrava tanto na sociedade quanto no governo. Segundo esses autores, o século XIX é marcado pela perda de confiança, senso de humilhação, perda de dignidade pessoal e coletiva dos chineses. A crise do desempenho da dinastia Qing foi uma crise do próprio Estado chinês, especialmente por um questionamento dos princípios da ordem neoconfuciana. Atrelado a isso estava a progressiva desconfiança da superioridade cultural chinesa, o que se agravava com o conhecimento dos assuntos ocidentais[2].

---

[2] FAIRBANK, John King; GOLDMAN, Merle. *China: Uma nova História*. 2 ed. Porto Alegre: L&PM, 2007. p. 220 – 222.

CHINA CONTEMPORÂNEA E DEMOCRACIA

Ao tratar sobre a relação entre a Democracia e o Confucionismo, Anne Cheng afirma que o fim da Guerra do Ópio (1840-1860) foi decisivo para que os chineses passassem a ver a supremacia ocidental não apenas em questões tecnológicas e materiais, mas também no aspecto cultural. Esse contexto levou os chineses a realizarem esforço intelectual procurando os fundamentos da ciência, filosofia e Democracia na própria tradição da China[3].

Para compreender esse esforço, importa realizar pequena digressão etimológica do termo Democracia em chinês. Esse conceito pode ser traduzido de três maneiras. A primeira é 民主 (*mín zhŭ*), no qual o primeiro ideograma 民 *mín* traduz a ideia de povo ou pessoas comuns, enquanto o segundo 主 *zhŭ* remete à ideia de direção e governo. A outra tradução desse termo é 民主主义 (*mín zhŭ yì*), que conjuga os conceitos de povo e direção, mas ao repetir o ideograma *zhŭ* e acrescentar o 义 *yì*, transmite a ideia de que noção de direção e presidência está vinculado ao justo ou ao equitativo (义 *yì*). Por fim, a terceira maneira é 民主政治 (*mín zhŭ zhèng zhì*), que mantém os dois primeiros ideogramas *mín* e *zhŭ*, mas acrescenta a ideia de política e princípios (政 *zhèng*) e a de governar e administrar (治 *zhì*[4]).

Essa simplificada análise etimológica do conceito de Democracia permite verificar que não se trata de compreensão unívoca na China. Na realidade, nem no próprio Ocidente ela pode ser conceituada de maneira homogênea[5]. Essa dificuldade é evidenciada por Bobbio, por exemplo, ao identificar que na teoria da Democracia confluem três tradições. A primeira é a clássica, que a compreende como governo de todos os cidadãos. A segunda é a medieval, que se apoia na soberania popular para conferir legitimidade ao príncipe. A terceira, por sua vez, é a moderna que vai classifica-la como uma forma de República[6].

---

[3] CHENG, Anne. Des germes de démocratie dans la tradition confucéenne? In: DELMAS-MARTY; WILL, Pierre-Étienne. *La Chine et la Démocratie*. Paris: Fayard, 2007. p. 85.

[4] DÉMOCRATIE. In: Dictionnaire chinois français. Disponível em: <http://www.chine-nouvelle.com/outils/dictionnaire.html>. Acesso em: 23 de mar. 2014.

[5] Cumpre frisar que não é pretensão desse trabalho exaurir os debates teóricos acerca dos conceitos de Democracia, mesmo porque trata-se de temática amplamente desenvolvida por vários outros autores.

[6] BOBBIO, Norberto. Democracia. In: _____ *Dicionário de Política*. 13ª ed. v. 1. Brasília: Editora UNB, 2010. p. 319 – 323.

DIREITO CHINÊS CONTEMPORÂNEO

No processo de incorporação de discursos ocidentais na China, destaca-se a influência do sucesso da modernização do Japão. Essa situação foi reforçada quando a monarquia constitucional japonesa derrotou a autocracia da Rússia em 1905[7]. Esse fato, de acordo com Fairbank e Goldman, foi crucial para provar a eficácia do constitucionalismo como fundamento para a unidade entre governadores e governados[8].

Outro acontecimento relevante em 1905, de acordo com Anne Cheng, é o fim do preenchimento dos quadros burocráticos pelos exames tradicionais do Império chinês. De acordo com a autora, esse fato levou ao desaparecimento do confucionismo institucional que foi o fundamento ideológico do regime imperial[9]. Em 1906, foram enviadas duas missões oficiais para estudar o constitucionalismo nos Estados Unidos, Alemanha, Japão, Inglaterra e França. Esse ato foi uma tentativa da dinastia Qing em realizar reformas que aumentassem o seu poder central.

Diante desse quadro político, quatro elementos reforçaram a progressiva absorção do discurso da Democracia na China: a fraqueza da dinastia Qing; o enfraquecimento do confucionismo institucional; o sucesso da monarquia constitucional japonesa; e o aprofundamento do contato com a cultura ocidental.

Com a constatada fragilidade dos Qing, no ano de 1911 muitas províncias declararam sua independência do regime e, no dia 1º de janeiro de 1912, pelos revolucionários liderados por Sun Yat-Sem (孫中山 Sūn Yi Xiān) foi instituída a República Chinesa[10]. A Revolução de 1911 foi produto de uma coalização, mesmo que de curta duração, entre vários grupos, envolvendo revolucionários, elites organizadas em assembleias, importantes

---

[7] "Guerra Russo-Japonesa (1904-05). Conflito entre os impérios russo e japonês pelo controle dos territórios da Coréia e da Manchúria. O Japão venceu a guerra e obteve, com a assinatura do Tratado de Portsmouth (5/9/1905), a parte sul da Ilha Sacalina, Port Arthur, além das concessões ferroviárias na Manchúria e o reconhecimento do seu protetorado sobre a Coréia." Takeuchi, Marcia Yumi. A comunidade nipônica e a legitimação de estigmas: o japonês caricaturizado. *Revista USP*. N. 79. São Paulo: USP, 2008. p. 174.

[8] Fairbank, John King; Goldman, Merle. *China: Uma nova História*. 2 ed. Porto Alegre: L&PM, 2007. p. 231.

[9] Cheng, Anne. Des germes de démocratie dans la tradition confucéenne? In: Delmas-Marty; Will, Pierre-Étienne. *La Chine et la Démocratie*. Paris: Fayard, 2007. p. 87.

[10] Fairbank, John King; Goldman, Merle. *China: Uma nova História*. 2 ed. Porto Alegre: L&PM, 2007. P – 236.

CHINA CONTEMPORÂNEA E DEMOCRACIA

figuras militares e funcionários. As preocupações desses grupos giravam em torno de questões sobre os limites do poder do presidente; o grau de independência das assembleias provinciais e locais; a forma de governo central; e a constituição de organismos representativos[11].

Apesar da queda da Dinastia Qing, o governo republicano permitiu que se continuassem utilizando as antigas leis, ressalvados os casos em que houvesse modificação expressa das mesmas. Sendo assim, sem abandonar os esforços da última dinastia, houve progressivamente empenho no sentido de ocidentalizar a legislação em vigor. Especialmente com o estabelecimento do Governo Nacionalista de Nanquim, em 1927, houve um extenso programa de mudança legislativa por parte do governo do *Kuomintang* (中國國民黨 *Zhōngguó Guómíndǎng* ou KMT). Esse movimento significou a continuação no processo de ocidentalização da lei chinesa inspirando-se nos modelos da Europa continental. Além do sistema judicial, a lei chinesa foi transformada e começou a se igualar às leis ocidentais na sua forma, terminologia e conceitos. Importa destacar nesse sentido que Jianfu Chen afirma ter sido nessa época que começou a se observar uma sistemática inserção de leis ocidentais na China, apesar das diferenças de ideologia e de princípios políticos[12].

Diante desse contexto, pode-se compreender que a instauração de uma República na China está intimamente ligada a uma preocupação com a entrada na modernidade. Segundo Anne Cheng:

> [...] em nome de um antitradicionalismo a todo custo, se defende uma cultura radicalmente nova (*xin wenhua*) em que a modernidade deve passar por uma ocidentalização total (*quanpan xihua*), é constituída por uma onda de protestos que se pretende nacional, ou mesmo nacionalista, contra as grandes potências ocidentais[13].

---

[11] VAN DE VEN, Hans J. *From Friend to Comarade:* the founding of the Chinese comunist party (1920-1927). University of California Press: Berkeley, 1991. p. 13.

[12] CHEN, Jianfu. *Chinese Law:* Context and transformation. Martinus Nijhoff Publishers: Boston, 2008. p. 29 e ss.

[13] CHENG, Anne. Des germes de démocratie dans la tradition confucéenne? In: DELMAS--MARTY; WILL, Pierre-Étienne. *La Chine et la Démocratie.* Paris: Fayard, 2007. P – 89. Tradução livre de: "au nom d'un antitraditionalisme à tout crin, il prône une culture radicalement nouvelle (xin wenhua) dont la modernité doiut passer par une occidentalisation totale (quapan

DIREITO CHINÊS CONTEMPORÂNEO

Conforme se apreende do trecho destacado, a visão que vigorava era que o projeto de modernidade na China aconteceria por uma apropriação da cultura Ocidental, com especial destaque ao conceito de Democracia. Entretanto, importante observar que esse processo não se preocupava com o real sentido e profundidade semântica dos termos incorporados.

Durante a República da China ocorreram modificações socioeconômicas cruciais. Como por exemplo, no período da Primeira Guerra Mundial (1914-1918) surgiram os modernos bancos chineses, como o Banco da China e o Banco de Comunicações. Além disso, a redução das navegações europeias e do comércio estrangeiro na China reduziu as importações chinesas, tornando-se um ambiente favorável ao crescimento industrial[14].

Entretanto, a partir de 1916, constata-se que as tentativas de construção de uma ordem política coesa não obtiveram êxito. A inquietação dos chineses ficou evidente em dois contextos específicos, o Movimento da Nova Cultura e o Movimento de Quatro de Maio de 1919 (五四运动 *Wŭ Sì Yùn dòng*). No primeiro, intelectuais de diversos segmentos se organizaram em torno da ideia de transformar a cultura chinesa, negando sua tradição, buscando afastar o confucionismo, a família, o budismo e o taoísmo. O Movimento de Quatro de Maio, por sua vez, se deu em protesto ao Tratado de Versalhes, que garantiu os direitos germânicos na província de Shandong para o Japão[15].

Com essa efervescência política, intelectuais chineses começaram a observar com mais atenção a Revolução Russa de 1917 e a doutrina Marxista-Leninista. Sendo assim, em 1921, o Partido Comunista foi fundado e chegou ao poder, personificado na pessoa de *Máo Zédōng*, no ano de 1949, instaurando a República Popular da China. Esse novo quadro político modificou profundamente o país e foi fundamental incorporação da civilização industrial na China.

---

xihua), tout en constituant une vague de protestation qui se veut nationale, voire nationaliste, contre les grandes puissances occidentales".

[14] FAIRBANK, John King; GOLDMAN, Merle. *China: Uma nova História*. 2 ed. Porto Alegre: L&PM, 2007. p. 252.

[15] VAN DE VEN, Hans J. *From Friend to Comarade:* the founding of the Chinese comunist party (1920-1927). University of California Press: Berkeley, 1991. p. 14 e 15.

3. O controle político do partido comunista chinês: a implementação da civilização industrial

A centralização do poder político no Partido Comunista Chinês, que se consubstancia com a fundação da República Popular da China, trouxe mudanças estruturais nas relações socioeconômicas chinesas. A implantação desse novo panorama foi fundamental para o processo de abertura econômica protagonizado posteriormente por *Dèng Xiǎopíng*. Nesse sentido, para compreender a China do final do século XX e XXI, é indispensável que se desvende o papel do Partido Comunista Chinês durante os anos de 1949 a 1978.

A primeira grande transformação institucional que se credita ao Partido Comunista Chinês é a reforma agrária. Ruiz afirma que essa medida diminuiu e regulou enfaticamente as atividades agrícolas privadas e estimulou a coletivização da produção rural, que se concretizou completamente em 1958, com a criação das comunas[16]. Nesse sentido, Luis Filipe Milaré e Antonio Diegues argumentam que a reforma agrária foi uma das principais bases do desenvolvimento industrial por três motivos. O primeiro está vinculado à necessidade de matérias primas para suprir a indústria, bem como de alimentos para os trabalhadores. O segundo está relacionado à acumulação de capital por parte do Estado Chinês para investir em empreendimentos industriais. O último está conectado ao fato da reforma agrária acabar aumentando a renda do trabalhador rural, criando um mercado para absorção dos produtos industriais[17].

Outra mudança substancial foi o controle da inflação chinesa que, de acordo com John Fairbank e Merle Goldman, ocorreu pelo controle do sistema bancário e do sistema de créditos; pela criação de associações comerciais no país para o controle de cada produto específico; e pelo pagamento das pessoas com mercadorias[18].

O êxito no processo de coletivização da produção rural foi fundamental para o prestígio de *Máo Zédōng*, que concentrava esforços em um processo de industrialização similar aos moldes soviéticos. Esse interesse foi

---

[16] RUIZ, Ricardo Machado. *Polarizações e desigualdades:* desenvolvimento regional na China (1949-2000). Belo Horizonte: UFMG/CEDEPLAR, 2006. p. 6.

[17] MILARÉ, Luis Filipe; DIEGUES, Antonio. Contribuições da era Mao Tsé-tung para a industrialização chinesa. *Revista de Economia Contemporânea*. V. 16. N. 2. Rio de Janeiro, 2012. p. 364.

[18] FAIRBANK, John King; GOLDMAN, Merle. *China: Uma nova História.* 2ª ed. Porto Alegre: L&PM, 2007. p. 322.

DIREITO CHINÊS CONTEMPORÂNEO

traduzido no Primeiro Plano Quinquenal (1952-1957) que tinha como um dos objetivos garantir a rápida e homogênea industrialização no território chinês. A inspiração no modelo soviético se justifica pela valorização da indústria pesada, ou seja, a metalúrgica e química[19].

No plano internacional, a China desde meados da década de 1950 apresentava fortes investidas em colaborar com o processo de descolonização, em especial, dos países africanos, sul-americanos e asiáticos. A Conferência de Bandung, em abril de 1955, consagrou o nascimento do Movimento dos Não Alinhados e, como consequência, os primeiros contatos oficiais bilaterais da China com países africanos se deu com o Egito, em 1956 e, em seguida, com Argélia, Marrocos, Sudão e Guiné-Bissau[20]. A influência da China em países africanos durante a década de 1960 era forte, o que influenciou a França, que tinha interesses políticos e econômicos em muitos países africanos, a reatar as relações oficiais com a República Popular da China em 27 de janeiro de 1964. Dessa forma, a França foi o primeiro grande país do Ocidente a nomear um embaixador em pleno exercício em Pequim[21].

Muitos autores entendem que a importância de *Mao Zedong* na história chinesa não se restringe às questões econômicas, conforme salienta Michael DeGolyer:

> Mao também lançou enormes projetos de desenvolvimento e impôs novas práticas e estruturas administrativas. Mao criou uma nova transcrição na escrita (*pinyin*) e simplificou os jogos de caracteres para os chineses, impôs o *putonghua* (mandarim) como dialeto nacional e o empregou para criar uma nova identidade nacional. (...) Os enormes projetos de desenvolvimento de Mao visaram a integrar as províncias chinesas dentro de um sistema autárquico de produção e de defesa nacional[22].

---

[19] MILARÉ, Luis Filipe; DIEGUES, Antonio. Contribuições da era Mao Tsé-tung para a industrialização chinesa. *Revista de Economia Contemporânea*. V. 16. N. 2. Rio de Janeiro, 2012. p. 367.

[20] OCDE-CSAO. Atlas de l'Intégration Régionale em Afrique de l'Ouest. Série économie. *L'Afrique et la Chine*. Disponível em: http://www.oecd.org/fr/csao/publications/38409991.pdf Acessado em: 20 de maio de 2014. p. 1 e 2.

[21] FRANCE DIPLOMACIE. *La France et la Chine*. Disponível em: http://www.diplomatie.gouv. fr/fr/dossiers-pays/chine/la-france-et-la-chine/ Acesso em: 20 de maio de 2014.

[22] Tradução livre de: "*Mao aussi a lancé d'énormes projets de développement et a imposé de nouvelles pratiques et structures administratives. Mao a créé une nouvelle transcription en écriture (pinyin) et a*

CHINA CONTEMPORÂNEA E DEMOCRACIA

Outro acontecimento marcante no governo de *Máo Zédōng* foi o Grande Salto para Frente (1958-1960), que visava aprofundar as transformações econômicas e políticas iniciadas com o Primeiro Plano Quinquenal. Na dimensão política, foi uma tentativa de transformar a China em um país verdadeiramente comunista, o que foi marcado, dentre outros aspectos, por uma perseguição aos "direitistas". Além de ter sido uma política fracassada, ela ainda foi acompanhada por conflitos políticos com a URSS e a Índia, que se somaram a forte presença norte-americana em Taiwan[23].

Destaca-se que no ano de 1958, 牟宗三 *Móu Zōngsān*, 徐復觀 *Xú Fùguān* e 南唐 *Nán Táng*, publicaram no jornal de Hong Kong *A Tribuna democrática*, o manifesto *O desenvolvimento da cultura chinesa e a reconstrução democrática*. O objetivo dos "Novos confucionistas" era reconstruir a cultura chinesa retomando a filosofia confuciana que fora hostilizada pela hegemonia do marxista-leninista. Esse acontecimento é importante para demonstrar que os debates sobre a Democracia estavam presentes especialmente em Hong Kong[24].

Nesse contexto, com objetivo de retomar o seu prestígio político, bem como reorganizar a produção coletivizada na China, Mao inicia a Revolução Cultural em 1966. Esse movimento enquadra-se em um contexto mais amplo de divulgação da civilização industrial por todo o mundo, com especial atenção às antigas colônias europeias de capitalismo periférico, marcadas por uma profunda dependência cultural aos países desenvolvidos. Diante disso, a postura de Mao era vista como uma espécie de via autônoma da homogeneização cultural das sociedades contemporâneas. Sobre o assunto, destaca-se a opinião de Celso Furtado:

A promessa utópica da Revolução Cultural visou a um objetivo inequívoco: desencavar e demolir os mecanismos profundos de reprodução social.

<< simplifié >> *le jeu des caractères pour les Chinois, a imposé le putonghua (mandarin) comme dialecte national et s'est employé à créer une nouvelle identité nationale. (...) Les énormes projets de développement de Mao visaient à intégrer les provinces chinoises dans un système autarcique de production et de défense nationales".* DEGOLYER, Michael. Introduction aux enjeux de gouvernance qui se posent a la Chine et a Hong Kong. *Revue parlementaire canadienne*. N. 333, 2014. p. 5.

[23] CHENG, Anne. Des germes de démocratie dans la tradition confucéenne? In: DELMAS-MARTY; WILL, Pierre-Étienne. *La Chine et la Démocratie*. Paris: Fayard, 2007. p. 92.

[24] RUIZ, Ricardo Machado. Polarizações e desigualdades: desenvolvimento regional na China (1949-2000). Belo Horizonte: UFMG/CEDEPLAR, 2006. p. 8.

Mediante mudanças irreversíveis nesse plano, se deslocaria a estrutura do edifício social e seriam lançadas as bases de uma autêntica sociedade coletivista. Compreende-se, por conseguinte, que os maiores esforços hajam convergido para modificar a organização do trabalho dentro das fábricas e para desprivatizar o mais possível o espaço em que se move o indivíduo, particularmente os membros da nova geração. Foram eliminadas todas as formas de controle individual do trabalho, e a quase todas as tarefas foi emprestado um caráter de realização coletiva[25].

Com a Revolução Cultural houve uma retomada do poder político por *Máo Zédōng*, mas, o seu governo já evidenciava um grande desgaste na dimensão econômica. Dados os fracassos de Mao na década de 1960 e a tensão com a URSS, paradoxalmente, houve uma aproximação com os EUA, que culminou em uma visita de Nixon em 1972 para reestabelecer relações diplomática entre os dois países[26].

Essa proximidade entre EUA e China teve impacto nas relações diplomáticas deste país com outros. O Brasil, por exemplo, até 1973, apoiava a permanência das duas Chinas e das duas Coreias na ONU. Entretanto, a partir desse ano houve um reajuste da política externa brasileira no sentido de estabelecer relações diplomáticas com a China continental, o que ocorreu em 15 de agosto de 1974. Desde essa época, o Brasil avançou por toda a Ásia, marcadamente nas áreas de comércio, relações econô-

---

[25] FURTADO, Celso. *Criatividade e dependência na civilização industrial* (1978). São Paulo: Companhia das Letras, 2008. p. 141.

[26] Sobre os impactos da aproximação diplomática entre China e EUA no Sudeste Asiático: "A transformação das relações entre China e Estados Unidos na primeira metade da década de 70, no entanto, foi modificando a realidade do regionalismo no Sudeste Asiático, em especial pela mudança dos padrões das relações de cooperação econômica entre os países. Alguns, como Malásia, Tailândia e as Filipinas, foram os primeiros Membros da ASEAN a restaurar relações diplomáticas com a China. Outros problemas surgiam nesse contexto, dificultando a progressiva aproximação entre os Estados, como a indiferença relativa ao reconhecimento da ingerência dos Estados Unidos na região ainda no período que precedeu a Guerra do Vietnam. Somente em 1978 é que a China manifestava seu interesse em estreitar as relações com a ASEAN, como possível solução e fator acessório (complementar) ao seu processo de reforma econômica doméstica." POLIDO, Fabrício Bertini Pasquot. O desenvolvimento do novo regionalismo asiático no direito da integração: Notas sobre a ASEAN e APEC. *Revista de Informação Legislativa*. Ano 48, nº 180, Brasília, 2008. p. 322.

CHINA CONTEMPORÂNEA E DEMOCRACIA

micas e diálogo político. Diante disso, em 1978, foi realizado o primeiro acordo comercial com a República Popular da China, que se tornou uma parceira comercial fundamental, especialmente, a partir da década de 1980[27].

Mao faleceu em 1976 e abriu-se espaço para a ascensão política de *Dèng Xiǎopíng*, que defendia medidas de desregulamentação e abertura econômica. Essa nova etapa na história da China é marcada por um retorno mais organizado dos discursos do Estado de Direito e Democracia, demarcados em um novo contexto mundial, a intensificação do processo de Globalização.

4. A abertura econômica da China e o discurso do Estado de Direito na China: o pragmatismo político-jurídico chinês

John Fairbank e Merle Goldman afirmam que a ascensão política de *Dèng Xiǎopíng*, em 1978, foi marcada pelo *slogan* das Quatro Modernizações, na Agricultura; Indústria; Ciência e Tecnologia; e Defesa[28]. A sua chegada ao poder trouxe mudanças profundas na estrutura econômica então vigente. De acordo com Ruiz, houve a "descoletivização" das áreas rurais, criação de mercados locais, construção de empresas públicas e privadas locais[29].

Além disso, o final do século XX está inserido em uma realidade de intensificação do processo de globalização. Sendo assim, a preocupação com a abertura da economia para investimentos estrangeiros e a expansão do comércio exterior assumem protagonismo na formulação de políticas públicas chinesas. Conforme discorre Xiao-Ying Li-Kotovtchikhine, com o objetivo de implementar a política de abertura econômica, o tema da segurança jurídica é colocado como indispensável para a atração de investidores estrangeiros[30].

---

[27] CERVO, Amado Luiz; BUENO, Clodoaldo. *História da política exterior do Brasil.* 4ª ed. Brasília: Editora UNB, 2011. p. 455

[28] FAIRBANK, John King; GOLDMAN, Merle. *China: Uma nova História.* 2 ed. Porto Alegre: L&PM, 2007. P – 317.

[29] RUIZ, Ricardo Machado. *Polarizações e desigualdades: desenvolvimento regional na China (1949--2000).* Belo Horizonte: UFMG/CEDEPLAR, 2006. p. 8.

[30] LI-KOTOVTCHIKHINE, Xiao-Ying. La réforme du droit chinois par la codification. In: *Revue internationale de droit comparé.* Vol. 52. N°3, Juillet-septembre 2000. p. 533.

Já em 1978, conforme aduz Mireille Delmas-Marty, *Dèng Xiǎopíng* discorre sobre a "legalidade socialista" no X Comitê Central do Partido Comunista. Posteriormente veio a noção de "Estado de Direito Socialista[31]". No campo da economia, por sua vez, o termo que é utilizado para fazer referência ao modelo Chinês de Capitalismo é a "Economia de Mercado Socialista[32]".

Diante desse contexto, o que se percebe é um novo esforço na tentativa de harmonização do direito chinês com os conceitos e normas ocidentais. Em outras palavras, a abertura econômica chinesa, deflagrada pós-Mao, tem fundamental influência na retomada da incorporação dos discursos ocidentais, especialmente de legalidade, Estado de Direito e economia de mercado.

Anne Cheng relata que durante os anos 1980 houve uma revalorização do Confucionismo. Isso ocorreu por curiosidade da comunidade internacional, mas também porque havia um interesse nacional nessa retomada, sendo em 1984 criada a Fundação Confucius, em Pequim. Festejava-se na ocasião os 2.535 anos do nascimento do sábio e a cerimônia contava com as mais altas autoridades do Partido Comunista da China[33]. Sendo assim, o Confucionismo retorna como um elemento agregador da identidade cultural chinesa, não apenas na sua dimensão interna, mas também internacionalmente.

As últimas duas décadas do século XX foram marcadas por uma intensificação no processo de desenvolvimento econômico[34]. A China cresceu em média 9% ao ano; passou por um processo de intensa industrialização;

---

[31] "Art. 1.º A República Popular da China é um Estado socialista subordinado à ditadura democrático-popular da classe operária e assente na aliança dos operários e camponeses. O sistema socialista é o sistema básico da República Popular da china. É proibida a sabotagem do sistema socialista por qualquer organização ou indivíduo".

[32] DELMAS-MARTY, Mireille. La construction d'un État de droit en Chine dans le contexte de la montialisation. In: DELMAS-MARTY; WILL, Pierre-Étienne. *La Chine et la Démocratie*. Paris: Fayard, 2007. p. 551

[33] CHENG, Anne. Des germes de démocratie dans la tradition confucéenne? In: DELMAS--MARTY; WILL, Pierre-Étienne. *La Chine et la Démocratie*. Paris: Fayard, 2007. p. 96.

[34] A abertura da economia chinesa contou com forte apoio dos EUA, especialmente a partir da década de 1980, quando se tornou o maior exportador de produtos têxtil e de vestuários dos EUA. RUIZ, Ricardo Machado. *Polarizações e desigualdades:* desenvolvimento regional na China (1949-2000). Belo Horizonte: UFMG/CEDEPLAR, 2006. p. 9.

o padrão de vida do chinês médio quadriplicou; e ela passou a ser um ator importante na dinâmica do comércio internacional[35].

Como desdobramento desse novo papel geopolítico da China, em 2001, ela adere à Organização Mundial do Comércio (OMC[36]). De acordo com Mirelle Delmas-Marty, esse acontecimento marca não apenas o retorno da China ao cenário internacional, mas também inicia um intenso movimento de reforma tentando adequar-se à realidade ocidental no que tange às legislações societárias, contratuais, de propriedade intelectual e de comércio exterior, dentre outras[37]. Apesar da opinião da referida autora, não se pode esquecer que as décadas de 1950 e 1960 foram marcadas por investidas da China em articular os países subdesenvolvidos, com especial atenção ao continente africano, conforme já elucidado.

Diante desse contexto, percebe-se novamente um traço característico da incorporação de conceitos ocidentais na China: o desapego com a historicidade e profundidade semântica dos mesmos. Sendo assim, essa renovada pretensão da China de incorporar o conceito de Estado de Direito está vinculada a um pragmatismo no discurso político-jurídico de *Dèng Xiăopíng*, que consiste na aproximação das ideias de utilidade, eficácia, realidade e prática. De acordo com Xiao-Ying Li-Kotovtchikhine, essa noção reflete também influência do pensamento tradicional chinês[38].

O debate sobre essa incorporação, em alguns momentos diz-se que a China utiliza o discurso do *Rule of Law* e por vezes fala-se da incorporação do discurso de Estado de Direito. Ao diferenciar essas duas realidades, José Gomes Canotilho afirma que o conceito de *Rule of Law* tem quatro dimensões básicas: a obrigatoriedade de observância do processo justo;

---

[35] FAIRBANK, John King; GOLDMAN, Merle. *China: Uma nova História*. 2 ed. Porto Alegre: L&PM, 2007. p. 317.

[36] Veja o capítulo 18, *A China e a Organização Mundial do Comércio*.

[37] DELMAS-MARTY, Mireille. La construction d'un État de droit en Chine dans le contexte de la mondialisation.: In: DELMAS-MARTY; WILL, Pierre-Étienne. *La Chine et la Démocratie*. Paris: Fayard, 2007. p. 551.

[38] De acordo com esse autor, houve forte influência do pragmatismo norte-americano a partir dos anos 1920 na China. Entretanto, ela ganhou ainda mais força com a teoria da "racionalidade pragmática" do filósofo Li Zehou, que a construiu a partir de uma releitura do Confucionismo na década de 1980. LI-KOTOVTCHIKHINE, Xiao-Ying. Le pragmatisme juridique dans la Chine pos-Mao. *Revue Internationale de Droit comparé*. v. 61. Nº 4. 2009. p. 718 a 722.

DIREITO CHINÊS CONTEMPORÂNEO

proeminência das leis e costumes do país; sujeição de todos os atos do executivo ao parlamento; e igualdade de acesso aos tribunais. O conceito de *Rechtsstaat*, por sua vez, vincula-se a uma perspectiva liberal e coloca a liberdade e a propriedade como direitos fundamentais protegidos da intervenção estatal[39].

Outra ideia fundamental é a de Estado Democrático de Direito, em que o poder do Estado deve organizar-se em termos democráticos. Sendo assim, o princípio da soberania popular passa a ser indispensável no Estado Constitucional. Agrega-se a essa visão de José Gomes Canotilho, o entendimento de Raoni Bielschowsky de que os direitos fundamentais são requisitos para a construção da Democracia, pois são essenciais à própria capacidade de autodeterminação do sujeito. Esse entendimento envolve não apenas as liberdades positivas, que se vinculam à participação política, mas também as liberdades negativas e os direitos sociais[40].

Diante dessas construções conceituais, que são cultural e historicamente postas, é importante refletir se o pragmatismo político de *Dèng Xiǎopíng* e, consequentemente a sua visão sobre o Direito, são influenciadas por essas tradições. Assim, ressalta-se que segundo Xiao-Ying Li-Kotovtchikhin, o desenvolvimento do Direito para *Dèng Xiǎopíng* deve ocorrer progressivamente com objetivo de responder ao progresso econômico. Além disso, ele deve ter como preocupação primordial a estabilidade política e a unidade social, que devem ser protagonizadas pela direção do Partido Comunista da China. Curioso constatar que essa visão pragmática do Direito vai de encontro ao niilismo jurídico de Mao[41]. Ou seja, esse autor tem uma perspectiva mais pessimista quanto a incorporação, com a profundidade que eles requerem, dos referidos conceitos ocidentais.

Nesse contexto, a valorização dos ritos é um traço da cultura Chinesa que merece atenção, especialmente devido à influência da tradição confucionista, que, como dito, é retomada na era pós-Mao. De acordo com Anne Cheng:

---

[39] CANOTILHO, J.J. Gomes. *Direito Contitucional e Teoria da Constituição.* 7ª ed. Coimbra: Almedina, 2000. p. 97.

[40] BIELSCHOWSKY, Raoni Macedo. *Democracia Constitucional.* São Paulo: Saraiva, 2013. p. 118.

[41] LI-KOTOVTCHIKHINE, Xiao-Ying. Le pragmatisme juridique dans la Chine pos-Mao. *Revue Internationale de Droit comparé.* v. 61. Nº 4. 2009. p. 720.

CHINA CONTEMPORÂNEA E DEMOCRACIA

O coração do problema é que o ritualismo (*rule of rites*), constitutivo dos laços sociais na tradição confuciana, não pôde jamais se transformar em legalismo (*rule of rights* ou *rule of law*), ou seja, em um fundamento social do tipo contratual[42].

Anne Cheng põe em evidência que o *rule of rites* estaria vinculado com a compreensão sobre a importância do rito na cultura chinesa. Sobre esse assunto, Marcelo Ramos afirma que a ideia de ritualismo na China está relacionada a uma conformação à natureza e aos papéis que dela decorrem. Portanto, a pretensão de "despessoalização" do homem chinês tem como objetivo fazer desaparecer qualquer distinção individual que não se funde nos aspectos concretos da vida[43].

Mireille Delmas-Marty destaca que o fato da sociedade chinesa ser marcada pela proeminência dos ritos, impede que o Direito tenha importância maior[44]. A autora destaca ainda três grandes desafios para a construção de um Estado de Direito na China.

O primeiro deles é o fortalecimento da legalidade, que passa obrigatoriamente pela compreensão de que a Lei deve ser pública, previsível e precisa. Apesar disso, a autora considera que a elaboração democrática da lei tem progredido, especialmente após a Constituição de 1954, com a Criação do Congresso Nacional do Povo. Entretanto, alguns avanços são necessários, afinal de contas, as eleições ainda são indiretas, mediante recomendação do Partido Comunista da China. Além disso, muitas atribuições são de competência do Conselho de Estado, que tem seus membros nomeados pelo poder central[45].

---

[42] Tradução livre de: "Le coeur du problème est que le ritualisme (*rule of rites*), constitutif du lien social dans la tradition confucénne, n'a jamais pu se transformer en juridisme (*rule of rights*, ou *rule of law*), c'est-à-dire en fondement social de type contractuel." CHENG, Anne. Des germes de démocratie dans la tradition confucéenne? In: DELMAS-MARTY; WILL, Pierre--Étienne. *La Chine et la Démocratie*. Paris: Fayard, 2007. p. 105.

[43] RAMOS, Marcelo Maciel. *A invenção do Direito pelo Ocidente: Uma investigação face à experiência normativa da China*. 2010. 322 f . Tese. (Doutorado em Direito) – Faculdade de Direito, Universidade Federal de Minas Gerais, Belo Horizonte, 2010. p. 267.

[44] DELMAS-MARTY, Mireille. Le laboratoire chinois. In: DELMAS-MARTY; WILL, Pierre--Étienne. *La Chine et la Démocratie*. Paris: Fayard, 2007. p. 805.

[45] DELMAS-MARTY, Mireille. Present day China and the Rule of Law: Progress and Resistence. *Chinese Journal of International Law*. Oxford Journals. 2003. Disponível em: http://chinesejil.oxfordjournals.org/ content/2/1/ 11.full.pdf Acessado em: 20 de maio de 2014. p. 16.

DIREITO CHINÊS CONTEMPORÂNEO

O segundo é a construção de uma independência maior do Judiciário, que ainda está intimamente vinculado ao poder executivo, ou seja, o Partido Comunista Chinês. Esse desafio está relacionado ao fato de durante muitos anos não ter havido Faculdades de Direito para contribuir no desenvolvimento do sistema jurídico do país. Em outras palavras, os antigos soldados e oficiais que foram recrutados para serem juízes, após a instauração da "legalidade socialista" em 1978, não têm formação jurídica adequada. Atrelado a isso, a profissão de advogado não tem muitas garantias, o que corrobora no desequilíbrio entre os poderes[46].

O terceiro e talvez um dos aspectos primordiais, tomando como perspectiva uma dimensão mais ontológica de Estado de Democrático de Direito, é a definição efetiva dos Direitos Fundamentais como centro do ordenamento jurídico[47]. No que tange temas como tortura e pena de morte, Mireille Delmas-Marty afirma que pode ser constatado algum avanço na China. Por outro lado, ao tratar da revisão de atos que vão de encontro à Constituição ou à Lei[48], a autora afirma que não há vontade política para efetivar esse preceito[49].

Diante desse quadro, a visão da autora Mirelle Delmas-Marty é mais otimista quanto à trajetória da China rumo ao Estado de Direito, do que a ótica apresentada por Xiao-Ying Li-Kotovtchikhine. Apesar disso, a autora identifica precisamente quais são os principais desafios que ainda devem ser superados pela República Popular da China se tornar um Estado Democrático de Direito.

5. Considerações finais

Durante o século XX ocorreram intensas modificações na estrutura econômica, política e jurídica da China. Marcada por revoluções, ela passou

---

[46] *Ibdem* p. 18.

[47] DELMAS-MARTY, Mireille. La construction d'un État de droit en Chine dans le contexte de la mondialisation.: In: DELMAS-MARTY; WILL, Pierre-Étienne. *La Chine et la Démocratie.* Paris: Fayard, 2007. p. 555- 561.

[48] "Art. 5º Todos os órgãos do Estado, as forças armadas, todos os partidos políticos e organizações públicas e todas as empresas e estabelecimentos devem obedecer à Constituição e à lei. Todos os actos ofensivos da Constituição ou da lei devem ser reapreciados".

[49] DELMAS-MARTY, Mireille. Present day China and the Rule of Law: Progress and Resistence. *Chinese Journal of International Law.* Oxford Journals. 2003. Disponível em: http://chinesejil.oxfordjournals.org /content/2/1 /11.full.pdf Acessado em: 20 de maio de 2014. p. 22.

de um regime imperial a um pretenso "Estado de Direito Chinês". Peça chave nesse processo, o Partido Comunista Chinês teve e tem participação protagonista na formulação da China do século XXI.

O argumento sustentado no presente artigo é que a incorporação dos discursos da Democracia e do Estado de Direito na China ocorreu em dois momentos distintos ao longo do Século XX. O primeiro foi com a Revolução Republicana, que continuou, em certa medida, algumas reformas iniciadas no final da Dinastia Qing e teve como foco a preocupação com a Modernidade. O segundo decorre da chegada de *Dèng Xiǎopíng* ao poder e o seu pragmatismo político-jurídico, demarcando os esforços de inserir a China no contexto da intensificação da Globalização.

Com esse intuito, retornou-se às origens da incorporação dos discursos ocidentais, em especial da Democracia, do início do século XX e sua relação com a Revolução Republicana de 1911. Em seguida, evidenciou-se a reestruturação social e econômica da China após a Revolução Comunista (1949). Por fim, com a ascensão política de *Dèng Xiǎopíng* (1978), comprovou-se que a retomada dos discursos de Democracia e de Estado de Direito estão profundamente relacionados à abertura econômica e necessidade de segurança jurídica aos investidores internacionais.

No contexto do final do século XX e do próprio século XXI, a tentativa de enquadrar a China como um Estado de Direito enfrenta sérios desafios que levam obrigatoriamente ao questionamento da viabilidade desse projeto, especialmente se esse conceito for compreendido ontologicamente. Entretanto, como se antecipou no início do presente artigo, o estudo de uma complexa civilização milenar como a chinesa impede qualquer tentativa de exaurir a temática em questão no presente trabalho.

Referências bibliográficas

BIELSCHOWSKY, Raoni Macedo. *Democracia Constitucional*. São Paulo: Saraiva, 2013.

BOBBIO, Norberto. *Dicionário de Política*. 13ª ed. v. 1. Brasília: Editora UNB, 2010.

CANOTILHO, J.J. Gomes. *Direito Constitucional e Teoria da Constituição*. 7ª ed. Coimbra: Almedina, 2000.

CERVO, Amado Luiz; BUENO, Clodoaldo. *História da política exterior do Brasil*. 4ª ed. Brasília: Editora UNB, 2011.

DIREITO CHINÊS CONTEMPORÂNEO

CHEN, Jianfu. *Chinese Law: Context and transformation*. Martinus Nijhoff Publishers: Boston, 2008.

CHENG, Anne. Des germes de démocratie dans la tradition confucéenne? In: DELMAS-MARTY; WILL, Pierre-Étienne. *La Chine et la Démocratie*. Paris: Fayard, 2007.

DEGOLYER, Michael. Introduction aux enjeux de gouvernance qui se posent a la Chine et a Hong Kong. *Revue parlementaire canadienne*. n. 333, 2014.

DELMAS-MARTY, Mireille. La construction d'un État de droit en Chine dans le contexte de la montialisation: In: DELMAS-MARTY; WILL, Pierre-Étienne. *La Chine et la Démocratie*. Paris: Fayard, 2007.

DELMAS-MARTY, Mireille. Le laboratiore chinois. In: DELMAS-MARTY; WILL, Pierre-Étienne. *La Chine et la Démocratie*. Paris: Fayard, 2007.

DELMAS-MARTY, Mireille. Present day China and the Rule of Law: Progress and Resistance. *Chinese Journal of International Law*. Oxford Journals. 2003. Disponível em: http://chinesejil.oxfordjournals.org/content/2/1/11.full.pdf Acessado em: 20 de maio de 2014.

DÉMOCRATIE. In: Dictionnaire chinois français. Disponível em : <http://www.chine-nouvelle.com/outils/dictionnaire.html>. Acesso em: 23 de mar. 2014.

FAIRBANK, John King; GOLDMAN, Merle. *China: Uma nova História*. 2 ed. Porto Alegre: L&PM, 2007.

FRANCE DIPLOMACIE. *La France et la Chine*. Disponível em: http://www.diplomatie.gouv.fr/fr/dossiers-pays/chine/la-france-et-la-chine/ Acesso em: 20 de maio de 2014.

FURTADO, Celso. *Criatividade e dependência na civilização industrial* (1978). São Paulo: Companhia das Letras, 2008.

LI-KOTOVTCHIKHINE, Xiao-Ying. La réforme du droit chinois par la codification. In: *Revue internationale de Droit comparé*. Vol. 52. N°3, 2000.

LI-KOTOVTCHIKHINE, Xiao-Ying. Le pragmatisme juridique dans la Chine pos--Mao. *Revue internationale de Droit comparé*. v. 61. Nº 4, 2009.

MILARÉ, Luis Filipe; DIEGUES, Antonio. Contribuições da era Mao Tsé-tung para a industrialização chinesa. *Revista de Economia Contemporânea*. V. 16. N. 2. Rio de Janeiro, 2012.

POLIDO, Fabrício Bertini Pasquot. O desenvolvimento do novo regionalismo asiático no direito da integração: Notas sobre a ASEAN e APEC. *Revista de Informação Legislativa*. Ano 48, nº 180, Brasília, 2008.

RAMOS, Marcelo Maciel. *A invenção do Direito pelo Ocidente*: Uma investigação face à experiência normativa da China. 2010. 322 f. Tese. (Doutorado em Direito) –

Faculdade de Direito, Universidade Federal de Minas Gerais, Belo Horizonte, 2010.

RUIZ, Ricardo Machado. *Polarizações e desigualdades:* desenvolvimento regional na China (1949-2000). Belo Horizonte: UFMG/CEDEPLAR, 2006.

TAKEUCHI, Marcia Yumi. A comunidade nipônica e a legitimação de estigmas: o japonês caricaturizado. *Revista USP.* N. 79. São Paulo: USP, 2008. p. 174.

VAN DE VEN, Hans J. *From Friend to Comarade:* the founding of the Chinese comunist party (1920-1927). University of California Press: Berkeley, 1991.

PARTE 2
O SISTEMA LEGAL CHINÊS E SUAS INSTITUIÇÕES

CAPÍTULO 6
ORGANIZAÇÃO POLÍTICA E JUDICIÁRIA NA REPÚBLICA POPULAR DA CHINA

GUILHERME BACELAR PATRÍCIO DE ASSIS

1. Introdução

O crescimento da China em pouco mais de 30 anos, desde que começou sua marcha rumo a uma economia de mercado, tem sido extraordinário. O mundo jamais havia visto um crescimento sustentado em escala tão grande, que melhorou o bem-estar de significativa parcela da população mundial. No último quarto do século passado, a China cresceu a uma taxa superior a 9% ao ano; em 30 anos, a renda *per capita* aumentou 15 vezes (de US$ 220,00 para US$ 3.590,00). O crescimento neste período só é comparável ao dos então chamados "tigres asiáticos", cuja média de crescimento da renda *per capita* foi de 5,5% ao ano entre 1965 e 1990. Esse sucesso, porém, ocorreu em um ritmo um pouco mais lento e em uma escala muito menor. Outras revoluções econômicas anteriores – como a Revolução Industrial do século XIX – registraram taxas de crescimento anual cujo pico girou em torno de 2% a 3%. A idade de ouro do crescimento nos Estados Unidos durante os anos 1950 e 60 verificou taxas de crescimento do mesmo padrão. O crescimento da China tem sido três vezes maior. Nunca antes houve redução da pobreza em tal escala. A parcela da população chinesa que vive com menos de US$ 1,00 (um dólar) por dia caiu de 63,8% em 1981 para 15,3% 30 anos mais tarde[1]. A República Popular da China é atualmente a segunda maior economia do mundo, com um Produto Interno Bruto, em 2013, que atingiu a cifra de US$ 9.310.000.000.000,00 (nove trilhões, trezentos e dez bilhões de dólares).

---

[1] STIGLITZ, Joseph. *Creating the Institutional Foundations for a Market Economy. In*: KENNEDY, David; STIGLITZ (org). *Law and Economics with Chinese Characteristics: Institutions for Promoting Development in the Twenty-First Century*. Oxford University Press, 2013. p. 71.

DIREITO CHINÊS CONTEMPORÂNEO

Esse desenvolvimento extraordinário ocorreu em menos de 40 anos, após a morte de 毛澤東 *Máo Zédōng*, em 1976[2], seguida da ascensão de 鄧小平 *Dèng Xiǎopíng* ao poder em 1978. Nesse período, a China evoluiu do estágio de um país rural e atrasado para ocupar uma posição central e de destaque no cenário mundial atual na condição de uma superpotência política, militar e, sobretudo, econômica.

A partir de 1978, diversas reformas foram implementadas na China, com destaque para a gradual abertura do país para os investimentos estrangeiros e para o comércio internacional. A China proclamou-se um Estado sob a égide de um inusitado "socialismo de mercado".

Contudo, a abertura econômica trouxe consigo a necessidade de realização de rápidas e profundas mudanças na estrutura política e jurídica da China. Urgia ao país promover a remodelação de suas principais instituições para construir um ambiente fértil e seguro ao investimento estrangeiro e ao comércio interno e internacional.

Em particular, a segurança jurídica, por meio da implantação de um sistema jurídico sistematizado, inteligível, previsível, estável e eficaz era condição essencial para o sucesso da política de abertura econômica iniciada no país.

Neste contexto, o objetivo do presente trabalho é discorrer sobre a estrutura constitucional primária, o funcionamento e a inter-relação das instituições jurídicas chinesas no período pós-Mao, especialmente sob a égide da Constituição de 1982, com particular enfoque no papel cometido ao Poder Judiciário e na sua independência em relação aos demais Poderes e no modelo de Estado de Direito vigente na China.

Para tanto, primeiramente, no item 2, são tecidas considerações jus-filosóficas sobre as ideias de constitucionalismo e de Estado de Direito.

Em seguida, o item 3 trata da organização política da República Popular da China, oportunidade em que será delineada a estrutura básica das instituições chinesas mais importantes, com ênfase no processo de produção do Direito e na sua interpretação.

Por sua vez, o item 4 cuida do papel confiado ao Poder Judiciário dentro do sistema jurídico chinês, bem como da sua interface com os Poderes Legislativo e Executivo e com o Partido Comunista, com vistas a avaliar

---

[2] A era Mao Tsé-Tung iniciou-se em 1949, com a Revolução Comunista, e perdurou até a sua morte, em 1976.

o seu grau de independência – tanto sob a ótica institucional quanto de seus membros – no desempenho de sua missão constitucional, traçando, ainda, um breve paralelo com a realidade brasileira.

Por fim, o item 5, em sede de conclusão, visa fomentar o debate sobre o grau de implementação – ou mesmo acerca da efetiva existência – de um Estado de Direito na China.

2. Constitucionalismo e Estado de Direito

As ideias de constitucionalismo e de Estado de Direito estão intrinsecamente relacionadas, sendo, em verdade, indissociáveis. Luís Roberto Barroso esclarece que constitucionalismo *"significa, em essência, limitação do poder e supremacia da lei (Estado de Direito, rule of Law, Rechtstaat[3])"*.

Apesar do emprego do termo constitucionalismo estar tradicionalmente associado às revoluções francesa[4] e americana ocorridas no final do século XVIII, suas ideias nucleares remontam ao pensamento político-filosófico da Antiguidade Clássica, construído na *Polis* grega, por volta do século V a.C, cujos maiores expoentes foram Sócrates, Platão e Aristóteles. Vêm da Grécia antiga as primeiras reflexões sobre a limitação do poder político, ou seja, sobre a concepção de um governo regido por leis e não por homens, bem como de participação popular nos assuntos de interesse público. O pensamento grego clássico foi, assim, a um só tempo, o embrião do constitucionalismo e da democracia.

Conforme explica Luís Roberto Barroso, na Grécia antiga:

> [...] se conceberam e praticaram ideias e institutos que ainda hoje se conservam atuais, como a divisão das funções estatais por órgãos diversos, a separação entre o poder secular e a religião, a existência de um sistema judicial e, sobretudo, a supremacia da lei, criada por um processo formal, adequado e válido para todos[5].

---

[3] BARROSO, Luís Roberto. *Curso de Direito Constitucional Contemporâneo: Os Conceitos fundamentais e a construção do novo modelo.* São Paulo: Saraiva, 2009. p. 05.

[4] O art. XVI da Declaração dos Direitos do Homem e do Cidadão, de 1789, prevê que *"não tem constituição aquela sociedade em que não estejam assegurados os direitos dos indivíduos, nem separados os poderes estatais".*

[5] BARROSSO, *Op. cit.* p. 06.

Por sua vez, o conceito de Estado de Direito é plurissignificativo, podendo variar bastante em face dos ideais político-filosóficos predominantes em dado lugar e em certo momento histórico.

Segundo Randall Peerenboom, há duas teorias ou vertentes básicas sobre o Estado de Direito. Pela primeira, a teoria fina (*thin theory*), de cunho formal ou instrumental, para que se reconheça a existência de um Estado de Direito é suficiente que as normas por ele editadas sejam *"gerais, públicas, prospectivas, claras, capazes de serem seguidas, estáveis e obrigatórias*[6]*"*.

Estas seriam as características mínimas exigíveis para que qualquer sistema legal possa ser tomado como um sistema de direito, independentemente de tratar-se de uma sociedade democrática ou não democrática, capitalista ou socialista, liberal ou teocrática[7].

Já a outra vertente, a teoria espessa (*thick theory*), de feição substantiva ou material, além dos elementos abrangidos pela concepção formal, incorpora à noção de Estado de Direito outros elementos políticos, tais como o regime (democracia ou totalitarismo), a estrutura econômica (capitalismo ou socialismo) ou a concepção de direitos humanos[8].

De modo semelhante, Luís Roberto Barroso advoga a existência de um sentido formal e outro material do Estado de Direito, discernindo-os da seguinte maneira:

> [...] é certo que, em sentido formal, é possível afirmar sua vigência pela simples existência de algum tipo de ordem legal cujos preceitos materiais e procedimentais sejam observados tanto pelos órgãos de poder quanto pelos particulares. Esse sentido mais fraco do conceito corresponde, segundo a doutrina, à noção alemã de *Rechtsstaat*, flexível o suficiente para abrigar Estados autoritários e mesmo totalitários que estabeleçam e sigam algum tipo de legalidade. Todavia, em uma visão substantiva do fenômeno, não é possível ignorar a origem e o conteúdo da legalidade em questão, isto é, sua legitimidade e sua justiça. Esta perspectiva é que se encontra subjacente ao conceito

---

[6] PEEREMBOON, Randall. *China's Long March toward Rule of Law*. Cambridge University Press, 2002. p. 03. No original: *"laws be general, public, prospective, clear, consistent, capable of being followed, stable, and enforced"*.

[7] PEEREMBOON, *Op. cit.* p. 03.

[8] PEEREMBOON, *Op. cit.* p. 03.

anglo-saxão de *rule of the law* e que se procurou incorporar à ideia latina contemporânea de Estado de direito, *État de droit, Stato di diritto*[9].

Por seu turno, Mirreille Delmas-Martis, cuidando especificamente da noção de *Rule of law* na China, assevera que:

> [...] a perplexidade é aumentada em diferentes traduções do termo *Rule of Law* (*Fa zhi*), com a mesma transcrição e a mesma pronúncia. O primeiro (*zhi**), com significado de fabricar, produzir ou criar leis (sistema legal), foi introduzido com o conceito de legalidade socialista sob a influência da URSS. O segundo (*zhi***), com significado de governo pela lei, que remonta aos juristas do período pré-imperial, é usado para traduzir o conceito ocidental de governo pela lei e foi introduzido na Constituição chinesa em 1999[10].

Observa-se, por conseguinte, que, apesar da elasticidade das noções de constitucionalismo e de Estado de Direito, o elemento mínimo essencial para a concepção de um Estado Constitucional de Direito é a existência de algum tipo de legalidade, cujo escopo primário é o de substituir a vontade dos homens pela vontade da lei, de sorte a impor certos limites ao poder do governante.

3. A organização política da República Popular da China: a estrutura fundamental das instituições chinesas

3.1. Esboço histórico

Consoante leciona Jianfu Chen, as instituições têm uma curta, porém conturbada, história na China desde que o sistema legal estilo-continental foi introduzido no país na virada para o século XX[11].

---

[9] BARROSO, *Op. cit.* p. 40-41.

[10] DELMAS-MARTIS, Mirreile. *Presente-Day China and the Rule of Law: Progress and Resistence.* p. 12. Disponível em: http://chinesejil.oxfordjournals.org. Acesso em: 19/03/2014. No original: *"The perplexity is increased by varying translations of the term Rule of Law ("fa zhi"), with the same transcription and the same pronunciation. The first, (zhi*), meaning to manufacture, produce or create laws (legal system), was introduced with the concept of socialist legality under the influence of the USSR. The second, (zhi**), meaning to govern by the law, which dates back to the jurists of the pre-imperial period, is used to translate the Western concept of government by law and was introduced into the Chinese Constitution in 1999".*

[11] CHEN, Jianfu. *Chinese Law: Context and Transformation.* Lieden, Holanda: Martinus Nijhoff Publishers, 2008, p. 147.

O delineamento e o papel das instituições legais modernas na China têm sido bastante aperfeiçoados pelos sucessivos governantes que assumiram o poder depois da morte de *Máo Zédōng*. Como dito, a partir de 1978, com *Dèng Xiăopíng* no poder, a China iniciou seu processo de abertura econômica para o mundo capitalista, implantando um peculiar regime socialista de mercado, o que ensejou a realização de reformas políticas e econômicas profundas a fim de adequar o país às premissas básicas e universais do capitalismo liberal econômico, como, v.g., a propriedade privada dos meios de produção, a livre concorrência e a livre iniciativa, bem ainda no intuito de promover um ambiente de segurança [jurídica] nas relações políticas, sociais e econômicas.

Inicialmente, cabe ressaltar que quando as reformas econômicas que seguiram à política de abertura ao capitalismo começaram, em 1978, praticamente não havia direito na China[12]. O ordenamento jurídico resumia-se a algumas poucas leis e regulamentos provisórios feitos nos anos 1950[13].

Para se ter uma ideia do grau de precariedade do direito na China naquela época, vale lembrar que o ensino jurídico chegou a ser completamente abolido durante a Revolução Cultural, entre 1966 a 1976, e somente se reiniciou em 1978. Desde então, o seu processo de expansão tem sido bastante célere e vigoroso. No início do período pós-Mao, havia cerca de seis instituições ou faculdades que promoviam o ensino jurídico sob a supervisão do Ministério da Justiça e mais algumas poucas universidades[14].

O rápido crescimento econômico, a partir do final da década de 1970, alavancou a produção normativa na China, tanto em nível nacional quanto internacional.

Um regime jurídico razoavelmente compreensivo para disciplinar os investimentos estrangeiros foi editado em 1986, tendo sido ulteriormente aperfeiçoado após a entrada da China na Organização Mundial do Comércio em 2001.

---

[12] No capítulo 15, *Direito Internacional Privado na China*, Victor Barbosa Dutra esclarece que todas as leis editadas pelo KTM foram abolidas pela Revolução de 1949, dentre elas o Código Civil, visto que, na visão socialista clássica, o Direito era um instrumento de classe para proteger posições privilegiadas. Invocando as lições de Chen Lei, os autores explicam que o Direito, em geral, e a propriedade, em particular, foram rejeitados por Mao Tsé-Tung e não foram substituídos por novas leis.

[13] CHEN, *Op cit.* p. 171.

[14] CHEN, *Op. cit.* p. 167.

Em 1992, o Partido Comunista lançou um ambicioso plano de produção legislativa que contribuiu para acelerar exponencialmente o número de leis editadas no país. Desde então, a produção legislativa na China tem crescido bastante, ainda que muitas vezes de forma desordenada e despida de suficiente sistematicidade e clareza, como será visto ulteriormente.

3.2. A estrutura do Estado chinês

De forma semelhante à verificada na maioria dos Estados da atualidade, a estrutura administrativa estatal da China é complexa, burocratizada e hierarquizada.

O poder supremo na República Popular da China é confiado à Congresso Nacional do Povo – CNP (全国人民代表大会 – *Quánguó Rénmín Dàibiǎo Dàhuì*). O Poder Legislativo é exercido pelo CNP, pelo seu Comitê Permanente e também, em alguma medida, pelo Conselho de Estado (國務院 – *Guówùyuàn*). O mesmo ocorre, em nível regional e local, com as assembleias das províncias e os seus comitês permanentes.

O Poder Executivo é exercido pelas autoridades do Conselho de Estado, em nível central, e pelas autoridades das províncias, dos municípios e dos condados, em nível regional e local, respectivamente.

O Poder Judiciário, por sua vez, é composto por diversos tribunais, cujas atribuições são repartidas entre si. O Supremo Tribunal Popular – STP (最高人民法院 – *Zuìgāo Rénmín Fǎyuàn*) é o órgão jurisdicional de cúpula da República Popular da China. Abaixo dele, a atividade judicial é igualmente regionalizada e estratificada. Nos níveis regionais e locais, a jurisdição é exercida pelas Cortes Altas, pelas Cortes Intermediárias e pelas Cortes Básicas.

A organização das Procuradorias é feita de forma equivalente à do Poder Judiciário. A Suprema Procuradoria Popular – SPP (最高人民检察院 – *Zuìgāo Rénmín Jiǎncháyuàn*) é o seu órgão máximo e funciona junto ao Supremo Tribunal Popular. Em seguida, nos âmbitos regionais e locais, têm-se as Procuradorias Altas, intermediárias e básicas, que atuam perante os tribunais da correspondente hierarquia.

3.3. Processo de Produção e de interpretação do Direito

De acordo com Jianfu Chen, a Constituição chinesa, do ponto de vista teórico, sustenta-se sob um sistema unitário no qual todo o poder está investido no Congresso Nacional Popular – CNP e nos parlamentos locais.

DIREITO CHINÊS CONTEMPORÂNEO

Contudo, na prática, o poder estatal de produção jurídica também é exercido por diversos órgãos e autoridades a nível nacional e local[15].

Como anteriormente frisado, o poder legislativo é precipuamente exercido pelo CNP e pelo seu Comitê Permanente – CPCNP, os quais estão *a priori* submetidos apenas à Constituição.

Porém, Jianfu Chen pondera que:

> [...] como discutido no capítulo anterior, a Constituição é a lei suprema da China e, consequentemente, o processo de produção legislativa pelo CNP e seu Comitê Permanente devem estar sujeitos a ela. No entanto, como o CNP tem o poder de alterar, e o CPCNP tem o poder de interpretar a Constituição, uma restrição constitucional sobre o processo legislativo é claramente difícil de alcançar[16].

A Constituição chinesa diz caber ao CNP editar as "leis básicas" *(jiben falü)* e ao CPCNP as "outras leis" *(qita falü)*. O CPCNP pode ainda revisar ou suplementar as leis básicas, mas não revogá-las. Contudo, a Constituição não distingue uma espécie da outra, o que dá ensejo a sérias dúvidas acadêmicas e práticas sobre a natureza de certas leis[17]. É admitida, ademais, a delegação de certas competências normativas.

Abaixo da Constituição e das leis, vêm os atos, decretos e regulamentos editados pelo Conselho de Estado[18]. Por fim, os atos do Conselho podem ser suplementados pelos Ministros de Estado e pelas comissões existentes.

No ponto, releva destacar que a Constituição de 1982 modificou significativamente a competência legislativo-normativa outrora estipulada

---

[15] CHEN, *Op. cit.* p. 173.

[16] CHEN, *Op. cit.* p. 182. No original: *"As discussed in the previous chapter, the Constitution is the supreme law in China and, consequently, law-making by the NPC and its Standing Committee should be subject to it. However, as the NPC has the power to amend, and the SCNPC has the power to interpret, the Constitution, a constitutional constraint on law-making is clearly difficult to achieve".*

[17] Jianfu Chen adverte que há controvérsia, por exemplo, sobre o que aconteceria se uma lei editada pelo CPCNP entrasse em conflito com outra editada pelo próprio CNP. *Op. cit.* p.182.

[18] Ainda segundo Jianfu Chen, as delegações de competência emitidas pelo Congresso Nacional Popular em favor do Conselho nas mais diversificadas matérias torna-a, *de facto*, a mais poderosa instituição produtora do direito na China. *Op. cit.* p.183.

pela Constituição de 1952 – que outorgava o poder de criação do direito somente ao CNP – e criou um sistema de hierarquia de leis e de processos legislativos.

Além disso, várias instituições aparentemente sem poder normativo haurido diretamente da Constituição, tais como o STP e a SPP, têm emitido atos de cunho legislativo, sem gozarem de poder para tanto[19].

A Constituição confere ao CPCNP o poder de interpretar a Constituição e as leis em geral, o que o convola no mais importante órgão estatal em matéria de interpretação jurídica. Nada obstante, posto que se reúne apenas duas vezes por mês, o CPCNP não exerce a contento a atividade interpretativa, eis que se encontra sobrecarregado com suas atividades legislativas primárias e hodiernas de produção normativa.

Por sua vez, depois do CPCNP, os órgãos mais importantes em matéria de interpretação são o STP e a SPP, que, teoricamente, têm competência para interpretar a lei – e não a Constituição – apenas nos casos concretos que lhes são submetidos, nas esferas de suas atribuições.

Nada obstante, na prática o STP tem exarado diversas interpretações de leis, algumas vezes do tipo artigo por artigo, pouco tempo após a sua edição. O Código de Processo Civil, v.g, composto por 270 artigos, entrou em vigor em abril de 1991. Uma interpretação contendo 320 artigos foi emitida pelo STP em julho de 1992. De forma semelhante, a lei de princípios gerais de Direito Civil, de 156 artigos, entrou em vigor em janeiro de 1987. Em abril de 1988, o STP emitiu a sua própria interpretação desta lei com 200 artigos.

Evidentemente, levantam-se sérias dúvidas sobre a constitucionalidade destes "atos interpretativos", eis que este tipo de atividade, *prima facie*, não se caracteriza como jurisdição.

O STP editou um provimento declarando que somente ele, no âmbito do Judiciário, tem poder para realizar a interpretação judicial e asseverou que suas interpretações têm força de lei, o que contraria a Constituição[20].

Como se nota, o poder de interpretação jurídica outorgado aos tribunais em geral é bastante restrito, não abrangendo a interpretação da Constituição e nem de atos e regulamentos administrativos editados pelas autorida-

---

[19] CHEN, *Op. cit.* p. 174.
[20] CHEN, *Op. cit.* p. 201.

DIREITO CHINÊS CONTEMPORÂNEO

des centrais, regionais e locais[21]. Cingem-se, pois, os tribunais a promover a interpretação das leis editadas pelo CNP e pelo CPCNP.

No ano 2.000 foi editada a Lei sobre a produção do Direito (法造法 – *Fă zào fă*), a fim de definir e delimitar os poderes legislativos dos diversos órgãos legiferantes e os poderes normativos-regulamentares de diversas autoridades administrativas, além de estabelecer um procedimento para a edição de leis e regulamentos nas esferas central e locais[22]. Esta lei foi a solução encontrada pelo governo chinês para resolver o grave problema da contínua, assistemática e desordenada produção legislativa, que causa inúmeros problemas no que toca à consistência e à integridade do sistema jurídico – visto que leis eram constantemente editadas por órgãos que aparentemente não detinham competência para tanto e que não raro entravam em conflito com outras leis.

4. O Poder Judiciário e as instituições judiciais na China. A independência dos tribunais e dos juízes. Interface com os outros poderes
4.1. Panorama das instituições judiciais na China

O termo "instituições judiciais" (*Sifa Jiguan*) possui um sentido mais amplo e outro mais restrito. O primeiro abrange os tribunais, as procuradorias e as forças de segurança pública como um todo. O segundo abarca apenas o sistema formado por juízes e procuradores[23].

O Poder Judiciário é a instituição responsável por solucionar certos tipos de conflitos verificados na sociedade, interpretando e aplicando as leis aos casos concretos[24].

A estrutura judicial na China é enorme[25], complexa, hierarquizada e capilarizada, sendo delineada pela Constituição e pela Lei Orgânica dos Tribunais Populares (人民法院组织法 – *Rénmín făyuàn zŭzhī fă*).

---

[21] CHEN, *Op. cit.* p. 202.

[22] No ponto cabe registrar que a Lei sobre a Produção do Direito é absolutamente silente acerca da interpretação judicial, administrativa e da procuradoria. Trata apenas das interpretações a serem feitas pelo CPCNP.

[23] CHEN, *Op. cit.* p. 149.

[24] Como já explanado, o poder interpretativo do Poder Judiciário é bastante limitado, não abrangendo a interpretação constitucional e nem de atos infralegais, como decretos e resoluções editadas por todas as esferas de poder. Não há na China, portanto, atividade jurisdicional de controle de constitucionalidade de outros atos normativos.

[25] No final de 2004, havia na China 3.548 órgãos jurisdicionais gerais e especializados.

Como já anotado, o STP é o órgão máximo do Poder Judiciário chinês. Abaixo dele, situam-se as Cortes Altas, localizadas nas províncias, as Cortes Intermediárias, estabelecidas nas cidades, e as Cortes Básicas, sediadas nos condados. Há ainda as jurisdições especiais, como a militar, a ferroviária, a de transporte aquaviário e a florestal. Com exceção das Cortes Militares, as demais jurisdições especiais são compostas pelas Cortes Intermediárias e Básicas, as quais estão sujeitas à supervisão das Cortes Altas das respectivas províncias.

Além da Lei Orgânica dos Tribunais Populares da China, há a Lei dos Juízes (法官法 – *Făguān fă*) que trata, por exemplo, dos direitos e obrigações e também da seleção de magistrados[26].

A referida lei estipula os seguintes requisitos para a investidura no cargo de magistrado[27]: ser cidadão chinês; ter mais de 23 anos; possuir boa reputação moral, política e profissional; ser saudável; jurar a Constituição; ser graduado em direito ou ter no mínimo 2 anos de experiência[28].

A par disso, registre-se que o processo de qualificação dos juízes e de profissionalização da Justiça foi bastante impulsionado nos últimos anos pelo Estado chinês. Conforme lembra Benjamim Liebman:

> [...] tribunais empreenderam reformas significativas destinadas a reforçar tanto a competência dos juízes quanto o profissionalismo do sistema judicial. Mais significativamente, os níveis de educação dos juízes melhoraram drasticamente. A imprensa relata que, em meados de 2005, pela primeira vez, mais de cinquenta por cento dos juízes chineses tinham diplomas universitários. Isto marca um forte aumento de 6,9 por cento em 1995. Desde 2002, todos os novos juízes na China foram obrigados a possuir graus de bacharel. Da mesma

---

[26] Uma medida importante para o processo de profissionalização da estrutura judicial foi a instituição, em 2001, de um exame judicial nacional, que funciona como etapa inicial do processo de seleção e nomeação de magistrados e promotores.

[27] No Brasil, os requisitos para a investidura no cargo de magistrado estão previstos no art. 93, I, da Constituição, que dispõe que: Art. 93. Lei complementar, de iniciativa do Supremo Tribunal Federal, disporá sobre o Estatuto da Magistratura, observados os seguintes princípios: I – ingresso na carreira, cujo cargo inicial será o de juiz substituto, mediante concurso público de provas e títulos, com a participação da Ordem dos Advogados do Brasil em todas as fases, exigindo-se do bacharel em direito, no mínimo, três anos de atividade jurídica e obedecendo-se, nas nomeações, à ordem de classificação.

[28] No caso da Suprema Corte, este prazo é de 3 anos.

forma, em 2002, o Supremo Tribunal do Povo afirmou que juízes que tinham menos de quarenta anos seriam obrigados a obter um diploma no prazo de 5 anos ou poderiam perder seus empregos. Juízes mais antigos que não tinham uma formação universitária seriam autorizados a ficar apenas se completassem um curso de formação de seis meses ou um ano[29].

Por sua vez, as Procuradorias do Povo são as instituições estatais competentes para iniciar as ações públicas em nome do Estado, além de promoverem atividades de supervisão do cumprimento das leis e de investigação de determinados tipos de crime[30].

Sua estrutura é delineada pela Lei Orgânica das Procuradorias Populares da China (人民监察院组织法 – *Rénmín jiǎncháyuàn zǔzhī fǎ*), promulgada em 1979 e revisada em 1983, e assemelha-se à estrutura do Poder Judiciário. Os direitos, obrigações, qualificações para exercício do cargo e o procedimento de seleção, nomeação e promoção dos membros das procuradorias são disciplinados pela Lei dos Procuradores (关于监察官法 – *Guānyú jiǎnchá guān fǎ*).

Além do Poder Judiciário e das Procuradorias que compõem o sistema judiciário em sentido estrito, há outros órgãos executivos estatais envolvidos com a administração da Justiça, dentre os quais têm destacado relevo os Ministérios da Justiça e da Segurança Pública, que possuem diversas repartições espalhadas pelas províncias.

O Ministério da Justiça cuida da gestão das prisões e dos comitês de mediação, supervisiona a atividade dos advogados e dos notários e é res-

---

[29] LIEBMAN, Benjamin. *China's Courts. Restricted Reform. In Law and Economics with Chinese Characteristics: Institutions for promoting development in the twenty-first century.* KENNEDY, David; STIGLITZ, Joseph. Columbia Journal of Asian Law. Vol. 21, Outono de 2007, n. 1. P. 12-13. Disponível em http://ssrn.com/abstract=1138446. Acesso em: 20/03/2014. No original: *"courts have undertaken significant reforms designed to strengthen both the competence of judges and the professionalism of the court system. Most significantly, the education levels of judges have improved dramatically. Media reports in mid-2005 stated that, for the first time, more than fifty percent of Chinese judges had university degrees. This marks a sharp increase from 6.9 percent in 1995. Since 2002, all new judges in China have been required to possess bachelor's degrees. Likewise, in 2002 the Supreme People's Court stated that sitting judges who were below age forty would be required to obtain a degree within five years or would lose their jobs. Older judges who lacked a university education would be permitted to stay on only if they completed a six-month or one-year training course".*

[30] Papel, ao menos em parte, semelhante ao exercido pelo Ministério Público no Brasil, conforme dispõe o art. 129 da nossa Constituição.

ponsável pela disseminação do conhecimento jurídico – acesso à informação jurídica inclusive por meio de veículos publicitários. O Ministério da Segurança Pública, por sua vez, é o órgão central da administração da atividade policial do Estado Chinês.

4.2. A independência do Poder Judiciário

Pode-se dizer, em linhas gerais, que a independência do Poder Judiciário está diretamente associada à forma como juízes e tribunais se relacionam entre si – *interna corporis* – e com os demais Poderes, ou seja, ao seu grau de autonomia jurisdicional e também administrativa. Em outros termos, a independência do Poder Judiciário – ou de qualquer outro Poder constituído – está relacionada ao grau de concretização do princípio da separação das funções estatais – ou da separação dos Poderes –, uma das pedras de toque do moderno Estado Constitucional de Direito.

No que concerne à correlação entre a independência do Poder Judiciário e a implementação de um efetivo Estado de Direito na China dos dias atuais, Keith Henderson adverte que:

A China provavelmente não irá fazer sua transformação histórica, cultural, social e legal de um governo de homens para um governo de leis ou realizar integralmente seu potencial econômico e político por um longo período sem fortalecer a independência, a imparcialidade, a integridade e a capacidade do Judiciário. A experiência global demonstra que a independência do Poder Judiciário é central para o Estado de Direito[31].

Outrossim, Henderson pontua ainda que:

A experiência global mostra que a justa implementação de uma miríade de novas leis, regulamentos e políticas ocorridas na China durante os últimos 30 anos, a adoção das melhores práticas de *judicial review* emergentes, e o aumento

---

[31] HENDERSON, Keith. *Halfway home and a long way to go: China's Rule of Law evolution and the global road to judicial independence, judicial impartiality, and judicial integrity. In* PEEREMBOOM, Randall. *Judicial Independence in China: Lessons for a Global Rule of Law Promotion.* Cambridge University Press, 2010. p. 23. No original: *"China will not likely make the historic cultural, social, and legal transformation from the rule of man to the rule of law or realize her full economic and political potential over the long term without enhancing the independence, impartiality, integrity, and capacity of the judiciary. Global experience demonstrates that an independent judiciary is central to rule of Law".*

do comércio e do investimento são mais prováveis se existir um Poder Judiciário forte e independente, capaz de promover justiça e uma cultura do Estado de Direito. (...) O crescente número de declarações políticas tanto de Pequim quanto de centros de poder fundamentais como Shangai corroboram a noção de que o Estado de Direito é necessário para o governo ganhar a confiança de público em geral, da crescente classe média, de investidores, das empresas e da comunidade mundial no século vinte e um[32].

Contudo, a conceituação do que seja um Poder Judiciário independente, ou a definição do seu grau de autonomia em relação aos demais poderes ou forças políticas dominantes de um Estado, não é uma tarefa fácil de ser empreendida e pode variar substancialmente de acordo as peculiaridades fático-jurídicas e históricas de cada país ou do tipo de regime jurídico--constitucional adotado.

Tom Ginsburg pondera que:

> A independência judicial surge como liberdade: todos a querem, mas ninguém sabe exatamente com o que ela se parece, e é mais fácil notá-la na sua ausência. Nós sabemos quando juízes são dependentes de políticos ou de pressões externas, mas nós temos mais dificuldade em dizer, com certeza, quando eles são independentes. Ainda assim, o consenso normativo sugere que há algo de importante sobre o seu conceito (...). Apesar de todas as suas nuances, no seu âmago, independência judicial envolve a habilidade e a vontade dos tribunais de decidir casos à luz do direito despida de preocupações com as visões de outros atores governamentais[33].

---

[32] HENDERSON, *Op. cit.* p. 23-24. No original: "*Global experience shows that the fair implementation of myriad new laws, regulations, and policies passed in China during the last thirty years, adoption of the emerging global best practice of judicial review, and increased trade and investment are all more likely if there is a strong, independent judiciary capable of promoting justice and a rule of law culture. (...) The growing number of political statements from both Beijing and key power centers such as Shanghai supports the notion that the rule of law is necessary for the government to gain the trust of the general public, the growing middle class, investors, businesses, and the global community in the twenty-first century*".

[33] GINSBURG, Tom. *Judicial Independence in East Asia: Lessons for China*. In PEEREMBOOM, Randall. *Judicial Independence in China: Lessons for a Global Rule of Law Promotion*. Cambridge University Press, 2010. p 248-249. No original: "*Judicial independence has become like freedom: everyone wants it but no one knows quite what it looks like, and it is easiest to observe in its absence. We know when judges are dependent on politicians or outside pressures, but we have more difficulty saying definitively when judges are independent. Still, the normative consensus suggests that there is something*

No caso específico da China, as Constituições de 1912, 1954 e 1982 trouxeram um conceito legal de independência judicial. No entanto, uma análise da história do país no século XX revela que o significado exato do conceito de independência judicial tem sido debatido e que os preceitos conflitantes dessas Constituições, bem como a prática política atual, sugerem que a independência judicial geralmente tem sido interpretada como algo aplicável apenas ao processo judicial de tomada de decisão em casos individuais – e não à independência institucional do Judiciário[34].

Como sustenta Keith Henderson:

> Ao longo da história chinesa, o Judiciário sempre foi subserviente na prática ao imperador, ao Congresso Nacional do Povo, ou a funcionários do partido a nível central ou local. No entanto, mais funcionários do governo, políticos, juízes, acadêmicos e organizações não-governamentais na China estão se unindo em torno da noção de que um sistema legal confiável e um sistema judiciário mais independente iria ajudá-los a trabalhar de forma mais eficaz na abordagem da governabilidade cotidiana e de vários problemas de desenvolvimento socioeconômico. Ao mesmo tempo, parece haver praticamente unanimidade entre a elite dominante de que é necessário criar uma sociedade sob o Estado de Direito para selar sua própria legitimidade política[35].

De acordo com a Constituição chinesa de 1982, o Poder Judiciário goza de independência em relação aos demais poderes constituídos. Porém, a despeito da consagração formal da independência do Poder Judiciário, sabe-se que o CNP da China e o Partido Comunista exercem enorme influência sobre os órgãos jurisdicionais, especialmente no que toca ao

---

important about the concept. (...) Notwithstanding all these nuances, at its core, judicial independence involves the ability and willingness of courts to decide cases in light of the law without undue regard to the views of other government actors".

[34] HENDERSON, *Op. cit.* p. 28.

[35] HENDERSON, *Op. cit.* p. 28. *"Throughout Chinese history, the judiciary has always been subservient in practice to the emperor, the National People's Congress, or party officials at the central or local levels. Nevertheless, more government officials, policy makers, judges, academics, and nongovernmental organizations in China are coalescing around the notion that a reliable legal system and a more independent judiciary would help them work more effectively in addressing daily governance and various socioeconomic development problems. At the same time, there appears to be virtual unanimity among the ruling elite that it needs to create a rule of law society to seal its own political legitimacy".*

DIREITO CHINÊS CONTEMPORÂNEO

procedimento de nomeações e de destituição de juízes e servidores, ao processo decisório envolvendo questões política ou economicamente sensíveis para o Estado e, ainda, ao controle de recursos financeiros.

O presidente da Suprema Corte é eleito e destituído pelo CNP, ao passo que os vice-presidentes, membros dos comitês judiciais, chefes de divisão e juízes são indicados pelo presidente do Tribunal para o CPCNP para nomeação e destituição[36].

De igual modo, nos tribunais locais em seus diversos níveis, o presidente é eleito e destituído pela Assembleia na esfera correspondente. Vice-presidentes, membros do Comitê Judicial, chefes de divisão e juízes são indicados pelo presidente da Corte ao Comitê Permanente da Assembleia local para nomeação e destituição[37].

No sistema de responsabilidade judicial chinês, juízes podem ser eventualmente demitidos ou multados por proferir decisões que venham a ser reformadas pelos Tribunais superiores nos recursos, o que os incentiva a procurar orientação, tanto dentro da própria Corte quanto junto a tribunais superiores, sobre como lidar com os casos sob sua apreciação[38].

Benjamim Liebman acentua que:

> Algumas reformas podem realmente incentivar intervenção em decisões pelos juízes ou funcionários de nível superior. Por exemplo, uma decisão do STP emitida em 2001 afirmou que os presidentes dos tribunais e vice-presidentes serão forçados a renunciar se seus tribunais emitirem decisões ilegais que prejudiquem os interesses do Estado ou públicos, não consigam investigar ou revelar casos graves de irregularidades satisfatoriamente, ou deixem de se envolver na supervisão sobre os seus tribunais. As regras refletem o fato de que a independência judicial na China refere-se à independência dos tribunais, e não dos juízes individualmente. [...] A falha em reformar o sistema de nomeações dos presidentes dos tribunais continua a servir como um grande impedimento para o fortalecimento dos tribunais[39].

[36] CHEN, *Op. cit.* p. 154.

[37] CHEN, *Op. cit.* p. 154.

[38] LIEBMAN, *Op. cit.* p. 18.

[39] LIEBMAN, *Op. cit.* p. 17-18. No original: *"Some reforms may actually encourage intervention in decisions by higher-ranking judges or officials. For example, an SPC decision issued in 2001 stated that court presidents and vice-presidents will be forced to resign if their courts issue illegal decisions that harm state or public interests, fail to investigate or reveal serious cases of wrongdoing sufficiently, or fail to engage*

ORGANIZAÇÃO POLÍTICA E JUDICIÁRIA NA REPÚBLICA POPULAR DA CHINA

Como se vê, além da carência de garantias institucionais do Poder Judiciário, os juízes não possuem garantias bastantes que lhe assegurem o exercício independente e imparcial da jurisdição[40].

Cabe, aqui, fazer um breve paralelo com a situação vivenciada no Brasil, no que tange aos mecanismos de salvaguarda da independência do Poder Judiciário.

A Constituição brasileira de 1988 outorga garantias ao Poder Judiciário, em geral, e aos magistrados, em particular. Como exemplo das primeiras, mencione-se a autonomia administrativa e financeira dos tribunais, os quais tem poder de autogoverno, consistente na livre eleição de seus órgãos diretivos, sem ingerência do Poder Executivo ou Legislativo, na elaboração de seus regimentos internos, na organização de suas secretarias e serviços auxiliares e dos juízes que lhes são vinculados, no provimento dos cargos necessários à administração da Justiça, e na elaboração e execução de suas propostas orçamentárias[41].

Por sua vez, os membros do Poder Judiciário, individualmente considerados, gozam das seguintes garantias: vitaliciedade, que assegura que o magistrado, como regra, somente poderá perder o cargo mediante sentença judicial transitada em julgado; inamovibilidade, que garante que o juiz não seja removido, via de regra, de seu ofício jurisdicional contra sua vontade ou, ainda, que seja afastado da apreciação de um caso qualquer por determinação de terceiros; e irredutibilidade de subsídios, que veda a redução da remuneração dos juízes. Porém, em contrapartida, a Cons-

---

in oversight over their courts. The rules reflect the fact that judicial independence in China refers to the independence of courts, not individual judges. (...)The failure to reform the system of appointments of court presidents continues to serve as a major impediment to strengthening the courts".

[40] Segundo Jianfu Chen, um juiz pode ser demitido se ele/ela: perde seu/sua cidadania chinesa; é transferido para fora do sistema judicial; não tem nenhuma necessidade de manter o seu/sua posição depois de uma mudança de posição; é apontado através do exame não ser competente para ocupar o cargo; deixar de cumprir os deveres de um juiz, devido a problemas de saúde; se aposentou; se demitiu ou foi demitido; ou inadequada para a nomeação de continuar por causa de uma violação de disciplina ou de direito. *Ob. cit.* p. 154-155. No original: *"A judge may be dismissed if he/she: loses his/her Chinese citizenship; is transferred out of the court system; has no need to maintain his/her position after a change of position; is determined through examination not to be competent to hold the position; fails to perform a judge's duties due to poor health; has retired; had resigned or been dismissed; or is unsuitable for continuing appointment because of a violation of discipline or law".*

[41] Vide arts. 96, I, e 99 da Constituição.

DIREITO CHINÊS CONTEMPORÂNEO

tituição lhes impõe algumas proibições, tais como exercer outro cargo ou função, salvo uma de magistério, e de dedicar-se a atividades político-partidárias[42], a fim de preservar a imparcialidade dos juízes.

Além disso, Jianfu Chen aponta a existência dos comitês judiciais[43], cujos membros são indicados pelo CNP, como outro possível entrave à independência judicial. Segundo o referido autor:

> Comitês judiciais são estabelecidos por tribunais populares em vários níveis. Estes comitês, compostos por juízes mais antigos e chefes de divisões, são responsáveis por resumir experiências de adjudicação, discutindo casos importantes ou difíceis e outros assuntos relacionados com a adjudicação. A existência destes comitês tem sido altamente controversa e tem sido vista como uma barreira para a justiça e para a independência judicial[44].

O cenário político-jurídico acima traçado evidencia que o Poder Judiciário chinês e seus juízes ainda estão muito distantes de gozar de independência jurisdicional e de autonomia financeira, o que lhes impede de cumprir, a contento, sua missão constitucional primária de solucionar conflitos com justiça e imparcialidade, sem receios ou influências internas e externas de qualquer ordem.

Neste diapasão, Randall Peeremboom pondera que:

> Estado de Direito exige um Poder Judiciário independente, competente e que goza de poderes suficientes para resolver os litígios de forma justa e imparcial. O Judiciário chinês é insuficiente em cada uma dessas três dimensões[45].

---

[42] Vide art. 95 da Constituição.

[43] Legalmente previstos no art. 11 da Lei Orgânica das Cortes do Povo da China.

[44] CHEN, *Op. cit.* p. 151. No original: *"Judicial committees are established by people's courts at various levels. These committees, consisting of senior judges and heads of divisions, are responsible for summing up adjudication experiences, discussing major or difficult cases, and other adjudication-related matters. The existence of these committees has been highly controversial and has often been seen as a barrier to justice and judicial independence".*

[45] PEEREMBOOM, *Op. cit.* p. 280. No original: *"Rule of law requires a judiciary that is independent, competent, and enjoys sufficient powers to resolve disputes fairly and impartially. China's judiciary falls short on each of these three dimensions".*

Lado outro, é preciso registrar que a falta de independência do Poder Judiciário decorre também de outro mau: a estreita relação entre magistrados e o Partido Comunista, que acarreta uma significativa e indesejada politização da função jurisdicional. Opera-se, em certa medida, verdadeira confusão entre os interesses do Poder Judiciário e do Poder Legislativo, dominado pelo Partido Comunista.

Para Benjamim Liebman:

> Tribunais não parecem mais propensos a desafiar a autoridade do partido do que no passado. De fato, despolitização – com o grau que ocorreu – pode ser possível precisamente porque os tribunais não são um desafio à autoridade do partido. Organizações locais do partido continuam a supervisionar as nomeações judiciais, os presidentes dos tribunais muitas vezes são escolhidos principalmente por razões políticas, e a esmagadora maioria dos juízes continuam a ser membros do Partido[46].

Apesar da situação ter tido uma ligeira melhora nos últimos anos, a pressão exercida sobre os magistrados em casos mais sensíveis, como, v.g., nas ações envolvendo importantes questões políticas ou criminais ou interesses financeiros do Partido Comunista ainda é algo ainda bastante recorrente na China.

A propósito, Benjamim Liebman salienta que:

> Funcionários visando pressionar os tribunais também podem ter mecanismos para fazê-lo de forma diversa da intervenção direta. Avanços foram maiores em casos de rotina do que naqueles politicamente sensíveis. Por exemplo, juízes comentam que são raramente sob pressão em casos de propriedade intelectual, porque esses casos não tocam no núcleo de interesses do Partido. Mas o âmbito de casos sensíveis permanece amplo e pode incluir não apenas casos criminais ou políticos importantes, mas também casos que envolvem os interesses financeiros do Partido-Estado ou de indivíduos com

---

[46] LIEBMAN, *Op. cit.* p. 19. No original: *"Courts do not appear more likely to challenge Party authority than in the past. Indeed, depoliticisation – to the degree it has occurred – may be possible precisely because courts are not a challenge to Party authority. Local Party organizations continue to oversee court appointments, court presidents are often primarily chosen for political reasons, and the overwhelming majority of judges continue to be Party members".*

DIREITO CHINÊS CONTEMPORÂNEO

vínculos com o Partido-Estado, casos envolvendo empresas de alto padrão, aqueles envolvendo um grande número de potenciais demandantes, e casos recebendo ampla cobertura da mídia[47].

5. Conclusões

A rápida e vigorosa abertura econômica da China, deflagrada no último quarto do século passado, trouxe consigo profundas mudanças no sistema jurídico do país, que gradualmente têm sido implementadas, cujo escopo evidente é de permitir a continuidade e a expansão do comércio interno e internacional e de seu sistema financeiro.

A implementação de um sistema jurídico pautado no princípio da legalidade, que seja sistematizado, claro, inteligível, previsível, estável e eficaz e, ainda, que assegure efetiva independência administrativa, financeira e jurisdicional ao Poder Judiciário é medida crucial para a continuidade do sucesso da política econômica chinesa.

É possível compreender a China como um Estado Constitucional de Direito, ao menos sob o seu aspecto formal, dada a existência de um regime jurídico fundado na legalidade – que vise a promover a segurança jurídica – e, ao menos teoricamente, na separação das funções estatais e na limitação dos Poderes instituídos.

Porém, a ausência de sistematicidade e clareza do ordenamento jurídico chinês provoca insegurança jurídica. A supremacia da lei está longe de ser uma realidade, posto que a vontade do Partido Comunista ainda se sobrepõe a ela. Além disso, a inexistência de independência administrativa, orçamentária e jurisdicional pelo Poder Judiciário contribui significativamente para a inefetividade das leis e, consequentemente, para o não reconhecimento dos direitos de seus cidadãos e dos agentes econômicos que atuam no país, que não raro remanescem apenas no papel.

---

[47] LIEBMAN, *Op. cit.* p. 15. No original: *"Officials seeking to pressure the courts may also have mechanisms for doing so other than direct intervention. Improvements have been greater in routine cases than in politically sensitive ones. For example, judges comment that they are rarely under pressure in intellectual property cases because these cases do not touch on core Party interests. But the scope of sensitive cases remains wide and can include not only major criminal or political cases, but also cases involving the financial interests of either the Party-state or individuals with Party-state ties, cases involving high profile companies, those involving a large number of potential plaintiffs, and cases receiving extensive media coverage".*

Observa-se, pois, que a caminhada rumo à construção de um Estado de Direito, tomado em sua vertente substancial, é algo ainda bastante incipiente e incerto na China.

Para que o Estado de Direito seja realmente implementado e consolidado na China, reformas mais profundas serão imprescindíveis, não apenas na estrutura interna de suas instituições estatais, mas, sobretudo, na base do sistema político, cujo poder é exageradamente concentrado no CNP e no Partido Comunista.

A questão da independência do Poder Judiciário não é daquelas que podem ser facilmente solucionada pelos próprios órgãos judiciários. Depois de décadas de reformas legislativas e institucionais, o futuro das instituições chinesas deverá ser decidido e moldado por reformas vindas de fora ao invés de dentro do sistema[48].

O caminho a ser seguido envolve uma decisão eminentemente política e bastante complexa, que, espera-se, será amadurecida ao longo das próximas décadas, sob pena de comprometimento da continuidade da vigorosa expansão econômica experimentada pela China nos últimos 35 anos.

Referências bibliográficas

BARROSO, Luís Roberto. *Curso de Direito Constitucional Contemporâneo: Os Conceitos fundamentais e a construção do novo modelo*. São Paulo: Saraiva, 2009.

CHEN, Jianfu. *Chinese Law: Context and Transformation*. Lieden, Holanda: Martinus Nijhoff Publishers, 2008.

DELMAS-MARTIS, Mirreile. *Present-Day China and the Rule of Law: Progress and Resistance*. p. 12. Disponível em <http://chinesejil.oxfordjournals.org>. Acesso em 19/03/2014 pelo Portal CAPES.

GINSBURG, Tom. *Judicial Independence in East Asia: Lessons for China. In* PEEREMBOOM, Randall. *Judicial Independence in China: Lessons for a Global Rule of Law Promotion*. Cambridge University Press, 2010.

HENDERSON, KEITH E. *Halfway home and a long way to go: China's Rule of Law evolution and the global road to judicial independence, judicial imparciality, and judicial integrity. In*

---

[48] CHEN, *Op. cit.* p. 170.

DIREITO CHINÊS CONTEMPORÂNEO

PEEREMBOOM, Randall. *Judicial Independence in China: Lessons for a Global Rule of Law Promotion.* Cambridge University Press, 2010.

LIEBMAN, Benjamin. *China's Courts. Restricted Reform. In* Law and Economics with Chinese Characteristics: Institutions for promoting development in the twenty-first century. KENNEDY, David; STIGLITZ, Joseph. Columbia Journal of Asian Law. Vol. 21, Outono de 2007, n. 1. Disponível em <http://ssrn.com/abstract=1138446>. Acesso em 20/03/2014.

PEEREMBOON, Randall. *China's Long March Toward Rule of Law.* Cambridge University Press, 2002.

STIGLITZ, Joseph. *Creating the Institutional Foundations for a Market Economy. In*: KENNEDY, David; STIGLITZ (org). *Law and Economics with Chinese Characteristics: Institutions for Promoting Development in the Twenty-First Century.* Oxford University Press, 2013.

CAPÍTULO 7
DIREITO CONSTITUCIONAL NA CHINA

VENICIO BRANQUINHO PEREIRA FILHO

1. Introdução

A proposta do presente trabalho consiste em analisar o Direito Constitucional Chinês, notadamente a partir da Constituição da República Popular da China de 1982.

A principal norma da China apresenta um enfoque institucional ideológico marcante, distinguindo-se de outras Constituições, nas quais pode-se notar regras específicas acerca da Administração Pública e a proteção de direitos e garantias fundamentais, por exemplo. Não significa, contudo, que o Direito Constitucional Chinês não abarque princípios e direitos básicos. Em realidade, conforme será detalhado a seguir, a atual Constituição preocupa-se mais com a organização estrutural do Estado, traçando, em relação aos direitos dos cidadãos (民 mín), parcas normas genéricas e programáticas.

Para abordarmos o tema, é imprescindível atentar-nos para a evolução histórica pela qual passou o País – e seu ordenamento jurídico – principalmente com o advento da República, tema da primeira seção deste texto. Na seção subsequente, adentraremos no texto constitucional de 1982, examinando os princípios gerais, a organização do Estado Chinês, os direitos e deveres fundamentais, dentre outros aspectos. Por fim, buscar-se-á construir uma conclusão crítica acerca do papel exercido pelo atual Direito Constitucional em uma sociedade Chinesa cada vez mais urbanizada e globalizada.

2. Breves considerações históricas

A História do Direito na China, assim como a História do País, é milenar. Não é sem razão que a primeira frase da atual Constituição (宪法 xiàn fǎ)

DIREITO CHINÊS CONTEMPORÂNEO

seja: "A China é um dos países com as Histórias mais longas do mundo" (tradução nossa)[1].

Sua evolução é marcada por processos heterogêneos, em que são identificados momentos de codificação, de legalismo, de enfraquecimento das instituições jurídicas e de ocidentalização, por exemplo. A presente seção pretende, assim, ressaltar parte desses fenômenos para que se possa compreender o origem do atual modelo constitucional chinês.

2.1. Da antiguidade ao Império (2200 a.C – 1912 d.C)[2]

O Direito da China imperial possuía um caráter preponderantemente público, como assevera Tsien[3]. Pode ser analisado a partir das leis e códigos dinásticos, bem como pela doutrina. Não obstante, a filosofia da Escola dos Letrados e da Escola das Leis apresentam uma importante função no estudo histórico do Direito Chinês[4].

Os documentos que remontam à Antiguidade da China demonstram a existência de normas voltadas para a seara penal. As primeiras das quais se tem conhecimento remontam a Yu, o Grande, datadas de 22 séculos a. C., aproximadamente[5].

---

[1] CHINA. Constitution of the People's Republic of China. Disponível em: <http://www.npc. gov.cn/englishnpc/Constitution/2007-11/15/content_1372963.htm>. Acesso em: 30 março 2014. "China is one of the countries with the longest histories in the world".

[2] Tendo em vista que o escopo deste trabalho não é adentrar na História do Direito Chinês, são trazidas breves reflexões sobre o tema, sem discriminar os períodos específicos compreendidos em tantos séculos.

[3] Tsien, Tche-Hao. *Le Droit Chinois*. 1. ed. Paris: Presses Universitaires de France, 1982, p. 11.

[4] Os fenômenos presentes na China entre o século V e III a.C., tais como mudanças demográficas, culturais e políticas, propiciaram o surgimento de escolas filosóficas que buscariam a refletir sobre possíveis soluções para os problemas da civilização chinesa. Entre elas, destacam-se, em relação aos ritos e às leis, a Escolas dos Letrados e a Escola das Leis. A primeira também era conhecida como Escola de Confúcio, em razão de um de seus maiores representantes, Confúcio (Kong Fuzi, 555-479 a.C.). A Escola dos Letrados defendia, em suma, a valorização dos ritos, a bondade, a educação, o "governo pelos homens" que nasceram para governar. Por outro lado, a Escola das Leis, desenvolvida a partir do século IV, contrapunha-se à noção de manutenção do passado. Defendia a adaptação e a inovação, além de criticar os ritos confucianos, valorizando o "governo pela lei". Tsien, Tche-Hao. *Le Droit Chinois*. 1. ed. Paris: Presses Universitaires de France, 1982, p. 9.

[5] Tsien, Tche-Hao. *Le Droit Chinois*. 1. ed. Paris: Presses Universitaires de France, 1982, p. 15.

DIREITO CONSTITUCIONAL NA CHINA

A dinastia Tang, tida como uma das proeminentes da História Chinesa, exercia forte atividade legislativa, influenciando diversas regiões do País. O Código Tang (*Tang lü*), publicado pela primeira vez em 624 d. C., tratava de temas como família, casamento, serviço militar, crimes e julgamento.

Posteriormente, as dinastias que se seguiriam elaboraram outros códigos, complementados por leis esparsas de conteúdos diversos, regulamentando, por exemplo, a Administração Pública[6].

O fenômeno da ocidentalização do Direito Chinês iniciou-se no fim do século XIX, "quando valores tradicionais e sistemas encontravam sérios desafios internos e externos e pressões para a reforma" (tradução nossa[7]). À época, a opinião moral sobrepunha-se ao próprio papel do Direito, sendo o século XIX "marcado pela perda da confiança, senso de humilhação, perda da dignidade pessoal e coletiva dos chineses", como caracteriza Leurquin[8].

A abordagem da "ocidentalização" no presente estudo requer, contudo, ressalvas. Não se trata de um fenômeno de substituição da cultura jurídica Chinesa pela concepção ordinariamente sustentada no Ocidente acerca do que é o fenômeno do Direito e de como é construído. Em realidade, assim delineia Ramos[9]:

> Por mais que a China tenha produzido uma robusta e sofisticada legislação, não podemos atribuir a ela o status de Direito. Enquanto esse último funda-se, conforme vimos, sobre os pressupostos da liberdade e da igualdade, atribuíveis universalmente a todos através de complexos mecanismos normativos, na China, ao contrário, a legislação nunca se prestou a efetivar nenhum desses pressupostos. Ela definitivamente não o fez antes de sua ocidentalização normativa ocorrida durante o século XX e, mesmo após esse fato, ela não parece realizá-los.

---

[6] TSIEN, Tche-Hao. *Le Droit Chinois*. 1. ed. Paris: Presses Universitaires de France, 1982, p. 15-22.

[7] [...] when traditional values and systems were facing strong internal and external challenges and pressures for reform. CHEN, Jianfu. *Chinese Law: Context and Transformation*. Leiden//Boston: Martinus Nijhoff, 2008, p. 23.

[8] Ver capítulo 5, *China Contemporânea e Democracia*.

[9] RAMOS, Marcelo Maciel. *A invenção do Direito pelo Ocidente: uma investigação face à experiência normativa da China*. São Paulo: Alameda, 2012, p. 292.

DIREITO CHINÊS CONTEMPORÂNEO

Assim, reconhece-se fortes influências do Ocidente, mas cumpre ponderarmos, por exemplo, que parte de seus pressupostos jusfilosóficos não encontram guarida na legislação Chinesa.

Neste cenário de aproximação jurídica com o Ocidente, a reforma constitucional era tida como imprescindível e consistiria na transformação de um império autocrático em uma monarquia constitucional. Uma comissão foi enviada para o Japão, para a Europa e para os Estados Unidos[10] para estudar os modelos constitucionais, os quais eram considerados como as bases das maiores potências mundiais[11].

O primeiro documento constitucional moderno apresentava fortes influências da Constituição Japonesa de 1889, embora não contivesse dispositivos que limitassem os poderes do imperador. Denominado "Princípios da Constituição" (*Qinding Xianfa Dagang*), foi publicado em 27 de agosto de 1908 e definia os princípios de um governo constitucional. No mesmo ano, o Império publicou um programa que teria duração de nove anos para promover a transição.

No entanto, a Revolução Republicana, em 1911, já ganhava contornos nacionais, pressionando o governo. Em resposta, neste mesmo ano, uma Constituição, conhecida como os Dezenove Artigos (*Zhongda Xintiao Shijiu Tiao*), foi promulgada para estabelecer um sistema de responsabilidade ministerial e um parlamento. Com nítida influência britânica, fora elaborada em apenas três dias e publicada para implementação imediata. Mas não foi o suficiente para salvar o Império, como assevera Jianfu Chen[12].

2.2. A China republicana (Desde 1912)
Embora o movimento revolucionário tenha impossibilitado a conclusão dos planos imperiais, o novo governo republicano traria maior concretude ao ideal constitucional. Não obstante, o período foi conturbado, apresentando textos constitucionais efêmeros.

---

[10] Em 1906, quando a comissão retornou à China, recomendou-se a adoção do modelo japonês, dada as semelhanças entre os países.

[11] CHEN, Jianfu. *Chinese Law: Context and Transformation*. Leiden/Boston: Martinus Nijhoff, 2008, p. 79.

[12] CHEN, *Chinese Law, cit.*, p. 80.

2.2.1 O governo nacionalista do Kuomintang (1912-1949[13])

Em 11 de março de 1912, a Constituição Provisória da República da China (中華民國臨時約法 *Zhōnghuá mínguó línshí yuē fǎ*) foi promulgada, estabelecendo um sistema de comitê de ministros.

Em 1913, uma Constituição de 113 artigos foi elaborada pela Assembleia Nacional. Conhecida como Projeto do Templo do Céu (*Tientang Xiancao*), trazia restrições ao poder do Presidente e instituía, com base na Constituição Francesa, o sistema de comitês de ministros como sistema de governo.

Não obstante, os primeiros anos após o Império mostraram-se conturbados, como narra Jianfu Chen[14]. A restauração da monarquia por um breve lapso temporal e a coexistência de textos constitucionais, em razão da divisão da China em províncias independentes, são algumas das dificuldades apontadas pela autora.

Posteriormente, o líder do Kuomintang[15] (中國國民黨, *Zhōngguó Guómíndǎng*, ou simplesmente KMT) Chiang Kai-shek, com o movimento que ficou conhecido como "expedição do Norte", nos anos de 1926 e 1927, passa a promulgar uma série de códigos com forte inspiração ocidental. Mas "o novo direito abarca apenas parte de uma parcela 'ocidentalizada'. A massa do povo chinês não é abrangida. Mesmo entre a minoria, omissões por vezes contraditórias aparecem"[16].

Em 1º de junho de 1931 foi promulgada a Constituição Provisória para o Período de Proteção Política (*Xunzheng Shiqi Yuefa*), reiterando o precedente do domínio do Partido acima do próprio Estado.

Uma Constituição permanente seria adotada apenas em 1946, após a Segunda Guerra Sino-Japonesa. Encerrando formalmente o período de tutela política, o diploma trazia a "ideologia do KMT, formulada pelo Dr. Sun Yatsen (孫中山 *Sūn YiXiān*), como a lei suprema da China Con-

---

[13] O ano de 1949 marca a proclamação da República Popular da China e a expulsão dos nacionalistas do KMT da China Continental. Desde então, a República da China apresenta jurisdição na ilha de Taiwan e em outras ilhas menores.

[14] CHEN, *Chinese Law, op. cit.*, p. 81-83.

[15] O Kuomintang é o Partido Nacionalista Chinês, que governa a República da China, conhecida como Taiwan desde 1970. O partido foi criado por Sun Yat-sen e controlou a China de 1928 a 1949, quando foi proclamada a República Popular da China pelos comunistas.

[16] *"Le nouveau droit ne touche que la frange « occidentalisée » de la côte. La masse du peuple chinois n'est pas concernée. Même parmi la minorité concernée, des réticences parfois contradictoires apparaissent"*. TSIEN, Tche-Hao. *Le Droit Chinois*. 1. ed. Paris: Presses Universitaires de France, 1982, p. 23.

DIREITO CHINÊS CONTEMPORÂNEO

tinental", muito embora "poderes políticos estivessem longe de serem revertidos ao povo", aponta Jianfu Chen[17].

2.2.2. O movimento comunista na China

Paralelamente ao governo do KMT, o movimento comunista, cujos líderes iniciais eram 陳獨秀 *Chén Dúxiù* e 李大釗 *Lǐ Dàzhāo,* seguiria o modelo russo. Neste diapasão, os documentos constitucionais comunistas informam que grande parte dos princípios políticos fundamentais que atualmente encontram-se na Constituição da República Popular da China remontam ao período pré-1949. A ditadura democrática do povo, o Congresso Popular e a propriedade pública são alguns exemplos.

O direito socialista pode ser caracterizado como:

> [...] um direito inspirado nos princípios marxistas-leninistas e responsável pelas necessidades do socialismo, definido não como um sistema em si mesmo, mas como um período de transição entre o capitalismo e o comunismo. O direito "instrumento de dominação da classe no poder" é apenas um meio utilizado pelo proletariado para consolidar o seu poder... Como em todos os direitos, o direito socialista é o reflexo de uma dada sociedade, em um período determinado. Mas ele deve, ao mesmo tempo, promover a evolução da sociedade. Contém, assim, disposições provisórias correlatas a uma situação imediata e disposições futuras, ainda inaplicáveis, mas que o legislador pretende concretizar progressivamente[18].

Em 1921 seria criado o Partido Comunista Chinês, que governaria regiões de Guangdong e Jiangxi. O primeiro texto constitucional do Partido, denominado Programa Constitucional da República Soviética

---

[17] *"... Kuomintang ideology as formulated by Dr. Sun Yatsen as the supreme law of the land. Political powers were far from reverting to the people".* CHEN, *Chinese Law, op. cit.,* p. 85.

[18] *... un droit inspiré des principes marxistes-léninistes et répondant aux nécessités du socialisme défini non pas comme un système en si, mais comme la période de transition entre le capitalisme et le communisme. Le droit « instrument de domination de la classe au pouvoir » n'est qu'un des moyens utilisés par le prolétariat pour asseoir définitivement son pouvoir... Comme tous les droits, le droit socialiste est le reflet d'une société donnée, dans une période donnée. Mais il doit en même temps faire évoluer la société. Il contient donc à la fois des dispositions provisoires répondant à la situation immédiate, et des dispositions futures, encore inapplicables mais que le législateur entend progressivement imposer.* TSIEN, *Le Droit Chinois, op. cit.,* p. 29.

142

da China e publicado em 1931, continha nítidas influências de Moscou. Embora com apenas 17 artigos, o sistema e a estrutura do Estado previstos seriam replicados nas constituições seguintes[19].

Em setembro de 1949, um mês antes da proclamação da República Popular da China, o Partido editou o Programa Comum. De acordo com Jianfu Chen, "a proteção dos direitos dos cidadãos mostrava-se proeminente; estes direitos, pela única vez na República Popular da China, eram dispostos no capítulo um de um texto constitucional" (tradução nossa[20]).

Quando o Partido Comunista proclamou a República Popular da China, em outubro daquele ano, pondo termo no domínio do KMT na China Continental, Mao Tsé-Tung (毛澤東 *Máo Zédōng*) anunciou que a Constituição do Governo do KMT, bem como todas as "leis e decretos reacionários" seriam abolidos. Uma nova Constituição, de acordo com Mao, deveria ser elaborada pela Conferência Consultiva da Nova Política e pelo Governo Democrata de Coalizão.

Com influência soviética, o texto constitucional seria publicado em 1954, a primeira medida dos líderes do Partido para formalizar e institucionalizar a administração estatal. Grande parte dos ideais do Programa Comum foi mantida, como a própria estrutura do poder do Estado, demonstrando a política moderada de transformação social do Partido[21].

A Constituição de 1954 não foi editada para ser permanente, e sim transitória. Todavia, o estilo de governo adotado por Mao nos anos seguintes adiaria a promulgação de um novo diploma para 1975.

Tal fato deveu-se às características do Maoísmo, um sistema desprovido, em grande escala, de leis. Os pronunciamentos oficiais e as políticas do Partido substituíam o Direito, embora tenha havido períodos de certos esforços legislativos, como ressalta Jianfu Chen[22].

Com a Revolução Cultural[23] (1966-1976), período em que praticamente todas as leis e todo o sistema legal chinês foram destruídos, uma nova

---

[19] CHEN, *Chinese Law, op. cit.*, p. 43.

[20] *[...] the protection of citizens' rights featured prominently; these rights, for the only time in the PRC, were located in chapter one of a constitutional document.* CHEN, *Chinese Law, op. cit.*, p. 87.

[21] CHEN, *Chinese Law, op. cit.*, p. 87.

[22] CHEN, *Chinese Law, op. cit.*, p. 46-50.

[23] O período entre 1966 e 1976, conhecido como Revolução Cultural, foi marcado pelo terror e pelo extremismo político de Mao Tsé-Tung, que pretendia inaugurar uma nova fase na Revolução Socialista Chinesa. Pretendia-se reformar radicalmente a educação, a literatura, a

Constituição seria promulgada apenas em 1975. Criticamente apontada como uma propaganda política, apresentava apenas 30 artigos e repetia parte do que disposto nos diplomas anteriores. Todavia, o texto legal era mais condizente com a realidade do País que qualquer outra Constituição da República Popular da China, afirmando expressamente, por exemplo, a sobreposição do Partido ao Legislativo[24].

A morte de Mao, em 1976, traria uma nova Constituição em 1978. Estruturas do texto de 1954 foram recuperados e determinados dispositivos radicais foram abolidos. Mas parte da ideologia de extrema esquerdista foi mantida, sob o comando de Hua Guofeng.

A queda de Hua e a ascensão de 鄧小平 *Dèng Xiǎopíng* traria revisões no texto de 1978, motivadas, entre outros fatores, pelo repúdio à Revolução Cultural e pelo novo comprometimento do Partido Comunista em reunir esforços políticos para promover o desenvolvimento econômico. A nova Constituição viria a ser promulgada em 1982, em vigor até hoje, sobre a qual abordaremos no tópico seguinte.

3. A Constituição de 1982

A Constituição da República Popular da China de 1982 representa o primeiro diploma constitucional chinês a intitular-se, expressamente, a lei maior do País. Assim, nela também nota-se certo grau de *"rule of law*[25]*"*, isto é, a instituição de um sistema jurídico em que todos, incluindo dirigentes políticos, estão submetidos às leis.

O texto de 1982 pode ser identificado, sobretudo, como um instrumento jurídico que formaliza a estrutura das organizações estatais chinesas. Dos 138 artigos, 78 dedicam-se à Administração Pública, o que representa, portanto, mais da metade do texto constitucional[26].

---

arte e todos os aspectos de estruturas sociais que não correspondessem à ideologia do Partido. Em outros termos, a Revolução Cultural representou o repúdio ao "velho mundo", às velhas ideias e aos velhos hábitos, pretendendo, também, condenar os desejos individuais, tidos como a raiz do "mal capitalista". Min'An, Wang. The Chinese Cultural Revolution, Deleuze, and Desiring-Machines. Theory & Event. v. 16. n. 3. 2013.

[24] Chen, *Chinese Law, op. cit.*, p. 88.

[25] Chiu, Hungdah. *The 1982 Chinese Constitution and The Rule of Law.* Occasional Papers / / Reprinted Series in Contemporary Asian Studies. v. 69. n. 4. 1985, p. 13.

[26] Chen, *Chinese Law, op. cit.*, p. 77.

Não obstante, acerca dos outros 60 artigos, pode-se caracterizar o conteúdo da Constituição de 1982 como programático, de acordo com os interesses do Partido Comunista, consagrando os seus princípios e ideais. Neste sentido, a eficácia do atual diploma constitucional é severamente criticado no que se refere aos direitos e deveres fundamentais, padecendo, por exemplo, de mecanismos processuais aptos a questionar a constitucionalidade das leis, bem como de políticas do Partido.

O conjuntura político-econômica da China demonstra os fatores que culminaram em uma Constituição com as características ora apresentadas. Voltada às instituições governamentais e também preocupada com o almejado desenvolvimento do País, sua origem nos remete à revisão constitucional iniciada a partir da saída de Hua da direção do governo. Foi baseada em quatro princípios, em que

> [...] primeiro, a Constituição deveria visar à realidade Chinesa, mas, ao mesmo tempo, levar em consideração a experiência internacional e absorver todos os aspectos positivos das Constituições de outros países. Segundo, deveria conter apenas os dispositivos mais fundamentais e necessários... com foco no fortalecimento da unidade nacional e na estabilidade social e facilitando a construção das Quatro Modernizações. Terceiro, a Constituição de 1954 deveria ser usada como ponto de partida para a revisão, mas eram necessárias melhorias para refletir a presente realidade. Finalmente, os Quatro Princípios Fundamentais devem ser usados como guia fundamental para a revisão[27].

O texto final foi aprovado pelo Congresso Nacional do Povo em novembro de 1982. Refletia a nova política a ser adotada por *Dèng Xiǎopíng* para modernizar a China, primando pela estabilidade social, pelo desenvolvimento econômico e, notadamente, pela abertura do País.

---

[27] *[...] first, the Constitution had to address the Chinese reality but at the same time take into consideration foreign experience and absorb all positive aspects of constitutions in foreign countries. Secondly, the Constitution should only contain the very fundamental and necessary provisions... with a focus on strengthening national unity and social stability and facilitating the construction of the Four Modernisations. Thirdly, the 1954 Constitution should be used as the foundation for the revision, but necessary improvements had to be made to reflect the present reality. Finally, the 'Four Fundamental Principles' must be used as the ultimate guideline for the revision.* CHEN, *Chinese Law, op. cit.*, p. 98.

DIREITO CHINÊS CONTEMPORÂNEO

Em 1988 o diploma foi emendado, em razão da reforma econômica, para legitimar um célere desenvolvimento de uma economia privada, bem como para prever, em sede constitucional, a transferência comercial do direito de uso sobre a terra[28]. Anos depois, em 1993, o novo ideal do Partido Comunista de uma "economia socialista de mercado", em substituição ao de uma "economia planificada", viria a exigir uma emenda de caráter ideológico no texto de 1982.

Em 1999, seis emendas viriam a modificar a Constituição de 1982, transformando a política do Partido Comunista em dispositivos constitucionais. Por fim, nos anos de 2003 e 2004, uma nova reforma traria, por exemplo, menção à proteção dos direitos humanos e maior tutela da propriedade privada.

Além disso, no contexto da acessão da China à Organização Mundial do Comércio (OMC), é nítido o alinhamento constitucional aos compromissos assumidos no âmbito da OMC. Exemplos são apontados por Qin:

> Eles incluem compromissos, primeiro, para deixar as forças de mercado determinaram o preço de todos os produtos e serviços, exceto para poucas categorias específicas, tais como tabaco, fármacos e utilidades públicas; segundo, para permitir que todos os chineses e estrangeiros atuem em negócios de importação e exportação dentro de três anos contados da acessão e para limitar a atuação do Estado como agente econômico para uma lista de produtos específicos; e terceiro, para não influenciar, direta ou indiretamente decisões comerciais das empresas estatais (SOEs), exceto se de maneira consistente com os acordos da OMC. (tradução nossa[29]).

A seguir serão trazidas reflexões acerca do conteúdo normativo da Constituição de 1982, divididas em 7 sub-itens.

---

[28] Para detalhes sobre o direito de propriedade na China, veja o capítulo 9, *Direito de Propriedade e Propriedade Intelectual na China*.

[29] *They include the commitments, first, to let market forces determine prices of all goods and services except for a few specified categories such as tobacco, pharmaceuticals and public utilities; secondly, to allow any Chinese or foreign entity to engage in the import-export business within three years of accession, and to limit state trading to a list of specified products; and thirdly, not to influence, directly or indirectly, commercial decisions of state-owned enterprises (SOEs) except in a manner consistent with the WTO agreements.* QIN, Julia. *Trade, Investment and Beyond: The Impact of WTO Accession on China's Legal System.* The China Quarterly, v. 191. Set. 2007, p. 720-741.

3.1. Princípios fundamentais

A Constituição Chinesa é, por força de seu art. 5º, a lei suprema do País. Nenhuma lei, regulamento administrativo e autoridades políticas podem contrariá-la. Ao menos teoricamente, percebe-se que o próprio Partido Comunista deve atuar de acordo com o texto constitucional e a lei. Assim, a adoção formal do *Rule of Law*[30] representou um marco no Direito Chinês.

Os Quatro Princípios Fundamentais, constantes do preâmbulo, consistem em (1) a continuação do caminho socialista; (2) a afirmação da ditadura democrática do povo; (3) a afirmação da liderança do Partido Comunista e (4) a adoção do Marxismo-Leninismo e o pensamento de *Máo Zédóng*.

No que se refere ao primeiro e, em certa medida, ao quarto princípio, tem-se que o sistema político-econômico insculpido na Constituição alude a um "socialismo com características Chinesas[31]". Jianfu Chen[32] aborda-o como uma expressão que pretende justificar a existência de direitos de cunho capitalista em um país socialista. Os artigos 10, 11 e 13 demonstram tal dualidade:

> Art. 10. As terras nas cidades pertencem ao Estado. Terras rurais e em áreas suburbanas pertencem a coletividades, exceto aquelas que pertencem ao Estado de acordo com a lei; áreas residenciais, terras agrícolas e terrenos elevados também pertencem a coletividades. O Estado pode, por interesse público e de acordo com a lei, expropriar e requisitar terras para usar e deverá realizar compensação pela terra expropriada ou requisitada. Nenhuma organização ou indivíduo pode apropriar, comprar, vender ou de qualquer outra forma transferir terras por meios ilegais. O direito de uso da terra pode ser

---

[30] A noção ocidental de *Rule of Law*, embora de difícil tradução, nos remete aos conceitos de supremacia da lei, independência do Judiciário, igualdade perante a lei, separação de poderes, mecanismos de "freios e contrapesos", sistema parlamentar e proteção dos direitos humanos.

[31] A emenda nº 3, de 1999, acrescentou ao preâmbulo da Constituição de 1982 a seguinte frase: "O objetivo básico da nação é concentrar esforços na modernização socialista de acordo com a teoria da construção do socialismo com características Chinesas." No original: *The basic task of the nation is to concentrate its effort on socialist modernization in accordance with the theory of building socialism with Chinese characteristics*. CHINA. *Constitution of the People's Republic of China*. Disponível em: http://english.people.com.cn/constitution /constitution.html. Acesso em 30 março 2014.

[32] CHEN, *Chinese Law, op. cit.*, p. 103.

DIREITO CHINÊS CONTEMPORÂNEO

transferido de acordo com a lei. Todas as organizações e indivíduos que exploram as terras devem fazer uso racional das mesmas[33].

Art. 11. Setores não-públicos da economia, como indivíduos e setores privados da economia, atuantes dentro dos limites previstos em lei, são importantes componentes da economia socialista de mercado. O Estado protege os direitos e interesses legais dos setores não-públicos da economia, tais como indivíduos e setores privados da economia. O Estado promove, auxilia e guia o desenvolvimento de tais setores e, de acordo com a lei, supervisiona e controla-os[34].

Art. 13. A propriedade privada legal dos cidadãos é inviolável. O Estado, de acordo com a lei, protege o direito dos cidadãos à propriedade privada e aos direitos dela decorrentes. O Estado pode, por interesse público e de acordo com a lei, expropriar ou requisitar a propriedade privada para seu uso e deverá realizar compensação[35] pela propriedade privada expropriada ou requisitada (tradução nossa[36]).

---

[33] *Article 10. Land in the cities is owned by the state. Land in the rural and suburban areas is owned by collectives except for those portions, which belong to the state in accordance with the law; house sites and private plots of cropland and hilly land are also owned by collectives. The State may, in the public interest and in accordance with the provisions of law, expropriate or requisition land for its use and shall make compensation for the land expropriated or requisitioned. No organization or individual may appropriate, buy, sell or otherwise engage in the transfer of land by unlawful means. The right to the use of land may be transferred according to law. All organizations and individuals who use land must make rational use of the land.* CHINA. *Constitution of the People's Republic of China.* Disponível em: http://www.npc.gov.cn/englishnpc/Constitution/2007-11/15/content_1372963.htm. Acesso em 30 março 2014.

[34] *Article 11. The non-public sectors of the economy such as the individual and private sectors of the economy, operating within the limits prescribed by law, constitute an important component of the socialist market economy. The State protects the lawful rights and interests of the non-public sectors of the economy such as the individual and private sectors of the economy. The State encourages, supports and guides the development of the non-public sectors of the economy and, in accordance with law, exercises supervision and control over the non-public sectors of the economy.* CHINA. *Constitution of the People's Republic of China.* Disponível em: http://www.npc.gov.cn/englishnpc/Constitution/2007-11/15/content_1372963.htm. Acesso em 30 março 2014.

[35] O dispositivo é omisso acerca do que vem a ser o interesse público legitimador, bem como sobre detalhes da compensação. HAND, Keith J. *Resolving Constitutional Disputes in Contemporary China.* University of Pennsylvania East Asia Law Review, vol. 7, n. 1, nov. 2011, p. 115.

[36] *Article 12. Citizens' lawful private property is inviolable. The State, in accordance with law, protects the rights of citizens to private property and to its inheritance. The State may, in the public interest and in*

Desse modo, podemos notar que a atual Constituição visa conciliar o ideal socialista com garantias tipicamente capitalistas. Como mencionado, o resultado seria um modelo identificado como um "socialismo com características Chinesas", em contraponto ao socialismo soviético clássico. Ainda, na seara econômica, Pequim tem empregado o termo *economia de mercado socialista*[37], "que apresenta várias conotações, mas envolve, entre outros, um comprometimento com a direção do mercado, uma economia aberta, porém com intervenção e planejamento estatais significantes, e um papel substancial das empresas estatais", como pondera Alan Fels[38].

O segundo e o terceiro princípio transmitem a ideologia da ditadura democrática do povo liderada pelo Partido Comunista. Embora "todo o poder da República Popular da China pertence ao povo"[39], como preceitua o art. 2º, haveria certa dificuldade de percebê-lo na prática, dada a forte influência do Partido Comunista e o sistema de eleição indireta de membros do Congresso Nacional, como será abordado adiante. Além disso, a conjugação dos termos "ditadura", "democrática" e "povo" em uma mesma ideologia parece um tanto quanto contraditório.

3.2. Sistema partidário

Não é eleito um sistema de partido único ou de multipartido, conforme consta do preâmbulo da Constituição:

---

accordance with law, expropriate or requisition private property for its use and shall make compensation for the private property expropriated or requisitioned. CHINA. *Constitution of the People's Republic of China.* Disponível em: http://www.npc.gov.cn/englishnpc/Constitution/2007-11/15/content_1372963.htm. Acesso em 30 março 2014.

[37] Interessante observar que, no Ocidente, há registros do uso da expressão "capitalismo estatal". EMERGING-MARKET Multinationals: The Rise of State Capitalism. *The Economist.* Londres, 21 jan. 2012. Disponível em: http://www.economist.com/node/21543160. Acesso em 28 abril 2014.

[38] No original: "*... that has many connotations but implies, inter alia, a commitment to a market-driven, open economy but with a significant degree of state planning and intervention and a substantial role for state-owned enterprises (SOEs).*" FELS, Allan. **China's Antimonopoly Law 2008**: An Overview. Rev. Ind. Organ., Nova Iorque, v.41, n. 1, p. 7-30, março 2012, p. 8.

[39] *Article 2. All power in the People's Republic of China belongs to the people...* CHINA. *Constitution of the People's Republic of China.* Disponível em: http://www.npc.gov.cn/englishnpc/Constitution/2007-11/15/content _1372963.htm. Acesso em 30 março 2014.

DIREITO CHINÊS CONTEMPORÂNEO

Preâmbulo: [...] Nos longos anos de revolução e construção, foi formada sob a liderança do Partido Comunista da China um profunda, patriota e unida frente composta por partidos democráticos e organizações populares de todos os trabalhadores socialistas, todos patriotas que apoiam o socialismo e todos patriotas que defendem a reunificação da Pátria (tradução nossa[40]).

Institui-se, em realidade, uma suposta cooperação partidária e um sistema de consultas políticas. O Partido Comunista consultaria outros partidos democráticos[41] sobre as principais questões políticas. Na prática, é o "partido no poder" (執政黨 *Zhízhèng dǎng*) e os democráticos não compõem uma oposição, sob pena de sujeitarem-se a severas responsabilidades, sendo, em realidade, participantes da agenda governamental, a qual é dirigida pelo PCC de acordo com os Quatro Princípios Fundamentais.

3.3. Assembleia Popular Nacional

A forma do *Estado* Chinês é prevista no art. 1º da Constituição:

Art. 1º. A República Popular da China é um Estado socialista sob a ditadura democrática do povo, liderada pela classe trabalhadora e baseada na aliança entre trabalhadores e agricultores. O sistema socialista é o sistema básico da República Popular da China. Subversão ao sistema socialista por qualquer organização ou indivíduo é proibida (tradução nossa[42]).

---

[40] *Preambule: (...) In the long years of revolution and construction, there has been formed under the leadership of the Communist Party of China a broad patriotic united front that is composed of democratic parties and people's organizations and embraces all socialist working people, all patriots who support socialism and all patriots who stand for reunification of the motherland. This united front will continue to be consolidated and developed.* CHINA. *Constitution of the People's Republic of China.* Disponível em: http://www.npc.gov.cn/englishnpc/Constitution /2007 –11/15/content_1372963.htm. Acesso em 30 março 2014.

[41] Os partidos democráticos remontam às décadas de 1930 e 1940, compostos por grupos de elite, intelectuais e agentes de negócios, que eram tidos como uma terceira força organizada sob a forma de partidos. Durante a Revolução Cultural (1966-1976), foram duramente perseguidos. Apesar de, na atualidade, sua existência encontrar guarida no próprio texto constitucional, tais partidos não gozam de poder político nem contam com uma estrutura partidária convencional.

[42] *Article 1. The People's Republic of China is a socialist state under the people's democratic dictatorship led by the working class and based on the alliance of workers and peasants. The socialist system is the*

Como distingue Jianfu Chen[43], o método pelo qual se exerce a ditadura refere-se à forma do *sistema político*, representado pela Assembleia Popular Nacional ou Congresso Nacional do Povo. Todo o poder pertence ao povo e é exercido por intermédio do Congresso Nacional e dos congressos de âmbito local, na dicção do art. 2º da Constituição.

A eleição dos membros do Congresso é indireta, geralmente composto por cerca de 3.000 deputados[44]. Segundo o art. 59, são eleitos pelas províncias, pelas regiões autônomas, pelas municipalidades submetidas diretamente ao Governo Central e pelas forças armadas.

Ao Congresso Nacional cabe revisar a Constituição, supervisar a sua implementação, editar leis fundamentais, nomear e destituir oficiais de altos níveis hierárquicos, como o Presidente da República, examinar a aprovar contas estatais e planos de desenvolvimento socioeconômicos, bem como supervisionar suas aplicações. Ademais, a ele compete exercer todas as funções de um órgão supremo estatal, embora indefinidas no texto constitucional, como aponta Jianfu Chen[45].

O Congresso possui um Comitê Permanente, conforme o art. 57, e é composto por aproximadamente 175 membros. Suas competências são amplas, entre as quais destacam-se interpretar a Constituição, supervisionar sua aplicação, editar e revisar leis que não cabem ao próprio Congresso Nacional[46], interpretar leis, supervisionar a atuação de órgãos como o Conselho de Estado e a Suprema Corte Chinesa, etc.

Assim, o Poder Legislativo do Estado Chinês é exercido por ambos, cujas competências, por serem demasiadamente próximas, geram uma relação institucional tortuosa[47].

---

basic system of the People's Republic of China. Sabotage of the socialist system by any organization or individual is prohibited. CHINA. *Constitution of the People's Republic of China.* Disponível em: http://www.npc.gov.cn/englishnpc/Constitution/2007-11/15/content_1372963.htm. Acesso em 30 março 2014.

[43] CHEN, *Chinese Law, cit.*, p. 112.

[44] CHEN, *Chinese Law, cit.*, p. 113.

[45] CHEN, Jianfu. *Chinese Law: Context and Transformation.* Leiden/Boston: Martinus Nijhoff, 2008, p. 114.

[46] Veja o capítulo 6, *Organização Política e Judiciária na República Popular da China.*

[47] CHEN, Jianfu. *Chinese Law: Context and Transformation.* Leiden/Boston: Martinus Nijhoff, 2008, p. 116.

Ordinariamente, o Congresso reúne-se uma vez ao ano, por convocação do Comitê Permanente. Sessões extraordinárias podem ocorrer a qualquer momento, desde que convocadas pelo Comitê ou por, no mínimo, 1/5 dos deputados, consoante o art. 61.

3.4. Conselho de Estado

A teoria da separação dos poderes não encontra guarida no texto constitucional Chinês, o qual prima pelo princípio da unidade de decisão e execução. O sistema é caracterizado pela centralização de poderes no Congresso Nacional, que toma as decisões, por sua vez executadas por órgãos subordinados e supervisionados por ele.

A submissão do Conselho de Estado ao Congresso é prevista no art. 92 da Constituição:

> Art. 92. O Conselho de Estado é responsável e responde por seu trabalho ao Congresso Nacional do Povo ou, quando não está em sessão, ao seu Comitê Permanente (tradução nossa[48]).

O Conselho de Estado é o corpo executivo da maior autoridade da Administração Chinesa e, na prática, possui mais poder que o sugerido pela Constituição, observa Jianfu Chen[49]. Composto por um Premiê, Vice-Premiês, Conselheiros de Estado, Ministros, um Auditor-Geral e um Secretário-Geral, suas competências são listadas no art. 89, dentre as quais destaca-se a edição normas administrativas e a elaboração de propostas ao Congresso ou ao seu Comitê Permanente.

3.5. Sistema unitário

Jianfu Chen[50] aponta que um dos maiores desafios do constitucionalismo Chinês era a decisão acerca do modelo unitário ou federal. Embora a His-

---

[48] *Article 92. The State Council is responsible, and reports on its work, to the National People's Congress or, when the National People's Congress is not in session, to its Standing Committee.* CHINA. *Constitution of the People's Republic of China.* Disponível em: http://www.npc.gov.cn/englishnpc/ Constitution/2007-11/15/content_1372963.htm. Acesso em 30 março 2014.

[49] CHEN, *Chinese Law, cit.*, p. 119.

[50] CHEN, *Chinese Law, cit.*, p. 125-129.

tória informe períodos em que se optou pelo federalismo, a Constituição de 1982 adotou o unitarismo, como consta de seu preâmbulo[51].

O centralismo democrático eleito pelo texto constitucional combina o poder centralizado (集权中央 *Zhōngyāng jíquán*) e certa descentralização sujeita à autorização central (中央授權 *Zhōngyāng shòuquán*). Significa que a Administração local é subordinada às autoridades centrais e que, em que pese iniciativas e políticas locais serem encorajadas, os interesses regionais não devem se sobrepor aos interesses nacionais.

Inovação trazida pela Constituição consiste na autorização para o estabelecimento de regiões administrativas especiais, casos de Hong Kong e Macau na atualidade. O instituto ilustra a noção de "um país, dois sistemas", ou seja, a coexistência, na China, de um regime jurídico geral e um regime aplicável às referidas regiões.

A questão da relação entre os poderes locais e o poder central, na China, permanece como uma das questões mais sensíveis para os constitucionalistas e para os dirigentes políticos. A Constituição de 1982 não detalha o tema e o poder exercido pelas autoridades locais possuem não raramente caráter *de facto*.

3.6. Direitos e deveres fundamentais

O capítulo segundo da Constituição de 1982 trata dos direitos e deveres fundamentais, em consonância ao fenômeno da internacionalização dos direitos humanos (人权 *rén quán*). Interessante observar que o termo "direitos humanos" não constava do texto constitucional até a reforma de 2004. A preferência pelo emprego da expressão "direitos dos cidadãos" indicaria a rejeição implícita da universalidade dos direitos humanos[52].

A mudança acompanhava o comprometimento do China, perante a comunidade internacional, a assegurar a proteção dos direitos humanos. Em 1997 o País tornou-se signatário da Convenção Internacional de Direitos Econômicos, Sociais e Culturais e, em 1998, da Convenção Interna-

---

[51] "A República Popular da China é um Estado Unitário multi-nacional construído conjuntamente pelos povos de todas as suas nacionalidades". No original: *The People's Republic of China is a unitary multi-national state built up jointly by the people of all its nationalities.* CHINA. *Constitution of the People's Republic of China.* Disponível em: http://www.npc.gov.cn/englishnpc/Constitution/2007-11/15/content_1372963.htm. Acesso em 30 março 2014.

[52] CHEN, *Chinese Law, cit.*, p. 130.

DIREITO CHINÊS CONTEMPORÂNEO

cional de Direitos Políticos e Civis, dentre outras convenções, como da Convenção Internacional Sobre a Eliminação de Todas as Formas de Discriminação Racial.

A igualdade perante a lei, o direito de votar e ser votado, a liberdade de expressão, de ir e vir, de associar-se e de credo são alguns exemplos de prerrogativas amparadas pelo texto constitucional. A despeito do avanço que a previsão de tais direitos na Constituição representa para o Direito Chinês, Jianfu Chen[53] critica que há uma enorme distância entre a lei e a realidade, traduzida em um grave problema de eficácia.

A questão da aplicação dos dispositivos constitucionais, bem como de sua interpretação e supervisão será desenvolvida no tópico seguinte, observações pertinentes também em relação aos direitos e deveres fundamentais.

3.7. Interpretação, supervisão e aplicação

Como já mencionado no presente trabalho, o texto de 1982 é categórico no sentido de que nenhuma lei ou regulamento local podem contrariar o que disposto na Lei Maior. Todavia, há um questionamento, como apontado por Jianfu Chen[54], acerca da eficácia da Constituição em razão de uma suposta ausência de "força normativa direta", dada a experiência constitucional Chinesa.

A leitura do diploma de 1982 demonstra tal fragilidade. Não há qualquer menção acerca do "... direito dos civis e das organizações de questionar a constitucionalidade das ações governamentais, nem qualquer mecanismo instituído para a aplicação dos direitos constitucionais" (tradução nossa[55]).

Cite-se que os art. 62 e 67 conferem ao Congresso Nacional e ao Comitê Permanente o poder de supervisionar a aplicação da Constituição, embora tratem-se de dois órgãos de natureza legislativa. Ao Comitê também é assegurado o poder de interpretar o texto constitucional, embora raramente o faça. A questão mostra-se polêmica pois questiona a própria independência do Judiciário, conferindo amplos poderes a órgãos de natureza política, intimamente ligados ao Partido Comunista[56].

---

[53] CHEN, *Chinese Law, cit.*, p. 132.

[54] CHEN, *Chinese Law, cit.*, p. 135.

[55] *[...] right of citizens or organizations to challenge the constitutionality of government actions, nor any mechanism established for the enforcement of constitutional rights.* CHEN, *Chinese Law, cit.*, p. 134.

[56] Ver capítulo 6, *Organização Política e Judiciária na República Popular da China.*

Entretanto, interessante percebermos que há certa evolução em direção a uma aplicação mais direta da Constituição, como tem sinalizado alguns julgados da Suprema Corte Chinesa[57] e algumas medidas alternativas de solução de controvérsias[58].

4. Conclusão

O movimento constitucionalista na China foi, assim como a História recente do País, conturbado. Tidas como documentos aptos a legitimar o governo, as Constituições, em geral, pouco efeito tiveram na vida das pessoas comuns.

Na atual Constituição de 1982, identifica-se um enfoque institucional ideológico que reproduz as máximas do Partido Comunista Chinês. Temas como o sistema partidário, o Congresso Nacional e o Comitê Permanente são tratados com exaustão.

Entretanto, comparado aos textos constitucionais de outros ordenamentos, é possível perceber que o diploma ora em análise dedica poucos dispositivos aos direitos constitucionalmente assegurados, relegando tal papel, pois, a outros estatutos.

Com efeito, a Lei Maior Chinesa ilustra a organização do Estado e traz diretrizes e princípios que devem guiar a Administração. A despeito do fato de terem sido formuladas emendas para compatibilizar o texto constitucional com a política atual do Partido Comunista, percebe-se junto à comunidade certa insatisfação em relação a um documento que já apresenta mais de 30 anos de existência.

Assim, a partir do presente trabalho, pode-se identificar algumas das principais fragilidades da Constituição de 1982:

1. Institui-se um aparente sistema de partidos, que, embora formalmente assegure a existência dos partidos democráticos, veda qualquer tipo de oposição ao Partido Comunista;
2. São reconhecidas prerrogativas executivas a órgãos de natureza legislativa, os quais também possuem poderes que podem se sobrepor ao funcionamento do próprio Judiciário;

---

[57] CHEN, *Chinese Law, cit.*, p. 137-138.
[58] HAND, Keith J. *Resolving Constitutional Disputes in Contemporary China*. University of Pennsylvania East Asia Law Review, vol. 7, n. 1, p. 51-159, nov. 2011.

3. Malgrado seja consagrado um sistema unitário, reconhece-se certa descentralização totalmente subordinada ao poder central, mas os limites entre ambos não são suficientemente claros;

4. Há um grave problema de eficácia em relação ao conteúdo da Constituição, por exemplo dada a ausência de instrumentos processuais aptos a arguir afronta à mesma, o que se aplica, por exemplo, aos direitos fundamentais.

Deste modo, as críticas acerca do Direito Constitucional Chinês acompanham, em certa medida, os inúmeros desafios que o País enfrenta no século XXI. Compatibilizar a ideologia comunista com uma política focada no desenvolvimento econômico, conferir maior eficácia aos direitos humanos e equilibrar as forças políticas descentralizadas são apenas alguns exemplos trazidos pelo presente trabalho.

Referências bibliográficas

CHANG, Jung; HALLIDAY, Jon. Mao: A História Desconhecida. 1. ed. São Paulo: Companhia das Letras, 2006.

CHEN, Jianfu. Chinese Law: Context and Transformation. Leiden/Boston: Martinus Nijhoff, 2008.

CHIU, Hungdah. The 1982 Chinese Constitution and the Rule of Law. Occasional Papers / Reprinted Series in Contemporary Asian Studies. v. 69. n. 4. 1985.

CHINA. Constitution of the People's Republic of China. Disponível em: http://english. people.com.cn/constitution/constitution.html. Acesso em 30 março 2014.

EMERGING-MARKET Multinationals: The Rise of State Capitalism. The Economist. Londres, 21 jan. 2012. Disponível em: http://www.economist.com/node/21543160. Acesso em 28 abril 2014.

FELS, Allan. China's Antimonopoly Law 2008: An Overview. Rev. Ind. Organ., Nova Iorque, v. 41, n. 1, p. 7-30, março 2012.

HAND, Keith J. Resolving Constitutional Disputes in Contemporary China. University of Pennsylvania East Asia Law Review, vol. 7, n. 1, p. 51-159, nov. 2011.

MIN'AN, Wang. The Chinese Cultural Revolution, Deleuze, and Desiring-Machines. Theory & Event. v. 16. n. 3. 2013.

QIN, Julia. Trade, Investment and Beyond: The Impact of WTO Accession on China's Legal System. The China Quarterly, v. 191. Set. 2007, p. 720-741.

RAMOS, Marcelo Maciel. A invenção do Direito pelo Ocidente: uma investigação face à experiência normativa da China. São Paulo: Alameda, 2012.

TSIEN, Tche-Hao. Le Droit Chinois. 1. ed. Paris: Presses Universitaires de France, 1982.

CAPÍTULO 8
CODIFICAÇÃO E DIREITO CIVIL NA CHINA

VICTOR BARBOSA DUTRA

1. Introdução

O presente artigo traça um panorama do surgimento do Direito Civil na China desde o final do século XIX – período de ocaso da Dinastia Qing – e os dias presentes, abordando-se alguns dos principais eventos da história contemporânea do país.

Conquanto o pano de fundo do presente artigo seja o processo de codificação do Direito Civil na China, as reflexões dele decorrentes nos parecem aplicáveis a outros ramos do Direito.

Isso porque o fio condutor do texto é a interação entre o Estado chinês, a cultura tradicional e o desenvolvimento do mencionado ramo do Direito, com destaque para a facilidade com que o pragmatismo político chinês caminha numa ou noutra direção, muitas vezes com sacrifício da uniformidade, coerência e segurança jurídicas – tão caras ao Direito ocidental.

Traz-se à discussão o argumento de que, na China, a nociva interferência das políticas estatais chinesas sobre o raciocínio jurídico e a conformação do sistema legal, somada às peculiaridades da história e cultura locais parecem ter comprometido o desenvolvimento alcançado pela Ciência do Direito a partir da era da codificação, período em que se passou a conceber um sistema de ideias gerais, capaz de revelar o Direito como um todo e alinhar os seus elementos comuns.

2. Herança histórica do Direito Civil chinês

O Direito Civil da China é um fenômeno recente. Até o final do século XIX não há registros na história do país de tentativas de se desenvolver um código específico para regular questões civis, sendo o Direito tradicional chinês voltado principalmente a regular interesses do Estado e a hierarquia social[1].

De fato, o Confucionismo era a ideologia dominante para a manutenção da ordem na *sociedade* e, segundo ele, a educação moral, e *não a lei*, era a peça chave para a manutenção da ordem social[2]. Logo, segundo a cultura tradicional, revelava-se desnecessário um Código para reger as relações privadas.

Entretanto, após as Guerras do Ópio (1839-1842) e Sino-Japonesa (1894-1895), a China foi forçada a abrir suas portas ao capital estrangeiro e esse Direito tradicional passou a ser questionado pelos governos capitalistas ocidentais.

Como resultado, a economia tipicamente camponesa começou a dar espaço ao desenvolvimento de setores comerciais e industriais nas áreas urbanas e, por conseguinte, a uma incipiente burguesia liberal que clamava por reconhecimento social e proteção de suas riquezas – sobretudo por meio de novas leis civis e comerciais[3].

Esses fatores econômicos – somados a elementos culturais[4] decorrentes do período de ocidentalização da China (1861-1895) – culminaram em reformas legais, dentre as quais se destaca o primeiro projeto de Código Civil *autônomo* da história da China, de forte inspiração japonesa.

O Japão foi tido como país de referência por ter obtido sucesso na modernização do seu sistema legal e pelo fato de que os dois países guardavam diversas semelhanças culturais e históricas. A influência japonesa foi tão significativa que a própria palavra que designa Direito Civil na China – *Mín Fǎ* (民法) – é recente no vocabulário chinês (remonta à virada do

---

[1] Tal constatação não significa a absoluta inexistência de regulamentos concernentes a questões civis; confira-se, a respeito, CHEN, *Chinese Law, cit.*, p. 328, nota de rodapé 2.

[2] Diferentemente, a Escola Legalista preponderou como corrente de pensamento a prover os métodos e soluções para as estruturas estatais e governamentais. Para maiores detalhes sobre as influências do Legalismo e do Confucionismo sobre o Direito Tradicional chinês veja o capítulo 3, *A Experiência Normativa na China: passado e presente.*

[3] Para maiores detalhes cf. J.K Fairbank, *The Cambridge history of China, vol 10: Late Ch'ing 1800-1911, Cambridge 1978* originalmente citado em CHEN, *Chinese Law, cit.*, p. 162.

[4] Cf. Liu Tingting, *The dialogue between the traditional resources and transplanted resources, The contemporary Civil Law legislation perspective, Yunnan Social Science, 2007, p. 125 In* CHEN, LEI. *Op. cit.*, p. 162.

Século XIX para o Século XX) e deriva de uma tradução do japonês para designar o Direito Civil da Europa Continental.

"Min" traduz a ideia de cidadão, ao passo que *"fa"* denota o sentido de lei; logo, o sentido de Direito Civil na China aproxima-se de "Lei do Cidadão". Aliás, a escolha do termo "cidadão" – e não *pessoa* ou *sujeito*, como na maioria dos ordenamentos ocidentais – possui uma razão de ser, como se verá adiante.

Esse projeto de Código Civil, entretanto, jamais veio a ser promulgado, principalmente em razão da queda da dinastia Qing (1644-1911).

2.1. O Código Civil do KMT (1929-1930)

O primeiro Código Civil operante na China foi editado pelo governo nacionalista do KMT (*Guomindang, Kuomintang ou* 国民党)[5] entre 1929-1930. Era largamente inspirado no projeto da Dinastia Qing, mas, paralelamente, abrigava ideias revolucionárias de Sun Yatsen[6], um dos fundadores do mencionado partido nacionalista. LEI[7] ensina:

> [...] O fundamento ideológico e teórico do Código Civil do Kuomintang é San Min Chu I, que foi formulado e defendido pelo Dr. Sun Yat Sen, o pai fundador do Kuomintang (Partido Nacionalista). San Min Chu I, por definição, significa princípios de Minzu (Nacionalismo), Minquan (Democracia ou Direitos Civis) e Minsheng (Sustento do Povo).[8]

O Código Civil do KMT, apesar de inspirado no projeto de Código Civil da Dinastia Qing – e, consequentemente, no Código Civil japonês – foi influenciado por uma série de outros Códigos Civis estrangeiros, dentre os quais podemos destacar o alemão (1896), o francês (1804), o soviético (1922) e, inclusive, o Código Civil brasileiro de 1916.

---

[5] 国民党 que significam: o primeiro "país", o segundo "pessoas", e o terceiro "partido"

[6] Sun Yat-sen (1866-1925) era um revolucionário chinês, o primeiro presidente e fundador da República da China ("China Nacionalista"). Foi o "precursor da revolução democrática" na China, tendo desempenhado papel fundamental na derrubada da dinastia Qing.

[7] CHEN, Lei. *Op. cit.* pag. 169.

[8] Em tradução livre: "[...] *the ideological and theoretical foundation of the Kuomintang Civil Code is San Min Chu I, which was formulated and advocated by Dr. Sun Yat Sen, the founding father of the Kuomintang (the Nationalist Party). San Min Chu I by definition, means principles of Minzu (Nationalism), Minquan (Democracy or Civil Rights), and Minsheng (People's Livelihood).*

DIREITO CHINÊS CONTEMPORÂNEO

O estatuto em questão procurou equilibrar a modernização do sistema legal e a preservação das tradições, reconhecendo a validade geral dos costumes e positivando aqueles que já estavam arraigados na sociedade[9].

Em que pese tenha se inspirado em estatutos ocidentais, o Código do KMT não seguiu a tradicional separação entre Direito Civil e Comercial, ao revés, fundiu-os sob o argumento de que a distinção não era aplicável à China, por não haver no país uma classe mercantil madura.

A fusão dos dois ramos, contudo, não impediu – ao revés, estimulou – a edição leis esparsas sobre os principais temas empresariais (Títulos de Crédito, Seguros, Direito Marítimo, dentre outros), o que, obviamente, contribuiu para a fragmentação do Direito Privado na China.

Entretanto, o Código do KMT teve pouca influência sobre a *maioria* da população chinesa – que ainda vivia no campo e continuava a seguir os princípios do Confucionismo e os costumes tradicionais. Além disso, desde a sua promulgação, houve tumultos políticos e guerras que tornaram a sua aplicação extremamente difícil[10].

Como relata RENÉ DAVID[11], por detrás dos Códigos – formalmente operantes – as ideias tradicionais persistiram e, salvo algumas limitações, continuaram a dominar a realidade da vida chinesa.

O Código em questão acabou por ser revogado na República *Popular* da China em 1949 (juntamente com todas as demais leis do KMT), mas ainda é o Código vigente na República da China (Taiwan), por exemplo.

2.2. Emergência do Direito Civil na República Popular da China

Como mencionado, todas as leis do KMT foram abolidas pela Revolução de 1949 – incluindo-se o Código Civil.

Nas palavras do próprio MAO TSE TUNG (毛澤東 *Máo Zédōng*)[12]:

---

[9] Para maiores detalhes, sobretudo como o Código Civil do KMT adaptou costumes tradicionais da China a institutos jurídicos já existentes como a enfiteuse e a anticrese, confira: CHEN, Lei. *Op. Cit.* pag. 171/173.

[10] LEI, Chen. *Op. cit.* p. 173.

[11] DAVID, René. *Os grandes sistemas contemporâneos*. Trad. Hermínio A. Carvalho. 4ª edição. São Paulo: Martins Fontes, 2002, P. 581.

[12] ZEDONG, Mao. *Communist Party report before complete liberation*, 1949 originalmente citado em LEI, Chen. Op cit. p. 173.

162

Sob a ditadura democrática do proletariado [...] as leis do Kuomintang devem ser abolidas. O serviço judicial do povo não deve mais se basear nos Códigos (Collection), mas sim nas novas leis do povo.

Na visão socialista clássica, que predominou no início do governo revolucionário, acreditava-se que o Direito burguês nada mais era que um instrumento de classe para proteger posições privilegiadas. Por esse motivo, LEI destaca que:

O Direito, em geral, e a propriedade em particular, foram rejeitados, sem serem substituídos. Toda a terra era propriedade ou do Estado em áreas urbanas ou de coletividades em áreas rurais[13].

Assim, o Direito Civil na China, que já encontrava dificuldades de desenvolvimento em razão da fragmentação normativa (e muitas vezes de *ausência* normativa), encontrou outra grande barreira: a adoção da ideologia marxista pelo novo governo.

De fato, a imagem do Direito Civil clássico estava entrelaçada à ideia de uma economia mercantilista, o que fez com que, na República Popular da China, aquele ramo jurídico estivesse sempre sob desconfiança e, por consequência, sujeito ao crivo da lógica socialista chinesa.

Em um segundo momento, quando os estudiosos chineses conseguiram argumentar que era possível, em certa medida, a existência de uma economia de mercado num país socialista e, portanto, justificar a utilidade (ainda que limitada) de um Direito Civil, a principal barreira tornou-se o papel desempenhado pelo Estado socialista nas relações civis.

Essa ingerência estatal nas relações privadas desencadeou, inclusive, debates acerca da natureza e da finalidade do Direito Civil, sobretudo se este seria Direito Público ou Privado e se haveria um viés Econômico-Intervencionista no próprio Direito Civil.

Interessante notar que tal discussão dificilmente ganharia corpo em países ocidentais, nos quais o Direito Civil é um ramo do Direito Privado por excelência. Em nosso sentir, o debate demonstra a própria incompreensão do Direito Civil e das finalidades deste pelo Estado chinês.

---

[13] LEI, Chen. *Op. cit.*, p. 174. No original: *"Law in general and property law in particular, were repealed without being replaced. All land was owned by either the state in urban areas or was owned collectively in rural areas"*.

DIREITO CHINÊS CONTEMPORÂNEO

O cerne dessa discussão, contudo, era acerca do próprio papel do Estado nas relações econômicas privadas e, caso esta atuação devesse existir, quais seriam as finalidades e métodos que justificariam o envolvimento estatal. Nas palavras de CHEN[14]:

> [O debate entre 'economistas' e 'civilistas] foi, portanto, um debate entre autonomia privada e intervenção do Estado, entre a universalidade do Direito Privado e a abordagem *ad hoc* de regras administrativas sobre as situações individuais. Em suma, era 'uma luta entre uma visão mais administrativa e uma visão mais individualista do Direito Privado'. Tais debates só cessaram, mas não necessariamente se resolveram, após a adoção da noção de uma "economia socialista de mercado" em 1992.

Assim, as peculiaridades do contexto chinês[15] fizeram com que o desenvolvimento do Direito Civil na China dependesse largamente da ênfase que o Partido Comunista Chinês (PCC) quisesse dar ao desenvolvimento econômico, bem como da tolerância governamental em relação às liberdades individuais.

2.3. Tentativas de codificação na República Popular da China (RPC)
2.3.1. Primeira tentativa – 1954

Apesar de o governo de 1949 reconhecer expressamente a necessidade de novas leis e de um novo sistema legal, as atividades legislativas mais relevantes só passaram a ocorrer em 1954[16], sobretudo após a nova Constitui-

---

[14] CHEN, Jianfu, *op cit.*, P. 332. No original: "It was thus a debate between private autonomy and state intervention, between the universality of private law and the *ad hoc* approach of administrative rule towards individual situations. In short, it was 'a struggle between more administrative and more individualistic views of (private) law.' Such debates only died down, but were not necessarily settled, after the adoption of the notion of 'socialist market economy' in 1992

[15] V.g. utilização tradicional do Direito para estruturar o Estado e regulamentar questões públicas, a ênfase nas vivências coletivas em detrimento das iniciativas individuais, somadas à forma de utilização da ideologia Socialista pelo Estado chinês e ao entrelaçamento do Direito Civil com as políticas econômicas estatais. Para maiores informações veja os capítulo 6, *Organização Política e Judiciária na República Popular da China*.

[16] Tal fato, em nosso sentir, só reforça o argumento suscitado nos debates da Disciplina "Temas de Direito Internacional Comparado: O Direito Chinês contemporâneo: cultura, Direito Comparado e Relações Internacionais", ministrada no Programa de Pós-Graduação

CODIFICAÇÃO E DIREITO CIVIL NA CHINA

ção. Neste ano, o Partido designou um comitê de pesquisa para elaborar um projeto de Código Civil, de forte influência soviética.

Contudo, essa primeira tentativa de codificação foi abruptamente interrompida por campanhas políticas, tais como "Movimento Anti-Direita" de 1957[17] e o "Grande Salto para Frente" de 1958, que postergaram a codificação para a década seguinte.

O discurso proferido pelo Premiê, 周恩来 *Zhōu Ēnlái* em 16 de setembro de 1958 revela o espírito da época:

> Por que nós, o proletariado, devemos ser contidos por leis?! ... Desde 1954, a ênfase foi colocada sobre a padronização e institucionalização legal dos planos através da lei. Isso na verdade é a regulamentação (*regularisation*). Nós editamos um grande número de regulamentos e regras que, em seguida, impediram o nosso desenvolvimento. ... Nossa lei deve ser desenvolvida em sintonia com as mudanças da base econômica. As instituições, regras e regulamentos não devem ser fixados [rigidamente]. Não devemos ter medo de mudanças. Temos defendido revoluções ininterruptas e que a lei deve estar a serviço das revoluções contínuas. ... Não importa se fizermos uma lei hoje e mudá-la amanhã[18].

da UFMG em 2014.1, de que a sociedade chinesa e o Estado chinês não necessitavam se pautar por "leis" no sentido apreendido pela tradição ocidental.

[17] Em mandarim simplificado 反右运动; em mandarim tradicional 反右運動; no pinyin: Fǎn Yòu Yùndòng. O termo "direitista" ou "direita" não possui uma definição consistente, pois às vezes referia-se aos críticos à esquerda do governo, mas oficialmente designava aqueles intelectuais que pareciam favorecer o capitalismo e eram contra a coletivização. O movimento que antecedeu essa reação foi a Campanha das Cem Flores (1956/1957), ou Desabrochar das Cem Flores, período em que o Partido Comunista incentivou a expressão das mais variadas escolas de pensamento (inclusive anticomunistas) para corrigir e melhorar o sistema. De início os intelectuais se mostraram céticos, mas, aos poucos, as críticas se tornaram contundentes e foram qualificadas pelo Partido como vindas de "direitistas burgueses", motivo pelo qual decidiu-se por encerrar o Desabrochar de Cem Flores, dando início ao sistema ideológico que viria a ser conhecido como Maoísmo.

[18] No original: "*Why should we proletarians be restrained by laws?! ... Since 1954, emphasis has been put on standardization and legal institutionalization of plans through law. This in fact is regularization. We wrote a large number of regulations and rules which then hindered our development. ... Our law should be developed in pace with the changes of the economic base. Institutions, rules and regulations should not be fixed. We should not be afraid of changes. We have advocated uninterrupted revolutions and the law should be in the service of the continuing revolutions. ... It does not matter if we make a law today and change it tomorrow*". In CHEN, Jianfu. *Op. cit.*, p. 49.

Entretanto, o fracasso econômico do "Grande Salto para Frente" fez o ímpeto de codificação ressurgir.

2.3.2. Segunda tentativa – 1962

Em 1962, com o reconhecimento pelo Partido Comunista Chinês da necessidade de se desenvolver uma economia de mercado, a codificação do Direito Civil chinês ganhou nova força, e resultou num projeto de Código Civil apresentado em 1964.

Na visão de CHEN[19] esse projeto era peculiar, sobretudo por dois fatores: (i) sua estrutura se aproximava mais de uma declaração política que de um Código[20], o que foi visto como um esforço intencional de se distanciar da União Soviética, país com o qual a China havia rompido as relações em 1960; (ii) no projeto, as relações civis eram concebidas tanto numa perspectiva vertical (entre o Estado e os agentes econômicos) como numa acepção horizontal (relações entre partes iguais), o que foi interpretado como uma rejeição aos demais modelos estrangeiros.

Entretanto, esse projeto também não veio a ser promulgado. Novas tentativas de codificação só foram retomadas após a Revolução Cultural (1966-1976).

2.3.3. Terceira tentativa – 1979

A terceira tentativa de codificar o Direito Civil chinês foi empreendida em 1979 – após a Revolução Cultural – quando designou-se, no Comitê de Assuntos Legislativos (*Legislative Affairs Committee*), uma equipe específica para elaborar um novo projeto. De maneira bastante eficiente, em 1982 essa equipe apresentou quatro projetos diferentes para um Código Civil chinês.

Entretanto, dois fatores interromperam o novo ímpeto de codificação (i) a defesa de legislações fragmentadas por 鄧小平 *Dèng Xiǎopíng*[21], ideia que rapidamente ganhou terreno e culminou na edição de várias leis esparsas[22]; (ii) e uma nova disputa entre os estudiosos de viés civilista e aqueles

---

[19] CHEN, Jianfu. *Op cit.*, p. 334

[20] Por exemplo, termos legais como pessoa jurídica, personalidade jurídica, obrigações, responsabilidade civis sequer eram mencionados.

[21] Que ascendeu ao poder em 1978 após a morte de Mao em 1976.

[22] Direito dos Contratos (1981), Direitos dos Contratos Econômicos Estrangeiros (1986), Direito de Família (1981), Direito das Sucessões (1986), Princípios Gerais de Direito Civil (1986).

de viés econômico-intervencionista, o que dificultou e atrasou os trabalhos da equipe encarregada da elaboração do projeto.

Nas palavras de EPSTEIN[23]:

> Estas duas escolas de jurisprudência têm visões opostas sobre o âmbito de aplicação do Direito Civil. [...] Em sua visão extrema, a escola de Direito Econômico nega a aplicação do Direito Civil para atividades econômicas em que há intervenção estatal. O espectro deste campo é grande, mesmo em estados capitalistas, mas na China a escola de Direito Econômico reivindica exclusividade sobre uma grande parte do direito dos contratos, lei de recursos, a lei de propriedade intelectual e outras leis de natureza quase econômico-administrativa[24].

Reforça-se, com isso, a ideia de que a China não havia compreendido a importância e a finalidade do Direito Civil, o que prejudicou, inclusive, o desenvolvimento dos demais ramos do Direito Privado naquele país.

Com efeito, embora o Direito Civil se tenha como mais um dos ramos do Direito Privado, a rigor é mais que isto. Ele contém princípios de aplicação corrente e generalizada; nele se situam princípios que a rigor não lhe são exclusivos, mas constituem normas gerais que se projetam a todo o arcabouço jurídico: o Direito Civil enuncia as regras da hermenêutica, os princípios relativos à prova, a noção dos defeitos do negócio jurídico, a organização sistemática da prescrição, etc., institutos comuns a todos os ramos do Direito, tão bem manipulados pelo civilista quanto pelo publicista[25].

---

[23] EPSTEIN, Edward J. The Evolution of China's General Principles of Civil Law. In *American Journal of Comparative Law, 1986*, p. 709

[24] No original: *"These two schools of jurisprudence have opposing views on the scope of application of civil law. This acrimonious debate has carried over from early Soviet jurisprudence, and this is not the place to attempt a review. Suffice it to say that in its extreme view the economic law school denies the application of civil law to economic activities where there is state intervention. The scope of this field is wide even in capitalist states, but in China the economic law school claims exclusivity over a large part of contract law, resource law, intellectual property law and other laws of quasi economic-administrative nature"*.

[25] PEREIRA, Caio Mário da Silva. *Instituições de Direito Civil*, vol. 1. 20ª Edição. Rio de Janeiro: Forense, 2004, p. 22.

Em virtude dessa importância, a elaboração de um Código Civil – muito mais do que uma mera justaposição de institutos jurídicos por motivos políticos[26] – depende de certos *pressupostos* culturais. No entender de WIEACKER[27], os processos de codificação irrompem em períodos da ciência jurídica nos quais "o trabalho sistemático e conceitual de gerações possibilita finalmente um plano conjunto clarificador e a linguagem conceitual abstrata de um código racional".

Se considerado, pois, que o processo de codificação do Direito Civil chinês deriva mais das pressões dos países ocidentais (Sec. XIX e primeira metade do Sec. XX) e da disposição da própria China em se internacionalizar (segunda metade do Sec. XX), e não de um contexto político-ideológico, cultural e jurídico favoráveis à sistematização, não é de se entranhar o subdesenvolvimento teórico e o caráter assistemático que o Direito Civil apresentava naquele país.

2.3.4. A Lei de Princípios Gerais de Direito Civil

Em face da promulgação de tantos dispositivos legais no período Pós-1980, a Lei de Princípios Gerais de Direito Civil (LPG) editada em 1986, é um dos poucos estatutos capazes de prover princípios que delineiem uma estrutura sistemática do Direito Civil chinês.

Segundo EPSTEIN:

> Se os projetos anteriores de códigos civis foram moldados com a ideologia socialista na tradição *"code civile"*, **a Lei de Princípios Gerais de Direito Civil é um produto de pragmatismo legislativo e da disposição chinesa de fazer concessões. A principal inspiração para tal pragmatismo é a liderança de Deng Xiaoping**, com quem o governo chinês tem introduzido reformas econômicas radicais[28] (grifos nossos).

---

[26] Não se ignora, contudo, que a codificação é também fruto de um processo político, principalmente catalisado pelas burguesias europeias após as Revoluções Liberais, tais como a Francesa.

[27] WIEACKER, Franz. *História do Direito Privado Moderno*. 3ª Ed. Lisboa: Fundação Calouste Gulbankian, 2004, p. 527.

[28] EPSTEIN, Edward J. *Op. cit.*, p. 705. No original, *"If the early draft civil codes were molded with socialist ideology in the code civile tradition, the General Principles of Civil Law are a product of legislative pragmatism and Chinese willingness to compromise. The major inspiration for such pragmatism is the*

Essa Lei tentou estabelecer uma abordagem abstrata e formalista de acordo com os modelos da Europa continental[29], mas tais esforços foram muitas vezes minados, ora pela ideologia socialista subjacente (que, da forma como utilizada pelo Estado chinês, sujeita os conceitos jurídicos a noções político-econômicas – uma reminiscência da influência soviética) e, de outro lado, pelo próprio caráter fragmentado do Direito Privado na China.

Aliás, EPSTEIN ressalta que:

> Embora a legislação fragmentada tenha permitido que reformas econômicas inovadoras tivessem lugar na China, a completa ausência de um Código civil era por si só um impedimento para a consolidação e prosseguimento deste programa de reformas, particularmente no desenvolvimento do comércio exterior e dos investimentos[30].

A título exemplificativo, a Lei de Contratos Econômicos foi promulgada em 1981 e fazia referência a uma série de conceitos basilares, tais como a *capacidade* para celebrar contratos econômicos. Contudo, surpreendentemente, o *status* legal de tais pessoas, bem como o próprio delineamento da *capacidade,* não estava definido em nenhum outro lugar do Ordenamento civil chinês, tendo sido introduzidos cinco anos depois com a promulgação da LPG.

Além disso, em diversas oportunidades o legislador chinês, desvencilhando-se do ideal de coerência interna de um sistema jurídico, optou por abordagens *ad hoc* em relação a situações específicas, ressaltando ainda mais o viés assistemático do Direito Civil na China[31].

---

leadership of Deng Xiaoping, under whom the Chinese government has introduced sweeping economic reforms".

[29] De fato, uma das principais características do Direito Civil clássico é sua capacidade de abstração, o que lhe permite, em tese, ser universalmente aplicável.

[30] EPSTEIN, Edward J. *Op. cit.,* p. 705. No original, *"On the other hand, although piecemeal legislation has allowed innovative economic reforms to take place in China, the complete lack of a civil code was itself an impediment to the consolidation and furtherance of this program of reform, particularly in the development of foreign trade and investment".*

[31] Confira-se, a respeito, a regulamentação do direito de propriedade e estruturação dos conceitos de Personalidade Jurídica e Pessoa Natural *in* CHEN, Jianfu. *Op. cit.,* p. 341 e ss.

Como exemplo, tem-se o próprio conceito de pessoa natural na LPG[32], confira-se:

> Capítulo II – Do Cidadão (Pessoa Natural)
> Seção 1 – Capacidade para os Direitos Civis e Capacidade para Atos Civis
> Artigo 9º O **cidadão** tem a capacidade de direitos civis desde o nascimento até a morte e goza de direitos civis e assume obrigações civis de acordo com a lei[33] (grifo nosso).

Ensina CHEN[34] que a substituição do termo "pessoa natural" por "cidadão" tem razões históricas e ideológicas, bem como implicações práticas.

Historicamente, o termo "pessoa natural" era estranho à cultura jurídica chinesa, tendo sido introduzido pelo Código Civil do KMT para diferenciar a pessoa física da pessoa jurídica. Entretanto, como o Governo de 1949 aboliu tudo que remontava ao KMT, o termo "pessoa natural" deliberadamente deixou de ser usado.

Por outro lado, em termos ideológicos, desde a União Soviética já se repudiava a expressão "pessoal natural" ao argumento de que as ideias da escola do Direito Natural eram incompatíveis com o Marxismo-Leninismo.

A consequência prática disso é que, na China, a personalidade jurídica de uma pessoa deve ser concedida (*granted*), e não meramente reconhecida (*recognised*), pelo Estado[35]. Argumentam os juristas chineses que os atributos do ser humano podem ser divididos em dois aspectos – natural e legal – e que este último é conferido pelo Direito Positivo; logo, o conteúdo e o escopo da capacidade jurídica são determinados pela vontade do Estado.

Tal acepção, que, de um lado, amolda convenientemente o Direito Civil do país às pretensões Estatais, de outro, o distancia dos padrões ocidentais de conceituação de "pessoa".

---

[32] General Principles of the Civil Law of the People's Republic of China, disponível em http://www.npc.gov.cn/englishnpc/Law/2007-12/12/content_1383941.htm, acessado em 21/04/2014.

[33] No original em inglês: "Chapter II Citizen (Natural Person); Section 1 Capacity for Civil Rights and Capacity for Civil Conduct; Article 9 A citizen shall have the capacity for civil rights from birth to death and shall enjoy civil rights and assume civil obligations in accordance with the law".

[34] CHEN, Jianfu. *Op. cit.*, p. 343.

[35] CHEN, Jianfu. *Op. cit.*, p 344.

De fato, para o Ocidente a ideia de *personalidade* [e de capacidade de direito[36]] está intimamente ligada à de *pessoa*, pois exprime a *aptidão genérica* para adquirir direitos e contrair deveres, sendo esta aptidão reconhecida – atualmente – a todo ser *humano*, independendo da consciência ou vontade do indivíduo[37], quiçá de uma vontade estatal.

Na China, contudo, segundo RAMOS[38], desenvolveu-se uma compreensão do homem que o coloca na posição de *fator*, isto é, de parte integrante do *devir espontâneo* do mundo, e *não de sujeito*. Não se pensa que ele age sobre a natureza enquanto algo diferente dela, mas que sua ação é apenas o resultado de um encontro de forças espontâneas e imanentes.

Ao revés, nos países ocidentais cujas origens jurídicas remontam a Roma, a pessoa é figura central de um Ordenamento jurídico. Ressalta SALGADO[39] que:

> [...] é na experiência da consciência jurídica do romano que se desenvolve a noção de pessoa, vista como sujeito universal de direito, em cuja essência está o bem que dá suporte ao próprio direito, a liberdade, com esse conceito, a igualdade.

O mesmo autor, ao destacar a importância e transcendência do conceito de *pessoa* (que não se limita ao Direito Privado, mas reverbera em todos os ramos do Direito), ensina que:

> [...] na jurística romana surge a noção e a institucionalização do sujeito de direito universal, cujo trajeto histórico é demarcado no rumo da consciência

---

[36] No Direito brasileiro, por exemplo, a capacidade **de direito** é a capacidade genérica atribuída a toda pessoa e seu conceito se confunde com o de personalidade.

[37] V.g crianças, deficientes mentais etc.

[38] RAMOS, Marcelo Maciel. A invenção do Direito pelo Ocidente: uma investigação face à experiência normativa da China. São Paulo: Alameda, 2012. Segundo o autor, "é interessante notar que, enquanto no Ocidente prevaleceu uma visão heroica do homem, o que se constata desde muito cedo nas suas narrativas míticas, nas quais a coragem e a iniciativa individual são constantemente ressaltadas, na China, as forças sagradas não aparecem sob um aspecto individual preciso. Verifica-se aí uma ausência de agentes individualizados e de fenômenos personificados".

[39] SALGADO, Joaquim Carlos. *A ideia de justiça no mundo contemporâneo: fundamentação e aplicação do Direito como Maximum Ético*. Belo Horizonte: Del Rey, 2006, p. 59.

dos direitos fundamentais e sua tributividade universal, pela qual se revela o sujeito de direito universal como sujeito universal de direitos universais, isto é, a todos reconhecidos, na Revolução Francesa, e a todos garantidos, não só pela instrumentalização da actio, mas também pela dos direitos políticos[40].

Cotejando-se, pois, as origens do Direito Privado com o desenrolar histórico do Direito Civil na China, parece ficar claro que este ramo do Direito vem sendo promovido mais por razões econômicas (v.g atração de investimentos, internacionalização da economia etc.) que pela constatação de que os indivíduos sejam detentores de liberdades individuais universais que precisam ser juridicamente resguardadas.

Não surpreende, portanto, a dificuldade do desenvolvimento do mencionado ramo do Direito naquele país, seja pela arraigada influência do Confucionismo que preconiza que as relações entre indivíduos devem ser regidas pela moral, pela virtude, pelo exemplo e pelo rito (e não pela lei), seja pela própria incompreensão da importância e das funções desempenhadas pelo Direito Civil em dada sociedade.

Nesse ponto, após uma breve digressão acerca dos papéis que o Direito Civil desempenha (ou deveria desempenhar) em uma sociedade, JONES[41] conclui que:

> Em suma, as funções básicas desempenhadas pelo Direito Civil são realizadas na China primariamente pelas decisões do governo central, as quais são implementadas de diversas maneiras em nível local. Uma característica central deste sistema foi o [método] de decisão induzida, ou seja, a persuasão dos indivíduos por vários meios a fim de levá-los a pensar e decidir de acordo com os planos do governo. Todo este processo pode ser caracterizado como o sistema legal formal[42] da República Popular da China[43].

---

[40] SALGADO, Joaquim Carlos. *Op. cit.*, p. 58/59.

[41] JONES, William C. Some questions regarding the significance of the General Provisions of Civil Law of the Peoples's Republic of China, in Harvard International Law Journal, 1987, p. 317.

[42] JONES ressalta ainda a existência de um sistema legal informal. Segundo ele, num país de dimensões continentais como a China é, de certo modo, comum que haja sistemas legais informais, que convivem em paralelo com o sistema formal.

[43] No original: *"In sum, the basic functions that we look to civil law to perform are accomplished in China primarily by decisions of the central government which are implemented in a variety of*

Aliás, nesse ponto, já em 1976, UNGER pontuava que a China falhava em diferenciar comandos administrativos (*administrative commands*) de regras de direito (*rules of Law*) e em distinguir discursos jurídicos de discursos morais ou políticos, o que a impedia de desenvolver um ordenamento verdadeiramente "jurídico".[44] A crítica foi taxada como etnocêntrica e eurocêntrica por alguns doutrinadores[45], mas, à luz do panorama traçado neste artigo parece fazer sentido.

Nessa perspectiva, interessa notar que – dado o entrelaçamento entre a história do Direito Civil chinês e as políticas econômicas estatais – o futuro desse ramo do Direito na China passa necessariamente pela atitude do partido frente a uma economia de mercado. Nesse ponto CHEN curiosamente pontua que:

> A ligação entre a política econômica de uma "economia de mercado planejada" ou "economia de mercado socialista" e o Direito Civil que **inicialmente facilitou o renascimento das instituições "burguesas" do direito civil, hoje também é responsável pelas principais deficiências no sistema**[46] (grifos nossos).

Assim, percebe-se que o Direito Civil na China não tem se desenvolvido autonomamente, segundo sua própria lógica interna, mas sim de acordo com a ênfase que o Estado Chinês pretende lhe dar – e, sobretudo, por motivos econômicos.

Logo, dado o comportamento dissimulado do Estado para com o Direito, permanece a dúvida se o Partido Comunista Chinês está disposto a

---

ways at the local level. One central feature of this system has been the induced decision. That is, the persuasion by various means of individuals to get them to think and decide in accord with government plans. This whole process may be characterized as the formal legal system of the People's Republic of China".

[44] UNGER, Roberto Mangabeira. *Law in modern society: Toward a criticism of social theory.* New York: The Free Press New York, 1976, pp. 66/110.

[45] Cf. ALFORD, William. "The Inscrutable Occidental: Implications of Roberto Unger's Use and Abuse of the Chinese Past," Tex. L Rev. 915 (1986).

[46] CHEN, Jianfu. *Op. cit.,* p. 361. No original: *"The linkage between the politico-economic notion of a 'planned commodity economy' or 'socialist market economy' and civil law initially facilitated the revival of 'bourgeois' civil law institutions, but it is also responsible for major deficiencies in the civil law system."*

conviver e resguardar a liberdade dos indivíduos – ideia basilar do Direito Civil clássico.

Aliás, as reflexões sobre a interferência do Estado chinês no Direito Civil e o prejuízo dessa interação para o desenvolvimento deste ramo do Direito nos parecem exportáveis para outras searas jurídicas em que se perceba um conflito entre a atuação dos indivíduos e os interesses estatais.

No caso específico deste artigo, partindo-se da premissa de que a Dogmática Civil é um Direito geral e comum, que se aplica supletivamente a outros ramos do Direito Privado, pode-se concluir que a atuação estatal chinesa prejudicou sobremaneira o Direito Privado como um todo no país, tanto em seu aspecto teórico (i.e uniformidade, coerência interna etc.) como prático.

2.3.5. Status atual do Direito Civil chinês

Após a "suspensão extraoficial" do processo de codificação em 1982, novas tentativas de unificação do Direito Civil somente foram retomadas em 1998 e se intensificaram significativamente em 2001, ano em que a China foi admitida na Organização Mundial do Comércio (OMC).

Uma nova comissão foi encarregada de elaborar um Código, mas já em 2002 o plano do Partido mudou novamente: ao invés de adotar, de uma só vez, um Código Civil abrangente, o Comitê Permanente do Congresso Nacional Popular (*Standing Comittee of the National Peoples Congress*) preferiu uma abordagem "passo a passo", que consiste em elaborar livros isolados, tais como o de Direitos Reais, Responsabilidade Civil, Direito Internacional Privado etc[47].

Percebe-se, com isso, que não foi amenizada até o presente momento a *politização do Direito*, conforme menciona LUBMAN[48], o que faz com que as novas instituições sejam marcadas por influências que perpassam desde os valores e a estrutura social tradicional chinesa; a um emaranhado de valores e instituições criadas pela própria revolução chinesa; e [culminam] num redemoinho ainda mais confuso da política, das instituições e dos valores

---

[47] Na visão de JIANFU CHEN (p. 338), parece ser consenso na China que, após a elaboração e promulgação em separado de todos os livros, o Partido colocará em prática a ideia de um Código Civil único e abrangente.

[48] LUBMAN, Stanley. Studying Contemporary Chinese Law: Limits, Possibilities and Strategy. *In American Journal of Comparative Law*, 1991, p. 294.

do rescaldo pós-totalitário que começou no final de 1970 e vai continuar por muito tempo[49].

Com toda essa diversidade de influências (muitas vezes, antagônicas entre si) parece não haver muito espaço para que o Direito Civil trilhe um caminho de coerência interna e amadureça dialeticamente.

3. Conclusões

À luz do panorama traçado no presente artigo, pôde-se perceber que o Direito tradicional chinês (influenciado pelo Legalismo) dedicou-se especialmente à regulamentação de questões estatais, públicas e coletivas, ao passo que a vida em sociedade era precipuamente regulada pelos preceitos do Confucionismo, que preconizavam a educação moral (e não a lei) como elemento de ordem social.

Tal característica dificultou a inserção de um ramo do Direito tipicamente dedicado a reger relações individuais, tal como o Direito Civil, e demonstrou a dificuldade da China em lançar mão de leis para regular a vida privada.

A esse elemento cultural, foi acrescida a adoção da ideologia comunista após 1949, que parece ter elevado exponencialmente o nível de utilização do Direito segundo conveniências políticas e estatais, visto ter encontrado terreno fértil na própria tradição chinesa.

Em virtude disso, pôde-se observar que o Direito Civil tem sido promovido, precipuamente, por fatores econômicos e moldado intencionalmente quando interfere nos interesses estatais.

Nessa perspectiva, muito embora o país possua diversos dispositivos legais que, no aspecto formal, não ficam aquém das leis ocidentais, o Direito Civil chinês, sob o ponto de vista teórico-dogmático apresenta sinais de subdesenvolvimento e de incoerência.

Em verdade, não chega a ser surpreendente que um ramo do Direito que é contemporâneo do Liberalismo, e cujas premissas básicas estejam amalgamadas com a garantia das liberdades individuais, apresente dificuldades de se desenvolver no país.

---

[49] LUBMAN, Stanley. *Op. cit.*, p. 293. No original: *"The new institutions are stamped by influences flowing from traditional Chinese social structure and values; by a tangle of values and institutions created by the Chinese revolution itself; and by the still more confused swirl of politics, institutions and values in the post-totalitarian aftermath that began in the late 1970s and will continue for a very long time".*

Vê-se, pois, que o desejo do Partido Comunista de modernizar o sistema *legal* chinês tem esbarrado em aspectos teóricos que divergem ontologicamente de alguns valores do Direito Civil, a começar pela noção de pessoa.

É de se indagar até quando será possível conter o desenvolvimento do Direito Civil segundo seus próprios critérios e princípios e até onde será possível lançar mão de "exceções" às doutrinas e institutos já estabelecidos no Direito Ocidental para se construir uma perspectiva *chinesa* do Direito Civil. Dado o pragmatismo chinês, estas questões não são passíveis de respostas apriorísticas nem previsíveis.

Referências bibliográficas

ALFORD, William. The Inscrutable Occidental: Implications of Roberto Unger's Use and Abuse of the Chinese Past, *Texas Law Review*, 1986.

CHEN, Jianfu. *Chinese Law: context and transformation*. Leiden: Martinus Nijhoff Publishers, 2008.

CHEN, Lei. *The historical development of the Civil Law tradition in China: a private law perspective*. Leiden: Martinus Nijhoff Publishers, 2010.

CLARKE, Donald C. *China: creating a legal system for a market economy*. The George Washington University Law School, disponível em http://ssrn.com/abstract=1097587, acessado em 27/03/2014.

DAVID, René. *Os grandes sistemas contemporâneos*. Trad. Hermínio A. Carvalho. 4ª edição. São Paulo: Martins Fontes, 2002.

JONES, William C. A translation of the fourth draft civil code (june 1982) of the People's Republic of China. In *Review of Socialist Law 10*, Netherlands: Martinus Hijhoff Publishers, 1984.

JONES, William C. Some questions regarding the significance of the General Provisions of Civil Law of the People's Republic of China, in *Harvard International Law Journal*, 1987.

JONES, William C. *Basic Principles of Civil Law in China*. Armonk, NY: M.E. Sharpe, Inc, 1989.

LI, Zhimi. *Zhongguo gudai minfa (Civil law in ancient China)*. Beijing: Publishing House of Law, 1988.

CODIFICAÇÃO E DIREITO CIVIL NA CHINA

LUBMAN, Stanley. Studying Contemporary Chinese Law: Limits, Possibilities and Strategy. In *American Journal of Comparative Law*, 1991.

O'BRIEN, Roderick. The survival of traditional Chinese Law in the People's Republic of China. *Hong Kong L.J.*, 2010.

PEREIRA, Caio Mário da Silva. *Instituições de Direito Civil*, vol. 1. 20ª Edição. Rio de Janeiro: Forense, 2004.

RAMOS, Marcelo Maciel. A invenção do Direito pelo Ocidente: uma investigação face à experiência normativa da China. São Paulo: Alameda, 2012.

SALGADO, Joaquim Carlos. *A ideia de justiça no mundo contemporâneo: fundamentação e aplicação do Direito como Maximum Ético*. Belo Horizonte: Del Rey, 2006,

UNGER, Roberto Mangabeira. *Law in modern society: Toward a criticism of social theory*. New York: The Free Press New York, 1976.

WIEACKER, Franz. *História do Direito Privado Moderno*. 3ª Ed. Lisboa: Fundação Calouste Gulbankian, 2004.

ZHANG, Jinfan. *A General History of the Chinese Civil Law (Zhongguo Minfa Tongshi)*. Fuzhou: Fujian People's Press, 2003.

ZHANG, Mo. *Chinese Contract Law: Theory and Practice*. Leiden: Martinus Nijhoff Publishers, 2006.

ZHANG, Sheng. From an integration of Western and Chinese legal norms to comparative legislation: codification of the Civil Law of the Republic of China. *The China Legal Science Journals Press, vol, 1, n. 2*, 2013.

ZHAO, Jinlong. An Overview on Characteristics of Modern Civil Law Development and Its Impact on China Civil Code. *US-China Law Review*, 2005.

CAPÍTULO 9
DIREITO DE PROPRIEDADE
E PROPRIEDADE INTELECTUAL NA CHINA

LUCAS COSTA DOS ANJOS

1. Considerações iniciais

Segundo relatório da Thomson Reuters[1], a China tornou-se, em 2011, o país que mais depositou pedidos de patente no mundo, superando assim os tradicionais mercados norte-americano e japonês[2]. Ainda que esse fato indique maior incentivo à inovação no país e sugira tendência de transformação do *made in China* para o *designed in China*, ainda não se superou completamente a reputação de falsificadora mundial de bens de consumo[3].

Essa temática é particularmente relevante no contexto atual do comércio internacional, em que a China é a segunda economia do mundo[4] e exerce considerável influência sobre os fluxos internacionais financeiros e de mercadorias. No que diz respeito à propriedade intelectual, a transição de falsificadora de bens de consumo, nas décadas de 1980 e 1990, para polo de inovação científica e tecnológica, a partir dos anos 2000, é

---

[1] YEE, Lee Chyen. China tops U.S, Japan to become top patent filer. *Reuters*. [on line]. Disponível em: http://www.reuters.com/article/2011/12/21/us-china-patents-idUSTRE-7BK0LQ20111221. Acesso em 16 abril 2014.

[2] Segundo esse mesmo relatório, foram 314.000 pedidos de patente protocolados em 2010. Ainda assim, é importante notar que o número de patentes concedidas a requerentes chineses ainda é menor que os números do Japão e dos Estados Unidos. Além disso, a maioria dos pedidos diz respeito a patentes de modelos de utilidade, o que denota, de forma geral, menor grau inovador das patentes chinesas. YEE, Lee Chyen. China tops U.S, Japan to become top patent filer. *Reuters*. [on line]. Disponível em: http://www.reuters.com/article/2011/12/21/us-china-patents-idUSTRE7BK0LQ20111221. Acesso em 16 abril 2014.

[3] RAPOZA, Kenneth. In China, why is piracy here to stay. *Forbes*. [on line]. Disponível em: http://www.forbes.com/sites/kenrapoza/2012/07/22/in-china-why-piracy-is-here-to-stay/. Acesso em 16 abril 2014.

[4] WORLD BANK. *GDP Data*. Disponível em http://data.worldbank.org/indicator/NY.GDP. MKTP.CD. Acesso em 16 abril 2014.

corroborada por abundantes incentivos governamentais na área de pesquisa e desenvolvimento.

Nas duas últimas décadas, a China empreendeu reformas legais que aumentaram o escopo de proteção à propriedade privada, ampliando as garantias dadas a investidores estrangeiros no país, apesar de o setor público exercer fundamental papel no cenário econômico nacional. Em termos práticos, ainda há sujeição dos investimentos privados às regulações e condicionalidades políticas do governo, o que denota a insegurança jurídica e o risco do empreendimento que se enfrenta ao investir no país. Assim como em outras áreas na China, o direito de propriedade, seja ela real ou intangível, tenta superar o confronto entre privado e público.

Como proposta de análise das questões centrais de investigação, o presente artigo conta com quatro seções. Além deste primeiro item de introdução, no segundo item, o direito de propriedade será analisado sob a perspectiva do Direito Chinês, por meio de sua contextualização segundo os princípios da Constituição (1982) e da Lei de Propriedade (2007)[5]. O terceiro item explora a propriedade intelectual como espécie de direito de propriedade, notadamente quanto às recentes reformas legais empreendidas no país. No item quatro, analisam-se as principais espécies de propriedade intelectual na China e suas particularidades em relação aos regimes de proteção de outros países. Nas considerações finais, reforçam-se impressões de análise das recentes transformações legais, dos desafios ainda enfrentados na aplicação dos direitos de propriedade e das tendências para o país no contexto da propriedade intelectual.

2. Direito de propriedade na China

Sobre essa temática, cabe ressaltar os ensinamentos de Jianfu Chen sobre a terminologia utilizada:

> Ao examinar o direito de propriedade na China, é necessário distinguir dois termos, '*suoyouzhi*' (所有制) e '*caichan suoyouquan*' (财产 所有权). Esses dois termos remontam a duas diferentes definições do termo 'propriedade',

---

[5] A Lei de Propriedade entrou em vigor em 1º de outubro de 2007 e foi um marco histórico na China. Pela primeira vez, foi concedida igual proteção legal a propriedades públicas e privadas, o que significa uma relativização da tradicional primazia dos interesses públicos sobre os privados em relação aos direitos de propriedade no país.

como utilizado em outros países socialistas. '*Suoyouzhi*' significa, literalmente, o sistema de propriedade. Esse termo refere-se ao sistema político-econômico do Estado, como as propriedades coletivas dos trabalhadores e a propriedade estatal. '*Caichan suoyouquan*' significa, literalmente, direitos de propriedade. Esse termo denota os direitos do proprietário, conforme estabelecidos em lei[6].

Nos milênios que antecederam o século XX, o poder do Imperador determinava o destino e o uso de todas as formas de propriedade na China. Assim como as liberdades individuais, os objetos e as terras eram propriedade do Imperador, cuja supremacia impedia o desenvolvimento dos conceitos de propriedade privada[7]. Segundo Mo Zhang:

> Historicamente, a China era um país onde o "poder imperial", ou o "poder do imperador", era a autoridade suprema da nação. De acordo com o Confucionismo, governar um país seria como governar uma família na qual o pai tem poder absoluto para decidir tudo, e cada indivíduo deve subordinar seus interesses pessoais aos interesses familiares. Assim, era fundamental que houvesse unidade familiar e que todos os indivíduos se sujeitassem a ela[8].

O governo de 蔣中正 *Chiang Kai-shek* tentou implementar um Código Civil em 1930, mas as disputas militares com o Japão dificultaram sua efetiva aplicação. O Partido Comunista, ao chegar ao poder em 1949, anu-

---

[6] "*In examining property law in the PRC, two different terms, 'suoyouzhi' and 'caichan suoyouquan', have to be distinguished. These two terms are reminiscent of the two different definitions of the term 'ownership' as used in other socialist countries. The term 'suoyouzhi', literally meaning ownership system, refers to the politico-economic system of the state, e.g. ownership by the whole people and the collective ownership of the working people. The term 'caichan suoyouquan', literally meaning rights of property ownership, denotes property rights of the property owner as provided by the law*", em tradução livre. CHEN, Jianfu. Civil law: property. In: *Chinese Law: context and transformation*. Leiden/Boston: Martinus Nijhoff, 2008, p. 367.

[7] ZHANG, Mo. From public to private: the newly enacted Chinese property law and the protection of property Rights in China. In: *Berkeley Business Law Journal*, Vol. 5, 2008, p. 3. Disponível em: http://ssrn.com/abstract=1084363. Acesso em 16 abril 2014.

[8] "*Historically, China was a country where the 'imperial power' or the 'power of emperor' was the supreme authority of the land. Pursuant to Confucianism, to rule a country is like to rule a family where the father has absolute power to decide everything for the family, and each individual member in the family must subordinate his or her own interest to the family interest. Therefore, it was imperative that the family was held together and all individuals were subject to it*", em tradução livre. ZHANG, Mo. *Op. cit.*, p. 7.

lou o Código Civil e restringiu ao máximo direitos privados e individuais. A Revolução Cultural buscou instaurar o sentimento de que direitos individuais e a propriedade privada seriam diametralmente contrários aos princípios socialistas, favorecendo assim as propriedades coletivas e as propriedades estatais[9].

O marco inicial dos direitos de propriedade privada na China ocorreu na década de 1980, com a abertura parcial do país (Zonas Econômicas Especiais, principalmente no Sudeste do território) e as reformas econômicas, sob o comando de 鄧小平 *Dèng Xiǎopíng*[10]. O objetivo era transformar a economia rigidamente planificada pelo governo em uma economia de mercado, ainda que de forma controlada e setorizada, de acordo com os interesses do Partido Comunista (economia socialista de mercado). Embora as reformas empreendidas por *Dèng Xiǎopíng* permitissem práticas capitalistas em áreas específicas, tentou-se unificar política e ideologicamente o país sob o comando do Partido Comunista, por intermédio da declaração dos Quatro Princípios Cardinais[11], os valores centrais que a China deveria observar durante a modernização:

1. Devemos nos manter no caminho socialista.
2. Devemos apoiar a ditadura do proletariado.
3. Devemos apoiar a liderança do Partido Comunista.
4. Devemos apoiar o Marxismo-Leninismo e o Pensamento de Mao Zedong.

Reformas no sistema de propriedade foram necessárias para a modernização e iniciaram-se, efetivamente, por meio da Constituição (1982, e emendas) e dos Princípios Gerais de Direito Civil (1986)[12].

---

[9] ZHANG, Mo. *Op. cit.*, p. 9.

[10] Essas reformas representam o início de uma revolução silenciosa que, concomitantemente à inserção internacional da China em termos econômicos, tem aberto o país às influências sociais estrangeiras, aos costumes ocidentais e às práticas jurídicas consagradas pelos sistemas de *Civil Law* e *Common Law*, quando cabíveis.

[11] "*1.We must keep to the socialist road; 2. We must uphold the dictatorship of the proletariat; 3. We must uphold the leadership of the Communist Party; 4. We must uphold Marxism-Leninism and Mao Zedong Thought*", em tradução livre. XIAOPING, Deng. *Uphold the Four Cardinal Principles (excerpts)*. Disponível em http://academics.wellesley.edu/Polisci/wj/China/Deng/principles. htm. Acesso em 20 abril 2014.

[12] DUTRA, Victor. (Completar com Referência ao Artigo Apresentado em 15.04.2014, P. 7)

No que diz respeito à Constituição chinesa, a proteção à propriedade é estabelecida nos artigos 12 e 13, que tratam, respectivamente, da propriedade estatal e da propriedade privada:

Artigo 12. A propriedade pública socialista é sagrada e inviolável. O Estado protege a propriedade pública socialista. Apropriação ou dano a propriedades estatais ou coletivas, por organizações ou indivíduos, é proibida em todas as suas formas[13].

Artigo 13. O Estado protege o direito de propriedade dos cidadãos em relação a sua renda, suas economias, seus domicílios e outras formas legais de propriedade. O Estado protege, legalmente, o direito dos cidadãos de herdar propriedades privadas[14].

Cumpre ressaltar que, somente em 2004, por meio de uma emenda à Constituição de 1982, foi expressamente reconhecida a proteção à propriedade privada na China. A emenda de 1988, por exemplo, permitia "a existência do setor econômico privado e seu desenvolvimento de acordo com os limites legalmente prescritos", mas não utilizava, de forma literal, o termo "propriedade privada"[15].

Apesar dessa proteção, o artigo 6º da Constituição afirma ser a propriedade pública "a base do sistema econômico socialista da República Popular da China" e que o sistema de propriedades públicas "tem primazia sobre o sistema de exploração do homem pelo homem"[16]. Além disso, o artigo 7º

---

[13] "Article 12. Socialist public property is sacred and inviolable. The state protects socialist public property. Appropriation or damage of state or collective property by any organization or individual by whatever means is prohibited", em tradução livre. CHINA. Constitution of the People's Republic of China. Disponível em http://english.people.com.cn/constitution/constitution.html. Acesso em 19 abril 2014.

[14] "Article 13. The state protects the right of citizens to own lawfully earned income, savings, houses and other lawful property. The state protects by law the right of citizens to inherit private property", em tradução livre. CHINA. Op. cit.

[15] ZHANG, Mo. From public to private: the newly enacted Chinese property law and the protection of property Rights in China. In: Berkeley Business Law Journal, Vol. 5, 2008, p. 17. Disponível em: http://ssrn.com/abstract=1084363. Acesso em 16 abril 2014.

[16] "Article 6. The basis of the socialist economic system of the People's Republic of China is socialist public ownership of the means of production, namely, ownership by the whole people and collective ownership by the working people. The system of socialist public ownership supersedes the system of exploitation of

caracteriza a economia socialista como a "principal força econômica nacional, cuja consolidação e crescimento serão assegurados pelo Estado" [17]. Esses artigos denotam que, não obstante a proteção legal à propriedade privada, há supremacia das formas coletivas e estatais de propriedade no país, o que indica incompatibilidade entre dispositivos constitucionais que versam sobre a propriedade.

Os Princípios Gerais de Direito Civil da China, em seu quinto capítulo (Direitos Civis), discorrem sobre direitos de propriedade, direitos de propriedade intelectual, direitos acessórios aos direitos de propriedade, obrigações e direitos pessoais[18]. Segundo o artigo 71, "'direito de propriedade' significa o direito do proprietário de, nos termos da lei, possuir, utilizar, fruir livremente de e dispor de sua propriedade[19]". Essa autonomia do proprietário para dar destinação à coisa decorre de influência do modelo capitalista de organização produtiva, cuja implementação no âmbito chinês pode acarretar conflitos com as atuais instituições do sistema de propriedades da República Popular da China.

Quanto aos direitos de propriedade intelectual, a lei cita a possibilidade de proteção a direitos autorais, patentes, marcas e descobertas, mas não discorre sobre tempo e condições de proteção. O diploma concentra-se, efetivamente, nas hipóteses de propriedade estatal e de propriedade coletiva. Ainda assim, a aplicabilidade desses princípios era restrita e raramente colocada em prática[20].

Em 2007, entrou em vigor a Lei da Propriedade, cuja singularidade e importância recaem sobre o fato de que, pela primeira vez, não se observa a supremacia da proteção de propriedades estatais e coletivas sobre pro-

---

man by man; it applies the principle of 'from each according to his ability, to each according to his work", em tradução livre. CHINA. *Op. cit.*

[17] *"Article 7. The state economy is the sector of socialist economy under ownership by the whole people; it is the leading force in the national economy. The state ensures the consolidation and growth of the state economy"*, em tradução livre. CHINA. *Op. cit.*

[18] CHEN, Jianfu. Civil law: property. In: *Chinese Law: context and transformation*. Leiden/ /Boston: Martinus Nijhoff, 2008, p. 372.

[19] *"'Property ownership' means the owner's rights to lawfully possess, utilize, profit from and dispose of his property"*, em tradução livre. CHINA. *General Principles of the Civil Law of the People's Republic of China*. Disponível em: http://www.china.org.cn/china/LegislationsForm2001-2010/2011-02/11/ content_21898337.htm. Acesso em 19 abril 2014.

[20] CHEN, Jianfu. *Op. cit.*, p. 373.

priedades privadas. Em seu artigo primeiro[21], são delimitados os objetivos desse dispositivo legal e sua sujeição à Constituição:

> Essa lei é formulada com o objetivo de manter o sistema econômico básico nacional e a ordem econômica do mercado socialista, esclarecendo o direito de propriedade, atribuindo completa efetividade ao significado de propriedade, [...] de acordo com a Constituição.

Nesse sentido, o artigo 3º dessa lei determina que "o Estado implementa a economia socialista de mercado, assegurando a todos os agentes igualdade de status legal e de direito de desenvolvimento[22]". Além disso, segundo o artigo 4º, "os direitos de propriedade coletivos, do Estado, individuais e relacionados a outras obrigações serão protegidos por leis e não serão infringidos por nenhum instituto ou indivíduo[23]". Esses dispositivos confirmam tendência, ao menos legislativa, de aumentar o escopo de proteção à propriedade privada no país.

A Lei de Propriedade estabelece, entre diversos dispositivos, que somente serão válidas as obrigações e direitos de propriedade estabelecidos por lei. Essa regra diminui a autonomia individual na criação de relações contratuais relacionadas à propriedade. Além disso, ela determina que "terrenos urbanos, terrenos rurais e terrenos de subúrbio pertencem ao Estado e, de acordo com a lei, serão propriedade do Estado"[24]. Isso significa que não existe direito de propriedade sobre a terra na China. Os direitos de usufruto do terreno e dos imóveis é que são transacionados em relações que envolvem bens imóveis. Essa confusão entre os conceitos

---

[21] *"This Law is formulated with a view to maintaining the national basic economic system and the economic order of the socialist market, clarifying the ownership of property, giving full effect to the meaning of property, [...] in accordance with the Constitution"*, em tradução livre. CHINA. *Op. cit.*.

[22] *"The State implements the socialist market economy, ensuring equal legal status and right for development of all market players"*, em tradução livre. CHINA. *Op. cit.*.

[23] *"The property rights of the State, collective, individual and other obligees shall be protected by laws and shall not be infringed by any institute or individuals"*, em tradução livre. CHINA. *Op. cit.*.

[24] *"The urban lands are owned by the State. Such rural land and the land on the outskirt of the city as belonging to the State according to law shall be owned by the State"*, em tradução livre. CHINA. *Property Law of the People's Republic of China.* Disponível em: http://www.lehmanlaw.com/resource-centre/laws-and-regulations/general/property-rights-law-of-the-peoples-republic-of-china.html. Acesso em 18 abril 2014.

de posse e de propriedade refletem o confronto entre o âmbito público e o âmbito privado[25]. Dessa forma, a ingerência do Estado sobre os direitos individuais ocorre, também, por meio dos direitos de propriedade, que são limitados.

Cenário comum no atual contexto urbano chinês são as *Nail Houses* (casas-prego, em tradução livre), edificações urbanas antigas, de moradores que se recusam a abdicar seus direitos de usufruto. Como a maioria dos residentes vizinhos cedem às pressões do governo, é comum que grandiosos projetos de desenvolvimento imobiliário e urbano sejam instalados ao redor dessas casas, que se destacam como "pregos" em meio àqueles imóveis[26].

Muitas normas e regulamentos existentes ainda devem ser modificados para que estejam em concordância com essa lei. Em linhas gerais, a Lei de Propriedade representa um avanço para o sistema jurídico chinês, a base de uma verdadeira economia de mercado, ainda que sua aplicação exija maior efetividade no futuro[27]. Como afirma Jianfu Chen:

---

[25] Sobre esse tema, Peter Ho afirma que "a questão é até que ponto a privatização conseguirá prosseguir sem corromper os princípios Marxistas-Leninistas de propriedade estatal e coletiva. Legislar sobre direito de propriedade constitui, então, uma alternância entre a restrição de práticas que excedem os limites legais e a concessão de espaço para a experimentação, por meio da formulação de políticas e leis intencionalmente confusas". Tradução livre do trecho: *"the question is how far privatization can proceed before corrupting the Marx-Leninist principles of state and collective land ownership. Land and policy-making is, therefore, an alternation of restraining practices that exceed legal boundaries and giving space to experimentation by formulating intentionally unclear policies and laws"*. HO, Peter. Who Owns China's Land?. In: *The China Quaterly*. Disponível em http://www.jstor.org/discover/10.2307/3451163?uid=364382551&uid=3737664&uid=59096 24&uid=2&uid=3&uid=37572&uid=67&uid=62&sid=21104041677947 . Acesso em 19 maio 2014.

[26] MOORE, Malcom. China moves to calm unrest over property seizures. In: *The Telegraph* [on line]. Disponível em: http://www.telegraph.co.uk/news/worldnews/asia/china/7103231/ China-moves-to-calm-unrest-over-property-seizures.html. Acesso em 21 abril 2014.

[27] A rápida urbanização e desenvolvimento econômico têm aumentado o número de apropriações pelo governo. Em sua maioria, a tomada de terras e imóveis tem o objetivo de expandir estruturas urbanas e de criar conjuntos habitacionais com maior capacidade residencial. NOBLE, Jarret. Land seizures in the People's Republic of China: protecting property while encouraging economic development. In: *lexisnexis*. 2010. Disponível em: https://litigation- -essentials.lexisnexis.com/webcd/app?action=documentdisplay&crawlid=1&doctype=cite &docid=22+pac.+mcgeorge+global+bus.+%26+dev.+l.j.+355&srctype=smi&srcid=3b15&ke y=bddae3d7800eb02fa8f15498f96aad66. Acesso em 21 abril 2014.

Não obstante certos percalços, o Direito agora estabelece um esboço e uma estrutura dos princípios legais que regem os direitos de propriedade (especialmente no que tange à noção de usufruto), permitindo que ocorra mais desenvolvimento. Mais que isso, o Direito agora estabelece, de forma abrangente e firme, a noção de "direitos de propriedade" no sistema legal chinês. Em um país socialista, isso representa, no mínimo, uma revolução em termos de pensamento jurídico e de desenvolvimento legal[28].

3. Propriedade intelectual na China

Primeiramente, cumpre salientar que o direito de propriedade recai sobre bens materiais (*res corporalis*) e imateriais (*res incorporalis*). A propriedade intelectual é bem imaterial, fruto do intelecto, seja ele de cunho artístico, científico, literário ou industrial. De acordo com uma concepção tradicional, por meio da concessão do direito de exclusividade e, portanto, do monopólio temporário de exploração de determinada ideia, garante-se ao criador a faculdade de fruir economicamente de sua criação e, consequentemente, possibilita-se a obtenção de retorno financeiro em contrapartida pelo trabalho inventivo realizado, fomentando assim o desenvolvimento do mercado.

Na China, o desenvolvimento da proteção à propriedade intelectual ocorreu, principalmente, a partir da década de 1980, como parte das reformas empreendidas pelo país no sentido de se inserir na economia de mercado internacional. Assim como o Brasil, que enfrentava dificuldades na atração de capital e de investimentos diretos no país, a China resistia à necessidade de aumentar o escopo de proteção aos detentores de patentes e de direitos autorais. Temia-se que a concessão de direitos de exclusividade a estrangeiros prejudicasse a indústria nacional, mas a instalação de empresas estrangeiras nas Zonas Econômicas Especiais e o desenvolvi-

---

[28] *"Despite certain shortcomings, the Law now lays down an outline and a structure of legal principles governing property rights (especially in the general notion of usufruct), allowing further development to occur. Most importantly, the Law now firmly and comprehensively establishes the notion of 'property rights' in the Chinese legal system. This, in a nominally socialist country, represents no less than a revolution in legal thought and legal development"*, em tradução livre. CHEN, Jianfu. Civil law: property. In: *Chinese Law: context and transformation*. Leiden/Boston: Martinus Nijhoff, 2008, p. 389.

DIREITO CHINÊS CONTEMPORÂNEO

mento da indústria tecnológica nacional dependiam de padrões mínimos de defesa à propriedade intelectual.

Dessa forma, foi promulgada, em 1979, a Lei sobre Joint Ventures Sino--estrangeiras. Em 1980, a China tornou-se membro da Organização Mundial da Propriedade Intelectual (OMPI). No ano de 1982, promulgou-se a Lei de Marcas, e a Lei de Patentes entrou em vigor em 1985. Leis sobre a proteção de *softwares* e direitos autorais entraram em vigor no início da década de 1990. Apesar da robusta produção legislativa, países Ocidentais (especialmente os Estados Unidos e a União Europeia[29]) ainda criticavam o país devido à proteção pouco efetiva no âmbito interno, que contribuía para a caracterização da China, no âmbito internacional, como falsificadora mundial[30].

Em resposta à crescente pressão ocidental, bem como às necessidades do dinamismo comercial do crescente mercado interno, emendas foram feitas às leis patentária, de marcas e criminal (tornando a contrafação crime), em 1992 e 1993. O país também ratificou o Acordo de Madri (1981)[31] e a Convenção de Berna (1886, seguida de revisões e emendas[32]), entre outros tratados internacionais. A adoção desses instrumentos denota a intenção do país, em meados da década de 1990, de se adequar à estrutura normativa internacional sobre propriedade intelectual.

Varas e tribunais especializados foram instaurados na década de 1990, com o objetivo de assegurar maior efetividade às legislações recém-promulgadas. Nesse mesmo sentido, órgãos internos, como o *State Intellectual Property Office* (SIPO), foram criados para realizar o exame e a manuten-

---

[29] Segundo Peter K. Yu, "no final dos anos 1980, os Estados Unidos empreenderam, contra a China, agressiva política externa de proteção à propriedade intelectual. Repetidamente, a China foi ameaçada por meio de sanções, guerras comerciais, não renovação do status de nação mais favorecida e oposição a sua entrada na OMC". Tradução livre do trecho "*in the late 1980s, the United States pursued a very aggressive foreign intellectual property policy toward China. It repeatedly threatened the country with economic sanctions, trade wars, nonrenewal of most-favored-nation status, and opposition to entry into the WTO*". YU, Peter K. From pirates to partners (episode II): protecting intellectual property in post-WTO China. In: *American University Law Review*. Vol. 55, 2006, p. 999, Disponível em: http://ssrn.com/abstract=578585. Acesso em 16 abril 2014.

[30] CHEN, Jianfu. Intellectual property law. *In: Chinese Law: context and transformation*. Leiden//Boston: Martinus Nijhoff, 2008, p. 567.

[31] Esse acordo versa sobre o registro internacional de marcas.

[32] Essa convenção versa sobre direitos autorais referentes a obras literárias e artísticas.

ção de pedidos de patentes, marcas, direitos autorais, entre outros. Desde então, esses pedidos têm aumentado exponencialmente.

Esses esforços foram ampliados quando o país pleiteou, nos anos 2000, a condição de membro da Organização Mundial do Comércio (OMC), o que pressupunha a adoção do Acordo sobre os Aspectos dos Direitos de Propriedade Intelectual Relacionados ao Comércio (TRIPS, da sigla em inglês[33]). A necessidade de compatibilidade com as normas do Acordo TRIPS ensejou nova onda de reformas legislativas e revisão das normas de proteção intelectual no país.

Inserida no quadro normativo da OMC, a China se sujeita aos procedimentos de solução de controvérsias da organização. Em 2007, os Estados Unidos solicitaram a abertura de painel de consultas à OMC[34] devido à insuficiência das medidas implementadas pela China em relação à proteção de direitos de propriedade intelectual[35]. Os Estados Unidos tiveram a maioria de suas alegações confirmadas pelo painel[36].

A adesão da China à OMC é uma das causas de o fluxo internacional de mercadorias ter aumentado nas últimas décadas, tanto em termos de exportação, quanto em termos de importação[37]. Entretanto, cabe ressaltar que o fortalecimento de relações comerciais no âmbito externo foi acompanhado de ferramentas de garantia do cumprimento de regras internacionais, como no caso das regras de OMC e de seu sistema de solução de controvérsias. Sobre essa temática, Peter K. Yu adverte que:

> Legisladores estão, portanto, explorando ativamente opções que induzam a China a jogar de acordo com as regras da OMC, especialmente aquelas que dizem respeito às regras de propriedade intelectual sob a égide do Acordo TRIPS. Ao explorar essas opções, é importante que os países tenham cui-

---

[33] WORLD TRADE ORGANIZATION. *Trade Related Aspects of Intellectual Property Rights*. Disponível em: http://www.wto.org/english/docs_e/legal_e/27-trips_01_e.htm. Acesso em 20 abril 2014.

[34] Veja capítulo 18, *A China e a Organização Mundial do Comércio*.

[35] LIEGSALZ, Johannes. *The Economics of Intellectual Property Rights in China: patents, trade, and foreign direct investment*. Ute Wrasmann: Gabler Verlag, 2010, p. 144.

[36] UNITED STATES TRADE REPRESENTATIVE. *United States Wins WTO Dispute Over Deficiencies in China's Intellectual Property Rights Laws*. [on line] Disponível em: <http://www.ustr.gov/about-us/press-office/press-releases/2009/january/united-states-wins-wto-dispute-over-deficiencies-c>. Acesso em: 20 abril 2014.

[37] LIEGSALZ, Johannes. *Op. cit.*, p. 87.

DIREITO CHINÊS CONTEMPORÂNEO

dado quanto à forma de engajar a China no processo, especialmente em um período no qual o país ainda aprende a observar a variedade de requerimentos da OMC. [...] Ainda que seja benéfico ter a China jogando pelas mesmas regras que outros países, um infortúnio desse país emergente tem o potencial de arruinar todo o sistema internacional de comércio[38].

4. Categorias de propriedade intelectual na China

O quadro legal estabelecido pela legislação chinesa e pela adesão da China ao sistema da OMC garante cenário protetivo bastante similar ao de países em desenvolvimento e, em alguns casos, até de países desenvolvidos, como será explanado nos itens seguintes. Resta saber se o rápido amadurecimento chinês, em termos legais, será acompanhado de efetiva proteção desses direitos de propriedade intelectual. Nos próximos itens, serão analisadas algumas categorias de propriedade intelectual no âmbito nacional, não exaustivamente, mas de forma a ressaltar as principais particularidades do país em relação a esses instrumentos de proteção.

4.1. Marcas e nomes de domínio

Reformas recentes na Lei de Marcas do país instauraram proteção a marcas coletivas, marcas de certificação e marcas de renome internacional[39]. No mercado interno, ainda restam questões controversas, como o fato de que

---

[38] *"Policymakers, therefore, are actively exploring options to induce China to play by the WTO rules, in particular those concerning protection of intellectual property rights under the TRIPs Agreement. In exploring these options, countries need to be careful about how they engage China in the process, especially at a time when the country is still learning how to comply with the different demanding requirements of the WTO. [...]While it is beneficial to have China playing by the same rules like all other countries, a blunder by this emerging trading power could ruin the entire international trading system"*, em tradução livre. Yu, Peter K. From pirates to partners (episode II): protecting intellectual property in post-WTO China. In: *American University Law Review*. Vol. 55, 2006, p. 1000, Disponível em: http://ssrn.com/abstract=578585. Acesso em 16 abril 2014.

[39] Marcas coletivas são usadas para identificar produtos ou serviços provindos de membros de uma determinada entidade. Marcas de certificação são as que se destinam a atestar a conformidade de um produto ou serviço a determinadas normas ou especificações técnicas, notadamente quanto à qualidade, natureza, material utilizado e metodologia empregada. Marcas de renome internacional são as que atingiram tamanho grau de projeção no território nacional, que, independentemente de sua ligação com o segmento originário, são reconhecidas pelo público em geral, transcendendo todas as categorias de produtos ou serviços e conservando o poder de distinção ainda que desvinculados da sua função originária.

não é necessário registrar uma marca para comercializar bens na China, exceto no caso de tabaco e de produtos farmacêuticos, que são regulados pelo governo. Produtos sem distinção de marca devem, entretanto, conter rótulos com o nome e o endereço do vendedor[40].

No que diz respeito aos nomes de domínio, existem restrições quanto a seu conteúdo, visto que não podem ser registrados nomes que violem os princípios da Constituição, que revelem segredos de Estado, que atentem contra a ordem pública, que sejam contrários à unidade e aos interesses nacionais, entre outros fatores[41] [42].

4.2. Patentes

O escritório nacional de registro e manutenção de patentes, *State Intellectual Property Office* (SIPO), é também o órgão governamental responsável pela cooperação internacional em matéria de propriedade intelectual. Isso sugere o caráter da atuação do país em termos de política externa no âmbito da propriedade intelectual, mais voltada para questões técnicas e de viés eminentemente tecnológico e econômico, como no caso do registro de patentes.

Inicialmente, a Lei de Patentes impedia o registro de produtos alimentícios, bebidas, condimentos, fármacos e substâncias químicas. As reformas de 1992 alteraram esses dispositivos e aumentaram o escopo da proteção, tanto em termos temporais, quanto em termos dos produtos e processos patenteáveis[43].

Na China, o período de proteção para patentes de invenções é de 20 anos, enquanto o período para modelos de utilidade é de 10 anos, o que denota compatibilidade com a legislação praticada em outros países[44].

---

[40] CHEN, Jianfu. Intellectual property law. In: *Chinese Law: context and transformation.* Leiden/ /Boston: Martinus Nijhoff, 2008, p. 577.

[41] CHEN, Jianfu. *Op. cit.*, p. 578.

[42] O fato de a China restringir a atribuição de nomes de domínio dessa forma e segundo esses critérios evidencia a tentativa do governo de reduzir os parâmetros de liberdade na rede mundial de computadores. Em outros países, as restrições aos nomes de domínio referem-se a hipóteses de nomes que induzam erro ou confusão sobre sua titularidade (concorrência desleal) e de palavras ou expressões contrárias à ordem pública e aos bons costumes.

[43] CHEN, Jianfu *Op. cit.*, p. 583.

[44] UNITED STATES PATENT AND TRADEMARK OFFICE. *Office of Policy and International Affairs: Protecting Intellectual Property Rights (IPR) Overseas.* Disponível em: <http://www.uspto. gov/ip/iprtoolkits.jsp>. Acesso em: 07 maio 2014.

DIREITO CHINÊS CONTEMPORÂNEO

Desde 2001, o país também protege novas espécies vegetais, em conformidade com o TRIPS e com a Convenção para a Proteção de Novas Variedades Vegetais (1978).

4.3. Direitos de autor e programas de computador

A Lei de Direitos Autorais chinesa determina a proteção de obras literárias, musicais, arquitetônicas, fotográficas, cinematográficas, de programas de *software*, entre outros. Assim como em outros países, a maioria dos direitos de autor é protegida durante sua vida e, após a sua morte, pelo prazo de 50 anos. Apesar de haver proteção para produtos audiovisuais, a realidade é que a pirataria de CDs e DVDs constitui um dos mais graves problemas de violação a direitos de propriedade intelectual na China[45].

A proteção a programas de *software* possui particularidades quanto à nacionalidade de seus desenvolvedores. Os programas desenvolvidos por nacionais são protegidos, independentemente de registro e publicação[46]. *Softwares* estrangeiros só serão protegidos em território chinês se seu país de origem ou residência for parte de acordos multilaterais ou bilaterais com a China nesse sentido. Em 2013, houve reforma da regulamentação nacional sobre a proteção de *softwares*[47], cujo artigo 24 expandiu as hipóteses de infração ao direito de autor dos programas de computador. Além disso, ela estabelece multas e compensações cabíveis em casos de pirataria[48].

---

[45] CHEN, Jianfu. Intellectual property law. In: *Chinese Law: context and transformation*. Leiden/ Boston: Martinus Nijhoff, 2008, p. 595.

[46] CHINA. *Regulations on Computer Software Protection*. Article 5: *"Chinese citizens, legal entities or other organizations enjoy, in accordance with these Regulations, copyright in the software which they have developed, whether published or not"*. Disponível em: http://www.ccpit-patent.com.cn/ references/regulations_ on_computer_software_protection.htm. Acesso em 07 maio 2014.

[47] *WORLD INTELLECTUAL PROPERTY ORGANIZATION*. Regulation on Computers Software Protection. *Disponível em http://www.wipo.int/wipolex/en/details.jsp?id=13396. Acesso em 07 maio 2014.*

[48] CHINA. *Regulations on Computer Software Protection*. Article 22: *" Except where otherwise provided in the Copyright Law of the People's Republic of China, these Regulations, or other laws or administrative regulations, anyone who, without the authorization of the software copyright owner, commits any of the following acts of infringement shall, in light of the circumstances, bear civil liability by means of ceasing infringements, eliminating ill effects, making an apology, or compensating for losses; where such act also prejudices the public interest, the copyright administration department may order to cease infringements, confiscate illegal income, confiscate or destroy the infringing copies, and may impose a fine concurrently; where the circumstances are serious, the copyright administration department may*

A violação de direitos autorais é uma das principais queixas contra a China no âmbito internacional[49]. Para combater essas práticas crescentes, instituiu-se a Comissão Antipirataria, em 2002, responsável por conduzir investigações, estabelecer alianças de combate à pirataria e iniciar ações judiciais a pedido de detentores de direitos autorais[50].

4.4. Indicações geográficas

Dispositivos legais específicos para a proteção de indicações geográficas foram adotados pelo governo somente a partir de 2005 e decorrem, em grande parte, de esforços bilaterais empreendidos junto à União Europeia[51]. Assim como em outros regimes jurídicos nacionais, a proteção a indicações geográficas decorre também das regras de Direito Concorrencial, que vedam a utilização de falsas representações de origem no comér-

---

confiscate the material, tools and equipment mainly used to produce infringing copies; and where the act violates the Criminal Law, criminal liability shall be investigated for the crime of infringing upon copyright or selling infringing copies in accordance with the provisions of the Criminal Law: (1) to reproduce, wholly or in part, a piece of software of the copyright owner; (2) to distribute, rent or communicate to the public through information network a piece of software of the copyright owner; (3) to knowingly circumvent or sabotage technological measures used by the copyright owner for protecting the software copyright; (4) to knowingly remove or alter any electronic rights management information attached to a copy of a piece of software; or (5) to transfer, or authorize another person to exploit, the software copyright of the owner. Whoever commits the act referred to in item (1) or (2) of the preceding paragraph may be concurrently fined 100 Yuan for per copy or not more than 5 times of the value of the products; and, those who commits the act referred to in item (3), (4) or (5) of the preceding paragraph may be fined not more than 50, 000 Yuan concurrently.". Disponível em: http://www.ccpit-patent.com.cn/references/ regulations_on_computer_software_prote ction.htm. Acesso em 07 maio 2014.

[49] É importante notar que a falsificação pode envolver, simultaneamente, a violação de direitos autorais, patentários e de marcas. Segundo Ned Levin, "A China é notoriamente conhecida como um ponto de partida para falsificações. De acordo com a Organização Mundial Alfandegária, 75% dos produtos falsificados aprendidos, entre 2008 e 2010, vieram da China". *"China is well-known as a major counterfeiting hub. According to the World Customs Organisation, 75 per cent of counterfeit goods seized worldwide in 2008 to 2010 came from China"*, em tradução livre. LEVIN, Ned. China's counterfeits in the spotlight. In: *Financial Times* [on line]. Disponível em: http://www.ft.com/cms/s/0/8ab95c8e-4c7c-11e3-923d-00144feabdc0.html#axzz2zdnSSAQl. Acesso em: 21 abril 2014.

[50] CHEN, *Op. cit.*, p. 591.

[51] XIAOBING, Wang. *Q&A Manual: China Legislation on Geographical Indications.* Disponível em: http://www.ipr2.org/storage/Q&A_Manual_Chinese_legislation_on_GIs1012.pdf. Acesso em 21 abril 2014.

cio de bens. Ao contrário do que ocorre no Brasil, não há certificação de serviços por meio de indicações geográficas, apenas de produtos. As principais indicações geográficas do país são o Vinho Amarelo Shaoxing (绍兴黄酒) e o Chá Longjing (龙井茶), que já foi objeto de falsificação no país[52].

5. Considerações finais

Apesar das diversas reformas legislativas empreendidas pela China desde os anos 1980, ainda existem desafios quanto à efetiva aplicação e execução desses dispositivos legais. Assim como em outros países emergentes, as circunstâncias econômicas, políticas e sociais do país têm se transformado com igual rapidez e acarretam outra série de questões, que nem sempre são adequadamente respondidas por meio de reformas legislativas.

As dificuldades enfrentadas pela China na superação de seu passado de contrafação e intervencionismo estatal envolvem, também, diferenças culturais entre o Ocidente e o Oriente. O país busca se adequar a sistemas políticos e jurídicos criados pela comunidade internacional, mas mantém, efetivamente, práticas orientais tradicionais, como as apropriações de imóveis e a substancial regulação do cenário econômico interno.

Independentemente do significado da expressão "economia socialista de mercado", o aumento do fluxo de comércio do país tornou suas práticas econômicas, tanto no âmbito interno quanto externo, fundamentais para a comunidade internacional. Em termos pragmáticos, os riscos de não estabelecer relações comerciais com a China e de ignorar seu vasto mercado consumidor são maiores do que os riscos de não empreender efetiva cooperação com o país para o desenvolvimento de políticas públicas e privadas, especialmente na área de proteção à propriedade intelectual.

É importante considerar as particularidades regionais e o breve espaço de tempo que a China teve para assimilar e implementar as transformações legislativas recentes. Nesse sentido, o reconhecimento e a ampliação de direitos de propriedade, seja ela real ou intangível, representam maior esforço político no sentido de construir ordem jurídica mais adequada aos padrões contemporâneos da comunidade internacional.

---

[52] CHINA DAILY. *Don't Be Fooled by the "Fake" Longjing Tea* [on line]. Disponível em http://www.china.org.cn/archive/2007-03/28/content_1205169.htm. Acesso em 22 abril 2014.

Referências bibliográficas

CHEN, Jianfu. Civil law: property. In: *Chinese Law: context and transformation*. Leiden/Boston: Martinus Nijhoff, 2008, p. 363-390.

CHEN, Jianfu. Intellectual property law. In: *Chinese Law: context and transformation*. Leiden/Boston: Martinus Nijhoff, 2008, p. 565-620.

CHINA. *Constitution of the People's Republic of China*. Disponível em http://english.people.com.cn/constitution/constitution.html. Acesso em 19 abril 2014.

CHINA. *General Principles of the Civil Law of the People's Republic of China*. Disponível em: http://www.china.org.cn/china/LegislationsForm2001-2010/2011-02/11/content_21898337.htm. Acesso em 19 abril 2014.

CHINA. *Property Law of the People's Republic of China*. Disponível em: http://www.lehmanlaw.com/resource-centre/laws-and-regulations/general/property-rights-law-of-the-peoples-republic-of-china.html. Acesso em 18 abril 2014.

CHINA. *Regulations on Computer Software Protection*. Disponível em: http://www.ccpit-patent.com.cn/references/regulations_on_computer_software_protection.htm. Acesso em 07 maio 2014.

CHINA DAILY. *Don't Be Fooled by the "Fake" Longjing Tea* [on line]. Disponível em http://www.china.org.cn/archive/2007-03/28/content_1205169.htm. Acesso em 22 abril 2014.

HO, Peter. Who Owns China's Land? In: *The China Quaterly*. Disponível em http://www.jstor.org/discover/10.2307/3451163?uid=364382551&uid=3737664&uid=5909624&uid=2&uid=3&uid=37572&uid=67&uid=62&sid=21104041677947. Acesso em 19 maio 2014.

LEVIN, Ned. China's counterfeits in the spotlight. In: *Financial Times* [on line]. Disponível em: http://www.ft.com/cms/s/0/8ab95c8e-4c7c-11e3-923d-00144feabdc0. html#axzz2zdnSSA Ql. Acesso em 21 abril 2014.

LIEGSALZ, Johannes. *The Economics of Intellectual Property Rights in China: patents, trade, and foreign direct investment*. Ute Wrasmann: Gabler Verlag, 2010.

LIU, Sida. Globalization as boundary-blurring: international and local law firms in China's corporate law market. *Law and Society Review*. Vol.42. n.4, 2008, p. 771-804.

MOORE, Malcom. China moves to calm unrest over property seizures. In: *The Telegraph* [on line]. Disponível em: http://www.telegraph.co.uk/news/worldnews/asia/china/7103231 /China-moves-to-calm-unrest-over-property-seizures.html. Acesso em 21 abril 2014.

NOBLE, Jarret. Land Seizures in the People's Republic of China: Protecting Property While Encouraging Economic Development. In: *LexisNexis*. 2010. Disponível em: https://litigation-essentials.lexisnexis.com/webcd/app?action= DocumentDisplay&crawlid =1&doctype=cite&docid=22+Pac.+McGeorge+Glo bal+Bus.+%26+Dev.+L.J.+355&srctype=smi&srcid=3B15&key=bddae3d7800e b02fa8f15498f96aad66. Acesso em 21 abril 2014.

RAPOZA, Kenneth. In China, why is piracy here to stay. *Forbes*. [on line]. Disponível em: http://www.forbes.com/sites/kenrapoza/2012/07/22/in-china-why-piracy- -is-here-to-stay/. Acesso em: 16 abril 2014.

UNITED STATES TRADE REPRESENTATIVE. *United States Wins WTO Dispute Over Deficiencies in China's Intellectual Property Rights Laws.* [on line] Disponível em: http://www.ustr.gov/about-us/press-office/press-releases/2009/january/united- -states-wins-wto-dispute-over-deficiencies-c. Acesso em: 20 abril 2014.

UNITED STATES PATENT AND TRADEMARK OFFICE. *Office of Policy and International Affairs: Protecting Intellectual Property Rights (IPR) Overseas.* Disponível em: http:// www.uspto.gov/ip/iprtoolkits.jsp. Acesso em 07 maio 2014.

WORLD BANK. *GDP Data.* Disponível em http://data.worldbank.org/indicator / NY.GDP.MKTP.CD. Acesso em 16 abril 2014.

WORLD INTELLECTUAL PROPERTY ORGANIZATION. *Regulation on Computers Software Protection.* Disponível em http://www.wipo.int/wipolex/en/details. jsp?id=13396. Acesso em 07 maio 2014.

WORLD TRADE ORGANIZATION. *Trade Related Aspects of Intellectual Property Rights.* Disponível em: http://www.wto.org/english/docs_e/legal_e/27-trips_01_e.htm. Acesso em 20 abril 2014.

XIAOBING, Wang. *Q&A Manual: China Legislation on Geographical Indications.* Disponível em: http://www.ipr2.org/storage/Q&A_Manual_Chinese_legislation_on_ GIs1012.pdf. Acesso em 21 abril 2014.

XIAOPING, Deng. *Uphold the Four Cardinal Principles (excerpts).* Disponível em http:// academics.wellesley.edu/Polisci/wj/China/Deng/principles.htm. Acesso em 20 abril 2014.

YEE, Lee Chyen. China tops U.S, Japan to become top patent filer. *Reuters.* [on line]. Disponível em: http://www.reuters.com/article/2011/12/21/us-china-patents- -idUSTRE7BK0L Q20111221. Acesso em 16 abril 2014.

YU, Peter K. From pirates to partners (episode II): protecting intellectual property in post-WTO China. In: *American University Law Review.* Vol. 55, 2006, p. 901- -1000, Disponível em: http://ssrn.com/abstract=578585. Acesso em 16 abril 2014.

ZHANG, Mo. From public to private: the newly enacted Chinese property law and the protection of property Rights in China. In: *Berkeley Business Law Journal,* Vol. 5, 2008. Disponível em: http://ssrn.com/abstract=1084363. Acesso em 16 abril 2014.

CAPÍTULO 10
LITÍGIO E MEDIAÇÃO: A CULTURA DA CONCILIAÇÃO

LUCAS SÁVIO OLIVEIRA DA SILVA

1. Introdução

A forma de resolução de conflitos ou mesmo a forma de encarar essas ocorrências dentro das sociedades obedecem a uma construção histórica, na qual elementos culturais, políticos e econômicos têm um papel central. E na China não é diferente.

Como se verá adiante, valores que foram importantes para a formação da cultura jurídica chinesa, tais como a busca pela harmonia e pela estabilidade social, influenciam até os dias de hoje a concepção que se tem sobre o litígio neste país.

Neste longo caminho, iniciado há mais de 3.000 anos, desenvolveu-se uma forma singular de conceber e dar significado ao litígio, levando a uma forma própria de resolvê-lo: a mediação. Ao invés de simplesmente tirar das partes o poder de chegar a apaziguar seus conflitos, transferindo-o para um terceiro que deveria aplicar a lei para alcançar a justiça, na China este poder permaneceu com as partes como forma de manter o equilíbrio. Conciliar, neste contexto, foi sempre mais importante que provar a existência de um direito.

Partindo desta percepção, este capítulo busca verificar como a cultura da conciliação se formou na China tradicional, principalmente a partir das ideias de Confúcio, considerado o pai da cultura do não-litígio. Passa, em um segundo momento, às consequências dos pensamentos relacionados à conciliação, analisando a forma desenvolvida para a resolução de conflitos nos tempos antigos, a mediação, a qual é ainda hoje utilizada. Por fim, discorre-se sobre como é, nos dias atuais, encarado o litígio na China, questionando-se sobre as causas da retomada da mediação, que havia perdido força a parir da abertura econômica e, em certa maneira, pela tentativa de judicialização do litígio na China moderna.

DIREITO CHINÊS CONTEMPORÂNEO

2. A Cultura da Conciliação

Como se tem afirmado ao longo desta obra[1], voltar às bases da cultura chinesa tradicional é essencial para que se possa compreender a sociedade contemporânea. Não foge a esta regra o estudo sobre como se encara o litígio na China. Mais uma vez, necessário se faz retornar ao Confucionismo para encontrar os fundamentos de uma cultura que entende ser a conciliação o melhor caminho.

2.1. O "não litígio"

Pode-se afirmar que Confúcio (551 a.C. a 479 a.C.) foi o pioneiro e principal promotor na cultura do "não litígio"[2 e 3]. Ele foi não só um grande pensador, educador e filósofo chinês, mas também um excelente legislador e administrador da justiça. Durante sua carreira política Confúcio assumiu um cargo que seria semelhante ao de um desembargador em um tribunal estatal. Perguntado uma vez por um de seus discípulos sobre o mais alto ideal político, o mestre afirmou que se a ele fosse dada a chance de governar um estado ele aspiraria o ideal do "não litígio[4]".

Em uma das passagens dos Anacletos de Confúcio, o mestre afirma: "Na decisão de um litígio eu sou como qualquer um. O que é necessário, porém, é levar as pessoas a não terem litígios[5]".

A principal ideia era, então, a de que prevenir um litígio seria melhor que decidi-lo, devendo o mestre influenciar as pessoas a não terem conflitos, garantindo assim uma sociedade harmoniosa:

---

[1] Vide Capítulos 1 e 2, *Raízes do Pensamento Chinês: Confucionismo, Taoísmo e Legalismo* e *A reinvenção do Confucionismo na China contemporânea.*

[2] ZHANG, Jinfan. *The Tradition and Modern Transition of Chinese Law.* Trad. Zhang Lixin *et al.* Heidelberg: Springer, 2014. p. 429.

[3] Entenda-se que a palavra "litígio" em inglês significa ação judicial, demanda, pleito. O ideograma que é traduzido por *litigation*, porém, é o 訟 *sòng* que pode significar, também, acusação, discussão, disputa e, por fim, litígio. Sendo assim, trata-se de um termo amplo, que também abarca a simples desavença entre duas pessoas.

[4] DEYONG, Shen. *Chinese Judicial Culture... cit.* p. 137

[5] Tradução livre do inglês: *"In hearing Litigations, I am like any other body. What is necessary, however, is to cause the people to have no litigations."* Texto original: 子曰 聽訟 吾猶人也 必也使無訟乎 In. CONFUCIUS. *Confucian Analects, The Great Learning and The Doctrine of the Mean.* Chinese Text; Translation with exegetical notes and dictionary of all Characters by James Legge. New York: Dover Publications, 1971. p. 257.

Com o domínio dos pensamentos Confucianos, tornou-se uma característica da cultura Chinesa tradicional por milhares de anos a estima pela harmonia, a manutenção da neutralidade e a defesa da Doutrina do Meio, enquanto o "não litígio" foi sempre o objetivo final perseguido pelos governantes.[6]

Sabe-se que para Confúcio e seus seguidores os assim chamados três "reis-sábios", Yào, Shun e Yu, foram exemplos de governantes a serem seguidos[7]. Yào e Shun exemplificavam valores de sabedoria e competência para os governantes e personificavam as maiores virtudes.[8] Conta a lenda que no tempo em que Yào foi imperador, de 2357 a.C a 2255 a.C., Shun teria resolvido vários litígios entre fazendeiros, por conta das divisas de suas terras, e entre pescadores, quanto aos pontos de pesca, por meio de sua conduta e palavras indo cultivar e pescar nas áreas de conflito. Reconhecendo que Shun era o homem mais preparado para assumir o trono, por estas e outras atitudes, Yào abdicou em seu favor ao invés de permitir que lhe sucedesse seu próprio filho. Shun foi, depois, imperador até 2205 a.C., quando, seguindo o exemplo de Yào, também deixou o trono para quem seria o mais preparado, no caso Yu, que governou até 2197 a.C. Este, apesar de Yu querer seguir o exemplo de seus antecessores, teve sua escolha rejeitada pelo povo, que escolheu seu filho como imperador, legitimando o princípio da sucessão hereditária e fazendo com que Yu tenha sido o primeiro imperador da Dinastia Xia, a primeira das dinastias chinesas[9].

Interessante observar que estes governantes viveram muito tempo antes de Confúcio e, ainda assim, o influenciaram sobremaneira com relação à forma de conceber e tratar o litígio. Observa-se, portanto, que a cultura da conciliação e da harmonia, apesar de desenvolvida por Confúcio, já estava, de alguma forma, presente na China.

---

[6] Tradução livre do inglês: "*With the domination of Confucian thoughts, it had become the feature of Chinese traditional culture for thousands of years to cherish harmony, to maintain neutrality and to advocate the Doctrine of the Mean, while 'no litigatio' had always been the ultimate aim pursued by rulers.*" In. ZHANG, Jinfan. *The Tradition and... cit.* p. 429.

[7] CHEY, Ong Siew. *China Condensed – 5000 years of history and culture.* Singapore: Marshall Cavendish, 2008. p. 18.

[8] ROSSABI, Morris. *A History of China.* Chichester: Wiley-Blackwell, 2014. p. 13.

[9] ROSSABI, Morris. *A History of China. cit.* p. 13 e 14.

DIREITO CHINÊS CONTEMPORÂNEO

Em outra passagem dos Anacletos, Confúcio afirma que:

> Se as pessoas são conduzidas por leis, e se busca dar a elas a uniformidade por meio de punições, elas tentarão evitar as punições, mas não terão o sentimento de vergonha. Se as pessoas são conduzidas pela virtude, e se busca dar a elas a uniformidade por meio das regras da decência, elas terão o sentimento de vergonha, e além de tudo se tornarão boas[10].

Jinfan Zhang afirma que a ideia por trás destas palavras é a de que se as pessoas tivessem o sentimento de vergonha naturalmente não haveriam litígios.[11] Assim, o "não litígio" seria uma consequência do desenvolvimento das virtudes e da obediência às regras da decência (*rules of propriety*). "O governo deve moralizar as pessoas, retificar os costumes e regular os pensamentos humanos, o que faria as pessoas se envergonharem do litígio no interior de seus corações, pois só assim o propósito de não litígio seria alcançado[12]".

Partindo destas premissas, Jinfan Zhang cita alguns casos em que o litígio foi resolvido fazendo com que os próprios envolvidos chegassem à conclusão que não estava certo litigar, sentindo vergonha de sua própria atitude. Em um deles, Confúcio, quando foi Ministro da Justiça, seria o responsável por resolver uma ação entre um pai e um filho. Para que pudessem pensar, Confúcio mandou que os prendessem e não resolveu o caso por 3 meses. Passado um tempo, o próprio pai pediu para que a ação fosse suspensa.[13]

As ideias defendidas na China da época de Confúcio seguiram ao longo dos tempos. Não à toa, Liu Longqi, que viveu entre 1630 e 1692[14], quando

---

[10] Tradução livre do inglês: "*If the people be led by laws, and uniformity sought to be given them by punishments, they will try to avoid the punishment, but have no sense of shame. If they be led by virtue, and uniformity sought to be given them by the rules of propriety, they will have the sense of shame, and moreover will become good.*" No original: 子曰 道之以政 齊之以刑 民免而無恥 道之以德 齊之以禮 有恥且格。In. CONFUCIUS. *Confucian Analects... cit.* p. 146.

[11] ZHANG, Jinfan. *The Tradition and Modern... cit.* p. 430.

[12] Tradução livre do inglês: "*The government must make people moralized, customs rectified, and human thoughts regulated, which would make people ashamed of litigation in their inner hearts, because only in this way could the purpose of 'no litigation' be achieved.*" ZHANG, Jinfan. *The Tradition and Modern... cit.* p. 430.

[13] ZHANG, Jinfan. *The Tradition and Modern... cit.* p. 431.

[14] CONFUCIUS. *Confucius Analects – With Selections from Traditional Commetaries.* Trad. Edward Slingerland. Indianapolis: Hackett Publising, 2003. p. 262.

LITÍGIO E MEDIAÇÃO: A CULTURA DA CONCILIAÇÃO

foi Magistrado do Condado nos primeiros anos da Dinastia Qing (1616 a 1912), resolveu de forma semelhante um litígio. Dois irmãos apelaram para a corte para que se resolvesse uma disputa em matéria de propriedade. Liu Longqi, ao invés de ensiná-los sobre como dividir as terras ou fazer um juízo de quem estava certo ou errado, simplesmente fez com que se cumprimentassem repetidas vezes chamando um ou outro de irmão. Por volta da quinquagésima vez os irmãos choraram e pediram que fosse abandonada a ação. Em seu veredito Lu afirmou que os irmãos deveriam ajudar e apoiar um ao outro, devendo a propriedade estar a cargo do mais velho enquanto o mais novo o ajudava a superar suas dificuldades, vindo as fortunas pelos esforços conjuntos dos dois. Este seria um veredito inteligente por ter seguido uma linha moral ao interpretar e aplicar as doutrinas antigas.[15]

Interessante observar que a cultura do "não litígio" chegou até mesmo a fazer com que a profissão do advogado fosse desprezada na China antiga[16]. Conta a história que o primeiro advogado que supostamente existiu, Deng Xin, durante o período da Primavera e do Outono (770 a. C a 476 a. C) teria sido morto pelas autoridades depois de ser acusado de violar o modelo de seus sábios antepassados, sendo portanto imoral por preferir a retórica[17] do litígio, confundindo o certo com o errado e o errado com o certo, ensinando as pessoas a litigar em troca de pagamento[18].

Jinfan Zhang explica que:

> [...] aos olhos dos chineses antigos, o ajuizamento de ações não era apenas o símbolo de uma moralidade degradante, mas também uma ameaça à estabilidade social, uma luta pelo poder que poderia fazer as pessoas desonestas, um fazer o mal que poderia trazer vergonha à personalidade do povo

---

[15] ZHANG, Jinfan. *The Tradition and Modern... cit.* p. 433.

[16] Sobre as profissões jurídicas na China, ver o capítulo 13 *Educação jurídica e profissões legais na China.*

[17] Ainda que Jinfan Zhang fale de uma retórica do litígio, importante que se esclareça que não houve discurso nem ciência do discurso na China antiga. Como explica Marcelo Maciel Ramos, o exemplo, e não as palavras, eram a forma de transmitir as verdades, já que a própria cultura seria incomunicável pela palavra. RAMOS, Marcelo Maciel. *A invenção do Direito pelo Ocidente:* Uma investigação face à experiência normativa da China. São Paulo: Alameda, 2012. p. 80 e ss.

[18] ZHANG, Jinfan. *The Tradition and Modern... cit.* p. 434.

e à honra do clã. Assim, era inevitável que os litigantes fossem severamente punidos[19].

2.2. Os fundamentos culturais do "não-litígio"

Pode-se afirmar que o fenômeno do "não litígio" teve origens sociais, culturais e políticas[20]. A origem social está relacionada com a grande integração entre Estado e família, no qual imperador era tido como o pai do Estado, os oficiais como pais locais para a população, a qual era tida como composta por bebês recém-nascidos, os quais precisavam ser educados. Some-se a isso o fato de que por tradição as famílias, grandes e conectadas umas às outras, viviam por gerações e gerações no mesmo local, realizando as mesmas atividades, sempre influenciadas pelos pensamentos de Confúcio, que eram introduzidos de maneira sutil e perpetuavam a ideia de que se deve viver em harmonia.

A harmonia, tal como entendida no pensamento chinês tradicional, está ligado ao 道 *dào*, ou, de maneira simplificada, ao caminho. A ação humana estaria de acordo com o *dào* se não criasse obstáculos para o desenvolvimento harmonioso do mundo.[21] Evitar o litígio estaria, assim, de acordo com o caminho. "Nada tem mais valor que a paz", este era o pensamento que reinava. Como resultado, as pessoas sustentavam que o certo seria eliminar e evitar as ações judiciais já que seria vergonhoso estar envolvido em uma[22].

As origens culturais estão justamente na ideia de que a harmonia deveria ser mantida. A cultura legal chinesa tradicional tomou a busca pela ordem e pela harmonia como seu principal valor, seja por meio da coexistência harmoniosa entre o homem e a natureza, entre o homem e a sociedade ou mesmo entre os seres humanos.[23] Neste sentido, o "não litígio" seria a

---

[19] Tradução livre do inglês: "*in the eyes of ancient Chinese, the filing of lawsuits was not only a symbol of degrading morality, but also a threat to social stability, a power struggle which might make people dishonest, and an evil-doing which might bring shame to people's personality and the honor of clan. Therefore, it was inevitable that litigators were severely punished*". In. ZHANG, Jinfan. *The Tradition and Modern... cit.* p. 435.

[20] Para aprofundar neste estudo, ver ZHANG, Jinfan. *The Tradition and Modern... cit.* pp. 446-451.

[21] Sobre o 道 *dào*, ver GRANET, Marcel. *O pensamento chinês.* Trad. Vera Ribeira. 2 Ed. Rio de Janeiro: Contraponto, 1997. p. 189 e ss.

[22] DEYONG, Shen. *Chinese Judicial Culture... cit.* p. 136.

[23] DEYONG, Shen. *Chinese Judicial Culture... cit.* p. 136.

consequência jurídica da busca por uma família e uma sociedade em harmonia. Ao litigar, estar-se-ia indo contra as relações cordiais desenvolvidas pelas comunidades.

Do ponto de vista político, o sistema feudal autocrático chinês tinha como objetivos básicos os de ordem e estabilidade. Pensando na estrutura social já apontada, os litígios não podiam ser considerados como sendo somente entre os litigantes, mas entre suas famílias e até mesmo clãs. Como resolver o litígio pela lei significaria que um lado estaria certo e que, assim, alcançaria o que queria, e que o outro, errado, dificilmente admitiria sua falta, algumas ações judiciais poderiam não ser resolvidas por gerações. Dessa forma, preferência era dada pela resolução de disputas corriqueiras fora dos tribunais.

Uma vez que o litígio certamente atrasaria a produção, influenciaria a vida das pessoas, separaria famílias e até mesmo faria com que as pessoas ficassem desamparadas e sem suas casas, o que teria efeitos não só na cobrança de impostos mas também faria surgir um exército de desocupados, ele era um tabu entre os governantes feudais. Para evitar os fatores sociais de instabilidade causados pelos ônus dos processos judiciais, a desistência de ações judicias e o "não litígio" eram encorajados. Assim, a diminuição no número de prisioneiros era considerada um símbolo da prosperidade de um país, enquanto o aumento no número de ações judicias era considerado um símbolo de declínio do mesmo[24].

Ainda que o valor do "não litígio" tenha tido muita força na construção política e jurídica na China tradicional, os conflitos não deixaram de existir. E como levar a resolução às autoridades por meio da aplicação da lei não era algo bem visto, outra forma de solucionar os impasses sociais foi desenvolvida.

3. A mediação

---

[24] Tradução livre do inglês: *"Because litigation certainly would delay production, influence people's lives, break up families and even make people destitute and homeless, which had not only affected the tax revenue of the state but also brought about huge army of vagrants, this was a taboo of the feudal rulers. To avoid unstable social factors caused by the burden of lawsuits, giving up lawsuits and 'no-litigation' were encouraged. So the decrease of prisoners was considered a symbol of prosperity of the country, while the increase of lawsuits was considered a symbol of the declining of the country."* ZHANG, Jinfan. *The Tradition and Modern... cit.* p. 450.

DIREITO CHINÊS CONTEMPORÂNEO

A mediação deve ser entendida como uma técnica para a resolução de conflitos por meio da qual se busca reestabelecer a comunicação entre as partes, para que elas mesmas possam resolver a desavença e preservar seu relacionamento, prevenindo novos conflitos, o que garantiria a paz social.[25] Para tanto, a figura do mediador é de extrema importância: trata-se de um terceiro desinteressado, ou seja, sem qualquer relacionamento com as partes, o qual não se beneficiará com a manutenção ou resolução do litígio, que buscará por meio do diálogo fazer com que as próprias partes cheguem a um acordo. É, portanto, uma técnica de autocomposição, assim como a negociação, se diferenciando das técnicas de heterocomposição, como a arbitragem ou a jurisdição estatal, nas quais as partes delegam a terceiros o poder para resolver seus conflitos.

Foi a mediação a técnica que se desenvolveu como a principal forma de resolução de litígios na China antiga[26], podendo-se afirmar ter sido ela o mecanismo "judicial" mais representativo da ideia de harmonia[27], como dito, o maior ideal da cultura normativa tradicional chinesa.

> No passado, a China antiga era um país agrário com pouca mobilidade no qual a população se concentrava para formar a chamada "sociedade rural". Como o povo chinês tendia a pensar que recorrer à justiça poderia violar suas relações harmoniosas e, além disso, como o conhecimento legal da população em geral era limitado, o povo Chinês se esforçava para evitar o litígio. Se alguma disputa ocorria, eles preferiam a mediação ao litígio para acabar com o conflito[28].

---

[25] Sobre a mediação como forma de resolução de conflitos, ver TARTUCE, Flávia. Técnicas de Mediação. In. *Mediação de conflitos*. Luciana Aboim Machado Gonçalves da Silva, org. São Paulo: Atlas, 2013, v. 1, p. 42-57

[26] Sobre o desenvolvimento, ver ZHANG, Jinfan. *The Tradition and Modern... cit.* p. 436.

[27] DEYONG, Shen. *Chinese Judicial Culture... cit.* p. 137.

[28] Tradução livre do inglês: *"In the past, ancient China was an agrarian country with low mobility where population was concentrated to form the so-called "rural society." As the Chinese people tended to think that resorting to justice might harm their mutual harmonious relations and, moreover, as the legal knowledge of the general public was limited, the Chinese people at that time tried very hard to avoid litigation. If a dispute occurred, they might prefer mediation to litigation to end the conflict".* DEYONG, Shen. *Chinese Judicial Culture... cit.* p. 137

LITÍGIO E MEDIAÇÃO: A CULTURA DA CONCILIAÇÃO

A experiência, que se ampliou ao longo do tempo, gerou um sistema oficial de resolução de litígios por mediação que prevaleceu a partir da Dinastia Song (960 a 1279), chegando até a Dinastia Qing (1644 a 1912). A mediação era conduzida por oficiais do governo, os quais encorajavam as pessoas a desistir das ações judicias e as ajudava a chegar a acordos por meio da persuasão moral.

Jinfan Zhang destaca algumas características comuns que a mediação adquiriu na China Antiga[29]. A primeira delas é a combinação entre mediação e punições, que ocorreu principalmente no período feudal como forma de integrar lei e moralidade. A segunda é a de que a mediação era compulsória em certa medida, o que não ocorre hoje com o reconhecimento de que o consentimento das partes é essencial para que se possa mediar o conflito.[30] A terceira é o fato de haver colaboração entre oficiais e cidadãos, em coordenação tanto dentro como fora do tribunal. Esse aspecto significava a possibilidade de que os particulares, parentes ou vizinhos por exemplo, por estarem próximos aos envolvidos, levassem a cabo o processo de reconciliação das partes litigantes, o que seria posteriormente reconhecido pelos oficiais. O que importava, assim, era que o litígio acabasse, e não quem seria o agente apaziguador da relação. Por fim destaca-se que o foco estava na resolução do litígio, e não no apego às ideias de certo ou errado ou na proteção dos interesses legais das partes. O que importava, de fato, era o restabelecimento da harmonia das relações humanas.

Além da mediação oficial também teve lugar a mediação civil. Durante as Dinastias Ming (1368 a 1644) e Qing (1644 a 1912), as disputas civis eram geralmente resolvidas por familiares, vizinhos ou pelos chefes do clã ao invés de serem levados às cortes. A conciliação privada chegou até mesmo a alcançar questões criminais, ainda que por lei a prática fosse proibida.

---

[29] ZHANG, Jinfan. *The Tradition and Modern... cit.* pp. 437-439.

[30] É hoje pacífica a ideia de que a mediação só pode ocorrer com o consentimento das partes. Não sem razão o Projeto de Lei 7169/2014, que tramita perante o Congresso Nacional Brasileiro, que dispõe sobre a mediação entre particulares como meio alternativo de resolução de controvérsias define que a mediação como atividade técnica exercida por terceiro imparcial escolhido ou aceito pelas partes (art. 1º §1º), sendo assim técnica consensual de conflitos (art. 1º, §2º).

Para resumir, a teoria do "não litígio" foi desenvolvida há 3.000 anos, e foi continuamente cumprida desde então, o que demonstra sua profunda origem social e histórica. No método de resolução de controvérsias por mediação desenvolvido pela promoção do "não litígio", o poder estatal e a força social eram intimamente combinados; assim, essa era uma melhor maneira de resolver as disputas civis sob a condição de uma economia natural, a qual foi única na história legal mundial com seu sistema perfeito, vasta experiência e implementação extensiva.[31]

Shen Deyong afirma que as vantagens da mediação são evidentes quando se compara com o litígio perante o judiciário, uma vez que este toma mais tempo e é, também, mais caro, o que não significa necessariamente sucesso na resolução do conflito. Assim, ao comparar as pessoas preferiam a negociação e a mediação ao invés de litigar, o que ainda traria a vantagem de não ferir os sentimentos daqueles envolvidos fazendo que pudessem continuar suas vidas em harmonia[32].

4. Hoje: um sistema de resolução de litígios com múltiplos caminhos

Pode-se afirmar que o mecanismo operacional de resolução de controvérsias na China tradicional, operado por oficiais da administração responsáveis pela justiça, dava mais importância para as leis materiais que para o procedimento[33]. Códigos com normas substantivas já eram encontrados na China antiga, ao passo que nem mesmo princípios gerais eram seguidos quanto à forma de resolver os conflitos: "os juízes poderiam começar ou terminar os julgamentos quando bem entendessem; os oficiais judiciais poderiam fazer escolhas aleatórias quanto às investigações, e as pes-

---

[31] Tradução livre do inglês: *"To sum up, the theory of "no litigation" was put forward 3,000 years ago, and it had been continuously carried out ever since that time, which had shown its profound social and historical origins. In the method of settling lawsuits through mediation developed by the promotion of "no-litigation", state power and social strength were closely combined; therefore, it was a better way of settling civil disputes under the condition of natural economy, which was unique in the history of ancient world legal system with its perfect system, abundant experience and extensive implementation."* In. ZHANG, Jinfan. *The Tradition and Modern... cit.* p. 453.

[32] DEYONG, Shen. *Chinese Judicial Culture... cit.* p. 138.

[33] DEYONG, Shen. *Chinese Judicial Culture... cit.* p. 140.

soas enfatizavam os resultados reais ignorando o procedimento[34]". O que se observa, porém, é que o procedimento veio ganhando cada vez mais importância, principalmente após a abertura do sistema legal chinês aos aportes ocidentais na busca de se criar um sistema legal que desse garantias à economia de mercado.

Ressalte-se, que antes desta abertura, ou seja, durante o período compreendido entre o início da Revolução Comunista, em 1927, e o final da Revolução Cultural, em 1976 com a morte de 毛澤東 *Máo Zédōng*, a mediação foi usada como um instrumento de política de Estado, ou seja, como meio para promover os interesses do Estado. De acordo com Roger Richman, a prática da mediação entre 1927 e 1949 consubstanciava um elemento de estratégia na organização e coesão social e política das comunidades rurais, com a criação de um sistema socialista de resolução de litígios[35]. Foram criados Comitês de Mediação do Povo, que terminavam por disseminar a ideologia comunista, funcionando como uma ferramenta de governo do Partido Comunista. Como forma de controle de massa, os comitês de mediação serviam a propósitos políticos, uma vez que:

> [...] uma controvérsia significava uma perturbação da ordem pública a ser reprimida e pensamentos privados a serem corrigidos, de tal forma que o povo Chinês pudesse trabalhar em conjunto de forma mais eficiente para tornar real o socialismo. A mediação era tida como forma de produzir resultados politicamente corretos, tais como beneficiar as pessoas, sejam trabalhadores ou camponeses, com um status social "bom", ajudar a propagar as políticas, e fortalecer o controle do Partido-Estado sobre os "mal elementos[36]".

---

[34] Tradução livre do inglês: "*judges could start or terminate trial procedure whenever they wanted; judicial officials could make random choice over trial investigation; and the people emphasized real results while ignoring procedure*". *In.* DEYONG, Shen. *Chinese Judicial Culture... cit.* p. 140.

[35] RICHMAN, Roger. Civil Dispute Processing in China During Reform. *In. Ohio State Journal on Dispute Resolution.* Vol. 83, 1991-1992, p. 86.

[36] Tradução livre do inglês: "*a dispute signified a public disturbance to be suppressed and private thoughts to be corrected, so that the Chinese people could labor together more efficiently to realize socialism. Mediation was intended to produce politically correct results, such as benefiting persons with 'good' (worker or peasant) class status, helping to propagandize policies, and strengthening control of the Party-state over 'bad elements.'*". LUBMAN, Stanley. Dispute Resolution in China after Deng Xiaoping: "Mao And Mediation" Revisited. *In. Columbia Journal of Asian Law.* Vol. 11, 1997. p. 233.

DIREITO CHINÊS CONTEMPORÂNEO

Com a morte de Mao, a reforma, que teve uma clara base econômica, também significou uma reforma legal. Do começo dos anos 1980, e continuando nos anos 1990, a justiça chinesa experimentou um grande avanço, tanto no que diz respeito à profissionalização do poder judiciário quanto com relação a um maior formalismo da justiça civil, com crescimento da adjudicação estatal em detrimento da mediação. Margaret Woo explica que, se na metade dos anos 1980 o Ministério da Justiça esperava que se concluísse não menos que 80% das disputas civis por mediação, a expectativa nos anos 1990 era a de que os tribunais adjudicassem os litígios[37].

As próprias normas procedimentais demonstram o afirmado pela autora. A Lei de Processo Civil de 1982[38], adotada de forma ainda experimental[39], em seu artigo 6º enfatizava o uso de mediação: "Em procedimentos civis, o Tribunal do Povo deve enfatizar a mediação; o tribunal deverá tomar uma decisão de imediato quando falhar a mediação[40]".

Já em 1991, com a reforma da antiga lei e a promulgação da atual Lei de Processo Civil, muda a perspectiva:

Artigo 2º. A Lei de Procedimento Civil da República Popular da China tem como objetivo proteger o exercício dos direitos de litígio das partes e assegurar a averiguação dos fatos pelos tribunais do povo, distinguir o certo do errado, aplicar a lei corretamente, julgar os casos civis prontamente, afirmar os direitos e deveres civis, impor sanções para os ilícitos civis, proteger os direitos e interesses legais das partes, educar os cidadãos para que voluntariamente obedeçam às leis, manter a ordem econômica e social, e garantir o bom desenvolvimento da construção socialista.

---

[37] Woo, Margaret Y. K.. Bounded Legality: China's Developmental State and Civil Dispute Resolution. *In. Maryland Journal of International Law*. Vol 27, 2012. p. 239.

[38] Vale lembrar que 1982 também foi o ano de adoção da atual Constituição Chinesa. Sobre o assunto, ver o capítulo 7, *Direito Constitucional na China*.

[39] LUBMAN, Stanley. Dispute Resolution in China... *cit.* p. 273.

[40] Tradução livre do inglês: *"Article 6. In civil proceedings, the People's Court shall stress mediation; a court decision shall be made promptly when mediation has failed." In*. FOLSOM, Ralph H.; MINAN, John H. *Law in the People's Republic of China – Commentary, Readings and Materials*. Dordrecht: Martinus Nijhoff Publishers, 1989. p. 1023.

LITÍGIO E MEDIAÇÃO: A CULTURA DA CONCILIAÇÃO

Artigo 9º. No julgamento de casos civis, as cortes do povo devem realizar conciliações entre as partes de forma voluntaria e legal; se a conciliação falhar, os julgamentos devem ser proferidos sem demora[41].

Como é possível observar, a ênfase passa a ser dada à adjudicação dos litígios, à voluntariedade e à autonomia da vontade, ou seja, as partes passam a ter que se manifestar sobre sua preferência em resolver o litígio de forma amigável, não sendo a mediação uma obrigação imposta aos julgadores.

Stanley Lubman ilustra com números o crescimento da resolução judicial de litígios na China. Com o crescimento das transações econômicas e o fato de que estas passam a ocorrer entre pessoas que não se conheciam previamente, cresce também a vontade de que as disputas sejam resolvidas nos tribunais ao invés de o serem informalmente por mediação. Assim, o número de disputas civis e econômicas levadas ao judiciário cresce de 2,4 milhões de casos no início dos anos 1990 para quase 6 milhões em 1997. Ainda assim, por volta de 60% dos casos continuavam a ser resolvidos nos tribunais por mediação, o que já significa um decréscimo significativo em relação aos 80% observados em meados dos anos 1980[42].

Uma matéria publicada em 2010 pelo *China Daily* demonstra que nos anos seguintes o número de casos levados ao judiciário cresceu ainda mais. Em 2005 foram 8,37 milhões de ações judiciais enquanto em 2009 o número chegou a 10,54 milhões de casos levados ao judiciário[43].

---

[41] Tradução livre do inglês: *"Article 2 The Civil Procedure Law of the People's Republic of China aims to protect the exercise of the litigation rights of the parties and ensure the ascertaining of facts by the people's courts, distinguish right from wrong, apply the law correctly, try civil cases promptly, affirm civil rights and obligations, impose sanctions for civil wrongs, protect the lawful rights and interests of the parties, educate citizens to voluntarily abide by the law, maintain the social and economic order, and guarantee the smooth progress of the socialist construction. Article 9 In trying civil cases, the people's courts shall conduct conciliation for the parties on a voluntary and lawful basis; if conciliation fails, judgments shall be rendered without delay."* Retirados da versão oficial em inglês da atual Lei de Processo Civil Chinesa disponível em <www.npc.gov.cn/englishnpc/Law/2007- 12/12/content_1383880. htm> Acesso em 21 de outubro de 2014.

[42] LUBMAN, Stanley. Bird in a Cage: Chinese Law Reform After Twenty Years. In. *Northwestern Journal of International Law & Business*. Vol. 20, 1999-2000. p. 387.

[43] HUAZHONG, Wang; JINGQIONG, Wang. Courts hit by rising number of lawsuits. In. *China Daily*. Publicado em 14 de julho de 2010. Disponível em http://www.chinadaily.com.cn/china/2010-07/14/content_10102630.htm. Acesso em 21 de outubro de 2014.

DIREITO CHINÊS CONTEMPORÂNEO

Vale frisar, todavia, que trata-se de um número pequeno de litígios se comparado com a população chinesa. Em 1990 eram 1,135 bilhões de habitantes na China e em 1997 1,23 bilhões de acordo com dados do Banco Mundial. Ou seja, em uma aproximação, de cada 1.000 habitantes apenas 2 litigavam em 1990, subindo para quase 5 a cada 1.000 em 1997. Já em 2005 a população chinesa era de 1,304 bilhões de habitantes e em 2010 de 1,338 bilhões. Assim, em 2005 de cada 1.000 habitantes por volta de 6, quase 7, litigavam. Em 2010 o número sobe para 8 a cada 1.000 habitantes.

Apenas para que se tenha uma base de comparação, no ano de 2010, segundo dados do Conselho Nacional de Justiça[44], somadas as ações na justiças estaduais, na justiça do trabalho e na justiça federal, considerando apenas a 1ª instância e os juizados especiais, tramitavam no Brasil cerca de 77 milhões de ações judicias. Considerando a população da época, que era de 195,2 milhões de habitantes em 2010, também segundo o Banco Mundial, tem-se uma proporção de quase 395 ações a cada 1.000 habitantes, o que demonstra como a litigiosidade é baixa na China.

A adjudicação formal de litígios não foi capaz de criar um foro efetivo para a resolução dos crescentes conflitos sociais na China. Isso também se deve ao fato de que a explosão econômica chinesa resultou em disparidades de poder e renda e uma maior agitação social. Questões relativas ao acesso a justiça passaram a estar em pauta. Neste sentido, Margaret Woo explica que a mediação, que havia sido, mesmo na década de 1990, comumente utilizada para a resolução de disputadas familiares e entre vizinhos – enquanto a litigância perante o judiciário se desenvolveu para as disputas econômicas e envolvendo propriedade – volta a ter um lugar de destaque por uma preocupação com a estabilidade social e, assim, passa a ser utilizada em disputas econômicas, principalmente em casos de ações coletivas[45].

> Significativamente, em 2006, a Corte Suprema do Povo identificou determinadas categorias de casos para mediação aprimorada. Estes incluem casos de grande interesse público que requerem a colaboração do governo e de outros setores relevantes; ações coletivas; casos complicados nos quais a rela-

---

[44] Ver o relatório Justiça em Números, disponível em http://www.cnj.jus.br/images/programas/justica-em-numeros/2010/rel_justica_numeros_2010.pdf, acesso em 08/12/2014.
[45] Woo, Margaret Y. K.. *Bounded Legality... cit.* p. 240.

ção entre as partes é tensa e nenhuma delas tem um direito melhor de acordo com as evidências; casos envolvendo questões não reguladas pela legislação; casos muito sensíveis, de grande apelo social; além de recursos e reabertura de processos[46].

Segundo a professora, enquanto se observou, nas décadas de 1980 e 1990 a reforma do sistema judiciário chinês e a implementação do processo formal, mais recentemente o que se observa é o ressurgimento da justiça por meio da mediação.[47] No início deste processo o que se buscava era a segurança jurídica trazida pelo processo civil para as partes privadas, em um contexto de litigiosidade entre estranhos devido às reformas econômicas desenvolvidas pelo governo Chinês. A tradição, porém, é retomada, com foco na harmonia e na estabilidade social: juízes e doutrinadores redescobrem as virtudes da mediação, tais como sua eficiência, menores custos e, até mesmo, o seu caráter mais pessoal e humano[48].

Não se olvide, porém, que esta retomada, principalmente quando se tratam dos grandes e socialmente relevantes casos citados, significa um cuidadoso controle por parte do governo, inclusive na forma como a resolução é estruturada. O Partido Comunista Chinês permanece como a força que guia o desenvolvimento do próprio Estado e que, em última instância, define que os casos relativamente insignificantes devem ser mediados, como sempre o foram, que as disputas comercias sejam adjudicadas e que as ações coletivas devam ser resolvidas por uma forma aprimorada de mediação.

O novo caminho traçado está na positivação deste sistema, até agora construído por meio das decisões judicias e da forma como conduzir os

---

[46] Tradução livre do inglês: "*Significantly, in 2006, the Supreme People's Court identified selected categories of cases for enhanced mediation. These include cases of great public interest requiring the collaboration of the government and other relevant departments; class actions; complicated cases in which the parties' relationship is very tense and neither of the parties has a stronger case according to evidence; cases involving matters not governed by any legislation; very sensitive cases and cases of great social concern; and reviews of petitions and retrials.*" In. Woo, Margaret Y. K.. *Bounded Legality... cit.* p. 240.

[47] Woo, Margaret Y. K.. *Bounded Legality... cit.* p. 244.

[48] Woo, Margaret Y. K.. *Bounded Legality... cit.* p. 244-245. A professora faz uma crítica: ainda que exista a preocupação com a estabilidade social, a mediação levada a cabo pelas cortes chinesas significa, na prática, que se está colocando a ordem como mais importante que a liberdade das partes em querer litigar se assim lhes aprouver.

casos. A Lei de Processo Civil, que foi reformada em 2007, configurando hoje um Código de Processo Civil, está sendo novamente discutida a partir de uma proposta apresentada em 2011 pelo Escritório do Comitê Central para Assuntos Legislativos. O motivo é o crescente número de ações civis e, com isso, o fato de estarem os juízes chineses, principalmente os de primeira instância, sobrecarregados. As emendas propostas vão, também, no sentido de dar respostas às preocupações com a instabilidade social e, ainda, às pressões externas da Organização Mundial do Comércio relativas a necessidade de acesso à justiça e maior transparência por parte dos tribunais. Além disso, as reformas positivariam o já existente sistema de múltiplos caminhos para a resolução de litígios[49].

5. Conclusões

Como foi possível verificar, o fato de se conceber o litígio como negação de uma harmonia e de um equilíbrio que deveriam ser mantidos como como reflexo da conduta humana de acordo com o caminho natural a ser seguido e de entender que este deveria ser evitado, fez com que se desenvolvesse a cultura da conciliação na China.

Ainda que os ideias estivessem postos e fossem compartilhados por toda a população, como o são até a atualidade, o conflito não deixou de existir. E por ser ele, também, uma realidade da condição humana, foi necessário desenvolver uma técnica que estivesse de acordo com os valores consolidados desde antes da primeira das dinastias chinesas. Levar a que as próprias partes em conflito chegassem a resolver a questão, mesmo que com o auxílio de um terceiro, não foi apenas o desenvolvimento de uma maneira mais rápida e eficaz de resolver os litígios, mas também uma demonstração de coerência com as ideias de base da sociedade.

Mesmo com a abertura econômica na década de 1980 e com todas as reformas legislativas que passou a China, as quais chegaram a ser o anúncio da ascensão da judicialização dos litígios, com a adoção de códigos de processo civil e até mesmo o crescimento das demandas judicias, em parte justificável pela falta de confiança de partes estrangeiras nos sistemas chineses, a mediação nunca deixou de ser uma realidade.

Dos litígios familiares e entre vizinhos às vultuosas disputas comerciais ou mesmo grandes causas coletivas, a mediação é hoje redescoberta como

---

[49] Woo, Margaret Y. K.. *Bounded Legality... cit.* p. 257.

forma de garantir justiça e estabilidade social. Mais que isso, seu caráter humano sobressai como mais importante do que simplesmente conseguir provar e persuadir sobre a existência de um direito. Conciliar para fazer com que toda a sociedade e, em última instância, até mesmo a humanidade se desenvolva de forma plena.

Fica a nítida compreensão de que as raízes da cultura chinesa são profundas e estão sendo hoje retomadas. O que no presente começa no judiciário, com a retomada da mediação e a afirmação de que são múltiplas as maneiras de se demandar, dependendo da escolha do tipo de litígio a ser resolvido, está perto de ser positivado. Para quem vem de uma tradição romano-germânica, está próxima a garantia de segurança jurídica. Para os chineses, apenas mais um passo na consolidação de um sistema cujas primeiras manifestações são observadas há mais de 3 mil anos.

Referências bibliográficas

CHEY, Ong Siew. *China Condensed – 5000 years of history and culture.* Singapore: Marshall Cavendish, 2008.

CONFUCIUS. *Analects – With Selections from Traditional Commetaries.* Trad. Edward Slingerland. Indianapolis: Hackett Publising, 2003.

CONFUCIUS. *Confucian Analects, The Great Learning and The Doctrine of the Mean.* Chinese Text; Translation with exegetical notes and dictionary of all Characters by James Legge. New York: Dover Publications, 1971.

DEYONG, Shen. Chinese Judicial Culture: From Tradition to Modernity. In. *Brigham Young University Journal of Public Law.* Vol. 25, 2011.

FOLSOM, Ralph H.; MINAN, John H. *Law in the People's Republic of China – Commentary, Readings and Materials.* Dordrecht: Martinus Nijhoff Publishers, 1989.

GRANET, Marcel. *O pensamento chinês.* Trad. Vera Ribeira. 2 Ed. Rio de Janeiro: Contraponto, 1997.

HUAZHONG, Wang; JINGQIONG, Wang. Courts hit by rising number of lawsuits. In. *China Daily.* Publicado em 14 de julho de 2010. Disponível em http://www.chinadaily.com.cn/china/2010-07/14/content_10102630.htm. Acesso em 21 de outubro de 2014.

LUBMAN, Stanley. Bird in a Cage: Chinese Law Reform after Twenty Years. In. *Northwestern Journal of International Law & Business.* Vol. 20, 1999-2000.

LUBMAN. Dispute Resolution in China after Deng Xiaoping: "Mao And Mediation" Revisited. In. *Columbia Journal of Asian Law*. Vol. 11, 1997

RAMOS, Marcelo Maciel. *A invenção do Direito pelo Ocidente:* Uma investigação face à experiência normativa da China. São Paulo: Alameda, 2012. p. 80

RICHMAN, Roger. Civil Dispute Processing in China During Reform. In. *Ohio State Journal on Dispute Resolution*. Vol. 83, 1991-1992.

ROSSABI, Morris. *A History of China*. Chichester: Wiley-Blackwell, 2014.

TARTUCE, Flávia. Técnicas de Mediação. In. *Mediação de conflitos*. Luciana Aboim Machado Gonçalves da Silva, org. São Paulo: Atlas, 2013.

WOO, Margaret Y. K.. Bounded Legality: China's Developmental State and Civil Dispute Resolution. In. *Maryland Journal of International Law*. Vol 27, 2012.

ZHANG, Jinfan. *The Tradition and Modern Transition of Chinese Law*. Trad. Zhang Lixin et al. Heidelberg: Springer, 2014.

CAPÍTULO 11
TRABALHO, DO CONCEITO AO DIREITO: ENTRE A CHINA E O OCIDENTE

MARCELO MACIEL RAMOS
PEDRO AUGUSTO GRAVATÁ NICOLI

1. Introdução: uma abordagem cultural do trabalho

O trabalho humano tem expressões conceituais profundamente heterogêneas, que repercutem na esfera das normas sociais a ele reportadas. Por detrás de suas fórmulas contemporâneas -- em torno da ideia de um dispêndio de energia física e psíquica pelo homem para a transformação do mundo[1] – escondem-se as camadas de sua historicidade e seus fundamentos culturais. Na perspectiva histórico-antropológica, pode-se dizer, como fez Chamoux, que "a noção geral de trabalho não é universal[2]", sobretudo se tomada em seu potencial de definição de um estatuto em sociedade.

---

[1] Parte-se, aqui, da linha conceitual o mais aberta possível, para, posteriormente, problematizar as condicionantes filosóficas e culturais da ideia de trabalho e das demais formas possíveis de ação do homem sobre o mundo, tanto no Ocidente quanto no Extremo Oriente. Da tipologia do trabalho como categoria antropológica proposta por Dominique Méda – entre uma linha cristã, para a qual o trabalho humano é continuação da criação divina; uma linha humanista, que enaltece a liberdade criativa; e uma linha marxista, que afirma a centralidade do trabalho e seu papel na composição da essência humana – o conceito proposto extrai o elemento criativo e transformador da realidade, como chave de aproximação e mesmo de extensão provisória a outros universos culturais. Cf. MÉDA, Dominique. *Le travail*: une valeur en voie de disparition? Paris: Flammarion, 2010, p. 20-22.

[2] No original: "*la notion générale de travail n'est pas universelle*". Tradução dos autores. CHAMOUX, Marie-Noëlle. Sociétés avec et sans concept de travail: remarques anthropologiques. *Anais do colóquio interdisciplinar "Travail: recherche et prospective"*, Lyon, p. 21-40, dez. 1992, p. 28. A autora apresenta exemplos, como os Maenge, na Oceania, para os quais não existe sequer uma palavra para diferenciar o trabalho de outras atividades humanas e dos Achuar na Amazônia equatoriana, igualmente sem noção sistemática e identitária em torno do trabalho. Note-se que, a despeito disso, a própria autora anota a existência, nas várias linhas da antropologia, de conceitos simplificados de trabalho, associados à produção de bens materiais, à subsistência

A grande variabilidade histórica e cultural em torno da presença e significação do trabalho se traduz na extensão dos modos pelos quais se forjou a sua disciplina social e institucional. Além disso, o trabalho impõe, por sua natureza única, uma plasticidade no mundo das formas e objetos normativos, que se deve à indissociabilidade entre o trabalho e seu prestador, sempre humano, e à sua expressão política e econômica, no jogo das forças de cada plano temporal. O Direito do Trabalho é uma destas expressões normativas, tendo-se afirmado na contemporaneidade ocidental com vocação universalista e expansiva, alcançando, em seu desenvolvimento, fronteiras culturais alheias ao seu processo originário de formação, o que alimenta questões cruciais quanto à sua efetividade.

A China ocupa, nesse quadro reflexivo, uma posição singular. Herdeira de uma tradição multimilenar, a civilização chinesa revela uma dinâmica de sentidos e referências na experiência social distanciada das categorias com as quais a civilização ocidental ordenou, ao longo dos séculos, a vida em sociedade[3]. Noções como liberdade, política e indivíduo, por exemplo, têm dimensões muito próprias em uma e outra civilização. Algumas, aliás, claramente estruturantes na mundivisão ocidental, são utilizadas modernamente em transposições linguísticas sem correspondentes no chinês tradicional. Wagner salienta a importação no século XX de "quase todos os termos-chave que organizam a experiência, como história, sociedade, estado, filosofia, literatura, ciência, experiência, prática ou teoria[4]".

---

ou à técnica. Nesses casos, diante do grau de abertura do conceito, parece difícil pleitear a existência de sociedades sem trabalho.

[3] Não se pleiteia a existência de uma homogeneidade conceitual absoluta na matriz das civilizações. Contudo, a permanência de certos macroelementos transversais, dos quais se pode identificar um conteúdo referencial e uma linha de transformação histórica ou de variantes espaciais determinadas, viabiliza a categorização civilizacional e a reflexão em torno de conceitos estruturantes, como é o caso da noção de trabalho apresentada neste estudo. Sobre o conceito de civilização *vide* RAMOS, Marcelo Maciel. Os Fundamentos Éticos da Cultura Jurídica Ocidental: dos Gregos aos Cristãos. São Paulo: Alameda, 2012.

[4] No original: *"Nearly all the key terms that organize experience, such as history, society, state, philosophy, literature, science, experience, practice or theory"*. Tradução dos autores. WAGNER, Rudolf G. Notes on the history of the Chinese term for 'labor'. *In* LACKNER, Michael, VITTINGHOFF, Natascha (eds.). *Mapping meanings: the field of new learning in late Qing China*. Leiden: Brill, 2004, p. 135.

O conceito de trabalho não foge à regra. A tradição chinesa tem modos de entender o trabalho alheios àqueles sentidos filosóficos e sociais que o Ocidente gerou conceitualmente. Estas referências repercutem na forma como o ato de trabalhar se desenvolve, desde a relação dos indivíduos para com as tarefas desempenhadas, o papel do grupo e da família, a valia social do trabalho e as condições materiais nas quais ele se desenvolveu e se desenvolve. E se na China contemporânea o trabalho (e sua forma de exploração) assume a condição de força primeira na propulsão de uma megapotência, construir uma reflexão conceitual, uma abordagem cultural do conceito de trabalho, parece exercício bastante elucidativo, sobretudo quando se constata não ter sido este uma questão de grande interesse até o presente[5].

Vale lembrar que um dos fatores centrais no impressionante crescimento econômico da China nas últimas décadas é o baixo custo de sua abundante mão de obra[6] e, a ele associado, uma série proporcionalmente grande de descumprimentos dos padrões mínimos internacional-

---

[5] São raríssimas as reflexões conceituais e excursos histórico-filosóficos específicos em torno do trabalho na tradição chinesa, em contraste aos muitos estudos socioeconômicos de seu desenvolvimento contemporâneo. Destacam-se, aqui, CARTIER, Michel. *Travail et idéologie dans la Chine antique. In* CARTIER, Michel (ed.). *Le travail et ses représentations.* Paris: Éditions des Archives Contemporaines, 1984; WAGNER, Rudolf G. The concept of work / labor / arbeit in the Chinese world. First Explorations. *In* BIERWISCH, W (ed.). *Die rolle der arbeit in verschiedenen epochen und kulturen.* Berlin: Akademie-Verlag, 2003 e WAGNER, Notes on the history of the Chinese term for 'labor', *cit.*

[6] Na sua última compilação, o *Bureau of Labor Statistics* do Departamento de Trabalho dos Estados Unidos, estimou que o custo horário do trabalho na manufatura chinesa, em 2009, era de 1,74 dólares. Fez, contudo, ressalvas metodológicas importantes na apresentação dos dados (o que, na visão do *Bureau* impediria mesmo uma comparação direta). De todo modo, a ordem de grandeza impressiona quando se considera que, em 2012, a remuneração horária na indústria nos Estados Unidos e Japão estava na casa dos 35 dólares; Espanha, 26 dólares; Argentina, 18 dólares; Portugal, 12 dólares; Brasil, 11 dólares; e México, 6 dólares. Ao mesmo tempo, o crescimento dos salários na China nos últimos anos é igualmente excepcional. A Organização Internacional do Trabalho, em seu Relatório global sobre os salários, publicado em 2013, indica que "os salários médios reais na China mais do que triplicaram entre 2000 e 2010, colocando a questão do possível fim da 'mão de obra barata' na China". Cf. ESTADOS UNIDOS DA AMÉRICA. Bureau of Labor Statistics. *International comparisons of hourly compensation costs in manufacturing.* Washington: BLS, 2012. Disponível em http://www.bls.gov/fls/ichcc.pdf. Acesso em 16 de maio de 2014; ORGANIZAÇÃO INTERNACIONAL DO TRABALHO. Relatório global sobre os salários 2012/13: salários e crescimento equitativo. Genebra: BIT, 2013, p. 23.

DIREITO CHINÊS CONTEMPORÂNEO

mente estabelecidos para a proteção do trabalho humano[7]. Esse arranjo de constatações tornou-se um lugar comum para a descrição da China na contemporaneidade. O país, de fato, esteve ao longo da história recente sempre sob os holofotes quando o assunto foi o Direito Internacional do Trabalho, em uma inadequação estrutural aos standards globais em temas como o trabalho forçado e infantil, a remuneração e a liberdade sindical. As razões últimas desse descolamento, contudo, parecem ainda não suficientemente exploradas.

Propõe-se, então, uma requalificação jurídico-antropológica da questão da incorporação de um regime de proteção ao trabalho na China. Para além de um catálogo da inefetividade em suas múltiplas faces, um exercício de compreensão de alguns dos elementos culturais que podem ter influenciado (e influenciam) a forma como o Direito do Trabalho foi assimilado e é vivido na China contemporânea.

Para tanto, mais do que uma simples comparação de culturas, o que se propõe é uma reflexão sobre os diferentes fundamentos culturais da China e do Ocidente no que tange às suas perspectivas e aos seus significados em torno do trabalho. Do contraste entre as tradições ocidental e chinesa, tal como propõe o filósofo francês François Jullien[8], procura-se aqui eviden-

Disponível em http://www.ilo.org/wcmsp5/groups/public/---dgreports/---dcomm/---publ/documents/publication/wcms_213969.pdf. Acesso em 16 de maio de 2014.

[7] CHAN, Anita. A 'race to the bottom': globalization and China's labor standards. *China perspectives*, Wanchai, n. 46, mar-abr. 2003. Disponível em http://chinaperspectives.revues.org/259. Acesso em 10 de maio de 2014.

[8] François Jullien denuncia a incapacidade do pensamento ocidental de sair de si e das possibilidades limitadas que suas próprias categorias intelectuais impõem a si mesmo. Ele propõe uma renovação do debate filosófico, partindo do diálogo com a tradição chinesa, a qual, vista como uma alteridade radical em face do Ocidente, seria capaz de evidenciar o impensado da cultura, de pensar para além das questões que podemos nos colocar. Conforme o autor, "é verdade que a filosofia ocidental deu a si mesma, e desde o início, a vocação de fazer do livre questionamento o princípio de sua atividade (tendo partido em busca de um pensamento sempre mais emancipado). Mas nós sabemos igualmente que, ao lado das questões que nós nos colocamos, que nós *podemos* nos colocar, há também todo este a partir de que nós nos questionamos e que, de lá mesmo, nós não estamos em condições de interrogar". No original: *"Certes, la philosophie occidentale s'est donné elle-même, et dès le départ, pour vocation de faire son libre questionnement le principe de son activité (partie, comme elle l'est, en quête d'une pensée toujours plus émancipée). Mais nous savons également que, à côté des questions que nous posons, que nous pouvons nous poser, il y a aussi tout ce à partir de quoi nous interrogeons et que, par là même, nous ne sommes pas en mesure d'interroger"*. Tradução dos autores. JULLIEN, François. *La propension des choses: pour*

ciar as categorias e princípios que são próprios a uma e a outra, sobretudo naquilo que, finalmente, vai estimular ou coibir a formação de uma disciplina institucional do trabalho. Partindo-se do pressuposto que o Direito do Trabalho é, em seu complexo de significados e expectativas culturais, uma invenção do Ocidente[9], pretende-se explorar algumas das dimensões tradicionalmente negligenciadas pela perspectiva jurídica: i) a de que a pretensão de proteção universal ao trabalho humano fora construída dentro de um contexto cultural bastante peculiar, dependente, portanto, de certas categorias e princípios que não são evidentes em determinados contextos culturais; ii) a de que a promoção de uma profunda compreensão dos fatores culturais que se erguem contra a eficácia da pretendida proteção universal do trabalho constitui importante instrumento na construção de um espaço de diálogo e de permeabilidade dos sentidos dados ao agir do homem sobre o mundo em cada tradição e de luta contra a opressão humana pela exploração ilimitada do trabalho.

2. A dualidade no conceito ocidental de trabalho

Na tradição ocidental – afeta geneticamente à especulação científico--filosófica – a pergunta "o que é o trabalho?" foi respondida de formas

---

une histoire de l'efficacité en Chine. Paris: Seuil, 1992, p. 16. François Jullien é autor de mais de trinta livros, traduzidos para mais de vinte e cinco línguas, dos quais destacamos: JULLIEN, François. *Fonder la morale*: dialogue de Mencius avec un philosophe des Lumières. Paris: Grasset, 1996; JULLIEN, François. *De l'universel, de l'uniforme, du commun et du dialogue entre les cultures*. Paris: Fayard, 2008; JULLIEN, François. *Entrer dans une pensée ou des possibles de l'esprit*. Paris: Gallimard, 2012.

[9] A expressão, em sua formulação ampla, é de Marcelo Maciel Ramos, que colocou em perspectiva as experiências normativas da China e do Ocidente para concluir pela originalidade do fenômeno jurídico neste último. Cf. RAMOS, Marcelo Maciel. *A invenção do Direito pelo Ocidente*: uma investigação face à experiência normativa da China. São Paulo: Alameda, 2012. A estrutura de análise estende-se, aqui, para o domínio específico da proteção jurídica ao trabalho humano, quando da afirmação do trabalho abstrato como unidade básica das relações industriais e da questão social que se forma no processo de industrialização do Ocidente, sobretudo em sua generalização na virada do século XX e no apogeu da "sociedade salarial" já no curso do século, com a afirmação de um ramo jurídico autônomo, o Direito do Trabalho. Cf. CASTEL, Robert. *Les métamorphoses de la question sociale: une chronique du salariat*. Paris: Gallimard, 1999, p. 172-173 e LE GOFF, Jacques. *Du silence à parole: une histoire du Droit du Travail des anées 1830 à nos jours*. Rennes: Presses Universitaires de Rennes, 2004, p. 315 *et seq.*

DIREITO CHINÊS CONTEMPORÂNEO

variadas. O trabalho humano, como quer Alain Supiot, sempre esteve "no ponto de encontro entre os homens e as coisas"[10], o que torna profundamente enigmático o caminho de sua definição, ainda que se proponha um recorte estrito (jurídico, por exemplo). De todo modo, o exercício mesmo de definir se apresenta como uma constante: compreender, conceituar e categorizar é uma das marcas da tradição no Ocidente. Schwartz resume, de plano, o esforço e a dificuldade neste caminho conceitual, quando o tema é o trabalho:

> O 'trabalho' é ao mesmo tempo uma evidência viva e uma noção que escapa a toda definição simples e inequívoca. É induvidosamente neste 'e' que une 'o trabalho' e 'os homens' que reside provavelmente a fonte deste caráter enigmático, gerador de paradoxos: o que engaja – homens – no trabalho[11]?.

O Ocidente trilhou, em cada um dos capítulos de sua história, caminhos muito próprios no desvendar desse enigma. E nesses caminhos, a reboque dos conceitos que emergem, aparecem sempre indicações do estatuto social do sujeito trabalhador, afirmando, confinando ou mesmo negando sua identidade, posição na sociedade e afetando, enfim, as possibilidades ordinárias de ação sobre o mundo. A rede de relações, não raro tensionadas, entre coisas e pessoas, processos e resultados, indivíduos e instituições, influenciou enormemente a marcha da expressão do trabalho em sua essência, e sua correlata figuração normativa.

Este enigma do trabalho se nutre historicamente de referenciais violentamente distintos, desde o mais profundo desprezo social a uma valia intrínseca, identitária do humano. Pode-se dizer, contudo, que entre os dois extremos – a pena e o valor –, acumula-se uma certa dualidade, ambiguidade estrutural que acompanha, enfim, a compreensão ocidental do trabalho. É o que nota Dominique Méda, ao apontar uma convergência

---

[10] No original: *"Le travail humain se trouvant toujours au point de rencontre des hommes et des choses"*. Tradução dos autores. SUPIOT, Alain. *Critique du Droit du Travail*. 2. ed. Paris: Quadrige / PUF, 2011, p. 43.

[11] No original: *"Le 'travail' est à la fois une évidence vivante et une notion qui échappe à toute définition simple et univoque. C'est sans doute dans ce 'et' qui unit 'le travail' et 'les hommes' que gît probablement la source de ce caractère énigmatique, générateur de paradoxes: qu'est-ce qui s'engage – des hommes – dans le travail?"*. Tradução dos autores. SCHWARTZ, Yves. La conceptualisation du travail, le visible et l'invisible. *Revue l'homme et la société*, Paris, n. 152-153, p. 47-77, 2004/2, p. 47.

quanto a "uma essência, uma característica antropológica do trabalho, feito de criatividade, de inventividade e de luta contra as restrições, que lhe dá sua dupla dimensão de sofrimento e realização de si[12]". Na mesma direção, complementando a digressão clássica da origem latina do termo trabalho – como instrumento ao mesmo tempo de produção e tortura, tripallium, de três pontas –, Supiot evoca um outro sentido igualmente revelador: o parto, ato "onde se misturam, por excelência, a dor e a criação (...), o mistério da condição humana[13]".

No primeiro polo da dualidade, a dor. Seja na simples remissão etimológica ou no mais sofisticado retrato das civilizações do Ocidente, a representação do trabalho humano como necessidade, imposição, pena, fardo, emerge precocemente. E é a compreensão grega do trabalho que lança as bases mais profundas dessa percepção, tornando-se ponto de apoio para a comparação cultural aqui pretendida.

No caso dos gregos, esclarece Jean-Pierre Vernant, inexiste um termo específico que corresponda ao trabalho como um conjunto coeso e singular de atividades[14]. Não significa, contudo, que não tenha existido uma noção verdadeira de trabalho. Outros vocábulos se encarregam de tipificar as formas do agir humano sobre o mundo e de, em última análise, estabelecer um panorama referencial. O termo *ponos* (Πόνος), por exemplo, associa-se às atividades penosas, normalmente físicas, ligadas a uma inevitável degradação[15]. Por outro lado, *érgon* (ἔργον), de matriz mais ampla,

---

[12] No original: *"il y a une essence, un caractère anthropologique du travail, fait de créativité, d'inventivité et de lutte avec les contraintes, qui lui donne sa double dimension de souffrance et de réalisation de soi"*. Tradução dos autores. MÉDA, *Le travail, cit.*, p. 22. A autora se refere sobretudo à decantação conceitual feita já no século XX, na sociedade fundada no trabalho.

[13] No original: *"acte où se mêlent par excellence la douleur et la création (...), le mystère de la condition humaine"*. Tradução dos autores. SUPIOT, *Critique du Droit du Travail, cit.*, p. 3.

[14] VERNANT, Jean-Pierre. *Trabalho e natureza na Grécia antiga. In* VERNANT, Jean-Pierre, VIDAL-NAQUET, Pierre. *Trabalho e escravidão na Grécia antiga.* Trad. Marina Appenzeller. Campinas: Papirus, 1989, p. 10-11.

[15] Hannah Arendt pretende encontrar em Hesíodo raízes para sua célebre distinção na *vita activa*: "O trabalho e a obra (*ponos* e *ergon*) estão distinguidos em Hesíodo: só a obra é devida a Eris, a deusa da boa luta (*Os trabalhos e os dias* 20-26), mas o trabalho, como todos os outros males, vem da caixa de Pandora (90ff) e é uma punição de Zeus porque Prometeu 'o astuto o enganou". No original: "Labor and work (*ponos* and *ergon*) are distinguished in Hesiod; only work is due to Eris, the goddess of good strife (Works and Days 20-26), but labor, like all other evils, came out of Pandora's box (90 ff.) and is a punishment of Zeus because Prometheus

se relaciona às atividades produtivas e também ao seu resultado (obra), variando significativamente em seus usos, mas normalmente associados à criatividade humana[16].

Na compreensão da relação dos gregos com a ideia de trabalho, um espaço inicial de questionamento, ainda na Grécia arcaica, é o cultivo da terra. Nesse momento, o trabalho agrícola é verdadeiro esteio na organização da sociedade, posição que o faz envolver-se de simbologias religiosas, associadas às bênçãos das divindades, das quais se desdobra uma noção de esforço recompensado. É o cenário do aparecimento de uma ética do trabalho. No poema *Os trabalhos e os dias,* texto que Vernant classifica de "primeiro hino ao trabalho[17]", Hesíodo profetiza que "o trabalho não é

'the crafty deceived him'". ARENDT, Hannah. *The human condition.* 2 ed. Chicago: University of Chicago Press, 1998, p. 83. Além disso, a autora explica que "Todas as palavras europeias para 'trabalho' [*'labor'*], o Latim e Inglês *labor,* o Grego *ponos,* o francês *travail,* o Alemão *Arbeit,* significam dor e esforço e são também usadas para as dores do parto. *Labor* tem a mesma raiz etimológica de *labore* ('tropeçar sob um fardo'); *ponos* e *Arbeit* tem a mesma raiz etimológica de 'pobreza' (*penia* em Grego e *Armut* em Alemão). Mesmo Hesiodo, atualmente tido como um dos poucos defensores do trabalho na antiguidade, coloca *ponon alginoenta* ('trabalho doloroso') como o primeiro dos males que molesta os homens". No original: "All the European words for 'labor', the Latin and English *labor,* the Greek *ponos,* the French *travail,* the German *Arbeit,* signify pain and effort and are also used for the pangs of birth. Labor has the same etymological root as *labare* ('to stumble under a burden'); *ponos* and *Arbeit* have the same etymological roots as 'poverty' (*penia* in Greek and *Armut* in German). Even Hesiod, currently counted among the few defenders of labor in antiquity, put *ponon alginoenta* ('painful labor') as first of the evils plaguing man (Theogony 226)". ARENDT, *The Human Condition, cit.,* p. 48. Em Hesíodo, a palavra *ponos,* no sentido de trabalho, aparece no seguinte trecho: "Πρὶν μὲν γὰρ ζώεσκον ἐπὶ χθονὶ φῦλ' ἀνθρώπων νόσφιν ἄτερ τε κακῶν καὶ ἄτερ χαλεποῖο *πόνοιο* νούσων τ' ἀργαλέων αἵ τ' ἀνδράσι κῆρας ἔδωκαν" ["Antes, de fato, as tribos dos humanos viviam sobre a terra sem contato com males, com o difícil *trabalho* ou com penosas doenças que aos homens dão mortes"] (destacou-se). HESÍODO. *O trabalho e os dias.* Texto bilíngue Grego e Português. Trad. Alessandro Rolim de Moura. Curitiba: Segesta, 2012, p. 105-106 (§ 90). Mas, mesmo aqui o sentido é ambíguo e poderia ser perfeitamente traduzido como sofrimento.

[16] A distinção *ponos* x *ergon* esconde por detrás de si uma enorme complexidade em cada uma das fases do desenvolvimento grego. Para representações precisas dos conceitos associados ao trabalho em Homero e Hesíodo, por exemplo, cf. MALICK, Ndoye. *Groupes sociaux et idéologie du travail dans les mondes homérique et hésiodique.* Besançon: Presses Universitaires de Franche-Comté, 2010.

[17] VERNANT, *Trabalho e natureza na Grécia antiga, cit.,* p. 11.

nenhuma desonra; desonra é não trabalhar[18]", associando, a partir daí, a virtude a um sacrifício recompensado.

De todo modo, é ainda Vernant quem levanta um dado conceitual essencial, a bem dimensionar a exortação de Hesíodo ao trabalho, circunscrito, ali, à vida camponesa. Não se trata de uma ética geral do trabalho, ou de uma compreensão filosófica amplificada de seus sentidos. Nesse período, o trabalho:

> [...] não constitui uma modalidade particular de comportamento que visa a produzir valores úteis ao grupo por meios técnicos. Trata-se, antes, de uma nova forma de experiência e comportamento religioso. [...] Trabalhando, os homens tornam-se mil vezes mais queridos pelos Imortais[19].

O florescimento da civilização grega, contudo, afasta-se dessa matriz e decanta as percepções em torno do que há de negativo no trabalho. Os desenvolvimentos da filosofia e do sistema sociopolítico grego estabelecem um espaço de convergência conceitual, em que o trabalho "é assimilado a tarefas degradantes e não é valorizado[20]", como percebeu Méda, e, na conclusão de Supiot, seu conceito "faz evocar do homem a pena e ainda não o criativo[21]". Trata-se, assim, de atividade, em si, incompatível com a liberdade e a cidadania, a despeito de essencial para viabilizá-la. A divisão do trabalho faz-se verdadeiro "fundamento da '*politéia*'[22]", ao distribuírem-se os ônus em uma dinâmica de complementariedade que sustenta a constituição da cidade.

É diante dessa visão holística que o alerta de Hannah Arendt se faz de extrema importância, de modo a evitar projeções desajustadas do trabalho como um desvalor puro e simples:

> A opinião de que o trabalho [*labor*] e a obra [*work*] eram desprezados na antiguidade porque apenas escravos os realizavam é um preconceito de his-

---

[18] Hesíodo, *Os trabalhos e os dias, cit.*, p. 95 (§ 311).

[19] Vernant, *Trabalho e natureza na Grécia antiga, cit.*, p. 13-14.

[20] No original: "*Il est assimilé à des tâches dégradantes et n'est nullement valorisé*". Tradução dos autores. Méda, *Le travail, cit.*, p. 39.

[21] No original: "*L'idée de travail évoque l'homme de peine et pas encore le créateur*". Tradução dos autores. Supiot, *Critique du Droit du Travail, cit.*, p. 6.

[22] Vernant, *Trabalho e natureza na Grécia antiga, cit.*, p. 22.

toriadores modernos. Os antigos raciocinavam de modo inverso e sentiam ser necessário ter escravos por causa da natureza servil de todas as ocupações que serviam às necessidades de manutenção da vida. [...] Porque os homens eram dominados pelas necessidades da vida, eles poderiam ganhar sua liberdade apenas pela dominação daqueles a quem eles sujeitavam por necessidade através da força[23].

De todo modo, diante de uma estrutura escravocrata e uma noção inovadora e própria de cidadania, há, de fato, uma prevalência da dependência, de um laço concreto de submissão naquilo que se associa ao trabalho, o que o faz incompatível com a liberdade, grandeza cívica central na vida da *polis*[24]. Assim, uma possível dualidade interna no conceito de trabalho termina por se externalizar, na separação entre o trabalho (em si desvalorizado) e as outras formas do agir humano, sobretudo na realização da liberdade no espaço público. Chega-se, finalmente, à conclusão de que, para os gregos, o trabalho será visto globalmente como "indigno do cidadão", sujeito ao orbe privado[25], domínio das necessidades. O metabolismo social da cidadania antiga tinha, portanto, na exploração do trabalho concreto e não livre um elemento fundante. E se o não trabalho era condição essencial da liberdade, sempre pública, a exclusão institucional cristalizava não sujeitos da vida política ou jurídica.

O quadro não se altera substancialmente na experiência romana, naquilo que diz respeito a uma visão essencial sobre os significados do trabalho. A despeito de profundas modificações na estrutura social e institucional, trabalhar é ainda cumprir o desígnio concreto da pura necessidade, sofrer, penar. O pioneirismo jurídico romano, é certo, trouxe consigo figuras contratuais novas centradas no trabalho humano, fazendo emergir estatutos sociais até então inexistentes. É o caso da *locatio operarum*, con-

---

[23] No original: "*The opinion that labor and work were despised in antiquity because only slaves were engaged in them is a prejudice of modern historians. The ancients reasoned the other way around and felt it necessary to possess slaves because of the slavish nature of all occupations that served the needs for the maintenance of life. [...] Because men were dominated by the necessities of life, they could win their freedom only through the domination of those whom they subjected to necessity by force*". Tradução dos autores. ARENDT, *The human condition, cit.,* p. 83-84.

[24] SUPIOT, *Critique du Droit du Travail, cit.,* p. 6.

[25] GORZ, André. *Metamorfoses do trabalho: crítica da razão econômica.* São Paulo: Annablume, 2007, p. 22.

trato por meio do qual um homem livre se colocava a serviço de outrem. Trata-se, entretanto, de domínio restrito, lateral, comparado a prevalência estrutural da escravidão como *locus* de reprodução da vida social. E, além disso, tratava-se de operação de conteúdo degradante[26], em última análise, um aviltamento à liberdade.

No medievo, inicia-se um gradual processo de requalificação conceitual que, na leitura de Jacques Le Goff, associa-se ao cristianismo e, sobretudo, à urbanização. O autor nota, aqui, "um sincronismo entre o desenvolvimento urbano e a valorização do trabalho dos artesãos, criadores de instrumentos[27]". Em linha com a ideia cristã de um homem criado à imagem do criador, abrem-se caminhos para uma nova ética do trabalho. Para Le Goff, enfim, "a Idade Média inventou a distinção entre trabalho manual, que mantém o mundo camponês na parte inferior da escala social e o trabalho criativo, que eleva[28]".

Mesmo que se reconheça, em verdade, uma origem grega para tal distinção – afastando-se a inovação absoluta pleiteada por Le Goff –, o medievo se incumbiu de recolocar e fortalecer a dualidade característica do conceito de trabalho, por recuperar a criatividade como elemento inerente. Contudo, tal formulação não se universaliza em uma sociedade de base feudal e servil, na qual um relativo desprezo ao trabalho ainda predomina.

Assim é que tem razão Gorz ao afirmar que "o que chamamos 'trabalho' é uma invenção da modernidade[29]". A modernidade e o industrialismo, de fato, elevaram o trabalho à plataforma essencial de construção de identidade e inserção social, inaugurando a era de uma "civilização do trabalho[30]", na expressão de Robert Castel. A substância da reflexão conceitual, igual-

---

[26] SUPIOT, *Critique du Droit du Travail, cit.*, p. 14.

[27] No original: *"un synchronisme entre l'essor urbain et la valorisation du travail des artisans, createurs d'instruments"*. Tradução dos autores. LE GOFF, Jacques. Au moyen age, une penitence redemptrice. *L'histoire*, Paris, n. 368, Dossier 'Le travail: de la bible aux 35 heures', p. 58, out. 2011, p. 58.

[28] No original: *"Le Moyen Age a inventé la distinction entre le travail manuel, qui maintient le monde paysan au bas de l'échelle sociale, et le travail créatif qui élève"*. Tradução dos autores. LE GOFF, *Au Moyen Age, une pénitence rédemptrice, cit.*, p. 58.

[29] GORZ, *Metamorfoses do trabalho, cit.*, p. 21.

[30] CASTEL, Robert. Trabajo y utilidad para el mundo. *Revista Internacional del Trabajo*, Genebra, v. 115, n. 6, p. 671-678, 1996, p. 672.

DIREITO CHINÊS CONTEMPORÂNEO

mente, tomou dimensões radicalmente novas, assumindo o trabalho a condição fundamental na descrição do agir humano sobre o mundo.

É preciso chamar a atenção para uma transformação ainda mais larga, no curso da afirmação do indivíduo moderno. A partir da ciência e da filosofia na modernidade, o trabalho passa a ser tomado "como mediação necessária à irrupção do mundo propriamente humano (...) [no] processo histórico de inteligibilidade das relações entre *physis* e *nomos*[31]", como percebe Daniela Muradas, evocando ideias de liberdade em Kant e Hegel, e sua relação com à emancipação em face da natureza.

É, então, no giro filosófico da modernidade que o segundo polo da dualidade – o valor – se estabelece em definitivo, em formulação que inverte a lógica grega. A partir daí, conclui Muradas, "a existência do homem é existência pelo trabalho. É o trabalho que, arrancando o homem das necessidades e determinações externas, transporta-o do plano da necessidade ao plano da liberdade[32]".

O advento do capitalismo industrial incumbe-se da universalização do conceito abstrato de trabalho. Completa-se um novo "nascimento" do trabalho, para usar a expressão de Schwartz, em torno do trabalho remunerado e temporalizado (como tempo de vida vendido), em uma sociedade mercantil e de Direito, a permitir a distinção clara entre o trabalho, o lazer e o não-trabalho[33]. Nesse mesmo momento, refinam-se as noções universalistas do trabalho, como a de Marx, para quem "o trabalho é a condição natural da existência humana, a condição, independentemente de todas as formas sociais, do intercâmbio da matéria entre o homem e a natureza[34]". Note-se, contudo, que é o próprio Marx quem avança conceitualmente

---

[31] MURADAS, Daniela. *Contributo ao Direito Internacional do Trabalho: a reserva implícita ao retrocesso sócio-jurídico do trabalhador nas Convenções da Organização Internacional do Trabalho.* Tese de doutoramento. Belo Horizonte: Faculdade de Direito da Universidade Federal de Minas Gerais, 2007, p. 90.

[32] MURADAS, *Contributo ao Direito Internacional do Trabalho, cit.*, p. 92.

[33] SCHWARTZ, *La conceptualisation du travail, le visible et l'invisible, cit.*, p. 48-52. O autor fala de dois outros "nascimentos anteriores": um correspondente à fabricação na pré-história dos primeiros instrumentos de trabalho, mediatizando a relação dos indivíduos com seu meio; e o segundo na "revolução neolítica", momento no qual se afirmam sociedades de produção sedentarizadas.

[34] MARX, Karl. *Contribuição à crítica da economia política.* Trad. Florestan Fernandes. 2 ed. São Paulo: Expressão Popular, 2008, p. 62-63.

e esquadrinha o desenvolvimento do trabalho abstrato, criador do valor de troca, como uma marca da exploração capitalista tipicamente engendrada em um momento histórico específico do Ocidente. E na experiência capitalista, opera-se novo giro, a reforçar a dualidade fundante, percebido por Gorz:

> Graças à racionalização capitalista, o trabalho deixa de ser atividade privada submetida às necessidades naturais; mas, no momento mesmo em que é despojado de seu caráter limitado e servil para tornar-se *poiêsis*, afirmação de potência universal, ele também desumaniza aqueles que o realizam[35].

Como se verá adiante, o Direito do Trabalho ocidental é herdeiro desse tortuoso caminho histórico de afirmação e negação do trabalho humano. Traz, em si, o gene da resistência, ao tentar deter a reificação e a dominação total, mas também a legitimação de um sistema específico de exploração dos homens pelos homens. É fruto, igualmente, da ação operária e do interesse concorrencial. Tem dentro dele o autônomo, pela negociação coletiva, e o heterônomo, pela proteção estatal acumulada no tempo. Coloca-se, enfim, na dinâmica do trabalho na sociedade, dela recebendo seus horizontes materiais e a ela devolvendo balizas normativas. Balizas estas que, no Ocidente, caminharam no sentido da universalização da proteção do trabalho humano.

3. O trabalho na tradição chinesa

Os caminhos da civilização chinesa na vivência do trabalho conduzem a um horizonte de percepções vasto e verdadeiramente original. Como no caso ocidental, a ideia de um enigma serve igualmente bem para qualificar o quadro da formulação de uma compreensão de trabalho na China e suas correlações na dinâmica da vida em sociedade. Trata-se, contudo, de um enigma um tanto diferente daquele experimentado pelo Ocidente. Tomando como ponto de partida a ideia de uma ordem espontânea do mundo, a congregar de maneira ritual coisas e pessoas, a questão na China é, sobretudo, de compreender a relação do trabalho com essa ordem cósmica imanente, bem como as medidas da valorização social que daí decorre, no ritmo, ainda, de profundas transformações históricas. Proximidades e

---

[35] GORZ, *Metamorfoses do trabalho, cit.*, p. 28.

DIREITO CHINÊS CONTEMPORÂNEO

distâncias para com o Ocidente se alternam, e identificá-las é tarefa sensivelmente dificultada por algumas imprecisões e projeções acumuladas pelas leituras ocidentais.

Rudolf Wagner[36] apresenta uma imagem muito representativa do problema de uma visualização genuína do trabalho na China, sem distorções culturais. O autor faz referência a uma profusão de descrições, desenhos e fotografias, fartamente produzidos pelos missionários religiosos ocidentais na China do século XIX, a mostrar de maneira recorrente um povo chinês devotado a trabalhar, de modo intenso e quase incessante. Mostra, em seguida, um descompasso no que diz respeito à correspondência dessa representação nos textos chineses clássicos e nos estudos modernos mais autorizados, desconfiando de que os valores ali identificados possam ser projeções baseadas no que, naquele momento, se passava no próprio Ocidente (que, na virada do século XIX para o século XX, se encaminhava para o ápice da ideia de uma sociedade centrada socialmente no trabalho).

Com esse alerta em mente, o vocábulo clássico empregado para referir-se ao trabalho na tradição chinesa é 勞 *láo*. Sua origem etimológica é imersa em controvérsia: ainda nos idos da dinastia Zhou, entre os séculos XI e III a.C., o ideograma original, em três registros, mostrava uma viga-mestra entre figurações de fogo (火 *huŏ*), duas acima e uma abaixo: 熒 *yíng*. Evoca-se a imagem de uma atividade realizada em casa, à luz de tochas. Posteriormente, alterou-se o ideograma para, na parte inferior, incorporar a noção de esforço físico através do ideograma para força (力 *lì*), que representa um homem curvado com um instrumento de trabalho na terra, uma enxada: 勞 *láo*. O caminho dessas metamorfoses já alimenta por si só uma polêmica conceitual, majorada, ainda, por sua forma de pronúncia: no tom[37] ascendente, *láo* significa fadiga, no tom descendente, *lào*, ajuda[38].

Na tentativa de bem traçar esse quadro conceitual, Michel Cartier[39] resgata as considerações de Mêncio, filósofo chinês do século IV a.C., um

---

[36] WAGNER, *Notes on the history of the Chinese term for 'labor'*, cit., p. 129.

[37] A língua chinesa (o mandarim) é uma língua tonal e todas as suas raízes léxicas são monossilábicas. Os tons aparecem como uma ferramenta que permite multiplicar os significados de uma mesma sílaba. Desse modo, uma sutil variação no tom de uma mesma sílaba produz um outro significado.

[38] CARTIER, *Travail et idéologie dans la Chine antique*, cit., p. 280-281.

[39] CARTIER, *Travail et idéologie dans la Chine antique*, cit., p. 277-279.

dos comentadores centrais do confucionismo, na relação entre trabalho intelectual e manual, bem como sua correspondência na vida política. Para Mêncio:

> Alguns trabalham com a mente. Alguns trabalham com a força. Quem trabalha com a mente governa os homens. Quem trabalha com a força é governado pelos homens. Quem é governado pelos homens alimenta-lhes; quem governa os homens é alimentado por eles. Sob o céu, esta é uma regra comum[40].

Contudo, para além de uma apressada conclusão direta de um dogma de subordinação das atividades manuais às intelectuais – talvez uma projeção simplificada da sofocracia platônica[41] –, Cartier amplia o quadro de

---

[40] Tradução livre do original: "或勞心, 或勞力 ; 勞心者治人, 勞力者治於人 ; 治於人者食人, 治人者食於人: 天下之通義也". É interessante notar que 勞心 pode ser também traduzido como trabalho intelectual e que 心 pode significar mente, inteligência e coração. 勞力, por sua vez, pode ser traduzido como trabalho físico ou manual. O trecho é assim traduzido por James Legge: *"Some labor with their minds, and some labor with their strength. Those who labor with their minds govern others; those who labor with their strength are governed by others. Those who are governed by others support them; those who govern others are supported by them. This is a principle universally recognized"*. MENCIUS. The Work of Mencius. *In.* LEGGE, James (Org.). *The four books*: the great learning; the doctrine of the mean; Confucian analects; works of Mencius. Chinese-English Edition. Hong Kong: International Publication Society, 19--, p. 116. Na tradução de Pauthier tem-se: *"Les uns travaillent de leur intelligence, les autres travaillent de leurs bras. Ceux qui travaillent de leur intelligence gouvernent les hommes; ceux qui travaillent de leurs bras sont gouvernés par les hommes. Ceux qui sont gouvernés par les hommes nourrissent les hommes; ceux qui gouvernent les hommes sont nourris par les hommes. C'est la loi universelle du monde"*. CONFUCIUS, MENCIUS. *Les quatre livres de philosophie morale et politique de la Chine*. Trad. M. G. Pauthier. Paris: Charpentier, 1852, p. 303.

[41] A sofocracia platônica ou teoria *do filósofo-rei* sustenta que apenas os filósofos, detentores da faculdade de acessar a ideia (a verdade) do Bem através da razão, apenas aqueles capazes de conhecê-la, guiando-se por ela, poderão promover um governo justo. Na célebre passagem da República de Platão: "Enquanto não forem, ou os filósofos reis nas cidades, ou os que agora se chamam reis e soberanos filósofos genuínos e capazes, e se dê coalescência do poder político com a filosofia, enquanto as numerosas naturezas que atualmente seguem um desses caminhos com exclusão do outro não forem impedidas forçosamente de o fazer, não haverá tréguas dos males, meu caro Gláuco, para as cidades, nem sequer, julgo eu, para o gênero humano, nem antes disso será jamais possível e verá a luz do sol a cidade que há pouco descrevemos". PLATÃO. *A República*. Trad. Maria Helena da Rocha Pereira. 9 ed. Lisboa: Fundação Calouste Gulbenkian, 2001, p. 251 (Livro V, 473d-e). Na tradução de Paul Shorey: *""Unless', said, 'either philosophers become kings in our states or those whom we now call our kings and rulers take to the pursuit*

DIREITO CHINÊS CONTEMPORÂNEO

reflexão e identifica no pensamento de Mêncio uma linha básica de inter-dependência. Para a harmonia social, uma concertação de atividades diferentes se faz essencial, o que se traduz, por exemplo, na centralidade do trabalho agrícola. E, então, poder-se-ia afirmar que na China antiga aparece um conceito contínuo de trabalho, que não hierarquiza os trabalhos intelectuais e os físicos:

> Raciocinando por analogia com as relações de complementaridade que existem entre os agricultores e as várias categorias de artesãos, Mêncio mostra que os governantes, para quem o problema do bem comum não deixa a oportunidade de cuidar eles mesmos da sua manutenção, não têm outra escolha senão trocar o produto de sua atividade – o 'governo' – por alimentos, roupas e o resto... Vemos o que o argumento tem de capcioso. Resta que a existência de um conceito unificador englobando numa mesma acepção tanto as atividades de 'governo' quanto o trabalho de 'produção agrícola' é, isso é óbvio, uma das grandes originalidades do pensamento de Mêncio[42].

Veja-se que não se trata, como na *polis* grega, de uma simples função viabilizadora da cidadania livre pela submissão de outrem ao domínio do trabalho, em laço concreto de necessidade. Não há, em outras palavras, a dualidade externalizada do capítulo fundacional grego no Ocidente. O que se instala, na visão tradicional chinesa, é uma evidente noção holística, que faz comunicar as atividades humanas de maneira intrínseca e incindível,

---

of philosophy seriously and adequately, and there is a conjunction of these two things, political power and philosophic intelligence, while the motley horde of the natures who at present pursue either apart from the other are compulsorily excluded, there can be no cessation of troubles, dear Glaucon, for our states, nor, I fancy, for the human race either. Nor, until this happens, will this constitution which we have been expounding in theory ever be put into practice within the limits of possibility and see the light of the sun'". PLATO. *Plato in twelve volumes.* v. 5 & 6 Trad. Paul Shorey. Cambridge: Harvard University Press; London: William Heinemann Ltd, 1969, § 473c-e.

[42] No original: *"Raisonnant par analogie avec les relations de complémentarité qui existent entre les agriculteurs et les diverses catégories d'artisans, Mencius montre que les gouvernants, à qui le souci du bien commun ne laisse pas le loisir de pourvoir eux-mêmes à leur entretien, n'ont d'autre choix que d'échanger le produit de leur activité – le 'gouvernement' – contre nourriture, vêtement et le reste... On voit ce que l'argument a de spécieux. Il n'en demeure pas moins que l'existence d'un concept unificateur englobant dans une même acception aussi bien les activités de 'gouvernement' que le travail de 'la production agricole' constitue, cela est évident, l'une des grandes originalités de la pensée de Mencius".* Tradução dos autores. CARTIER, *Travail et idéologie dans la Chine antique, cit.*, p. 279.

orquestrada por uma ordem imanente que, ao fim, depende do caminhar harmônico dos laços de dependência para se exprimir plenamente.

Esse conceito contínuo de trabalho encontra, ainda, outro elemento de expressão de sua sofisticação e amplitude em sua conexão com a esfera cósmica. Numa correlação entre as técnicas divinatórias e a mensuração do tempo, fixa-se um calendário a definir a época da realização de cada espécie de trabalho. Na perspectiva ritual chinesa, ciclos agrícolas, atividades artesanais e predatórias (caça e pesca), além de política e guerra, dependem desse conjunto de elementos naturais e místicos. Desdobra-se, aqui, uma clara dimensão política da mensuração do tempo, a determinar o compasso da vida social, dada a mudança periódica dos indivíduos nesses grupos de atividades. Cartier nota, assim, que o ano é concebido como um "ciclo no curso do qual todo fenômeno – que releve da natureza ou da vida social – deve ser colocado em relação com uma certa constelação de forças cósmicas (...), uma combinação particular do yin e do yang[43]".

Considerando que a distribuição temporal dessas atividades leva em conta os fatores naturais, sensorialmente constatados, como a influência do clima nas atividades agrícolas, o ritmar do tempo expressa uma unidade entre natureza e agir humano, a englobar tudo, inclusive a vida política. "Este esquema não se limita somente às atividades produtivas (...) mas se aplica ao conjunto da vida social, aí compreendidas as tarefas de governo[44]".

Há, portanto, na China tradicional, uma linha de integração e harmonia a permear o sentido de trabalho. Não se perde, contudo, a dimensão de uma hierarquia rigidamente organizada pelo sistema de ritos. Assim, como pano de fundo, identifica-se também um sistema de "relações-chave", de caráter fundacional, na cultura chinesa. Dun Li constata essa centralidade, apontando para o fato de que um "sistema fundado em uma ética das relações humanas é a estrutura profunda da sociedade chinesa antiga[45]". Entre

---

[43] No original: "*l'année est conçue comme un cycle au cours duquel tout phénomène – qu'il relève de la nature ou de la vie sociale – doit être mis en rapport avec une certaine constellation des forces cosmiques (...), une combinaison particulière du yin et du yang*". Tradução dos autores. CARTIER, *Travail et idéologie dans la Chine antique, cit.*, p. 284.

[44] No original: "*Ce schéma ne se limite pas aux seules activités productives mais (...) il s'applique à l'ensemble de la vie sociale, y compris aux tâches du gouvernement*". Tradução dos autores. CARTIER, *Travail et idéologie dans la Chine antique, cit.*, p. 288.

[45] No original: "*système fondé sur une éthique des rapports humains constitue la structure profonde de la société chinoise ancienne*". Tradução dos autores. DUN LI. Transformations du système social

DIREITO CHINÊS CONTEMPORÂNEO

pai e filho, irmão mais velho e mais novo, nas relações conjugais e políticas, o sentido relacional aparece como vetor básico da expressão do ético[46], o que, igualmente, atinge a diagramação da sociedade em torno do trabalho.

O sentido básico de trabalho para a tradição chinesa talvez tenha sofrido suas maiores transformações no último século. Contemporaneamente, o vocábulo geral a se referir ao trabalho na cultura chinesa é 勞動 *láo dòng*, em uma junção da noção tradicional de trabalho (e de esforço, 勞 *láo*) à noção de movimento (動 *dòng*)[47]. A adição desta noção de 動 dòng, após o fim da China imperial, imprime verdadeira metamorfose no seu significado, com a glorificação da ideia de transformação, no quadro das mudanças políticas do país[48]. Wagner aponta especificamente as correspondências nos comentários dos revolucionários e reformistas do século XX:

> Nos escritos sonoros e robustos dos salvadores nacionais das duas primeiras décadas do século XX, encontra-se um hábito geral de amaldiçoar seus compatriotas pela sua passividade, tolerância da humilhação nacional e interesses mesquinhos, em um esforço de envergonhá-los a ponto de aderir ao movimento político para a mudança [49].

Note-se, ainda, que nesse processo de transformação radical, (re)emerge um outro vocábulo para se referir ao trabalho. Trata-se de 工 *gōng*, ideograma que representa, como no Ocidente, um instrumento. Em todo caso "não é um instrumento de suplício, mas um instrumento utilizado para con-

---

et modernisation en Chine. Trad. Zhaoyu Kong e Michel Bonnin. *Perspectives chinoises*, n. 25, p. 44-50, 1994, p. 44.

[46] O próprio autor, por outro lado, aponta a inadequação de uma leitura reducionista, que aponte a questão da obediência absoluta ao poder na contemporaneidade como um desdobramento de um suposto caráter "feudal" das relações da China tradicional. A ética relacional chinesa engaja outros sistemas e mecanismos (como o ritualismo e a harmonia), em laços de conformação que se expressam de modos muito distintos.

[47] WAGNER, Notes on the history of the Chinese term for 'labor', *cit.*, p. 130. Em chinês simplificado, escreve-se 动 *dòng*.

[48] WAGNER, Notes on the history of the Chinese term for 'labor', *cit.*, p. 130-131.

[49] No original: "*In the loud and muscular writings of the national saviors of the first two decades of the twentieth century, we rather find a general habit of cursing their countrymen for their passivity, toleration of national humiliation and petty concerns in an effort of shaming them into joining the political movement for change*". Tradução dos autores. WAGNER, Notes on the history of the Chinese term for 'labor', *cit.*, p. 130-131.

TRABALHO, DO CONCEITO AO DIREITO: ENTRE A CHINA E O OCIDENTE

ter a terra, operação fundamental da arquitetura[50]". Usado para a descrição do trabalho artesanal na China pré-moderna, o termo se ressignifica e se espraia, simbolizando, agora, a implantação de um novo modelo em torno do trabalho. É a conclusão de Wagner, ao notar que o termo se reportava a:

> Um novo tipo de atividade, uma nova organização do tempo industrial com uma dicotomia trabalho/descanso, um novo grupo social, o trabalhador industrial, e uma nova configuração física, a cidade industrial. O termo, seu conteúdo, seu antônimo e seu valor são, portanto, partes de um discurso importante que tem a sua matriz, lógica e ambiente no Ocidente e vem para a situação chinesa como um moderno produto pronto a ser aplicado sobre uma realidade chinesa ordenada de formas bem diferentes, mas para a qual ele deu uma ordem nova e agora generalizadamente aceita[51].

Esse processo de transformação é pontuado de enormes dificuldades, como as que relata Henry, em relação à estruturação do trabalho. Originalmente, na formulação de um trabalho contínuo desenvolvido na rede da ética relacional, as atividades se davam em base familiar, a garantir proximidade e solidariedade, além de uma hierarquia organizacional espontânea, e uma expressão clara de felicidade para o trabalhador chinês, associada ao curso habitual da vida[52]. Ao longo do século XX, rompe-se a lógica da intimidade familiar, com métodos de organização distintos e um corpo de trabalhadores e tomadores de serviço sem conexões pessoais. E, mesmo que se tenham diminuído eventualmente as horas de trabalho, elas se tornam progressivamente mais intensas. Assim é que:

---

[50] No original: "*En chinois, c'est aussi un instrument qui est à l'origine du caractère désignant le travail:* 工*, gōng. Ce n'est pas un instrument de sulpplice, mais un outil servant à damer la terre, opération fondamentale de l'architecture*". Tradução dos autores. JAVARY, J. D. Cyrille. *100 mots pour comprendre les Chinois*. Paris: Albin Michel, 2008, p. 143.

[51] No original: "*The term was primarily used for industrial labor, and thus belonged to a new type of activity, a new organization of industrial time with a labor/rest dichotomy, a new social group, the industrial worker, and a new physical setting, the industrial town. The term, its content, its antonym and its value are thus parts of an important discourse that has its mother, logic and environment in the West and comes into the Chinese situation as a modern ready-made product to be imposed over a Chinese reality ordered in quite different ways, but to which it has given a new and now generally accepted order*". Tradução dos autores. WAGNER, Notes on the history of the Chinese term for 'labor', *cit.*, p. 139.

[52] HENRY, P. Some aspects of the labour protection in China. *International labour review*, Genebra, n. 15, p. 24-50, 1927, p. 40-41.

DIREITO CHINÊS CONTEMPORÂNEO

A fábrica, outrora apenas uma extensão da vida familiar em si, torna-se uma prisão. A introdução de métodos mecânicos trouxe uma evolução semelhante em todos os países, mas em nenhum outro lugar foi-se de encontro a tradições tão firmemente estabelecidas[53].

A modernização da China é, nesse sentido, um processo catalisado de maneira heterônoma, em franca ruptura de pilares da cultura tradicional. Esse processo de desconexão com o passado encontra no estabelecimento do regime comunista, em 1949, um momento capital de sua expressão. Ali, diz Dun Li, recria-se uma sociedade centralizada, subordinada, militarizada. A figura dos 单位 dān wèi, unidades produtivas planificadas (*work units*), reproduz na vida dos trabalhadores a estrutura do poder central, de hierarquização extrema e submissão[54]. A continuidade conceitual em torno do trabalho, marca da tradição, rompe-se por completo.

Não que a hierarquia já não estivesse profundamente presente na mentalidade chinesa. Ao contrário, ela é elemento central do Confucionismo, o qual prevaleceu em quase toda história como ideologia de organização da família e do político na China. Porém, introduz-se aí uma hierarquia (tipicamente ocidental) entre o trabalho intelectual e o trabalho braçal. E mesmo que a ideologia comunista que se estabeleceu institucionalmente a partir de 1949 tenha promovido uma valorização do trabalho físico e, sobretudo, do trabalhador, do proletário e do camponês, é o trabalho intelectual, controlado pelo Partido Comunista, que guiará o primeiro.

Além disso, a abertura econômica, a partir do final da década de 1970, se incumbe de incorporar definitivamente a nova lógica industrial, com impactos enormes na estrutura das relações sociais. Assim é que, para Dun Li, acumulam-se efeitos de incerteza em torno de uma "falta de regras de conduta tidas como essenciais e reconhecidas por todos, falta de um sistema de segurança social, o sentimento de insegurança em uma população sem ideais, apenas preocupada com seus interesses imediatos[55]". É nesse

---

[53] No original: "*The factory, once merely an extension of family life itself, becomes a prison. The introduction of mechanical methods has brought about a similar evolution in all countries, but nowhere else has it come up against such firmly established traditions*". Tradução dos autores. HENRY, *Some aspects of the labour protection in China, cit.*, p. 41.

[54] DUN LI, *Transformations du système social et modernisation en Chine, cit.*, p. 47-48.

[55] No original: "*manque de règles de conduite tenues comme primordiales et reconnues par tous, absence d'un système de sécurité sociale, sentiment d'insécurité dans une population sans idéal, uniquement*

TRABALHO, DO CONCEITO AO DIREITO: ENTRE A CHINA E O OCIDENTE

acoplamento perverso – da hiperexploração desmesurada de um capitalismo internacionalizado, que tem na China espaço privilegiado para o dumping social, com uma cultura tradicional centrada na harmonia e no não intervencionismo, fortemente transformada nas últimas décadas – que a reflexão em torno das raízes mais profundas da proteção ao trabalhador se torna pauta privilegiada.

4. A centralidade das ideias de sujeito e de resistência na construção do Direito do Trabalho no Ocidente

Em ligação ao conceito dual de trabalho, de dor e realização, as noções de sujeito e de resistência estão na substância primeira do Direito do Trabalho. No plano histórico, a afirmação do sujeito coletivo operário como polo de oposição à exploração desmesurada é o movimento que conduzirá àquilo que se torna a disciplina ocidental do trabalho a partir da modernidade. Já no prisma estritamente jurídico, a figura do trabalhador como sujeito de direitos a ser protegido em uma relação assimétrica, numa estrutura que legitima e viabiliza a continuidade de sua resistência por diversos meios, individuais e coletivos, é a medida do *telos* especial que anima o Direito do Trabalho[56]. E, enfim, na vivência social do trabalho, o reconhecimento do trabalhador como sujeito que traz consigo a potência do resistir é constitutivo da expressão de uma identidade, um estatuto social de trabalhador.

Essas correlações, contudo, têm uma dimensão cultural muito mais profunda, que transborda o círculo do Direito do Trabalho. Em verdade, o aparecimento do sujeito é estruturante no plano da própria afirmação do Direito em si, fonte da especificidade do fenômeno jurídico. Emancipado da caridade, da obscuridade e do inacessível, o sujeito, individual ou coletivo, torna-se detentor de prerrogativas próprias, com exigibilidade reconhecida, e faz caracterizar, então, o jurídico. A inovação, a despeito de legatária da experiência da cidadania grega, tem origem romana, como aponta Joaquim Carlos Salgado:

> Uma das descobertas maiores do romano, no plano ético lato sensu, é o sujeito de direito e propriamente o sujeito de direito universal, detentor da

préoccupée de ses intérêts immédiats". Tradução dos autores. Dun Li, *Transformations du système social et modernisation en Chine, cit.*, p. 50.
[56] Cf. Viana, Márcio Túlio. *Direito de resistência: possibilidades de autodefesa do empregado em face do empregador*. São Paulo: LTr, 1996.

DIREITO CHINÊS CONTEMPORÂNEO

universalidade da actio. A noção de sujeito de direito universal, dada na actio, envolve duas dimensões: a universalidade posta pelo reconhecimento de toda a sociedade do direito subjetivo material, através da norma jurídica, e a universalidade posta na força aparelhada do Estado garantidor da actio[57].

É verdade que essa não é uma tese consensual. Contra ela, diz-se, com razão, que a noção de sujeito só será plenamente desenvolvida pelo pensamento do medievo cristão e da modernidade. Para Michel Villey, nesse sentido, a noção de "direito subjetivo" é um produto da filosofia alemã, ausente nas definições que os antigos romanos produziram sobre o Direito. Villey acusa os romanistas de atribuírem à palavra *ius* nas Institutas de Gaio um sentido de prerrogativa ou de liberdade que não estaria lá[58]. O *ius* nesses textos significaria coisa (res), objeto, e não prerrogativa.

Porém, temos que admitir que, mesmo que a noção de sujeito ou direito subjetivo não estivesse ainda clara para os romanos, em Roma é reconhecida aos cidadãos e aos estrangeiros a prerrogativa de exigir a efetividade do conteúdo das normas de comportamento (ius) por meio de um sistema de ações (actio) cada vez mais universal. O cidadão romano podia evocar para a solução de seus conflitos o *ius* civile, o direito da cidade. O estrangeiro e também o cidadão romano, por sua vez, podiam evocar o *ius gentium*, um direito comum a todos os povos, cujo sentido ultrapassava o elemento de pertencimento político, legitimando como titular de direitos (como persona) homens sem qualquer identidade política ou cultural. Além disso, esses homens tornam-se sujeitos da norma jurídica, no sentido de que poderiam agir juridicamente para resistir e cobrar o descumprimento da norma. Não eram mais apenas objeto ou destinatário das normas, mas seus autores (no caso dos cidadãos) e seus atores (no caso de cidadãos e estrangeiros).

O conceito tem uma força centrípeta, atraindo para o seu entorno a realização de grande parte daquilo que se tem por jurídico: a pessoa, entre seus direitos e obrigações, vai ao centro da vida jurídica, ativa e passivamente. E, desde já, resiste, para e pelo Direito. Luta institucionalmente

---

[57] SALGADO, Joaquim Carlos. *A ideia de justiça no mundo contemporâneo: fundamento e aplicação do Direito como maximum ético.* Belo Horizonte: Del Rey, 2006, p. 57.
[58] VILLEY, Michel. *O Direito e os Direitos Humanos.* Trad. Maria E. A. P. Galvão. São Paulo: Martins Fontes, 2007, p. 69 et 78.

para se fazer reconhecer e se vale dos meios jurídicos para, enfim, garantir sua ação sobre o mundo.

Contudo, apenas na modernidade a ideia de sujeito ganhou densidade conceitual e pretensões de universalidade social concreta. E isso se dá justamente no momento em que se inventa a noção corrente de trabalho, como espaço de expressão e realização social do homem. As lutas sociais associadas ao fenômeno do industrialismo, em suas múltiplas etapas, resultaram em um regime jurídico global do trabalho assalariado e juridicamente livre. De modo que o desenho institucional gerado – esteado essencialmente em um Direito do Trabalho de largo alcance – é, ao mesmo tempo, resultado e garantia de continuidade de um sujeito que resiste.

Nessa origem, revelam-se as relações de opressão por detrás da exploração do trabalho humano, motor material da resistência, como bem nota Márcio Túlio Viana:

> O trabalho – especialmente quando por conta alheia – pode produzir, ao mesmo tempo, a riqueza de alguns e a pobreza de muitos; o poder de ditar destinos e a aflição de sentir-se nas mãos do outro. Por isso, e tal como as faces de uma moeda, opressão e resistência têm marcado a história dos trabalhadores. O moinho que mói o milho pode estar moendo o moleiro; mas a enxada que fere a terra pode também ferir o senhor [59].

Com efeito, naquilo que diz respeito ao tratamento jurídico do trabalho, o desgaste produzido pelo ato de trabalhar é o substrato primário da resistência nas demandas sociais e, a partir daí, na construção do marco normativo justrabalhista moderno. Protege-se o homem no trabalho, em grande medida, pelo sofrimento e deterioração física e psíquica que podem ser ali produzidos, como forma de evitar a ruína corpórea e emocional do sujeito trabalhador, sobretudo em face dos esquemas de apropriação quanto aos frutos dos esforços humanos.

No capitalismo, o relato clássico e pungente dessa exploração é dado por Marx, por exemplo, ao descrever detalhadamente as lutas pela jornada normal de trabalho. Ali, vê-se o sujeito coletivo operário a resistir

---

[59] VIANA, Márcio Túlio. Da greve ao boicote: os vários significados e as novas possibilidades das lutas operárias. *Revista da Faculdade de Direito da UFMG*. Belo Horizonte, n. 50, p. 239-264, jan/ jul., 2007, p. 241.

DIREITO CHINÊS CONTEMPORÂNEO

diante da sanha da exploração máxima do trabalho temporalizado. Isso porque, na conclusão de Marx, para o capital é "o maior dispêndio possível diário da força de trabalho que determina, por mais penoso e doentiamente violento, o limite do tempo de descanso do trabalhador[60]". Então, diante do processo de desumanização promovido, em que o trabalhador torna-se simples meio de produção, é que, mais uma vez, a imagem de um sujeito coletivo que resiste se faz central nas lutas pelas mudanças da legislação fabril.

Em se tratando de Direito do Trabalho, a ideia de sujeito de direito não se encerra no indivíduo detentor de prerrogativas jurídicas. Como resultado do movimento histórico do industrialismo e da resistência operária, o sujeito condicionante da própria liberdade individual de contratar é necessariamente um sujeito coletivo. Premissa estrutural de um sistema que legitima relações assimétricas atomizadas nos contratos individuais, a expressão metaindividual é fundadora da proteção trabalhista. Jacques Le Goff percebe bem a função instituidora do coletivo na esfera trabalhista, ao apontar que "ainda que reconhecido em suas aspirações à intervenção pessoal, o empregado se pensa de início como elemento de um vasto conjunto que o transborda, o exprime, o protege e o defende[61]".

É preciso anotar que a expressão sujeito coletivo não pode ser compreendida como supressão da titularidade da prerrogativa jurídica individual. Não se pode confundi-la com o sentido de sujeito do coletivo, aquele que é apenas súdito e que se submete às normas comuns sem poder constituí--las, sem ter a prerrogativa de resistir a elas e participar da sua formação e transformação. Se o trabalhador aparece como sujeito coletivo é porque justamente a abstração de sua autonomia puramente individual o enfraquece diante da relação assimétrica com o empregador.

Assim, é na chave dos trabalhadores como pessoas diante do Direito que o ramo justrabalhista se constrói, em "uma redescoberta progressiva da dimensão pessoal desse bem [o trabalho], que reconduz a recolocar em primeiro plano não o trabalho como bem, mas o trabalhador como sujeito

---

[60] MARX, Karl. *O capital: crítica da economia política*. Trad. Regis Barbosa e Flávio R. Kothe. São Paulo: Nova Cultural, 1996, p. 379.

[61] No original: "*Bien que reconnu dans ses aspirations à l'intervention personnelle, le salarié se pense d'abord comme élément d'un vaste ensemble qui lui déborde, l'exprime, le protège et le défend*". Tradução dos autores. LE GOFF, *Du silence à parole, cit.*, p. 515.

de direito[62]". O reconhecimento da natureza singular da prestação de trabalho como objeto de negócio jurídico que não se pode dissociar de seu prestador alimenta essa centralidade do sujeito. A negativa do status de trabalhador, juridicamente legitimada por vezes, é, igualmente, mecanismo de manutenção de relações de poder, como no caso da escravidão ou servidão. Assim, parece ser na perspectiva da afirmação de um sujeito trabalhador que resiste duplamente – "pelo direito que se tem, ou mais propriamente, pelo direito positivado, [...] [ou] em face dele, no sentido de um direito ainda não tornado lei[63]" – que o elemento jurídico se encontra com sua força geradora e seu desiderato último.

5. A incorporação do Direito do Trabalho na China contemporânea

A originalidade do fenômeno jurídico no Ocidente é o resultado do alinhamento de uma série de elementos culturais[64]. A noção de obrigação exigível por um sujeito, consubstanciada em atos jurídicos relacionais, que importam ao Direito na medida em que assumem objeto próprio, de significativa repercussão individual e social, estão na base de uma experiência normativa única. Na tradição chinesa, por outro lado, não encontramos em seus elementos originais essas mesmas noções, por razões culturais igualmente singulares. É a plataforma do ritualismo quem dirigiu a sua vida social. Há, mesmo, uma profunda rejeição em relação ao litígio e às formas de resistência. O rito, ao contrário do Direito, é totalizante em sua extensão, ocupa-se das atitudes, dissolvendo a ideia de sujeito, e prescinde de objetos previamente definidos[65].

---

[62] No original: *"L'histoire du droit du travail a été celle d'une redécouverte progressive de la dimension personelle de ce bien [le travail], qui conduit à remettre au premier plan, non pas le travail comme bien, mais le travailleur comme sujet de droit"*. Tradução dos autores. SUPIOT, *Critique du Droit du Travail, cit.*, p. 44.

[63] VIANA, *Direito de resistência, cit.*, p. 44.

[64] RAMOS, *A invenção do Direito pelo Ocidente, cit.* Em direção um tanto quanto distinta, Xiaoping Li traça paralelos entre o confucionismo e as bases do Direito ocidental, para lançar luz sobre as proximidades em conceitos como lei e justiça, pleiteando um conceito ampliado de Direito, a despeito de salvaguardar diferenças. LI, M. Xiaoping. L'esprit du droit chinois: perspectives comparatives. *Revue internationale de droit comparé*, Paris, v. 49, n. 1, p. 7-35, jan.-mar. 1997.

[65] VANDERMEERSCH, Léon. Ritualisme et juridisme. *In* BLONDEAU, Anne-Marie, SCHIPPER, Kristofer (orgs.). *Essais sur le rituel*. V. II. Louvain e Paris: Peeters, 1990, p. 46-48.

DIREITO CHINÊS CONTEMPORÂNEO

A perspectiva da juridicidade e do ritualismo têm, ao fundo, grandezas estruturantes distintas – de um lado a liberdade, de outro, a espontaneidade –, como propõe Vandermeersch, apontando que "a diferença entre os dois conceitos é que a liberdade é uma autonomia não condicionada, enquanto a espontaneidade, no sentido ritualístico do termo, é uma autonomia feita da interiorização do condicionamento pelas formas rituais"[66]. Ambos os sistemas engendram um reconhecimento do homem, mas por caminhos diferentes. Ainda Vandermeersch:

> Um, privilegiando os direitos subjetivos, constrói o regime social sobre o individualismo, enquanto o outro, privilegiando os deveres sociais, extrai a dignidade individual da estruturação da sociedade de acordo com o que devem ser as relações entre seus membros [67].

Tendo a espontaneidade como espinha dorsal, a ordem ritual tende a não exprimir sanções de caráter heterônomo, garantidas por um sistema externo, individualmente acionável. Por exemplo, um das sanções máximas na tradição chinesa, que é a perda da personalidade social ("perda da face"), é espontânea e se coloca em marcha sem um aparelho jurisdicional específico, expressando-se em um sistema de autorregulação e não intervencionismo estatal[68]. Repudia-se, enfim, na China, qualquer abstração, qualquer critério de ordem exterior (como propõe a razão ocidental), visto que se romperia, assim, com essa ordem do mundo inerente, espontânea e em si mesma harmônica.

Por outro lado, é preciso lembrar que os direitos fundamentais do homem, que são pensados dentro das perspectivas normativas da tradição ocidental, são produtos de uma dupla abstração, que em tudo se distancia das expectativas culturais da China em relação às normas de comporta-

---

[66] No original: "*La différence des deux conceptions est que la liberte est une autonomie non conditionnée, alors que la spontaneité, au sens ritualiste du terme, est une autonomie faite de l'interiorisation du conditionnement par les formes rituelles*". Tradução dos autores. VANDERMEERSCH, *Ritualisme et juridisme, cit.*, p. 48.

[67] No original: "*L'un, en privilégiant les droits subjectifs, construit le régime social sur l'individualisme, alors que l'autre, en privilégiant les devoirs sociaux, dégage la dignité individuelle de la structuration de la société conformément à ce que doivent être les rapports entre ses membres*". Tradução dos autores. VANDERMEERSCH, *Ritualisme et juridisme, cit.*, p. 49.

[68] VANDERMEERSCH, *Ritualisme et juridisme, cit.*, p. 54.

mento e à proteção da ação individual. Tais direitos constituem, conforme ensina François Jullien, uma abstração da reciprocidade da relação estabelecida pela norma, isolando a prerrogativa do dever que originariamente a constitui e privilegiando o ângulo protetivo da reivindicação e da libertação frente à obrigação de submeter-se. Além disso, os direitos fundamentais abstraem o homem, isolando-o de todo contexto vital, do animal ao cósmico, da dimensão social à política, absolutizando-o em seu aspecto individual[69]. Essas abstrações dos direitos humanos rompem com toda circunstância natural ou cultural, uma vez que eles, então, se fundam em pressupostos pretensamente universais, que transpõem supostamente qualquer experiência histórica concreta.

Os direitos humanos se constituem, portanto, como resistência política, constantemente renovada em face da sua opressão. Nesse sentido, eles não encontrarão apoio em nenhum dos fundamentos originais do pensamento chinês tradicional. Sob o prisma de sua razão imanente, a sua reivindicação implica na perda da harmonia espontânea, visto que tais direitos seriam reivindicados somente porque essa harmonia teria sido quebrada. É este o argumento que, para Jullien, "é de fato sistematicamente invocado hoje pelos dirigentes chineses para fazer frente à postulação ocidental dos direitos do homem", quando sua violação é denunciada[70].

Sob essas premissas, não é difícil concluir que um regime especial de proteção ao trabalho também não nasceu naturalmente na tradição chinesa. O conceito contínuo de trabalho lançado na experiência oriental é fruto e parte da totalidade ritual, sem gerar uma normatividade própria. Assim, de maneira geral, o tema da proteção ao trabalho humano vai se situar nas reflexões da assimilação global da juridicidade na China, por uma "ocidentalização" progressiva. Ao mesmo tempo, há algumas especificidades nodais. A ideia de sujeito, individual e coletivo, e de resistência pelas vias jurídicas (e para a formação delas) são elementos que, como visto, se

---

[69] JULLIEN, *De l'universel, de l'uniforme, du commun et du dialogue entre les cultures, cit.,* p. 168-178.

[70] JULLIEN, *De l'universel, de l'uniforme, du commun et du dialogue entre les cultures, cit.,* p. 175. No original: *"C'est argument de l'"Harmonie' qui est en effet systématiquement invoqué aujourd'hui par les dirigeants chinois pour faire pièce à la postulation occidentale des droits de l'homme ainsi qu'à la dénonciation que les Occidentaux font de leur violation en Chine"* (em nota de rodapé). Em Chinês, traduz-se direitos do homem por 人權 *rén quán* (em ideogramas simplificados, 人权). 人 *rén* é pessoa, homem. 權 *quán* indica a ação de pesar, de avaliar, e serve, ainda, para dizer poder, sobretudo, o poder político (權力 *quán lì*).

DIREITO CHINÊS CONTEMPORÂNEO

potencializam na normatização do trabalho humano no Ocidente, sobretudo após a modernidade.

Desse modo, o encontro da tradição chinesa com as ideias-força do Direito do Trabalho nos oferece a possibilidade de compreender determinadas nuances culturais que podem, finalmente, contribuir ao debate dos problemas contemporâneos de efetividade na aplicação de normas do trabalho.

No início do século XX, ainda no alvorecer de uma abertura econômica e cultural, as condições de exploração de trabalho na China já eram sabidamente extremas. O tema emerge, por exemplo, no seio da então recém-criada Organização Internacional do Trabalho, com vários relatos de descumprimentos de padrões mínimos em todas as suas dimensões: remuneração, tempo de trabalho, saúde e segurança, trabalho infantil. A regulação, ainda tímida[71], tinha pouquíssimo alcance social. Na leitura de Henry, seria ainda o resultado da tradição imperial de não intervenção do Estado no mundo das relações econômicas, organizadas na linha de uma ética relacional de papeis definidos. O que se constatava, na década de 1920, é que "a concepção de controle estatal de relações entre indivíduos ainda é muito nova na China para encontrar aplicação geral imediata[72]".

Essa, contudo, é uma história que ganha ainda mais complexidades no transcorrer das décadas, sobretudo em matéria de relações e conflitos coletivos do trabalho, celeiro histórico da proteção trabalhista. Também por significativa influência de ideias ocidentais, as greves têm verdadeiro protagonismo no cenário chinês urbano desde o final do século XIX e, especialmente, nas primeiras décadas do século XX, às vésperas da vitória comunista. Numerosas e volumosas, elas foram um importante instrumento no próprio processo de afirmação do Partido Comunista chinês, sobretudo a partir da década de 1920. Assim é que a mudança conceitual noticiada – que faz incorporar ao ideograma de trabalho (勞動 *láo dòng*) a ideia de movimento – se exprime, enfim, na vida política concreta.

---

[71] A regulação provisória do trabalho fabril de 1923, por exemplo, previa idade mínima para o trabalho de 10 anos e não previa qualquer sanção para descumprimento.

[72] No original: "*the conception of state control of the relations between individuals is as yet too new in China to find immediate general application*". Tradução dos autores. HENRY, *Some aspects of the labour protection in China, cit.*, p. 26.

TRABALHO, DO CONCEITO AO DIREITO: ENTRE A CHINA E O OCIDENTE

Entretanto, com a chegada ao poder do Partido Comunista, altera-se completamente a noção de contraposição inerente à greve, diante de um governo que se proclama dos trabalhadores. Após a instalação do regime, a reticência de Zheng exprime o lugar de pouco prestígio que passa a ocupar o Direito do Trabalho, tido como "um 'direito inútil', porque a população ativa urbana era gerida como uma gigantesca função pública[73]". A autora completa, quanto a este momento de incorporação, notando que "os interesses dos trabalhadores e os das empresas eram considerados idênticos"[74]. Aí é que, na síntese de Roux, "os comunistas convidam os trabalhadores à disciplina e à produtividade. Fala-se da necessidade de colaboração entre capital e trabalho[75]".

De modo que, a despeito do protagonismo político assumido pelo movimento operário em um certo momento histórico, na perspectiva jurídica não se cristalizou definitivamente uma tipologia própria, forjada na experiência histórica, de reconhecimento de uma legitimidade continuada do movimento operário em suas agendas e estratégias de ação e resistência. Zheng nota, nesse quadro, a sintomática ausência de termos especiais para classificar as formas de agitação social no prisma jurídico. O termo 闹事 *nào shì* (literalmente causar problema), usado a partir dos anos 50, se referia a todo tipo de desordem ou problemas sociais, desde greves, manifestações, ameaças ou violência. Depois dos anos 70, a expressão 群体性突发事件 *qún tǐ xìng tú fā shì jiàn* – algo como evento coletivo brusco, inesperado – passa a ser utilizada para se referir às greves, em uma neutralidade que atenua o confronto dos agentes envolvidos e "camufla e evita o fundo do problema"[76]. Isso porque o sentido fortuito na expressão gené-

---

[73] No original: "*un 'droit inutile', parce que la population active urbaine était gérée comme une gigantesque fonction publique*". Tradução dos autores. ZHENG, Aiqing. La mise en oeuvre du droit du travail et la culture chinoise. *Revue de Droit du Travail*, Paris, Dalloz, p.195-199, mar. 2007, p. 196.

[74] No original: "*les intérêts des salariés et ceux des entreprises étaient supposés identiques*". Tradução dos autores. ZHENG, *La mise en oeuvre du droit du travail et la culture chinoise, cit.*, p. 196.

[75] No original: "*les communistes invitent les ouvriers à la discipline et à la productivité. On parle de la nécessaire collaboration entre le capital et le travail*". Tradução dos autores. ROUX, Alain. La double méprise: les ouvriers de Shanghai à la veille de la victoire communiste. *Etudes Chinoises*, Paris, v. VII, n. 2, p. 31-68, outono de 1989, p. 58.

[76] ZHENG, Aiqing. Les formes des conflits collectifs du travail et son mécanisme de résolution en Chine. *Revue de Droit du Travail*, Paris, Dalloz, p. 327-331, mai. 2010, p. 327.

DIREITO CHINÊS CONTEMPORÂNEO

rica não encampa a organicidade da greve, termo este que é ainda tabu no Direito chinês[77]. Tal quadro global leva Bouvier a apontar, já em meados da década de 80, uma "subordinação do sindical ao político[78]", com pouco espaço para uma ação operária dinâmica e efetiva.

Os eventos da história recente somam-se, então, às raízes culturais ainda mais profundas das dificuldades na normatização do trabalho na China do século XX. O retraçar do perfil da formação de um Direito do Trabalho chinês[79] apresenta, ao mesmo tempo, uma proliferação de leis a partir da década de 70, resultado da progressiva abertura ao mundo da produção e do comércio internacional, e recupera, por outro lado, a influência das linhas confucionistas e sua repercussão na implementação dessas normas. Elementos como a hierarquia familiar e a tolerância institucional dos empregados no ambiente da empresa, a pouca relevância da expressão do indivíduo e a questão da consciência dos direitos têm papel importante nos problemas de absorção e efetividade das novas normas jurídicas. Zheng aponta, ainda, o peso da doutrina do 中庸 *zhōng yōng*[80], a nutrir uma repulsa à ideia de liderança operária, em detrimento de um desejo de se manter na uniformidade, ao meio[81].

---

[77] Cf. ZHENG, *Les formes des conflits collectifs du travail et son mécanisme de résolution en Chine, cit.*, p. 328. Para uma história detalhada das primeiras greves chinesas, ainda nos século XIX e seu desenvolvimento até as primeiras décadas do século XX, cf. ROUX, Alain. La stratégie léniniste de la grève en Chine: essai de bilan, *Extrême-Orient, Extrême-Occident*, n. 2, L'idée révolutionnaire et la Chine: la question du modèle, Paris, p. 109-137, 1983.

[78] BOUVIER, Pierre. Le travail en Chine et les enjeux de sa modernisation. *Revue Le Travail Humain*, Paris, v. 48, n. 2, p. 181-185, 1985, p. 185.

[79] Para uma versão mais detalhada da história do Direito do Trabalho na China, da mesma autora, cf. ZHENG, Aiqing. Le droit du travail chinois en évolution. *In* ESCANDE-VARNIOL, Marie-Cécile (org.). *Les dix ans du Code du travail Cambodgien*: actes du colloque de Phnom Penh. Phnom Penh: Funan, 2008.

[80] O 中庸 *zhōng yōng*, traduzido por "Doutrina do Meio", é o título de um dos quatro livros mais importantes do Confucionsimo que, conforme sua própria apresentação, contém a regra da mente (心 *xīn*, que, traduzido aqui por mente, significa também inteligência ou coração). Tal regra denota o caminho correto a ser seguido por tudo sob o céu e como o "homem de bem" deve proceder para incorporar em si o caminho do meio, abandonando todas as suas inclinações. LEGGE, James (Org.). *The four books*: the great learning; the doctrine of the mean; Confucian analects; works of Mencius. Chinese-English Edition. Hong Kong: International Publication Society, 19--, p. 1-3.

[81] ZHENG, *La mise en oeuvre du droit du travail et la culture chinoise, cit.*, p. 196-197.

Da mesma forma, na chave do sujeito trabalhador individualmente considerado, a diferença se expressa novamente. Para Zheng, "em razão da tradição chinesa que preconiza a prevalência da coletividade sobre o indivíduo, a proteção das liberdades individuais do cidadão permanece bastante fraca[82]". A repercussão imediata é o acúmulo de descumprimentos específicos nos contratos individuais de trabalho: violações da liberdade no trabalho, da privacidade, integridade física, igualdade de oportunidades, liberdade de expressão, além de fiscalização problemática e sanções de pouca força obrigatória.

A década de 70, que transformou definitivamente o mundo da produção e do trabalho como um todo[83], deixou marcas sensíveis também na realidade chinesa. Agricultura, indústria, ciência e defesa abraçam as ideias de especialização e produtividade e, na visão de Bouvier, uma certa concepção igualitarista que ainda restava da tradição cedeu passo à fragmentação e individualização generalizadas[84]. O processo conduz, então, a novas representações do trabalho, que se colocam ao redor de dois elementos básicos: adesão e desconfiança[85]. A adesão coincide com uma melhora das condições de remuneração e consumo, de base individualizada, e com a valorização da ideia de desigualdade de resultados em virtude do mérito pessoal. A desconfiança coloca-se como o outro lado da moeda, em face da insegurança provocada pela ascensão do mesmo modelo, em termos de permanência de empregos, desemprego e instabilidade.

Tudo isso se soma a um elemento global do capitalismo do século XXI, percebido por Zheng ao apontar uma raiz das dificuldades do Direito do Trabalho na China, que recoloca a discussão da efetividade em termos outros: a tolerância dos empregados em face da situação terrível do mer-

---

[82] No original: *"En raison de la tradition chinoise qui préconise l'emprise de la collectivité sur l'individu, la protection des libertés individuelles du citoyen reste plutôt faible"*. Tradução dos autores. ZHENG, Aiqing. La relation de travail et les libertés individuelles des travailleurs en Chine: problèmes et causes. *In* AUVERGNON, Philippe. *Libertés individuelles et relations de travail: le possible, le permis et l'interdit? Éléments de droit comparé.* Bordeaux: Presses Unviersitaires de Bordeaux, 2011, p. 366.

[83] Sobre as mudanças estruturais no mundo da produção a partir dos anos 70, cf. ANTUNES, Ricardo. *Os sentidos do trabalho: ensaio sobre a afirmação e a negação do trabalho.* São Paulo: Boitempo, 2009.

[84] BOUVIER, *Le travail en Chine et les enjeux de sa modernisation, cit.,* p. 183.

[85] BOUVIER, *Le travail en Chine et les enjeux de sa modernisation, cit.,* p. 183.

DIREITO CHINÊS CONTEMPORÂNEO

cado de trabalho, em que a abundância da mão de obra cria "escravos do capital[86]". As reações, por vezes, são absolutamente trágicas, como é o caso dos suicídios coletivos de trabalhadores, interpretados como a forma mais extrema de protesto diante de práticas absolutamente violentas de exploração do trabalho[87].

De todo modo, por fatores diversos, passa-se por um período de avanços notáveis nas questões do trabalho. Seja pelo crescimento da mobilização interna ou pelas pressões internacionais, a legislação trabalhista expandiu sensivelmente as proteções em matéria individual. Nesse sentido, a atual lei geral dos contratos de trabalho, que entrou em vigor no ano de 2008[88], tem escopo amplo de incidência, disciplina com certo detalhe princípios gerais do Direito do Trabalho, a contratualização obrigatória, elementos centrais na dinâmica de celebração, cumprimento e término do contrato de emprego, uma tipologia contratual (contratos a tempo parcial, de prazo determinado), além de acordos coletivos, fiscalização do trabalho e responsabilidades trabalhistas [89 e 90]. Pode, em escala internacional, ser classificada de protetiva. Os impactos desse quadro normativo do século XXI já

---

[86] ZHENG, *La relation de travail et les libertés individuelles des travailleurs en Chine, cit.*, p. 366-374.

[87] O caso mais famoso de suicídios no trabalho se deu na Foxconn, gigante de tecnologia que produz para outras gigantes como Apple, HP, Dell, IBM, Samsung, Nokia e Hitachi. Em 2010, 18 empregados tentaram suicídio, com 14 mortes, em decorrência das condições extremas de trabalho. Novos casos foram registrados, ainda, em 2013. Cf. CHAN, Jenny, PUN, Ngai. Suicide as protest for the new generation of Chinese migrant workers: Foxconn, global capital, and the state. *The Asia-Pacific Journal,* n. 37-2-10, set. 2010. Disponível em http://www.japanfocus. org/site /make_pdf/3408. Acesso em 03 de junho de 2014.

[88] Um relato detalhado do marco legislatório precedente e os caminhos para a lei de 2008, com os desafios e problemas nos principais campos, é dado por Sean Cooney. Cf. COONEY, Sean. Making Chinese Labor Law work: the prospects for regulatory innovation in the People's Republic of China. *Fordham International Law Journal,* Nova Iorque, v. 30, i. 4, p. 1050-1097, 2006.

[89] Uma tradução não oficial da íntegra da lei, feita pelo Dong Bao Hua Legal Center da East China University of Politics and Law e pela Cornell University, está disponível em http:// digitalcommons.ilr.cornell.edu /cgi/viewcontent.cgi?article=1026&context=intl. Acesso em 5 de junho de 2014.

[90] A lei geral dos contratos de trabalho passou, ainda, por modificações significativas em 2013, sobretudo no que toca a questão da terceirização de mão de obra (*"labour dispatch"*), de extrema relevância no país, com, por exemplo, a adoção de regras mais claras para a qualificação das empresas terceirizantes, admissibilidade e limites, além da afirmação do princípio da igualdade de remuneração.

são significativos, com a expansão do emprego formal, a despeito de ainda permanecerem problemas de efetivação[91].

A evolução dos padrões remuneratórios é fator, igualmente, de enorme expressão, em um quadro de evolução sólida no combate à pobreza extrema[92], que tem no alargamento da proteção social e no Direito do Trabalho uma via de protagonismo[93]. Em suma, no passar das décadas, nota-se que:

> A China fez progressos sem precedentes (...) em termos de desenvolvimento social e econômico globais, incluindo o desenvolvimento do sistema de administração do trabalho, abrangendo reformas no Direito do Trabalho, promoção do emprego, segurança social e as relações de trabalho[94].

[91] Nesse sentido, cf. CHENG, Zhiming, SMYTH, Russell, GUO, Fei. *The impact of China's new Labour Contract Law on socioeconomic outcomes for migrant and urban workers*. Discussion paper n. 51/2013. Monash University. Disponível em http://www.buseco.monash.edu.au/eco/research/papers/2013/5113impactchengsmythguo.pdf. Acesso em 15 de junho de 2014; GALLAGHER, Mary, GILES, John, PARK, Albert, WANG, Meiyan, *China's 2008 Labor Contract Law: implementation and implications for China's workers*. Policy Research Working Paper 6542. The World Bank. Julho de 2013. Disponível em http://elibrary.worldbank.org/doi/pdf/10.1596/1813-9450-6542. Acesso em 18 de junho de 2014.

[92] A China lidera todas as estatísticas internacionais em matéria de combate à pobreza. A Organização das Nações Unidas, em relatório de 2013 sobre os seus objetivos de desenvolvimento do milênio, registrou o quadro geral da evolução: "Na China, a extrema pobreza caiu de 60 por cento em 1990 para 16 por cento em 2005 e 12 por cento em 2010". No original: "In China, extreme poverty dropped from 60 per cent in 1990 to 16 per cent in 2005 and 12 per cent in 2010". Tradução dos autores. Cf. UNITED NATIONS, *The millennium development goals report 2013*. Nova Iorque: UN, 2013, p. 7. Disponível em http://www.un.org/millenniumgoals/pdf/report-2013/mdg-report-2013-english.pdf. Acesso em 05 de junho de 2014.

[93] A Organização Internacional do Trabalho registrou em seu mais recente *World of Work Report* que "a vontade do governo chinês de reequilibrar sua economia e impulsionar o consumo doméstico pelo crescimento dos salários e extensão da cobertura e benefícios da proteção social é encorajadora". No original: *"The Chinese Government's willingness to rebalance its economy and boost domestic consumption by increasing wages and extending social protection coverage and benefits is encouraging"*. Tradução dos autores. Cf. INTERNATIONAL LABOUR ORGANIZATION, *World of work report 2014: developing with jobs*. Genebra: International Labour Office, 2014, p. 56. Disponível em http://www.ilo.org/wcmsp5/groups/public/---dgreports/---dcomm/documents/publication/ wcms_243961.pdf. Acesso em 3 de junho de 2014.

[94] No original: *"China has made unprecedented progress over the past three decades in terms of overall social and economic development, including the development of the system of labour administration covering labour law reforms, employment promotion, social security and labour relations"*. Tradução dos

6. Considerações finais

A esta altura, deve restar clara a questão primeira deste ensaio: as origens dos problemas de efetivação das normas de proteção social na China têm relações que transpõem a perspectiva estritamente jurídica. A imagem de um indivíduo que resiste, figuração genética do Direito do Trabalho ocidental, parece verdadeiramente a antítese da percepção tradicional chinesa do trabalho. Desde o conceito contínuo de trabalho na China tradicional, a ética relacional de posições e a ordem espontânea do mundo, passando por suas transformações contemporâneas, nada parece incitar, por si, o resistir para e pelo Direito. Quando, no curso do século XX o capitalismo, enfim, se implanta definitivamente, uma certa apropriação perversa das heranças culturais se faz acompanhar dos descaminhos sociais da precariedade. Aí é que as muitas camadas da cultura se encontram com a força do presente, e o resistir, ressignificado, torna-se um horizonte de possibilidades.

Referências bibliográficas

ANTUNES, Ricardo. *Os sentidos do trabalho*: ensaio sobre a afirmação e a negação do trabalho. São Paulo: Boitempo, 2009.

ARENDT, Hannah. *The Human Condition*. 2nd ed. Chicago: University of Chicago Press, 1998.

AUVERGNON, Philippe. *Libertés individuelles et relations de travail*: le possible, le permis et l'interdit? Éléments de droit comparé. Bordeaux: Presses Unviersitaires de Bordeaux, 2011.

BIERWISCH, W (ed.). *Die rolle der arbeit in verschiedenen epochen und kulturen*. Berlin: Akademie-Verlag, 2003.

BLONDEAU, Anne-Marie, SCHIPPER, Kristofer (orgs.). *Essais sur le rituel*. V. II. Louvain e Paris: Peeters, 1990.

autores. CASALE, Giuseppe, ZHU, Changyou. *Labour administration reforms in China*. Genebra: International Labour Office, 2013, p. vii. Disponível em http://www.ilo.org/wcmsp5/groups/public/---ed_dialogue/---lab_admin/documents/publication/ wcms_224430.pdf. Acesso em 9 de maio de 2014.

TRABALHO, DO CONCEITO AO DIREITO: ENTRE A CHINA E O OCIDENTE

BOUVIER, Pierre. Le travail en Chine et les enjeux de sa modernisation. *Revue Le Travail Humain*, Paris, v. 48, n. 2, p. 181-185, 1985.

CARTIER, Michel (ed.). *Le travail et ses représentations*. Paris: Éditions des Archives Contemporaines, 1984.

CARTIER, Michel. *Travail et idéologie dans la Chine antique*. In CARTIER, Michel (ed.). *Le travail et ses représentations*. Paris: Éditions des Archives Contemporaines, 1984.

CASALE, Giuseppe, ZHU, Changyou. *Labour administration reforms in China*. Genebra: International Labour Office, 2013. Disponível em http://www.ilo.org/wcmsp5/groups/public/---ed_dialogue/---lab_admin/ documents/publication/wcms_224430.pdf. Acesso em 9 de maio de 2014.

CASTEL, Robert. *Les métamorphoses de la question sociale*: une chronique du salariat. Paris: Gallimard, 1999.

CASTEL, Robert. Trabajo y utilidad para el mundo. *Revista Internacional del Trabajo*, Genebra, v. 115, n. 6, p. 671-678, 1996.

CHAMOUX, Marie-Noëlle. Societés avec et sans concept de travail: remarques anthropologiques. *Anais do colóquio interdisciplinar "Travail: recherche et prospective"*, Lyon, p. 21-40, dez. 1992.

CHAN, Anita. A 'race to the bottom': globalization and China's labour standards. *China perspectives*, Wanchai, n. 46, mar-abr. 2003. Disponível em http://chinaperspectives.revues.org/259. Acesso em 10 de maio de 2014.

CHAN, Jenny, PUN, Ngai. Suicide as protest for the new generation of Chinese migrant workers: Foxconn, global capital, and the state. *The Asia-Pacific Journal*, n. 37-2--10, set. 2010. Disponível em http://www.japanfocus.org /site/make_pdf/3408. Acesso em 03 de junho de 2014.

CHENG, Zhiming, SMYTH, Russell, GUO, Fei. *The impact of China's new Labour Contract Law on socioeconomic outcomes for migrant and urban workers*. Discussion paper n. 51/2013. Monash University. Disponível em http://www.buseco.monash.edu.au/eco/research/papers/2013/5113impactchengsmythguo.pdf. Acesso em 15 de junho de 2014.

CONFUCIUS, Mencius. *Les quatre livres de philosophie morale et politique de la Chine*. Trad. M. G. Pauthier. Paris: Charpentier, 1852.

COONEY, Sean. Making Chinese Labor Law work: the prospects for regulatory innovation in the People's Republic of China. *Fordham International Law Journal*, Nova Iorque, v. 30, i. 4, p. 1050-1097, 2006.

DUN LI. Transformations du système social et modernisation en Chine. Trad. Zhaoyu Kong e Michel Bonnin. *Perspectives chinoises*, n. 25, p. 44-50, 1994.

ESCANDE-VARNIOL, Marie-Cécile (org.). *Les dix ans du Code du travail Cambodgien*: actes du colloque de Phnom Penh. Phnom Penh: Funan, 2008.

ESTADOS UNIDOS DA AMÉRICA. Bureau of Labor Statistics. *International comparisons of hourly compensation costs in manufacturing*. Washington: BLS, 2012. Disponível em http://www.bls.gov/fls/ichcc.pdf. Acesso em 16 de maio de 2014.

GALLAGHER, Mary, GILES, John, PARK, Albert, WANG, Meiyan, *China's 2008 Labor Contract Law*: implementation and implications for China's workers. Policy Research Working Paper 6542. The World Bank. Julho de 2013. Disponível em http://elibrary.worldbank.org/doi/pdf/10.1596/1813-9450-6542. Acesso em 18 de junho de 2014.

GORZ, André. *Metamorfoses do trabalho*: crítica da razão econômica. São Paulo: Annablume, 2007.

HENRY, P. Some aspects of the labour protection in China. *International labour review*, Genebra, n. 15, p. 24-50, 1927.

HESÍODO. *O trabalho e os dias*. Texto Bilíngue Grego e Português. Trad. Alessandro Rolim de Moura. Curitiba: Segesta, 2012.

INTERNATIONAL LABOUR ORGANIZATION, *World of work report 2014*: developing with jobs. Genebra: International Labour Office, 2014. Disponível em http://www.ilo.org/wcmsp5/groups/public/---dgreports/---dcomm/documents/publication/wcms_243961.pdf. Acesso em 3 de junho de 2014.

JAVARY, J. D. Cyrille. *100 mots pour comprendre les Chinois*. Paris: Albin Michel, 2008.

JULLIEN, François. *De l'universel, de l'uniforme, du commun et du dialogue entre les cultures*. Paris: Fayard, 2008.

JULLIEN, François. *Entrer dans une pensée ou des possibles de l'esprit*. Paris: Gallimard, 2012.

JULLIEN, François. *Fonder la morale*: dialogue de Mencius avec un philosophe des Lumières. Paris: Grasset, 1996.

JULLIEN, François. *La propension des choses*: pour une histoire de l'efficacité en Chine. Paris: Seuil, 1992.

LACKNER, Michael, VITTINGHOFF, Natascha (eds.). *Mapping meanings*: the field of new learning in late Qing China. Leiden: Brill, 2004.

LE GOFF, Jacques. Au Moyen Age, une pénitence rédemptrice. *L'Histoire*, Paris, n. 368, Dossier 'Le travail: de la Bible aux 35 heures', p. 58, out. 2011.

LE GOFF, Jacques. *Du silence à parole*: une histoire du Droit du Travail des anées 1830 à nos jours. Rennes: Presses Universitaires de Rennes, 2004.

LEGGE, James (Org.). *The Four Books*: The Great Learning; The Doctrine of the Mean; Confucian Analects; Works os Mencius. [Chinese-English Edition]. Hong Kong: International Publication Society.

TRABALHO, DO CONCEITO AO DIREITO: ENTRE A CHINA E O OCIDENTE

LI, M. Xiaoping. L'esprit du droit chinois: perspectives comparatives. *Revue internationale de droit comparé*, Paris, v. 49, n. 1, p. 7-35, jan.-mar. 1997.

MALICK, Ndoye. *Groupes sociaux et idéologie du travail dans les mondes homérique et hésiodique.* Besançon: Presses Universitaires de Franche-Comté, 2010.

MARX, Karl. *Contribuição à crítica da economia política.* Trad. Florestan Fernandes. 2 ed. São Paulo: Expressão Popular, 2008.

MARX, Karl. *O capital:* crítica da economia política. Trad. Regis Barbosa e Flávio R. Kothe. São Paulo: Nova Cultural, 1996.

MÉDA, Dominique. *Le travail:* une valeur en voie de disparition? Paris: Flammarion, 2010.

MURADAS, Daniela. *Contributo ao Direito Internacional do Trabalho:* a reserva implícita ao retrocesso sócio-jurídico do trabalhador nas Convenções da Organização Internacional do Trabalho. Tese de doutoramento. Belo Horizonte: Faculdade de Direito da Universidade Federal de Minas Gerais, 2007.

ORGANIZAÇÃO INTERNACIONAL DO TRABALHO. Relatório global sobre os salários 2012/13: salários e crescimento equitativo. Genebra: BIT, 2013, p. 23. Disponível em http://www.ilo.org/wcmsp5/groups/public/---dgreports/---dcomm/---publ/documents/publication/wcms_213969.pdf. Acesso em 16 de maio de 2014.

PLATÃO. *A República.* Trad. Maria Helena da Rocha Pereira. 9 ed. Lisboa: Fundação Calouste Gulbenkian, 2001.

PLATO. *Plato in twelve volumes.* V. 5 e 6. Trad. Paul Shorey. Cambridge/London: Harvard University Press/Heinemann, 1969.

RAMOS, Marcelo Maciel. *A invenção do Direito pelo Ocidente:* uma investigação face à experiência normativa da China. São Paulo: Alameda, 2012.

RAMOS, Marcelo Maciel. *Os fundamentos éticos da cultura jurídica ocidental:* dos gregos aos cristãos. São Paulo: Alameda, 2012.

ROUX, Alain. La double méprise: les ouvriers de Shanghai à la veille de la victoire communiste. *Etudes Chinoises*, Paris, v. VII, n. 2, p. 31-68, outono de 1989.

ROUX, Alain. La stratégie léniniste de la grève en Chine: essai de bilan, *Extrême-Orient, Extrême-Occident*, n. 2, L'idée révolutionnaire et la Chine: la question du modèle, Paris, p. 109-137, 1983.

SALGADO, Joaquim Carlos. *A ideia de justiça no mundo contemporâneo:* fundamento e aplicação do Direito como *maximum* ético. Belo Horizonte: Del Rey, 2006.

SCHWARTZ, Yves. La conceptualisation du travail, le visible et l'invisible. *Revue l'homme et la société*, Paris, n. 152-153, p. 47-77, 2004/2.

SUPIOT, Alain. *Critique du Droit du Travail.* 2. ed. Paris: Quadrige / PUF, 2011.

UNITED NATIONS, *The millennium development goals report 2013*. Nova Iorque: UN, 2013. Disponível em http://www.un.org/millenniumgoals/pdf/report-2013/mdg--report-2013-english.pdf. Acesso em 05 de junho de 2014.

VANDERMEERSCH, Léon. Ritualisme et juridisme. *In* BLONDEAU, Anne-Marie, SCHIPPER, Kristofer (orgs.). *Essais sur le rituel*. V. II. Louvain e Paris: Peeters, 1990.

VERNANT, Jean-Pierre, VIDAL-NAQUET, Pierre. *Trabalho e escravidão na Grécia antiga*. Trad. Marina Appenzeller. Campinas: Papirus, 1989.

VERNANT, Jean-Pierre. *Trabalho e natureza na Grécia antiga*. *In* VERNANT, Jean-Pierre, VIDAL-NAQUET, Pierre. *Trabalho e escravidão na Grécia antiga*. Trad. Marina Appenzeller. Campinas: Papirus, 1989.

VIANA, Márcio Túlio. Da greve ao boicote: os vários significados e as novas possibilidades das lutas operárias. *Revista da Faculdade de Direito da UFMG*. Belo Horizonte, n. 50, p. 239-264, jan/ jul., 2007.

VIANA, Márcio Túlio. *Direito de resistência*: possibilidades de autodefesa do empregado em face do empregador. São Paulo: LTr, 1996.

VILLEY, Michel. *O Direito e os Direitos Humanos*. Trad. Maria E. A. P. Galvão. São Paulo: Martins Fontes, 2007.

WAGNER, Rudolf G. Notes on the history of the Chinese term for 'labor'. *In* LACKNER, Michael, VITTINGHOFF, Natascha (eds.). *Mapping meanings*: the field of new learning in late Qing China. Leiden: Brill, 2004.

WAGNER, Rudolf G. The concept of work / labor / arbeit in the Chinese world. First Explorations. *In* BIERWISCH, W (ed.). *Die rolle der arbeit in verschiedenen epochen und kulturen*. Berlin: Akademie-Verlag, 2003.

ZHENG, Aiqing. La mise en oeuvre du droit du travail et la culture chinoise. *Revue de Droit du Travail,* Paris, Dalloz, p.195-199, mar. 2007.

ZHENG, Aiqing. La relation de travail et les libertés individuelles des travailleurs en Chine: problèmes et causes. *In* AUVERGNON, Philippe. *Libertés individuelles et relations de travail*: le possible, le permis et l'interdit? Éléments de droit comparé. Bordeaux: Presses Unviersitaires de Bordeaux, 2011.

ZHENG, Aiqing. Le droit du travail chinois en évolution. *In* ESCANDE-VARNIOL, Marie-Cécile (org.). *Les dix ans du Code du travail Cambodgien*: actes du colloque de Phnom Penh. Phnom Penh: Funan, 2008.

ZHENG, Aiqing. Les formes des conflits collectifs du travail et son mécanisme de résolution en Chine. *Revue de Droit du Travail,* Paris, Dalloz, p. 327-331, mai. 2010.

CAPITULO 12
DIREITO DO TRABALHO NA CHINA[1]

AIQING ZHENG[2]

Em 1993, a China se encaminhou na direção da economia socialista de mercado – como ela designa, na sequência das reformas da economia planificada, seu sistema econômico, que combina liberalismo econômico e controle político. Vinte anos depois, apesar das melhorias legislativas em matéria de relações individuais de trabalho, o Direito do Trabalho tem de enfrentar muitos desafios relativos à relação coletiva de poder. Sem o avanço das relações coletivas de trabalho, o equilíbrio do jogo de força será difícil de se estabelecer.

1. O fortalecimento da legislação do trabalho: a ênfase na melhora das relações individuais

O fortalecimento da proteção dos interesses dos trabalhadores se traduz, inicialmente, pela da melhoria da legislação sobre o contrato de trabalho, vez que o empregado individual se encontra em posição vulnerável em relação ao poder discricionário do empregador (A). Em seguida, a melhoria é concentrada sobre o mecanismo de resolução de litígios trabalhistas,

---

[1] O presente ensaio, traduzido por Pedro Augusto Gravatá Nicoli e Lucas Costa dos Anjos, constitui-se em versão de artigo originalmente publicado em francês.

[2] Aiqing Zheng nasceu na China. Depois de se graduar e obter seu mestrado em Direito pela Universidade Renmin da China, ela ali trabalhou como professora durante sete anos. Foi, então, selecionada pelo programa *Law in Europe*, passando um período na França, onde, após, completou também seu Doutorado na *Université Paris I Panthéon-Sorbonne*. Com seu Doutorado, retornou a Universidade Renmin da China, onde é Professora Associada do departamento de Direito Civil e Comercial, orientadora de mestrado e Diretora de Relações Internacionais do Comitê da Faculdade de Direito de Renmin. Passou, ainda, temporada de estudos pósdoutorais no *Institut d'Études Avancées de Nantes*, na França e é a correspondente na China da *Revue de Droit du Travail*.

DIREITO CHINÊS CONTEMPORÂNEO

com vistas a resolver rapidamente disputas individuais e, assim, salvaguardar a paz social (B).

1.1 As mudanças trazidas pela Lei sobre o Contrato de Trabalho para limitar o poder discricionário do empregador

A lei sobre o contrato de trabalho, adotada em junho de 2007 e em vigor desde 2008 (a partir daqui denominada Lei de 2007), em seu capítulo sobre o contrato de trabalho, adotou uma atitude de proteção em relação aos empregados, ao aportar muitas limitações ao poder discricionário da empresa concedido a esta última pela Lei de 1994[3].

A maior inovação introduzida pela Lei de 2007 é o objetivo de lutar contra a precariedade do emprego. Nessa ótica, ela limitou o recurso aos contratos de duração determinada (CDD), ao preconizar a celebração de contratos de duração indeterminada (CDI).

A Lei do Trabalho de 1994 continha um capítulo sobre o contrato de trabalho: as disposições desse capítulo eram impregnadas pela liberdade contratual enraizada no direito comum dos contratos, sem levar em conta as desigualdades reais entre os dois contratantes, que são o empregado e seu empregador. A Lei de 1994 não limitava o recurso aos contratos a prazo determinado e a cláusula penal acordada em caso de não respeito ao prazo de um CDD era legal. Dito isso, o CDD era suscetível de ser celebrado a longo prazo – 3 ou 5 anos – e de conter simultaneamente uma cláusula penal que atingia o empregado quando de sua demissão. O impacto dessas disposições era evidentemente fatal para o empregado. O empregado que quisesse pedir demissão deveria pagar uma quantia para a empresa, vez que ele não teria chegado ao fim de seu CDD. A redução da duração do contrato era generalizada. E, portanto, a empresa se beneficiava de total liberdade e flexibilidade! A Lei de 2007 trouxe limites para o uso do contrato a prazo determinado e incentivou o uso do contrato a prazo indeterminado[4]. Ela circunscreveu a validade das

---

[3] Pierre Borra et Aiqing Zheng, «Les nouvelles dispositions sur le contrat de travail en Chine», Gazette du Palais, nº spécial 2008 (Paris), 6/2008, pp. 30-33.

[4] O artigo 14 obriga o empregador a assinar um contrato a prazo indeterminado, salvo vontade em contrário do empregado, nos seguintes casos: a) quando um empregado tem uma antiguidade de pelo menos dez anos, o empregador é obrigado a lhe conceder um contrato a prazo indeterminado quando da renovação do contrato, desde que o empregado o solicite; b) quando um empregado está sob o regime de emprego vitalício, tem uma antiguidade de

cláusulas penais a duas situações: o descumprimento da cláusula de permanência no emprego em face de formação profissional e a violação da cláusula de não concorrência.

Aplicada por alguns anos, essa lei já contribuiu para reduzir a precariedade do trabalho. Antes de sua promulgação, os empregadores privados renovavam todos os anos ou a cada seis meses o contrato de trabalho. Agora, a duração de um CDD é geralmente estendida a três anos.

A fim de lutar contra os abusos dos empregadores a explorarem as lacunas da antiga lei, a Lei de 2007 também especificou a duração do período de experiência. Ela trouxe, igualmente, especificidades sobre a celebração da cláusula de permanência no emprego por formação profissional e da cláusula de não concorrência, que estavam até então deixadas ao poder discricionário da empresa.

Além dessas alterações sobre o conteúdo do contrato, a Lei de 2007 enfrentou o formalismo contratual. Até então, a ausência de um contrato escrito prejudicava os interesses dos trabalhadores e também pesava sobre as relações de trabalho: na ausência de um contrato escrito, alguns árbitros ou juízes classificavam a relação entre o trabalhador e a empresa como relação de contrato civil, em vez de qualificá-la como relação de emprego. Para que o Direito do Trabalho assegure aos empregados uma função protetora, o contrato de trabalho escrito é agora obrigatório. A nova lei exige a celebração de um contrato desse tipo durante o primeiro mês seguinte ao começo do trabalho e prevê duas sanções em caso de não cumprimento: um salário em dobro e uma presunção de duração indeterminada. Em caso de não celebração de contrato escrito um ano após o início do trabalho, o empregador faltoso se vê obrigado a pagar ao empregado um salário em dobro pelos 11 meses passados sem contrato escrito e vê o CDD requalificado em CDI.

A prática lucrativa da terceirização é enquadrada pela primeira vez. Antes da Lei de 2007, essa prática, que se baseia em uma relação triangular entre um empregado, uma empresa que fornecia a mão de obra e uma empresa que utilizava a mão de obra, era de uso corrente. Tanto as

---

pelo menos dez anos e está a menos de dez anos de idade de aposentadoria, o empregador é obrigado a lhe conceder um contrato a prazo indeterminado, a menos que o empregado se recuse; c) quando da segunda renovação de um contrato a prazo determinado, o empregador é obrigado a conceder um contrato a prazo indeterminado ao empregado.

empresas de fornecimento de mão de obra, quanto as empresas usuárias de mão de obra externa, abusavam dela. A Lei de 2007 pretendeu limitar seu uso generalizado. Tendo, contudo, os meios a viabilizá-lo concretamente restado vagos[5], este objetivo não foi alcançado. Isso levou o legislador a adotar medidas mais restritivas na matéria. A lei, conforme modificação em dezembro de 2012, fixa novas condições para o uso de mão de obra externa.

Duas novas disposições enquadram as atividades dessas empresas. A Lei sobre o contrato de trabalho de 2007 havia definido apenas uma condição: a sociedade que fornecesse a mão de obra deveria ter um capital social de, pelo menos, 500.000 yuans, ou seja, cerca de 50.000 euros. Em razão das fortes perspectivas de lucro, essa soma não era difícil de reunir. Portanto, não é surpreendente que o número dessas empresas tenha aumentado rapidamente. A partir de agora, as empresas que praticam a terceirização devem obter uma autorização administrativa. Além disso, o limite de entrada nesse ramo de negócio foi aumentado: o capital mínimo agora é de 2 milhões de yuans. Essas duas novas exigências destinam-se a eliminar do mercado empresas menos competitivas.

Outras disposições se propõem a aumentar a segurança dos empregados temporários em seus postos de trabalho. A Lei de 2007 já tinha se proposto a limitar o uso de postos temporários e de empregos auxiliares, sem, contudo, definir esses conceitos. As novas disposições trazem esclarecimentos:

- A duração do emprego temporário não pode ser superior a seis meses;
- O posto de auxiliar visa a fornecer um suporte aos postos principais, é dizer, ele apoia as atividades principais;
- Uma substituição é obrigatória para todo empregado temporariamente em licença ou em formação.

Já afirmado pela Lei de 2007, o princípio do "trabalho igual, salário igual" é reafirmado. No entanto, ele permanece não aplicado na prática: a discriminação em matéria de condições de trabalho de empregados ter-

---

[5] Aiqing Zheng, «L'encadrement de la mise à la disposition de main-d'oeuvre et ses problémati--ques en Chine», publié au Bulletin de droit comparé et de la sécurité sociale (*Revue de droit comparé du Travail et de la Sécurité Sociale*), Bordeaux, 2009, pp. 59-79.

ceirizados em uma empresa é abertamente admitida. O respeito ao referido princípio nos locais de trabalho é ainda difícil de avaliar, embora o texto da emenda preveja que, em caso de ausência de salário-base dentro da empresa, o salário do empregado terceirizado será determinado em função do salário local em um posto similar.

1.2. As mudanças no mecanismo de resolução de litígios trabalhistas e as vias legais a permitirem que os empregados defendam seus interesses

A lei sobre a mediação e arbitragem de litígios trabalhistas, que entrou em vigor a partir de 1º de maio de 2008, introduz novos direitos para os trabalhadores. Os quatro pontos mais importantes são os seguintes:

1. A arbitragem tornou-se gratuita. Essa é uma etapa obrigatória para o empregado antes de ele recorrer ao juiz. Antes da aplicação da nova lei, a arbitragem lhe custava um quarto ou um terço de seu salário mensal. Isso constituía um obstáculo financeiro para os empregados, e especialmente para os migrantes provenientes de zonas rurais, dissuadindo-os, assim, da defesa pelos meios legais, em vez de recorrerem a ações violentas. Tal uso da força foi, aliás, frequentemente constatado na primeira década desse novo século.

2. A regulamentação relativa às provas é mais favorável aos trabalhadores. O artigo 6 da Lei prevê que o empregador é obrigado a fornecer as informações e as provas de que dispõe. Caso contrário, o julgamento será pronunciado em desfavor do empregador. Até então, os empregados encontravam dificuldades no estabelecimento da prova dos fatos.

3. A prescrição extintiva passa de dois meses a um ano, o que facilita a busca de um juiz ou de um árbitro pelo empregado. Na verdade, verificou-se que o prazo de prescrição de dois meses não permitia que os empregados ajuizassem uma ação adequada contra seu empregador.

4. Algumas sentenças arbitrais têm força obrigatória para o empregador. A nova lei limita os recursos contenciosos para o empregador. Assim, no quadro de litígios sobre o não pagamento de salário ou de indenização devida ao trabalhador, desde que o montante não

DIREITO CHINÊS CONTEMPORÂNEO

exceda doze meses do salário mínimo local, o empregador não pode apresentar recursos para os juízes se estiver em desacordo com a sentença do árbitro.

A despeito desses avanços, ainda resta muito a fazer para preencher as lacunas da legislação em matéria de relações de trabalho: a China ignora ainda largamente a relação de trabalho em sua dimensão coletiva.

2. As lacunas do Direito do Trabalho: as relações coletivas de trabalho amplamente ignoradas

O Governo Central se propõe a promover a participação dos trabalhadores nos resultados do desenvolvimento econômico, conforme o novo plano quinquenal (2011-2015). Como realizar esse objetivo em acordo com todos os atores da empresa? É claro que não é possível que um empregado negocie individualmente com seu empregador o salário e as horas extras. A esse respeito, a intervenção do sindicato ou dos representantes dos empregados é indispensável. Mas, enquanto os direitos sindicais sejam restritos, (A) o desenvolvimento da negociação coletiva permanece incerto, embora necessário ao futuro (B). Além disso, a ausência total de regulamentação da greve revela que as relações coletivas de trabalho permanecem como o elo mais fraco da legislação trabalhista (C).

2.1. A fraqueza do sindicalismo: seu papel restritivo na empresa

A história do movimento operário chinês é marcada, antes de 1949, pela ausência de autonomia sindical. Emergindo em um contexto de guerras, em uma sociedade "semifeudal" e "semicolonial", o movimento sindical estava fortemente ligado aos partidos políticos: após a Revolução de 1911, o movimento tinha progredido e encontrado, nos anos 1920, apoio tanto do Partido Comunista quanto do Partido Nacionalista. Sua cooperação em 1924 deu forte impulso ao movimento sindical, contexto favorável ao reconhecimento do princípio da liberdade sindical. Depois de 1927, o pluralismo sindical continuou a existir formalmente, mas estava esvaziado de sentido: no contexto da luta entre o Partido Comunista e o Partido Nacionalista, os sindicatos estavam subordinados aos partidos.

Nos anos 1950, os sindicatos deveriam navegar entre duas armadilhas: "economicismo" e "corporativismo", e, assim, restavam servis aos partidos. Nos anos 1960 e 1970, eles eram essencialmente um instrumento do Partido Comunista Chinês (PCC) na luta de classes.

No contexto jurídico atual, ainda existe forte influência do Partido sobre o sindicato, e ainda é impossível se sindicalizar fora do sindicato monopolístico: portanto, essas disposições são incompatíveis com a liberdade sindical definida pelas normas internacionais. Se a Lei de 1950 sobre o sindicato suprimiu o pluralismo sindical de uma forma indireta[6], as duas Leis posteriores, de 1992 e de 2001, estabelecem expressamente a unicidade sindical, subordinando a constituição de toda organização sindical a uma autorização prévia. Assim, a liberdade sindical permanece ilusória no regime político do PCC.

De acordo com a Convenção 87 da Organização Internacional do Trabalho, o pluralismo sindical deve poder ser praticado em todos os casos, mesmo que um regime de unicidade tenha sido, em um certo momento, adotado pelo movimento sindical[7]. Mas, no estado atual dos textos chineses, o pluralismo sindical é impossível. Para o PCC, essa sujeição é considerada uma conquista do movimento operário chinês desde 1921, mesmo depois de mais de 80 anos.

Sendo a unicidade sindical a regra absoluta, só se pode esperar ter um sindicato apto a cumprir sua função essencial: a defesa dos trabalhadores. No entanto, a despeito das muitas atribuições concedidas ao sindicato pelas leis, o sindicato oficial, longe de ser uma organização de defesa dos trabalhadores, continua em primeiro lugar a ser um organismo oficial. De acordo com seu estatuto, o sindicato chinês é uma organização de massas da classe operária sob a direção do PCC e baseado na vontade livre; como uma "correia de transmissão" entre o PCC e a massa, ele constituiu um importante pilar social do regime; ele também é o representante dos interesses dos membros (art. 1).

A dupla natureza do sindicato é visível. Em primeiro lugar, ele tem uma função política a serviço da manutenção do regime. Sua função representativa na defesa dos interesses dos empregados é apenas secundária.

---

[6] O artigo 14 da Lei sobre o sindicato de 1950 prevê: as organizações sindicais de base são estabelecidas nas unidades de produção ou unidades administrativas, tais como fábricas, minas, lojas, fazendas estatais, órgãos governamentais, escolas, etc. Nenhuma outra organização pode desfrutar dos direitos concedidos a organizações sindicais de base.

[7] Liberté syndicale et négociation collective, BIT, Conférence internationale du Travail 81e session 1994, p. 49.

DIREITO CHINÊS CONTEMPORÂNEO

Segue-se, então, que o sindicato tornou-se tanto uma organização política, quanto uma organização reivindicativa. Assim, o sindicato não pode deflagrar uma grave. Seu papel é muitas vezes o de um mediador entre a direção da empresa e os empregados.

No entanto, no artigo 6 da Lei sobre o sindicato de 2001, o papel defensivo e reivindicativo é qualificado como função essencial do sindicato. Isso manifesta a vontade do PCC de fortalecer o papel positivo do sindicato na sociedade chinesa. Na verdade, esse papel positivo pode ser constatado no plano superior. Em geral, no nível da empresa, o papel do sindicato continua a ser essencialmente negativo, ao passo que, na escala superior, a federação sindical desempenha certo papel positivo na promoção da legislação do trabalho e na resolução de conflitos coletivos do trabalho. A título de ilustração, a criminalização pela oitava emenda da Lei Penal em 2010 do não pagamento do salário advindo da má-fé do empregador é atribuída a uma iniciativa da Federação Pan-Chinesa do Sindicato.

Sem ter de mudar sua natureza, o sindicato deve, dentro dos limites das competências que lhe são conferidas por lei, agir ativamente no sentido da reivindicação salarial. Depois de uma década, a promoção da autoridade sindical no quadro da consulta salarial coletiva constitui um aspecto importante da ação sindical, mesmo que ela não esteja ainda claramente afirmada.

2.2 Rumo a uma introdução do mecanismo de consulta (negociação) coletiva para os salários?

Depois de dez anos, uma série de fatores negativos – como a falta de pagamento de salários de ex-trabalhadores rurais vindos para atuar no meio urbano, a estagnação de salários, ou a desigualdade salarial entre gestores e trabalhadores – revelou a ausência de mecanismos de fixação de salários que envolvam os empregados. Seria possível introduzir a consulta coletiva – a denominação oficial na China para evitar o termo negociação coletiva, que é considerado muito antagonista – na determinação do salário? Nada é mais incerto.

Na Lei do Trabalho de 1994 e na Lei sobre o contrato de trabalho de 2007, a celebração de uma convenção coletiva não é prevista como obrigação imposta à empresa. A convenção coletiva e a negociação coletiva sobre os salários ainda estão em fase experimental, ou seja, reservadas a empresas piloto selecionadas em 2002. Os resultados obtidos ao longo dessa dúzia de anos não são conclusivos.

Desde 2008, um regulamento sobre o salário está sendo elaborado, prevendo uma obrigação de negociação entre a empresa e o sindicato. No entanto, em razão notadamente da complexidade dos problemas devidos à desigualdade de salários, as discussões ainda não chegaram a um resultado. Isso porque a desigualdade se manifesta em vários níveis diferentes: as empresas em posição de monopólio (frequentemente públicas) e as outras empresas; os diretores e os empregados em posição de preposto; empregados urbanos e trabalhadores rurais nas cidades, e os trabalhadores contratados diretamente pela empresa e a mão de obra exterior.

Além disso, pelas razões seguintes, não é fácil alterar o modo de fixação do salário: de um lado, os empresários são abertamente contrários a qualquer negociação do salário. Com efeito, desde as reformas de 1978, que fazem do desenvolvimento econômico e da abertura ao estrangeiro o objetivo central da política chinesa, a fixação do salário manteve-se no domínio do poder discricionário do empresário. Além disso, faltam associações empresariais propostas a defender os interesses corporativos na China. Por outro lado, a introdução de um mecanismo de negociação salarial exige sindicatos com as habilidades necessárias em matéria de negociação. Ora, atualmente, a maioria dos sindicatos está habituada somente a organizar competições esportivas ou a distribuir ingressos de cinema. Em outras palavras, ainda há falta de consciência e falta de habilidades, para não mencionar a ausência de qualquer representação sindical em muitas empresas não-públicas.

Apesar de todas essas dificuldades, intelectuais e alguns sindicatos continuam a promover a negociação coletiva como um novo meio de determinação do salário[8]. A falta de resultados encorajadores da experiência da negociação coletiva em curso não impediu a publicação de estudos científicos a esse respeito[9]. Isso não é, contudo, suficiente para justificar otimismo sobre a questão de se saber se o governo central estará, em um futuro próximo, pronto para aceitar a negociação coletiva como principal modo de fixação de salários.

---

[8] Um website sobre a promoção da negociação coletiva por um grupo de intelectuais foi lançado: www.jttp.cn.

[9] Qiao Zheng, «Les différents modes de déclenchement de la négociation collective en Chine», *Revue de Droit Comparé du Travail et de la Sécurité Sociale*, 2/2011, p. 45.

DIREITO CHINÊS CONTEMPORÂNEO

Assim, as condições necessárias para a implementação da negociação coletiva sobre o salário estão longe de serem cumpridas na China. É o mesmo para a greve espontânea de empregados em caso de insatisfação sobre o montante dos salários.

2.3. Qual futuro para a greve?

A Constituição de 1982 atualmente em vigor é silente no que diz respeito à greve: ao contrário das Constituições de 1975 e 1978[10], que tinham explicitamente reconhecido o direito de greve, o recurso a este tipo de ação não é nem reconhecido, nem proibido.

Pela doutrina oficial[11], o pensamento da extrema esquerda está na origem da menção ao direito de greve nas Constituições de 1975 e de 1978, e isso vai de encontro à natureza socialista do regime, além de ser inadequado à situação concreta do país:

> Nossas empresas pertencem ao povo. A cessação do trabalho pela greve se faz em detrimento dos interesses de todo o povo, incluindo a classe operária [...]. Para alguns, a greve constitui uma sanção ao burocratismo. É errado pensar-se assim. Para lutar contra o burocratismo, podemos recorrer aos meios normais, como a denúncia, a acusação, a apresentação de uma queixa, em vez de deflagrar uma greve[12].

Apesar da falta de reconhecimento do direito de greve e da passividade política geral, por vezes os trabalhadores recorrem à greve para fazerem valer suas reivindicações, como nos anos de 1990 e 2000: a greve espontânea manifesta a coragem e um nível de consciência política elevado, permitindo a defesa de seus interesses. A título de exemplo, a greve dos empregados da Honda de 17 de maio e 4 de junho de 2010, na província de Guangdong, marcou bem esta tendência. Ela é única em relação às greves espontâneas anteriores, por duas razões em especial.

Primeiramente, os grevistas manifestaram sentimento de pertença à classe trabalhadora, recorreram à auto-organização e provaram uma grande

[10] Aiqing Zheng, «Les formes des conflits collectifs du travail et son mécanisme de résolution en Chine», *Revue du Droit du Travail,* mai 2010, pp. 327-331.

[11] Zhang Youyu, «Quelques questions sur la modification de la Constitution», *Recueil des articles du droit constitutionnel,* Edition de la masse, 1982, p. 14.

[12] Ibid.

autodisciplina durante sua greve: sem ajuda exterior, eles organizaram a greve pacificamente; escolheram eles mesmos os seus representantes para iniciar negociações com a direção da empresa com o objetivo de aumentar os seus salários e de obter o direito de constituírem seu próprio sindicato.

Os grevistas eram jovens: tratava-se de *"xin sheng dai nong min gong"*, isto é, de representantes da nova geração de trabalhadores migrantes. Nascidos depois de 1980, comumente chamados os *"80 hou"* ("pós-1980"), esses jovens têm qualidades que os distinguem de seus pais. Porque: eles receberam uma melhor educação; a maioria deles terminou o colégio, alguns terminaram o ensino médio, enquanto que na primeira geração de trabalhadores migrantes poucas pessoas tinham completado o colégio e estudado no ensino médio. Essa nova geração tem uma verdadeira consciência de sua situação social e de suas capacidades de ação para melhorar suas condições de trabalho e de vida. Menos propensa do que a antiga geração a aceitar dias longos e duros de trabalho, ela quer viver na cidade, integrar-se e compartilhar os frutos do desenvolvimento econômico de suas comunidades. Mas o seu estatuto na cidade permanece marginal: eles são considerados pelas mídias como pessoas sem raízes no campo, nem na cidade, situação descrita pelo termo *"cheng shi bian yuan ren"*. Recusando esse estatuto, a nova geração tem a coragem de defender sua dignidade no trabalho, e de lutar legalmente contra a negligência, a discriminação ou a exploração devidas às suas origens rurais. Como sublinhado pela greve na Honda, a consciência de classe elevada desta geração está então associada a um alto nível reivindicativo e de formas de auto-organização e de autodefesa.

Em segundo lugar, a resolução dessa greve ilustrou uma atitude prudente do governo local. A intervenção do governo foi feita de maneira indireta, em virtude de uma dupla abordagem: por um lado, o governo incitou a resolução do problema dos salários pela negociação; pelo outro, ele acompanhou a greve com uma mobilização policial mesurada, de modo que a greve não desestabilizasse a vida da comuna. Em relação às greves anteriores, de uma duração de algumas horas, vez que marcadas pela intervenção direta do governo local e pela repressão policial, a greve na Honda, uma das mais longas, durou duas semanas. Ela terminou de uma maneira inédita: por uma negociação de salários entre a companhia e os representantes dos empregados. Além disso, os empregados haviam eleito seus próprios representantes e mandatado um consultor jurídico para iniciar as negociações.

O caso Honda evidentemente relançou o debate sobre a reforma do Direito do Trabalho na China. A ação espontânea dos grevistas incitou os representantes da intelligentsia a preconizar a inclusão do direito de greve na Constituição. Outros intelectuais não compartilham desta opinião e estimam que a atual Constituição (sem proibição nem confirmação) é mais favorável aos empregados, na medida em que ela não impede a eclosão de greves espontâneas, quando necessário. Ao contrário, se o direito de greve estivesse afirmado pela Constituição, existiriam, de acordo com eles, regulamentos estritos visando a impedir a deflagração de greves ou mesmo torná-las impossíveis. Essas discussões restam, afinal, reservadas a um círculo restrito de intelectuais e têm pouco impacto sobre a classe política, para a qual o direito de greve continua a ser um tema particularmente sensível.

Sendo a estabilidade social a maior preocupação do governo central, nós acreditamos que é ainda impossível ver surgir em um curto prazo uma legislação sobre a greve. Para o Comitê de Liberdade Sindical da OIT, "o direito de greve é normalmente reconhecido aos trabalhadores e a suas organizações como um meio legítimo de defesa de seus interesses"[13]. Do ponto de vista chinês, a greve perturba a ordem, o que faz temer que o reconhecimento legislativo do direito de greve não seja muito incitativo[14]. Efetivamente, o silêncio sobre a greve é um meio flexível para o governo tratar dela. Ele prefere tratá-la caso a caso, em vez de conceder o direito de greve a cada um. Além disso, o sentimento geral entre os trabalhadores mostra que eles não estão todos de acordo com a greve. Para muitos deles, ela provoca perturbações da vida cotidiana. Ao verem imagens televisionadas vindas do exterior, mostrando greves nos transportes públicos, eles se sentem felizes de viverem em um país onde a greve não é permitida.

3. Conclusão

Vinte anos após a introdução da economia socialista de mercado, a legislação trabalhista adota uma atitude protetiva em face dos trabalhadores e especifica as obrigações do empregador. Desde a implementação da

---

[13] *Recueil de décision de la Commission de la liberté syndicale,* B.I.T. 1976, Genève, n°291.

[14] É a conclusão de uma reunião sobre a greve da Comissão Permanente do Comitê Político Central do PCC. Chen Ji, *Le syndicat dans la réforme et la réforme du syndicat en Chine,* édition des ouvriers chinois, 1999, p. 143.

Lei sobre o contrato de trabalho, o uso desse contrato constitui o suporte jurídico essencial das relações individuais de trabalho. O aspecto coletivo permanece, ainda, pelo menos inapropriado, senão ignorado, em razão da fraqueza dos sindicatos. No entanto, a inércia do sistema ou da teoria a esse respeito não podem mais eclipsar a realidade social tal como ela se manifesta hoje: por um lado, os trabalhadores tomaram consciência de sua força e habilidade para deflagrar ações coletivas fundadas nos descontentamentos salariais; por outro lado, muitos são os debates relativos à criação de um mecanismo de negociação coletiva. No entanto, ainda é muito cedo para esperar um avanço sistemático neste domínio.

Referências Bibliográficas

BORRA, Pierre; ZHENG, Aiqing. Les nouvelles dispositions sur le contrat de travail en Chine, *Gazette du Palais*, n°spécial 2008 (Paris), pp. 30-33, 2008.

YOUYU, Zhang. Quelques questions sur la modification de la Constitution, *Recueil des articles du droit constitutionnel*, Edition de la masse, p. 14, 1982.

ZHENG, Aiqing. L'encadrement de la mise à la disposition de main-d'oeuvre et ses problémati-ques en Chine, *Bulletin de droit comparé et de la sécurité sociale (Revue de droit comparé du Travail et de la Sécurité Sociale)*, Bordeaux, pp. 59-79, 2009.

ZHENG Aiqing. Les formes des conflits collectifs du travail et son mécanisme de résolution en Chine, *Revue du Droit du Travail*, pp. 327-331, 2010.

ZHENG, Qiao. Les différents modes de déclenchement de la négociation collective en Chine, *Revue de Droit Comparé du Travail et de la Sécurité Sociale*, 2011.

CAPÍTULO 13
EDUCAÇÃO JURÍDICA E PROFISSÕES LEGAIS NA CHINA

FABRÍCIO BERTINI PASQUOT POLIDO

> *"Legal institutions in China are essentially a product of the post-Mao era and continue to evolve".*
> CHEN, Jianfu. *Chinese Law: context and transformation.*
> 2008, p. 148

1. Introdução

A República Popular da China oferece bons exemplos de como transformações radicais no contexto econômico, social e político naquele país levaram a sucessivas crises até a consolidação de um ambiente legal, para além da mera preocupação de formação de quadros para educação jurídica ou para carreiras e profissões legais, a exemplo das representadas pela magistratura, advocacia e procuradorias. Se por um lado ainda existe uma racionalidade estratégica do Estado chinês em reforçar internamente a educação jurídica, com maior influência das vertentes da internacionalização, novas tecnologias e liberalização econômica, todas mediadas por visões da Europa e Estados Unidos, por outro, resta a perspectiva de intensa profissionalização no Direito[1].

Nesse cenário, parece restar pouco espaço para construção de conhecimento acadêmico crítico de base nacional, voltado para uma gama mais ampla de necessidades do gigante asiático; demandas específicas acabam centradas na dinâmica e na velocidade com que a China se lança ao comér-

---

[1] Sobre isso, cf., por exemplo, ERIE, Matthew S. "Legal Education Reform in China through US-inspired transplants", in *Journal of Legal Education*, v. 59, n. 1, 2009, pp. 60 e ss; Veronika TAYLOR, "Legal Education as Development", in STEELE, Stacey, e TAYLOR, Kathryn (ed.). *Legal Education in Asia: Globalization, change and contexts.* London: Routledge, 2009, p. 225 e ss; Wei-Dong XU, "Thirty Years of Legal Education in Mainland of China", in *Contemporary Law Review*, n.01, 2008.

cio, à abertura econômica e às relações internacionais, em particular na primeira década do século XXI, Assim, profissionais do Direito passam a ser moldados para responder a realidades muito distintas daquelas centradas em questões políticas, sociais, culturais dentro do próprio país. Se essa poderia representar uma perspectiva analítica muito generalizante, as evidências principais têm revelado que a produção de advogados e juízes "tecnocratas" constitui fator de inibição das transformações e modernização do direito doméstico chinês[2].

Do ponto de vista de uma narrativa histórica, quatro poderiam ser os momentos para reflexão analítica do tema aqui proposto, fundamentalmente, em suas limitações: de início, parte-se da radical supressão do sistema jurídico interno e de suas instituições por Mao Zedong, no período posterior à ascensão do Partido Comunista ao poder em 1949 (como reação às políticas implementadas pelos Nacionalistas em fase anterior e ao imaginário confucionista sobre o papel do Direito); em seguida, a completa suspensão das atividades concernentes à advocacia em 1957 e o desmantelamento dos tribunais e das universidades entre 1966 e 1976, respectivamente; uma fase de renascimento, com a reconstrução do sistema judicial propriamente considerado, além do reestabelecimento tanto da carreira da advocacia como do sistema educacional superior entre os anos de 1976 e 1980, com as transformações promovidas por Deng Xiaoping; e, por fim, reformas liberalizantes no início do século XXI, especialmente experimentadas após a acessão da China à Organização Mundial do Comércio, em 2002, traduzindo a preocupação do Estado chinês em assegurar certa inserção estratégica nas relações econômicas internacionais e níveis de concorrência com países desenvolvidos, em particular Europa, Estados Unidos, Austrália e Japão, bem como assegurar o exercício de profunda influência sobre o Sudeste Asiático e rivalidade com países da região.

---

[2] O governo chinês tem propugnado pela ideia de que a educação seja pré-condição essencial para desenvolvimento integral do indivíduo. O artigo 46 da Constituição da República Popular da China estabelece que todos os cidadãos têm o direito e o dever de dar continuidade a sua formação educacional. O Artigo 9º da Lei de Educação de 1995 prevê que os cidadãos tenham igualdade de oportunidades de educação, independentemente da nacionalidade, raça, sexo, profissão, condições sociais e crença religiosa. A esse respeito, ver dados da UNESCO, in *World Data on Education*. 6th edition, 2006/07. Disponível em:
<http://www.ibe.unesco.org/fileadmin/user_upload/archive/Countries/WDE/2006/ASIA_and_the_PACIFIC/China/China.pdf>.

EDUCAÇÃO JURÍDICA E PROFISSÕES LEGAIS NA CHINA

Curiosamente, tanto o quadro de formação ou educação superior na área do Direito, ou da atuação prática em carreiras a ela relacionadas, passaram por intensa escala de profissionalização, fincando raízes entre círculos de especialistas e tecnocratas dos órgãos governamentais. Essa percepção tem sido expressiva nos últimos 30 anos, e se faz representar pelo aumento exponencial de universidades e faculdades, pelo alto número de profissionais envolvidos e de iniciativas de educação continuada e profissionalizante[3]. De acordo com o ranking de 2007 da UNESCO para o sistema educacional global na China, o número de alunos matriculados em instituições de ensino superior deveria crescer para o de aproximadamente 9,5 milhões, com uma média de 700 estudantes universitários para 100.000 pessoas, e com uma taxa de escolarização bruta de cerca de 11%. Programas de pós-graduação passariam a acomodar 300 mil alunos e mais de 100.000 estudantes teriam concluído seus graus de mestrado e doutorado anualmente[4].

Como visto no capítulo 1, a influência do legalismo na China não apenas fez transformar o direito positivo chinês em ferramenta para a administração do Governo Central, ou instrumento para a legitimação da complexa burocracia estatal, criada e aperfeiçoada desde a era da Dinastia Qing. Ele também estabeleceu um sistema de direito administrativo extremamente sofisticado, cujo principal mecanismo de resolução de litígios baseava-se na punição, muito mais do que na adjudicação propriamente considerada. Sequer a ideia de separação de poderes embasava as relações entre instâncias governamentais e estatais. A administração da Justiça e de todo corpo de funcionários a ela vinculado era parte do próprio Poder Executivo, do que resultava inevitável confusão entre esferas funcionais e políticas.

Sem a preocupação sobre procedimentos abertos ao debate das partes, como na visão ocidental do *due process*, ampla defesa e contraditório, e considerando estruturas de gestão da Justiça controladas pelo governo central, também não havia um espaço fértil para florescimento das profissões legais na China. Conquanto a administração da Justiça estaria integrada ao imperador e seus oficiais, as atividades de especialistas e profissionais

---

[3] Sobre isso, cf. Ji WEIDONG. "Legal Education in China: A Great Leap Forward of Professionalism", in *Kobe University Law Review*, v. 39, 2005, p. 1 e ss (reconhecendo ditas mudanças como "rápida reação em cadeia" na China).

[4] UNESCO. *World Data on Education*. 6th edition, cit.

do Direito restariam desencorajadas, quando não proibidas, por todas dinastias chinesas[5].

As instituições jurídicas na China, portanto, como na conformação contemporânea, expressam autêntica uma criação da Era Pós-Mao[6], nelas estando compreendidas as intuições judiciárias (tribunais e juízes; procuradorias e força policial) e as demais carreiras do Direito e a elas associadas (advogados, notários públicos). Instituições de arbitragem também têm ganhado destaque na China atual, enfatizando a importância de entidades autorregulamentadas, atuantes nas carreiras jurídicas, mas que não se enquadram na classificação frequentemente seguida pela literatura especializada na China.

Sem incorrer em abordagem exaustiva sobre o tema, o presente capítulo elegeu examinar o tema da educação jurídica e profissões legais na China, partindo da relação existente entre alguns momentos históricos de consolidação das instituições jurídicas e sua situação no presente, tendo em vista a dinâmica das transformações políticas, econômicas, sociais e culturais, que se abrem com a ascensão de Deng Xiaoping ao poder em 1978.

Na primeira parte são analisadas as causas e efeitos do desmantelamento de instituições, como os tribunais, procuradorias e advocacia, bem como do sistema educacional na área do Direito, em especial pela desativação de departamentos e faculdades na Revolução Cultural. São ali destacadas as consequências das políticas do Partido Comunista, iniciadas na década 1950, sob a influência de Mao Zedong, chegando às reformas de abertura deflagradas no final dos anos 1970. Em seguida, o artigo trata dos contornos do ensino jurídico na China e da formação de profissionais do Direito,

---

[5] Segundo CHEN, Jianfu, *Chinese Law: context and transformation*, cit. p. 21, analisando a percepção de Geoffrey MACCORMACK, The Spirit of Traditional Chinese Law (Athens/ /London: The University of Georgia Press, 1996), advogados por exemplo, eram educadamente descritos como "charlatões" ou "truqueiros", e, de modo menos educado, como tigres, lobos ou demônios. *("Indeed, lawyers were politely described as 'litigation tricksters' or 'pettifoggers' and less politely as tigers, wolves or demons")*.

[6] Retoma-se, aqui, a concepção de CHEN, Jianfu, *Chinese Law: context and transformation*, cit. p.149, sobre instituições jurídicas, para designar, amplamente, todas as categorias e autoridades diretamente envolvidas e encarregadas na administração do Direito e na estrutura da Justiça. *("We use the term 'legal institutions' to cover those authorities directly involved in and charged with the administration of law")*.

concentrando-se, especialmente, em certos aspectos relativos à carreira da advocacia e à reforma dos currículos nas universidades. Entre os marcos institucionais, destacam-se os Regulamentos Provisórios da Advocacia de 1980, que consideravam advogados "trabalhadores do Estado", e Lei da Advocacia de 1996, de importância para uma revisão dos papeis, ressaltando-os como "trabalhadores sociais" ou "prático-profissionais", todos submetidos à supervisão do Estado, da sociedade e dos clientes. No que concerne às universidades, reformas foram estabelecidas a partir do ano de 2000, representando os resultados de intensos movimentos de intercâmbio e internacionalização dos currículos jurídicos.

Entre as conclusões do capítulo, encontra-se a formulação de que as reformas modernizadoras de Deng Xiaoping, iniciadas em 1978, foram essenciais para consolidar e remodelar as instituições legais na China, dentro de uma perspectiva mais ampla. Esse dado é corroborado pela restauração do ensino jurídico nas universidades e pelo restabelecimento das atividades de tribunais, procuradorias e da carreira da advocacia. A partir de tais eventos, também seria possível constatar um período de compreensão, até mesmo a incorporação gradual, de alguns valores compartilhados pela tradição jurídica ocidental, como "direitos humanos", "justiça social" e "Estado de Direito". Estes, contudo, permanecem incipientes, em um quadro de transformação que não se afigura radical, todavia, muito mais justificado por políticas econômicas de inserção da China nas relações internacionais contemporâneas, como bem sugere o caso do ingresso do país à Organização Mundial do Comércio.

2. Breve retrospecto histórico: do desmantelamento ao resgate da cultura jurídica na China

O debate sobre a formação e ensino jurídicos e as profissões do Direito na China moderna passa, inexoravelmente, pela própria formação das instituições legais, em especial pela influência e recepção de modelos da tradição jurídica europeia-continental, introduzidos, basicamente, entre o final do século XIX e início do século XX[7]. Ao mesmo tempo em que o governo

---

[7] O sistema de ensino superior do Direito, na China, tem como marco a criação da primeira Faculdade nacional em 1907, ainda sob a dinastia Qing: a Escola Político-Jurídica de Beijing. Em 1909 havia quarenta e sete faculdades de direito, com 12.282 estudantes. O rápido desenvolvimento das instituições legais, com as carreiras de juízes, procuradores e advogados,

DIREITO CHINÊS CONTEMPORÂNEO

nacionalista tentava estabelecer (e gradualmente consolidar) um sistema legal na China, sua destruição foi empreendida nas áreas e regiões ocupadas pelo Partido Comunista, mesmo antes de 1949, ano que simboliza a ascensão de Mao-Tse-Tung ao poder[8].

Com efeito, em setembro de 1949, o que restava de um sistema legal estruturado (e como tal pensado) pelos Nacionalistas, foi integralmente abolido pelo Programa Comum da Conferência Política Consultiva do Povo Chinês[9]. Como visto, um sistema de adjudicatura, independente da hierarquia administrativa do governo central, havia sido introduzido com as reformas da Disnastia Qing[10]. As instituições legais na China (compreendidas pelo Judiciário, auxiliares da Justiça, como promotorias, e Advocacia) resultaram da junção majoritária de estruturas jurídicas típicas do estilo europeu-continental, e de outros do antigo sistema soviético, mantidas desde a década de 1950, particularmente o sistema de procuradorias que integra parte do Judiciário chinês até o presente[11].

A relevância do Programa Comum parece ter sido justamente a de consolidar objetivos de criação de um sistema legal na China e, com ele, estabelecer um corpo Judiciário e de procuradores. O Programa abriu espaço para a promulgação da Lei Orgânica dos Tribunais do Povo de 1952 e da Lei Orgânica dos Procuradores do Povo de 1954. A Constituição chinesa de 1954, por sua vez, expressamente previa a adjudicação "independente" dos litígios pelos tribunais. Como observa CHEN, o esforço de estabelecer um novo sistema legal, naquele momento, não duraria muito tempo;

---

demandava elevação da oferta de vagas pelas instituições estão existentes e que foram mantidas até a Revolução Cultural, como será examinado no item 12.3. A partir do final da década de 1950, iniciava-se a jornada tortuosa das instituições legais, e com ela a supressão dos cursos jurídicos na China. Sobre isso, ver ainda DEPEI, Han; KANTER, Stephen. "Legal Education in China", in *The American Journal of Comparative Law*, 1984, pp. 543 e ss; Mao LING, "Clinical legal education and the reform of the higher legal education system in China", in *Fordham International Law Journal*, v. 30, 2006, pp. 422 e ss.

[8] Cf. Jianfu CHEN, *Chinese Law: context and transformation*. Leiden/Boston: Martinus Nijhoff, 2008, p.147

[9] *The Common Program of The Chinese People's Political Consultative Conference, 1949, adopted by the First Plenary Session of the Chinese People's PCC on September 29th, 1949 in Peking.* (neste capítulo também referido como "Programa Comum"). Disponível em http://www.fordham. edu/halsall/mod/1949-ccp-program.html.

[10] A esse respeito, ver capítulos 3 e 6 da presente obra.

[11] Cf. Jianfu CHEN, *Chinese Law: context and transformation,* cit. p.147

tribunais, juízes e procuradores seriam integrados aos órgãos públicos de segurança, em distintos distritos e instâncias inferiores na China continental, e, posteriormente, em instâncias superiores[12].

Outro exemplo factual a anular esse esforço foi a extinção do Ministério da Justiça, em 1959, e da Procuradoria do Povo, em 1969. Igualmente, a tentativa de estabelecer a carreira da advocacia na China, dentro da concepção do sistema legal doméstico, teria surgido em 1955, mas posteriormente suspensa em 1957.[13] Todas essas reações e medidas, em especial, tinham a ver com rejeição ao Direito, visto como catalisador de certos ideais confucionistas, e que também se materializavam na recorrente perseguição aos pensadores confucionistas na China durante a Revolução Cultural[14]. Ainda segundo o preciso relato de LUBMAN:

> *In that year, China's leaders, greatly concerned at the vehemence of much of the criticism that was expressed during the "Hundred Flowers" campaign of 1956-57, launched a campaign against "rightism." Among the chief targets of the campaign were the legal specialists and the codes and objective standards they had promoted. The specialists had complained about the gaps in the law, the failure to make progress on the new codes, and the disregard of established laws and procedures by many cadres. As a result of the campaign, many legal specialists lost their jobs, codification projects were suspended, legal research almost ended, and the content of legal curricula was greatly politicized[15].*

---

[12] Idem, pp.147-48. As funções dos tribunais foram desmanteladas, como as de julgamento de casos criminais de pequeno potencial ofensivo, que passaram para a polícia, para as organizações nas cidades e em instâncias inferiores das comunas rurais, e para fábricas e escritórios, em unidades de produção. Cf. Stanley B. LUBMAN, "New Developments in Law in the People's Republic of China", in *Northwestern Journal of International Law & Business*, vol. 1, 1979, especialmente p.124.

[13] Idem, p.148.

[14] No item 3.2, Capítulo 3, são analisadas algumas referências a esse contexto. Os pensadores influenciados pelas origens da Escola confucionista dedicavam-se a oferecer aos senhores de Estado chineses as premissas sobre a ideia de governo, como a estreita relação entre a atitude ética do governante (德 *dé*) e a manutenção da ordem social e com o bom governo.

[15] "New Developments in Law in the People's Republic of China", cit., p. 124 (Tradução livre: "Naquele ano (1957), os líderes da China, muito preocupados com a veemência de muitas das críticas expressadas durante a campanha das "Cem Flores", de 1956-1957, lançaram uma campanha contra "direitismo". Entre os principais alvos da campanha, havia os juristas, os códigos e os padrões objetivos que eles promoviam. Os especialistas reclamavam sobre lacunas

O grande divisor de águas, no contexto de retomada das instituições legais, foi justamente o marco normativo erigido com a restauração do sistema judicial a partir de 1976, mediante adoção de um conjunto orgânico de leis específicas orientadas para a criação de tribunais e procuradorias.

Em 1979, especificamente, foi promulgada a nova Lei Orgânica dos Tribunais do Povo (中华人民共和国人民法院组织法), durante a realização do Congresso Nacional do Povo, de 1º de julho[16]. A Lei estabeleceu normas sobre organização e competências dos tribunais estatais da República Popular da China, assim como o funcionamento de outros órgãos auxiliares da Justiça.

Em 1978, a educação jurídica foi reestabelecida em nível superior, e, em seguida, expandida no chamado sistema educacional vocacional[17]. Naquele ano, o sistema de admissões (vestibulares) nas universidades e faculdades havia sido restaurado, com o que as instituições de ensino superior passariam a se recompor e novas seriam fundadas[18]. Com efeito, o objetivo de consolidar o ensino do Direito em nível superior, na China, foi também associado a mecanismos de capacitação profissional, estabelecidos pelos próprios tribunais e procuradorias. A promulgação dos Regulamentos Provisórios da Advocacia, em 1980, sacralizava o papel do advogado como "trabalhador do Estado"[19], ao mesmo tempo em que buscava assentar a estrutura formal da profissão na China na era pós-Mao. A literatura indica profundas transformações nas últimas três décadas, em processo que até hoje se expressa no fortalecimento das carreiras jurídicas. Como destaca Jianfu CHEN:

> *All these legal institutions have undergone major reforms and re-structuring in the last 28 years or so, a process which continues to this day. In strong contrast to*

---

da lei, a incapacidade de fazer progressos sobre os novos códigos e o desrespeito das leis e dos procedimentos estabelecidos por muitos quadros. Como resultado da campanha, muitos especialistas perderam seus empregos, projetos de codificação foram suspensos, a pesquisa jurídica quase desapareceu, e o conteúdo dos currículos jurídicos tornou-se muito politizado").

[16] *Organic Law of the People's Courts of the People's Republic of China of 1979.* Disponível em: http://www.npc.gov.cn/englishnpc/Law/2007-12/13/content_1384078.htm.

[17] Jianfu CHEN, *Chinese Law: context and transformation,* cit. p. 148.

[18] Ji WEIDONG, "Legal Education in China", cit., p. 2.

[19] Criticamente, ver leitura feita por MACCORMACK, *The Spirit of Traditional Chinese Law.* Athens/London: The University of Georgia Press, 1996.

'reforms' in the 1950s and the destruction during the 'Cultural Revolution', these reforms have been carried out within each institution, and are aimed at strengthening each institution and making each of them more professional, independent, and accountable[20].

Observa-se que as mudanças ou ajustes no sistema legal na Era Pós--Mao foram sendo promovidas também por fatores e demandas endógenas às carreiras jurídicas consideradas, portanto, dentro de cada instituição (magistratura, procuradoria e advocacia), como forma de fortalecimento e profissionalização graduais. Na verdade, uma nova configuração das profissões legais na China seria essencial para adequar o funcionamento (no sentido operacional) do sistema jurídico interno chinês, em elevado grau de tecnicidade, às transformações da abertura econômica promovida por Deng Xiaoping.

O quadro aqui descrito é reforçado pela consolidação do Ministério da Justiça chinês, que tem existência independente do sistema dos tribunais e das procuradorias. Ele é órgão estatal envolvido na administração do Direito e também exerce certos poderes quase-judiciais. A história do Ministério da Justiça está associada à Lei Orgânica do Governo Central do Povo, de 1949, tendo sido extinto em 1959 e reestabelecido em 1979, com a atribuição de administrar o sistema judicial chinês, nos termos da Lei Orgânica dos Tribunais do Povo de 1979. Sua característica principal é a de encontrar-se ligado às estruturas burocráticas da Administração estatal, com escritórios encarregados da administração judicial, nos níveis provinciais e municipais. Também conduz a supervisão e monitoramento do sistema jurídico doméstico, do Comitês de Mediação do Povo, em vários níveis, do Instituto de Medicina Forense, das estruturas da carreira da advocacia e sistema notarial, além da publicidade a partir de capacitação jurídica, educação jurídica, disseminação de conhecimento jurídico para o público em geral, como pelas campanhas de popularização do Direito.[21]

---

[20] CHEN, Jianfu, *Chinese Law: context and transformation,* cit., p. 148 (Tradução livre: "Todas essas instituições jurídicas passaram por grandes reformas e reestruturação nos últimos 28 anos mais ou menos, um processo que continua até hoje. Em forte contraste às "reformas" da década de 1950 e da destruição durante a "Revolução Cultural", estas reformas foram sendo realizadas no âmbito de cada instituição, e visam reforçar cada instituição, fazendo cada uma delas mais profissional, independente e responsável").

[21] CHEN, Jianfu, *Chinese Law: context and transformation,* cit., p. 161.

Esse modelo parece apontar para uma considerável centralização das competências administrativas do Estado chinês na conformação das atividades profissionais legais.

Por outro lado, entre as motivações intrínsecas ao ressurgimento das instituições legais na China, no final da década de 1970, haveria a preocupação de o Estado alcançar reformas conducentes com o desenvolvimento econômico, a manutenção da ordem social e a criação de padrões normativos objetivos. Segundo LUBMAN, a "nova ênfase sobre o Direito" representaria parcela de políticas de modernização centradas na racionalidade econômica e na tomada de decisões segundo normas jurídicas[22]. As novas políticas em torno das instituições legais "envolveriam a China na economia mundial, de modo sem precedentes". Transações comerciais seriam, cada vez, mais utilizadas para a importação de tecnologias e maquinários estrangeiros, além da regulamentação de câmbio necessário para financiamento da aquisição dos importados e para empréstimos estrangeiros. Com essas mudanças, a China encontraria a chance para se tornar autêntica parte da "ordem jurídica internacional"[23].

3. Educação jurídica e ensino do Direito

Como examinado, paralelamente à onda de desmantelamento das instituições legais, conduzida por Mao Zedong a partir de 1957, universidades e faculdades de Direito foram completamente fechadas durante a Revolução Cultural, entre 1966 e 1967, tendo sido reabertas a partir de 1978. De fato, tratava-se de uma reação enérgica e de proporções nefastas para todo um período histórico, em que a influência soviética gradualmente perdia espaço na China, e no Ocidente, particularmente, a Europa reconstruía-se a partir de padrões centrados na economia social de mercado, e segundo a marcha do processo de integração regional encetado pelas Comunidades Econômicas Europeias.

No final da década de 1950, acadêmicos e advogados demandavam do regime de Mao Zedong maior independência em suas atuações, de tal modo a questionar a orientação do Partido Comunista sobre a conformação e funcionamento do sistema legal na China em sua totalidade. Dela-

---

[22] "New Developments in Law in the People's Republic of China", in *Northwestern Journal of International Law & Business*, vol. 1, 1979. pp. 122-23.

[23] Idem, p. 123.

EDUCAÇÃO JURÍDICA E PROFISSÕES LEGAIS NA CHINA

tados como burgueses "direitistas" e "traidores", contestadores foram banidos para o campo, a fim de serem "reeducados pelo trabalho braçal". Revistas e periódicos científicos na área do Direito, que publicavam artigos e ensaios críticos, foram censurados e impedidos de circular, em larga medida considerados tributários de uma "noção imperialista de independência judicial".[24] Ingerências políticas radicais do Partido Comunista foram suficientes para frear o desenvolvimento das instituições jurídicas, apesar de componentes do sistema funcionarem de modo absolutamente reduzido (como tribunais e procuradorias isolados). Com o auge da Revolução Cultural, projetos de leis foram arquivados, revistas e suas imprensas tiveram as atividades encerradas, e as instituições de ensino jurídico deram seus últimos suspiros[25].

Compreender a sobrevivência, morte e renascimento das universidades chinesas é algo importante para o tema aqui analisado. Nos primeiros anos da República Popular, com o fechamento de faculdades de direito que funcionavam sob o regime Nacionalista, alguns departamentos de ciências política e de direito foram mantidos justamente para atender, minimamente, às necessidades de estruturas burocráticas, como órgãos de segurança, de polícia, tribunais e procuradorias. A Universidade do Povo, em Beijing, criada em 1950, contava com mais de seiscentos estudantes e uma equipe de setenta e nove professores em 1954. Departamentos de direito foram instituídos em outras universidades no país, como Wuhuan[26], Fudan[27] (em Shangai), e a Universidade de Beijing[28], todas elas submetidas a um processo contínuo de reformas ideológica e estrutural segundo as premissas maoístas.

---

[24] Cf. GELATT, Timothy A.; SNYDER, Frederick E. "Legal Education in China: Training for a New Era", in *China Law Report*, vol. 1980, p. 42.

[25] Idem, p. 42.

[26] http://fxy.whu.edu.cn/

[27] http://www.law.fudan.edu.cn/en/index/?id=1323. O primeiro programa em Direito da Universidade de Fudan foi estabelecido em 1914, sendo ela uma das mais antigas instituições chinesas. Em 1929, especificamente, a Faculdade de Direito foi criada, juntamente das Faculdades de Literatura, Ciências e Comércio. Em 1941 a universidade foi transformada em universidade nacional. Posteriormente, em 1952, a Faculdade de Direito foi incorporada a outras faculdades de Direito na China, do que resultou a criação da Universidade de Ciência Política e Direito da China Oriental.

[28] http://en.law.pku.edu.cn.

O currículo, naquele momento, era dividido em disciplinas que incluíam direito do estado (em versão próxima ao correspondente "direito constitucional" nos países do Ocidente), direito civil e direito criminal. As instituições recebiam apoio da União Soviética, tanto em relação ao modelo de ensino aplicado como aos materiais utilizados[29]. Entre a segunda metade da década de 1950 e 1958, as universidades foram sendo gradualmente esvaziadas, sobretudo quanto ao reflexo da tomada de poder pelos movimentos políticos gestados pelo regime de Mao Zedong em várias regiões da China. Em 1966, após terem formado cerca de dezenove mil estudantes, desde 1949, os departamentos de direito foram definitivamente fechados[30].

Com isso, pode-se verificar que o período mais obscuro na vida das universidades chinesas durou quase vinte anos, passando pela Revolução Cultural; os departamentos de direito foram os últimos a serem reabertos. A Faculdade de Direito da Universidade de Beijing foi a primeira nessa ordem, sendo parcialmente reativada em 1974, dois anos após a reabertura da maioria de outros cursos nas faculdades e escolas chinesas. Em 1977, os exames nacionais de admissão aos cursos superiores foram iniciados para substituir o regime de admissões baseados essencialmente em afiliação político-partidária dos alunos. Em 1979, a Universidade de Beijing admitiu 182 estudantes de direito, número de candidatos bem superior àquele contabilizado para outras áreas. No ano seguinte, foram mais 230 estudantes, dentro de uma universidade de quase oito mil estudantes matriculados[31].

A partir do reestabelecimento das carreiras jurídicas em julho de 1979, com a 5ª Sessão do Congresso Nacional do Povo, parece ser claro que o movimento de reconstrução das instituições superiores deu-se de modo extremamente brusco, dentro de uma lógica de profissionalização burocrática, com certo descompasso relativamente ao desenvolvimento de ambientes universitários voltados para a construção de conhecimento e olhares críticos no campo das ciências humanas e sociais[32]. GELATT e SNYDER

---

[29] Idem, p. 44.
[30] Ibidem.
[31] Idem, p. 45.
[32] A esse respeito, são as impressões de Ji WEIDONG, "Legal Education in China", cit., p. 2; GELATT, Timothy A.; SNYDER, Frederick E. "Legal Education in China: Training for a New Era", in *China Law Report*, vol. 1980, p. 41; KEYUAN, Zou. "Professionalizing Legal Education in the People's Republic of China", in *Singapore Journal of International & Comparative Law*, vol. 7, 2003, p. 159.

consideram que o período correspondeu a um retorno incipiente do país ao contexto de políticas liberalizantes em matéria econômica, social e cultural da década de 1950, além do início de uma nova era de "legalidade socialista", com a promulgação de novas leis e regulamentos em matéria civil, comercial e criminal, além de ressurgimento de revistas e periódicos acadêmicos[33].

A influência da burocracia estatal, contudo, foi marcante. Isso porque, nos primeiros anos da década de 1980, havia seis instituições político-jurídicas na China, todas submetidas à supervisão do Ministério da Justiça, e várias outras universidades já ofereciam cursos de Direito. A educação jurídica passava a ser explorada em diferentes frentes, desde instituições de ensino superior, faculdades, centros de pesquisa, programas de educação continuada para advogados, até cursos informais de massa. Com as medidas adotadas por Deng Xiaoping, esperava-se superar o grande vazio deixado nas décadas anteriores. O pequeno e superexplorado corpo de especialistas sobreviventes às "ordalhas da Revolução Cultural" seria insuficiente, ou mesmo inadequado, para administrar as questões legais de uma sociedade que se modernizava em espantosa velocidade[34].

A reabertura da Universidade de Beijing, em 1977, permitiu a reconfiguração do currículo jurídico na China e das carreiras acadêmicas na área do Direito. No início da década de 1980, o curso de graduação era estruturado em quatro anos, com disciplinas propedêuticas, como teoria política, filosofia, economia política, história do Partido Comunista, lógica, estudo de línguas (chinês e uma língua estrangeira), além de história do direito e teoria do direito. Também outras disciplinas obrigatórias se agregavam ao currículo: direito penal e direito processual penal, direito civil e processual civil, direito do estado, e pensamento jurídico; teoria marxista do direito e do estado; teoria do direito nos sistemas capitalistas; direito de família; direito econômico; direito internacional público e direito internacional privado. Os estudantes não se especializavam nesse contexto. Contudo, em 1979, foi estabelecida uma área de concentração em direito internacional, a primeira na história da educação jurídica na China, sendo o conhecimento em língua inglesa o requisito mínimo para a habilitação[35].

---

[33] "Legal Education in China: Training for a New Era", p. 43.
[34] GELATT, Timothy A.; SNYDER, Frederick E. "Legal Education in China", cit., p. 43.
[35] GELATT, Timothy A.; SNYDER, Frederick E. "Legal Education in China", cit., p. 45-46.

DIREITO CHINÊS CONTEMPORÂNEO

Nos anos seguintes, novas áreas foram estabelecidas, como direito privado, direito econômico, direito penal, direito constitucional e teoria do direito e do estado, além da obrigatoriedade de elaboração de um trabalho monográfico sobre o tema, com a orientação de um professor[36].

Ainda em sequência à reabertura da Faculdade de Direito da Universidade de Beijing, a Faculdade de Direito da Universidade do Povo de Beijing (hoje denominada Universidade de Ciência Política e de Direito da China[37]), também retomou atividades em 1978, destacando-se à época pela preparação de novos materiais didáticos, em tentativa de superação do modelo soviético de ensino jurídico. Outro departamento foi estabelecido na Universidade de Jinan[38], e reaberta a Faculdade de Direito de Wuhuan, com a criação de duas áreas, em estudos jurídicos e de direito internacional[39].

Segundo dados analisados por CHEN, no final de 2003, faculdades de Direito somariam cerca de 560.916 alunos de graduação e 10.876 alunos de pós-graduação[40]. Entre as principais instituições, encontram-se as seguintes: Universidade de Pequim, Universidade Tsinghua; Universidade de Fudan; Universidade de Wuhan; Universidade de Xiamen; e entre as especializadas, a Universidade de Ciência Política e Direito da China; a Universidade de Ciência Política e Direito da China Oriental; e a Universidade de Ciência Política e Direito do Sudoeste da China.

Atualmente, as instituições de ensino jurídico superior chinesas contam com cursos de bacharelado, com duração de quatro anos, e outros programas de pós-graduação (Mestrado e Doutorado[41]). CHEN observa que determinadas distinções nos modelos educacionais de formação jurídica na China desapareceram com o passar do tempo[42]. Não existe mais a divisão rígida entre universidades/departamentos/faculdades ou escolas de Direito, todos voltados para preparação de estudantes para quadros públicos ou governamentais ou para ensino e pesquisa (portanto, car-

[36] Idem, p. 46.

[37] http://www.lawschoolchina.com.

[38] http://www.sicas.cn/School/155/Contents/110720102629136.shtml.

[39] Cf. GELATT, Timothy A.; SNYDER, Frederick E. "Legal Education in China", cit., p. 45-46

[40] Cf. CHEN, Jianfu, *Chinese Law: context and transformation*, cit., p. 167 e ss.

[41] Os cursos de Doutorado na China são equiparáveis ao modelo do "Doctor of Laws", tradicionalmente adotado na Europa continental.

[42] CHEN, Jianfu, *Chinese Law: context and transformation*, cit., p. 167-68.

EDUCAÇÃO JURÍDICA E PROFISSÕES LEGAIS NA CHINA

reiras acadêmicas no Direito), e universidades político-legais, centradas em treinamento de práticos para atuação nas carreiras de procuradoria, órgãos públicos de segurança, tribunais, escritórios de advocacia e órgãos da administração da Justiça[43].

Quanto aos caminhos de especialização endógena às carreiras jurídicas, CHEN observa que, paralelamente ao sistema formal de educação superior na área do Direito, os órgãos do serviço público de segurança, o poder judiciário e as procuradorias desenvolveram, cada qual, seus próprios centros, escolas ou institutos de capacitação profissional na área[44]. Em geral, também são chamados "universidades" ou "faculdades", mas, na realidade, comportam um perfil mais profissionalizante ou encontram-se centradas no objetivo de capacitação técnico-profissional.

A esse respeito, por exemplo, o Ministério da Justiça coordena a Escola Central para Administração Político-Legal e a Escola Central para Administração da Reforma de Quadros Trabalhistas[45], com objetivos de formação profissional. Em geral, como ilustra CHEN, esses centros e escolas mantêm acordos de cooperação com universidades e instituições acadêmicas chinesas e estrangeiras, a fim de estabelecer programas de colaboração em treinamento[46]. E em sentido convergente, a pesquisa jurídica também

---

[43] Com vistas ao modelo hoje existente, em termos de formação jurídica na China, as seguintes instituições são capazes de oferecer titulação e treinamento dentro dos níveis de Graduação, Mestrado e Doutorado: i) universidade e institutos de ciência política e direito, sob a administração do Ministério da Justiça; ii) departamentos e faculdades de direito na maioria das universidades sob a administração do Ministério da Educação; iii) departamentos de direito em universidades subordinadas a outros ministérios ou comissões; iv) departamentos de direito, escolas ou faculdades de direito em universidades subordinadas a governos locais. Existe uma discussão, portanto, de que o ensino jurídico deve permitir três objetivos centrais: fomentar a educação e carreiras científicas no Direito, a educação profissionalizante; e o treinamento profissional de membros da advocacia, magistratura e procuradorias. Sobre isso, cf. Mao LING, "Clinical legal education and the reform of the higher legal education system in China", p. 424 (detalhando os objetivos do Ensino superior na área do Direito na China).

[44] CHEN, Jianfu, *Chinese Law: context and transformation*, cit., p. 167-68.

[45] "Central School for Political-legal Management" e "Central School for Labour Reform Management Cadres". Criticamente, cf. KEYUAN, Zou. "Professionalising Legal Education in the People's Republic of China", in Singapore Journal of Int'l & Comparative Law., vol. 7, p. 159, 2003.

[46] CHEN, Jianfu, *Chinese Law: context and transformation*, cit., p. 168.

DIREITO CHINÊS CONTEMPORÂNEO

tem renascido com certo vigor na China, em alguns centros voltados para internacionalização e direito comparado.[47]

Um dos exemplos ilustrando a importância que, atualmente é dada pela comunidade de profissionais do Direito aos programas de capacitação ou formação continuada, na China, refere-se à Escola de Juízes. Em 1958, a Suprema Corte do Povo criou sua própria "universidade", denominada "Escola Vocacional para Quadros da Magistratura"[48], que teria, até 2007, capacitado cerca de 170.000 funcionários do Judiciário e produzido cerca de 50.000 bacharéis de Direito[49]. Em 1988, foi criado o Centro de Capacitação para Juízes Seniores, atuando conjuntamente com a Comissão Estatal de Educação.

Desde então, como observa CHEN, cerca de 7.000 juízes seniores haviam sido capacitados e a escola, produzido cerca de 590 alunos pós--graduados (em nível de Mestrado e Doutorado). Em 1997, seguindo o modelo das escolas vocacionais, foi criada uma Escola de Magistratura, com a formação de mais de 3.000 juízes sêniores, considerando as estatísticas até o ano 2000[50]. De acordo com as diretrizes fixadas pela Suprema Corte do Povo, todos os juízes são, na atualidade, obrigados a realizar estudos de capacitação profissional, pelo menos a cada três anos[51]. Trata-se da

---

[47] Su LI, *Maybe It Is Happening – Legal Science in Transitional China*. Beijing: Law Press, 2004. Como precedessora do movimento, destaca-se o Instituto de Direito da Academia Chinesa de Ciências Sociais, anteriormente "Legal Research Institute of the Chinese Academy of Social Sciences", criado no final da década de 1950. Cf. GELATT, Timothy A.; SNYDER, Frederick E. "Legal Education in China: Training for a New Era", in China Law Report, vol. 1980, pp. 46-47. Na atualidade, como se sabe, importantes centros de estudos e pesquisas envolvendo China e direito chinês encontram-se situados no exterior, como *Center for Chinese Legal Studies*, da Universidade de Columbia; *The China Center*, da Yale Law School; *Erasmus China Law Centre*, da Erasmus School of Law; The *U.S.-China Institute*, da Universidade da Califórnia. No Brasil, a Universidade Federal de Minas Gerais mantém seu Centro de Estudos Chineses, vinculado à Diretoria de Relações Internacionais (https://www.ufmg.br/dri/tag/centro-de-estudos-chineses).

[48] CHEN, Jianfu, *Chinese Law: context and transformation,* cit., p. 168.

[49] Idem, p. 168.

[50] A Escola Nacional de Juízes ou "National Judges College" (国家法官学院) é um instituto vinculado à Suprema Corte do Povo, responsável pela capacitação de juízes da República Popular da China. Foi criado em 1997, com 12 escritórios regionais, em Beijing, Shangai, Tianjin, Mongolia Interior, Sichuan, Shandong, Heilongjiang, Henan, Gansu, Guangdong, Guangxi, e Jiangsu.

[51] Na presente obra, ver capítulo 6, *Organização Política e Judiciária na República Popular da China.*

adesão, pela China, dos modelos de educação continuada (CLEs) em carreiras específicas do Direito, como na Magistratura.

Apesar do pujante desenvolvimento numérico de universidades, faculdades de direito, de um lado, e de centros profissionalizantes ligados a órgãos judiciais, procuradorias e da advocacia de outro, a crítica ainda reside nos percursos da formação jurídica, em especial quanto à carreira da magistratura. Segundo a precisa observação de CHEN:

> *Considering that a large number of Chinese judges are originally transferred demobilized army personnel or without any formal legal training, such professional education is perhaps not adequate, but certainly valuable in terms of raising the overall standards of the courts and their personnel[52].*

4. Requisitos para formação e qualificação na advocacia

Para a habilitação na advocacia, deve o advogado receber um certificado de qualificação, o qual será emitido por um departamento judicial do Conselho de Estado, após a aprovação do candidato no Exame da Ordem dos Advogados chinesa. Em 2002 houve centralização da aplicação das provas, em base nacional, e elas podem ser prestadas por qualquer indivíduo que tenha completado curso de graduação[53]. Educação jurídica na China e as profissões legais, contudo, não parecem estar tão intimamente relacionadas. De um lado, é certo que o primeiro grau em Direito pode ser obtido

---

[52] CHEN, Jianfu, *Chinese Law: context and transformation*. cit., p. 168. Tradução livre do trecho: "Considerando-se que um grande número de juízes chineses seja originalmente transferido do contingente desmobilizado do exército, ou sem qualquer formação jurídica formal, essa educação profissional, embora não seja a mais adequada, tem sido certamente valiosa em termos de elevar os padrões gerais dos tribunais e do seu pessoal".

[53] Lei da Advocacia da RPC de 15 de maio de 1996, reformada em 2001. O Artigo 6º da Lei estabelece que o Estado institui o sistema de exames uniformes nacionais para a habilitação de advogados, que poderá ser outorgada àqueles que completarem três anos de um curso superior em nível de graduação e tenham sido aprovados nos exames. (*"Article 6 The State institutes a system of uniform national examination for the qualification as a lawyer. The qualification as a lawyer shall be granted by the judicial administration department under the State Council to a person who has acquired three years legal education in an institution of higher learning, or more education or attained an equivalent professional level, or has acquired an undergraduate education in another major in an institution of higher learning, or more education, and has passed the examination for the qualification as a lawyer"*). Disponível em: http://www.npc.gov.cn/englishnpc/Law/2007-12/11/content_1383584.htm.

em nível de Graduação, nas universidades ou faculdades. Todavia, ao portar título equivalente ao bacharelado, em qualquer área diferentemente daquela do Direito, um candidato pode realizar as provas da Ordem; com sua aprovação, ele passa a ser habilitado à prática da advocacia. Entre os dilemas da relação entre formação na área do Direito e a habilitação para a prática da advocacia, observa Lingyun Gao:

> *While the quality of the Chinese legal profession is still very low, Chinese legal education can do almost nothing to help improve the situation if law school training is not implemented as a necessary step for an individual to become a lawyer. Additionally, if legal education does not focus on the practical aspects of legal training, it will fail to distinguish law graduates from non-law graduates in their future legal careers*[54].

Nas grandes dinastias chinesas feudais, os advogados eram considerados, pelo governo, "truqueiros" ou "charlatões do litígio", além de serem alvos de pesadas punições pelo poder estatal[55]. De um lado, essa tradição oficial de desprestígio da advocacia remetia, como examinado anteriormente, às concepções filosóficas de *Li*, com o temor institucionalizado do enfrentamento de um contencioso judicial[56]. Até hoje, a sociedade chinesa, em larga medida, encara com vergonha ou constrangimento a possibilidade de litigar perante os tribunais judiciais. Também não se vislumbra, como moralmente aceitável, o envolvimento em disputas que não possam ser solucionadas de modo consensual ou entre as paredes de um lar, dentro da ideia de hierarquia[57].

---

[54] "What Makes a Lawyer in China: The Chinese Legal Education System after China's Entry into the WTO", in *Willamette Journal of International Law & Dispute Resolution*, vol. 10, 2002, p. 200 (Tradução livre: "Enquanto a qualidade da profissão legal na China seja muito baixa, a educação jurídica não seria capaz de fazer quase nada para ajudar a melhorar a situação, caso a prática não seja implementada como etapa necessária para que um indivíduo se torne advogado. Adicionalmente, se a educação jurídica não se concentrar nos aspectos práticos do treinamento, ela deixará de distinguir entre os graduados em Direito e aqueles graduados em outras áreas, em suas futuras carreiras jurídicas").

[55] Uma excelente descrição é feita por Timoty GELATT. "Lawyers in China: the past decade and beyond", in *New York University Journal of International Law & Politics,* v. 23, 1990-1991, pp. 751 e ss; ver também MACCORMACK, *The Spirit of Traditional Chinese Law. cit.*, p. 11.

[56] Na presente obra, ver capítulos 1 e 3.

[57] GAO, "What Makes a Lawyer in China", *cit.*, p. 212. Na presente obra, ver capítulos 10 e 17.

EDUCAÇÃO JURÍDICA E PROFISSÕES LEGAIS NA CHINA

Como visto, a estrutura da advocacia, na China, foi desmantelada pelo movimento iniciado nos primeiros anos do governo liderado pelo Partido Comunista, com a supressão das carreiras em 1957, e até 1978 não havia, no país, um ambiente para a prática profissional por advogados. O direito de defesa, por exemplo, foi estabelecido pela Lei de Processo Penal, promulgada em 1979, que permitia aos demandados servirem-se de advogados. Somente após a revisão de 1997, a Lei passou a prever o direito de uma representação legal, a instituição de um sistema de júri e a proibição de confissões forçadas por escrito. Nesse contexto de reformas, a presunção de culpa foi transformada em presunção de inocência, mas ainda assim, a hostilidade permanecia em relação aos advogados e ao próprio sistema legal como um todo[58].

Se, de um lado, os Regulamentos Provisórios da Advocacia de 1980 consideravam advogados "trabalhadores do Estado", dedicados a manter (e, não, reverter ou transpor) a adequada aplicação do Direito e proteger os interesses estatais e coletivos e os direitos dos cidadãos, de outro, havia certa desconfiança quanto ao desempenho dos integrantes ou profissionais da carreira. Isso, sobretudo, em virtude do temor de que advogados simplesmente serviriam a cumprir ordens do Estado, em nível equivalente àquele dos procuradores. Em 1996, com a promulgação da Lei da Advocacia, o status da profissão é revisitado: advogados deixam de ser "trabalhadores do Estado" e se convertem em "trabalhadores sociais" ou "prático-profissionais", submetidos à supervisão do Estado, da sociedade e dos clientes[59].

---

[58] Idem, p. 212.

[59] Essa característica marca a diferença substancial entre a profissão da advocacia na China e como ela é praticada no Ocidente, por exemplo, em que o caráter da autonomia e a independência em relação ao Estado se fazem mais presentes. A condição de "profissional liberal" para um advogado, ainda que sujeita a regulamentações da carreira, como pelas Ordens dos Advogados e Comitês da Advocacia nos países, sugere menor interferência do poder estatal; ela se materializa pela oferta de serviços legais de assessoria, consultoria e representação na esfera judicial e arbitral, e também é exposta às relações de concorrência no mercado, podendo transitar entre uma essência artesanal até os modelos da macroempresa e corporações, bem explicitados pela dinâmica atingida pela profissão nos Estados Unidos, por exemplo. No Brasil, nos termos do Art. 2º do Estatuto da Advocacia (Lei nº 9.606 de 1994), o advogado é indispensável à administração da Justiça, presta "serviço público e exerce função social"; seus atos e manifestações são invioláveis.

DIREITO CHINÊS CONTEMPORÂNEO

Com efeito, essa mudança parece ter aperfeiçoado o tratamento dos advogados na China, permitindo que profissionais liberais pudessem ser escrutinados pelos clientes, do ponto de vista do desempenho, com menor ingerência do Estado, como era comum ocorrer anteriormente. Ainda existem, todavia, dificuldades operacionais no exercício da advocacia pública e privada. Em matéria criminal, por exemplo, a colheita e a produção de provas podem depender da atuação de órgãos governamentais, empresas, organizações, e, com frequência, todos eles deixam de cooperar com advogados como faziam no passado, supervisionados pelo poder central chinês[60]. Em litígios criminais, o advogado de defesa é confrontado pelos procuradores de justiça, vinculados à Procuradoria chinesa, a qual tem a tarefa de monitorar judicialmente a atuação dos tribunais e responde diretamente ao Congresso Nacional do Povo[61]. Isso sugere certa injunção política sobre os resultados dos processos, em nítido embate com o princípio da independência dos poderes estatais, como tal propugnado dentro de padrões normativos do modelo de "Estado de Direito" nos sistemas jurídicos do Ocidente.

Criticamente, a situação dos advogados na China também parece envolver a falta de independência e deficiências na formação profissional. No país, a Associação de Todos os Advogados Chineses (中华全国律师协会) – All China Lawyers' Association (ACLA) – é uma entidade representativa autônoma da categoria e está investida de poderes disciplinares sobre as atividades da advocacia[62]. Criada em julho de 1986, ela conta com cerca de 110.000 membros, e tem sido, em certa medida, influenciada pela cooperação travada com a *American Bar Association* (ABA) dos Estados Unidos. Entre seus comitês, um é dedicado à proteção dos direitos de advogados, objetivando a proteção dos direitos e interesses da classe.

Trata-se de uma resposta natural ao percurso de profissionalização e privatização da atuação da advocacia na China, como observado por Sanzhu ZHU.[63] No entanto, seria difícil pensar na plena independência da ACLA em relação ao Ministério da Justiça chinês, ainda que ela seja uma

---

[60] GAO, "What Makes a Lawyer in China", *cit.*, p. 212.

[61] Art. 129 da Constituição da República Popular da China ("The people's procuratorates of the People's Republic of China are State organs for legal supervision").

[62] <http://www.acla.org.cn/>

[63] 'Reforming State Institutions: Privatizing the Lawyers' System.', in HOWELL, J., (ed.). *Governance in China.* Oxford: Rowman and Littlefield. 2004, p. 62.

organização não-governamental. As esferas de influência governamental e de autorregulamentação profissional se encontram imiscuídas no sistema chinês, particularmente pelos esquemas de indicações ou designações e ingerências na gestão daquela entidade[64].

Da mesma forma, a ACLA não dispõe de um mecanismo eficiente de regulamentação da profissão da advocacia, propriamente considerada, ou de competências compartilhadas na área educacional no Direito, como ocorre com a participação na acreditação de instituições de ensino e universidades na área jurídica, nos Estados Unidos e no Brasil, por exemplo. Na leitura crítica de GAO, apesar dos grandes resultados alcançados pela China, ao reconstruir seu sistema de ensino jurídico superior e de qualificação para advogados nas últimas décadas, comparando-se com o enorme contingente populacional no país, o número efetivo de advogados qualificados restaria confrontado com o caráter rudimentar dos serviços oferecidos, além da deficiência na capacitação e experiência profissionais, especialmente nas áreas rurais[65].

A qualificação de profissionais jurídicos também vem sendo desafiada pelas novas tendências de internacionalização do ensino jurídico e da prática da advocacia nas últimas duas décadas. O ingresso da China na Organização Mundial do Comércio, em 2002, representou um dos principais marcos na liberalização dos serviços legais no mercado doméstico, além de impor ao país ajustes estruturais e institucionais significativos em função das obrigações assumidas no sistema multilateral sob as bases do GATT//OMC, também centrados no amplo acesso a mercados e proibições de discriminação de bens, capitais, serviços e tecnologias no trânsito econômico internacional[66].

---

[64] Idem, p. 63.

[65] "What Makes a Lawyer in China", *cit.*, p. 213.

[66] As transformações estruturais ocorridas na China, por força de seu ingresso na OMC, são analisadas no Capítulo 18 da presente obra. Quanto aos reflexos da abertura econômica, participação da China no sistema multilateral do comércio sob as bases do GATT/OMC sobre o ensino jurídico e profissões legais, ver estudo de Lingyun GAO, "What Makes a Lawyer in China: The Chinese Legal Education System after China's Entry into the WTO", *cit.*, pp. 228 e ss. Ainda sobre o tema, cf. KEYUAN, Zou. "Professionalizing Legal Education in the People's Republic of China", in *Singapore Journal of International & Comparative Law*, vol. 7, 2003, p. 177 (apontando para a tendência de internacionalização das práticas da advocacia e dos tribunais domésticos em relação aos horizontes das futuras demandas envolvendo a China na OMC).

DIREITO CHINÊS CONTEMPORÂNEO

Uma das tentativas de resposta, a esse quadro, encontra-se no forte apelo ao ensino jurídico profissionalizante e cursos de pós-graduação direcionados à especialização setorial, tal como propugnado pelo Ministério da Justiça. Ali haveria a ideia de que cursos de Mestrado seriam essenciais, não apenas para superar o modelo do bacharelismo, estruturado na outorga de diplomas de Graduação, mas também para "modernização do sistema legal chinês e um requisito para construção do Estado de Direito"[67]. A oferta de cursos de pós-graduação em Direito, nessa modalidade, permitiria a formação e capacitação de advogados mais aptos a competir no setor de serviços legais, em especial no contexto de acessão da China à OMC[68].

O ensino jurídico e a prática da advocacia na China também vêm testemunhando a intensa influência dos modelos de clínicas e programas de treinamento concebidos no ambiente universitário dos Estados Unidos e suas tendências globais[69]. Com o aumento dos fluxos intercâmbio de professores e advogados norte-americanos em universidades e escritórios de advocacia na China, e mesmo a internalização da advocacia, novas metodologias de ensino e capacitação têm sido adotadas nas universidades, estendendo-se para tribunais e procuradorias. A atuação de ONGs internacionais no país, igualmente, tem proporcionado maior engajamento de cidadãos comuns em determinadas esferas sociais antes dominadas por órgãos e autoridades estatais[70].

Entre 1999 e 2000, como observa PHAN, inaugurava-se a inclusão de práticas e de clínicas nas atividades curriculares e pedagógicas das universidades chinesas e suas faculdades de direito. A medida foi motivada pela intenção de modificar a forma como estudantes de direito aprendiam e

---

[67] ERIE, Matthew S. "Legal Education Reform in China Through US-Inspired Transplants", in *Journal of Legal Education*, vol. 59, n. 1, 2009, especialmente p. 68 (em que o autor ainda ressalta: *"The overriding purpose of the JM is to produce better legal practitioners. The JM is part of an overall shift in the strategy of state legal education from theory to practice or from "legal article, legal principle, legal philosophy" (fatiao, fali, fazhexue) to "legal article, legal principle, legal practice" (fatiao, fali, fashijian)"*).

[68] Idem, p. 68.

[69] Sobre isso, cf. YANMIN, Cai e POTTENGER, J. L. "The "Chinese Characteristics" of Clinical Legal Education", in Frank S. BLOCH (ed.). *The Global Clinical Movement: educating lawyers for social justice*. Oxford [UK]; New York : Oxford University Press, 2011, pp. 87 e ss; ERIE, Matthew S. "Legal Education Reform in China Through US-Inspired Transplants", cit., pp. 60 e ss.

[70] Cf. PHAN, Pamela N. "Clinical Legal Education in China: In Pursuit of a Culture of Law and a Mission of Social Justice", in *Yale Human Rights and Development Law Journal*, vol. 8, 2005, p. 119.

EDUCAÇÃO JURÍDICA E PROFISSÕES LEGAIS NA CHINA

pensavam os problemas sociais dentro do ambiente de ensino superior[71]. Segundo a autora, a reforma do ensino jurídico pelas atividades de clínicas daria oportunidade de transformar o espaço universitário em "campo de discussão para os acadêmicos socialmente mais conscientes" na China, orientados para análise e aperfeiçoamento de uma agenda de questões sociais, envolvendo pobreza e a ideia de empoderamento do cidadão comum pelas instituições do Direito[72].

A influência dos modelos de ensino e prática jurídicas, adotados nos Estados Unidos, parece ter sido decisiva para redimensionar os currículos chineses, representando, como observa Mao LING, mudança significativa do ponto de vista pedagógico e ideológico em relação ao sistema tradicional de educação jurídica[73]. Esse aspecto permitiu que várias universidades nacionais reformulassem seus programas, com a integração dos modelos convencionais de ensino, fundamentalmente baseados em aulas expositivas ou magistrais, às atividades de extensão e treinamento com a comunidade. Com efeito, a preocupação estratégica da academia chinesa encontra-se, igualmente, amparada pelas iniciativas do terceiro setor e associações representando interesses da categoria educacional na área das clínicas e programas de extensão universitária. Dentre eles, destaca-se a criação do Comitês de Educadores em Clínicas Jurídicas em julho de 2002, com a aprovação pela Sociedade de Direito Chinês[74]. A iniciativa tem como objetivos institucionais o de reunir especialistas em programas de extensão e clínicas, órgãos governamentais e outros parceiros, a fim de empreender pesquisas práticas e teóricas relativas a programas chineses e estrangeiros; o de cooperar com outras instituições congêneres no exterior e o de promover o ensino por meio de atividades de clínicas jurídicas na China[75].

---

[71] Idem, p. 120.

[72] Ibidem.

[73] "Clinical legal education and the reform of the higher legal education system in China", in *Fordham International Law Journal*, v. 30, 2006, p. 433. Segundo LING, o apoio da Fundação Ford e de universidades norte-americanas permitiu o desenvolvimento de programas de clínicas, como na Universidades de Beijing, Tsinghua, Remmin, Wuhuan, Zhongnan, Fudan e a Universidade de Política e Direito do Leste da China.

[74] <http://www.chinalawsociety.com/index.asp?infoid=56>. Sobre isso, ver Mao LING, "Clinical legal education and the reform of the higher legal education system in China", *cit.*, p. 433.

[75] Idem, p. 433.

A introdução das clínicas jurídicas e programas de assistência legal também teria contribuído para responder às demandas públicas de justiça social no país, em especial como forma de permitir aos alunos maior contato com questões emergentes na área do Direito, tais como ética, direitos humanos, importância da justiça e equidade, e maior compreensão da sociedade como um todo.[76] Parece existir um consenso de que o mais relevante nesse quadro de reformas do ensino jurídico não seria o número de casos ou de programas envolvidos na atividade de clínica jurídica nas universidades chinesas, mas sim o componente qualitativo em torno da compreensão sobre temas como "Estado de Direito", responsabilidade social para consecução de objetivos de acesso à justiça e compromisso com as carreiras profissionais na área legal[77].

5. Conclusões

Uma leitura crítico-analítica das principais questões em torno da educação jurídica e profissões legais na China deve passar, inexoravelmente, pela compreensão dos papéis e valores atribuídos às instituições legais, segundo visões tradicionais, desde a Velha China, das incursões confucianas de pensamento, até os embates travados pelas políticas estabelecidas no contexto de consolidação do Partido Comunista, com a ascensão de Mao Zedong ao poder e o auge da Revolução Cultural (1966-1967).

Um novo mundo seria descortinado após as reformas modernizadoras de Deng Xiaoping, iniciadas em 1978, atingindo não apenas os setores de agricultura, indústria, comércio e tecnologias, mas também as instituições legais como um todo. O renascimento do ensino jurídico nas universidades, com a reativação de departamentos e faculdades de direito, e o restabelecimento dos tribunais, procuradorias e da carreira da advocacia exemplificam o movimento de maior juridicidade na China contemporânea. Nela, a retórica dos direitos humanos, da justiça social e do "Estado de Direito", enquanto valores disseminados pela tradição jurídica ocidental, passa a ser uma constante ideal, também transportados para novos modelos de ensino jurídico no futuro, particularmente pelo intercâmbio de experiências com Estados Unidos e Europa.

---

[76] .Mao Ling, "Clinical legal education and the reform of the higher legal education system in China", *cit.*, p. 434.

[77]

EDUCAÇÃO JURÍDICA E PROFISSÕES LEGAIS NA CHINA

O ingresso da China à Organização Mundial do Comércio, em 2002, por seu turno, não deu vida apenas às reformas liberalizantes que ainda percorrem o início do século XXI, de ajustes estruturais significativos para economia interna, mas também continua a pressionar o país para novas reformas das instituições legais. Dentre elas, destacam-se a reformulação de currículos jurídicos nas universidades, a especialização endógena de integrantes de órgãos ligados ao judiciário chinês, como também elevado nível de demanda por profissionalização no quadro da advocacia e a internacionalização da prática.

Referências bibliográficas

ALFORD, William P. 'Tasselled loafers for barefoot lawyers: transformation and tension in the world of Chinese legal workers', in *China Quarterly* n. 141, 1995, p. 22-38.

CHEN, Jianfu. *Chinese Law: context and transformation.* Leiden/Boston: Martinus Nijhoff, 2008.

DEPEI, Han e KANTER, Stefen. "Legal Legal Briefs: U.S. Training Programs for Chinese Legal Professionals", in *China Exchange News,* Vol. 22, n. 4, 1994, p. 31-35.

DEPEI, Han; KANTER, Stephen. "Legal Education in China", in *The American Journal of Comparative Law,* 1984, p. 543-582.

ERIE, Matthew S. "Legal Education Reform in China Through US-Inspired Transplants", in *Journal of Legal Education,* vol. 59, n. 1, 2009, p. 60-96.

FAIRBANK, John King; GOLDMAN, Merle. *China: uma nova história.* 3ª. ed. Porto Alegre: L&PM, 2008.

GAO, Lingyun. "What Makes a Lawyer in China: The Chinese Legal Education System after China's Entry into the WTO", in *Willamette Journal of International Law & Dispute. Resolution,* vol. 10, 2002, p. 197-235.

GELATT, Timothy A.; SNYDER, Frederick E. "Legal Education in China: Training for a New Era", in *China Law Report,* vol. 1980, p. 41-61.

GELATT, Timothy A. "Lawyers in China: the past decade and beyond", in *New York University Journal of International Law & Politics,* v. 23, 1990-1991, p. 751-794.

HAICONG, Zuo. "Legal education in China: Present and future", in: *Oklahoma City University Law Review,* v. 34, 2009, p. 51-65.

HERMAN, Richard A. "Education of China's Lawyers", in *Albany Law Review,* vol. 46, 1981, p. 789-804.

HSIA, Tao-tai. "Sources of Law in the People's Republic of China: Recent Developments", in: *The International Lawyer,* vol. 14, n. 1, 1980, p. 25-30.

JIANFAN, Wu. "Building New China's Legal System", in *Columbia Journal of Transnational Law,* vol. 22, 1983, p. 1-40.

KEYUAN, Zou. "Professionalizing Legal Education in the People's Republic of China", in *Singapore Journal of International & Comparative Law,* vol. 7, 2003, p. 159-182.

LI, Su, *Maybe It Is Happening – Legal Science in Transitional China.* Beijing: Law Press, 2004.

LING, Mao. "Clinical legal education and the reform of the higher legal education system in China", in *Fordham International Law Journal,* v. 30, 2006, p. 421-34.

LO, Carlos Wing-Hung. *China's legal awakening: legal theory and criminal justice in Deng's era.* Hong Kong University Press, 1995.

LO, Carlos Wing-Hung; SNAPE, Ed. "Lawyers in the People's Republic of China: A study of commitment and professionalization", in *The American Journal of Comparative Law,* 2005, p. 433-455.

LUBMAN, Stanley B. "New Developments in Law in the People's Republic of China", in *Northwestern Journal of International Law & Business,* vol. 1, 1979. p. 122-133.

MACCORMACK, Geoffrey. *The Spirit of Traditional Chinese Law.* Athens/London: The University of Georgia Press, 1996.

MACDONALD, R., "Legal education in China today", in *Dalhousie Law Journal,* vol. 6, n. 2, 1980, p. 313-17.

MINZNER, Carl F. «The rise and fall of Chinese legal education», in *Fordham International Law Journal,* vol. 36, n. 2, 2013, p. 335-396.

PHAN, Pamela N. "Clinical Legal Education in China: In Pursuit of a Culture of Law and a Mission of Social Justice", in *Yale Human Rights and Development Law Journal,* vol. 8, 2005, p. 117-152.

SHAN, Wenhua. "Legal Education in China: The New Outstanding Legal Personnel Education Scheme and Its Implications", in *Legal Information Management,* vol. 13, 2013, pp. 10-24.

TAY, Alice Erh-Soon e KAMENKA, Eugene. "Law, Legal Theory and Legal Education in the People's Republic of China", in *NYY School Journal of International & Comparative Law,* vol. 7, n. 1, 1986, p. 1-38.

TAYLOR, Veronika. "Legal Education as Development", in STEELE, Stacey e TAYLOR, Kathryn (ed.). *Legal Education in Asia: Globalization, change and contexts.* London: Routledge, 2009, p. 215-30.

WEIDONG, JI. "Legal Education in China: A Great Leap Forward of Professionalism", in *Kobe University Law Review,* v. 39, 2005, p. 1-21.

WEIFANG, He. 'China's Legal Profession: The Nascence and Growing Pains of a Professionalized Legal Class', in *Columbia Journal of Asian Law*, vol. 19, n. 1, 2005, p. 138-51.

WING-HUNG LO, Carlos. "Socialist Legal Theory in Deng Xiaoping's China", in *Columbia Journal of Asian Law*, vol. 11, 1997, p. 469-487.

XIANYI, Zeng. 'Legal Education in China', in *South Texas Law Review*, vol. 43, 2002, p. 707-16.

XU, Wei-Dong. "Thirty Years of Legal Education in Mainland of China", in *Contemporary Law Review*, n. 01, 2008.

YANMIN, Cai e POTTENGER, J. L. "The "Chinese Characteristics" of Clinical Legal Education", in Frank S. BLOCH (ed.). *The Global Clinical Movement: educating lawyers for social justice*. Oxford [UK]; New York : Oxford University Press, 2011, p. 87-104.

ZHU, Sanzhu. 'Reforming State Institutions: Privatizing the Lawyers' System.', in HOWELL, J., (ed.). *Governance in China*. Oxford: Rowman & Littlefield. 2004, pp. 58-76.

PARTE 3
DIREITO E RELAÇÕES INTERNACIONAIS NA CHINA

CAPÍTULO 14
DIREITO INTERNACIONAL
E RELAÇÕES INTERNACIONAIS NA CHINA

LUÍSA FERNANDA TURBINO TORRES

1. Considerações iniciais

No campo das Relações Internacionais, a China é um dos países mais estudando no meio acadêmico. Contudo, compreender o comportamento do país em termos de direito internacional, atuação nas Organizações Internacionais e suas relações exteriores ultrapassa a esfera das Teorias de Relações Internacionais.

Esse artigo busca compreender um pouco mais a história do direito internacional na China nos últimos 60 anos e as mudanças na abordagem realizadas pelo novo governo a partir de 1949; os conceitos de regionalismo e multilateralismo na forma como são explorados pela China e suas relações exteriores e; o papel da China nos principais temas constantes na agenda internacional e seu papel na economia e política global.

Interessante notar, antes de mais nada, como o componente cultural e outras questões arraigadas domesticamente na China são determinantes na construção da maior parte dos pensamentos científicos sobre o país.

Na primeira parte desse trabalho, fazemos uma análise do retrospecto do Direito Internacional na china nos últimos anos, referenciando seus principais marcos. Além disso, analisamos também a relação de Taiwan, Hong Kong e Macau com o maior envolvimento da China com a comunidade internacional, além de trazermos a atual situação dessas regiões. A seguir, refletimos sobre a atenção dada pela China ao regionalismo e o multilaterismo no continente asiático através de seu envolvimento com instituições regionais. Por fim, discorremos sobre as relações internacionais e aspectos da política externa do país, com ponderações importantes acerca do status de emergente atribuído ao país.

2. Retrospecto do Direito Internacional na China

Um dos estudos mais significativos sobre a China e o Direito Internacional foi realizado pelo chinês Xue Hanqin em 2011. Hanqin é diplomata e possui um notável trabalho em organizações internacionais e regionais. Em seu trabalho *"Chinese Comtemporary Perspectives on Internacional Law"*, traz uma visão do Direito Internacional na China nos últimos 60 anos, com maior ênfase nos últimos 30, quando o país passou a integrar o sistema jurídico internacional através da abertura e reforma econômica[1].

O desenvolvimento do direito internacional na China pode ser dividido em duas fases. Em primeiro lugar, de 1949-1978, período no qual o país perdeu seu assento nas Nações Unidas e não fez parte da maioria dos processos legislativos internacionais. A segunda fase seria a partir de 1978, após as reformas e a maior abertura do país, que modificou a abordagem sobre o direito internacional. Segundo Hanqin, até 1978,

> [...] a China foi muito crítica do direito internacional tradicional que protegia principalmente os interesses das potências coloniais e imperialistas, em detrimento das nações e povos mais subdesenvolvidos. De certa forma, o país socialista recém-criado foi percebido como 'um oponente, um desafiante e um revolucionário' para a ordem jurídica sob o domínio ocidental[2].

Quando a República Popular da China foi criada[3], o contexto de disputa ideológica e militar entre o bloco socialista e o mundo ocidental fez com que o comportamento do novo país em relação ao direito internacional

---

[1] HANQIN, Xue. Chinese *Contemporary Perspectives on International Law: History, Culture and International Law,* in Recueil des Cours vol. 355 (2012).

[2] Tradução livre. *"China was very critical of traditional international law that primarily protected the interests of the colonial and imperialist powers to the detriment of most undeveloped nations and peoples. In a way the newly established socialist country was perceived as 'an opponent, a challenger and a revolutionary' to the exiting legal order under the Western dominance".* HANQIN, Xue. *Chinese Contemporary... Op. cit.* p. 57-58

[3] Hanqin discute o que significa a proclamação da República Popular da China em 1949. De acordo com o autor, o ato representou, legalmente, apenas uma troca de governo. Mas o processo revolucionário, que culminou em reformas profundas coerentes com o sistema socialista de governo, fez com que o país, a partir de então, fosse chamado de "Nova China" ou "Nova Nação". Esse aspecto traz alguns importantes reflexos, já que significa que, com a revolução, a república popular da China não trouxe consigo a identificação com o governo anterior, inclusive em termos de política externa.

DIREITO INTERNACIONAL E RELAÇÕES INTERNACIONAIS NA CHINA

fosse amplamente influenciada pela União Soviética[4].A Teoria Marxista, portanto, era dominante nos estudos jurídicos, tanto domésticos quanto internacionais, o que fazia com que o sistema internacional fosse compreendido como um instrumento do capitalismo ocidental, e não como uma ordem universal.

Nas décadas de 1950 e 1960, um grande número de colônias asiáticas e africanas declaram independência de suas metrópoles e tornaram-se membros das Organização das Nações Unidas. Esse fenômeno teve importantes implicações para a China sua relação com o direito internacional. As relações internacionais desses novos países independentes eram pautadas no princípio de não discriminação cultural. Além disso, o sistema de normas internacionais não representava uma imposição do ocidente, mas uma adesão voluntárias daqueles países que compartilhassem dos valores e missões da organização.

De acordo com Hanqin, nas três primeiras décadas, a diplomacia da nova China:

> [...] rejeitou o viés social e cultural que permeou a elaboração do direito internacional e sua aplicação. Ao defender sua soberania e os interesses nacionais, a China contribui, à sua maneira, para o direito internacional [...] Por mais difícil que fosse, este período deixou um legado que continua a influenciar as percepções e perspectivas da China em matéria de direito internacional, na teoria e na prática[5]

Antes disso, em 1954, um acordo comercial entre China e Índia enunciou, pela primeira, os Cinco Princípios da Coexistência Pacífica, ser-

---

[4] Importante tomar nota de quando o conflito civil entre o Partido Nacionalista Chinês (Kuomintang) e o Partido Comunista Chinês chegou ao fim, em 1949, duas chinas emergiram. A República Popular da China, localizada na China continental e comandada pelo Partido Comunista de Mao Tsé-Tung e a República da China, localizada na ilha de Taiwan e comanda pelo Partido Nacionalista de Chiang Kai-shek. Ambos se referiam como a legítima China e não mantinham relações diplomáticas uma com a outra.

[5] Tradução livre. *"[...] rejected social and cultural bias that permeated international law-making and the application of the law. In defending its sovereignty and national interests China in its own way made contributions to international law [...] Difficult as it was, this period left its legacy that continues to influence China's perceptions and perspectives on international law, both in theory and practice"*. HANQIN, Xue. *Chinese Contemporary... Op. cit.*, p. 69.

vindo como base da relação entre os dois países. São eles: respeito mútuo pela integridade territorial e soberania; não-agressão mútua, não-interferência mútua nos respectivos assuntos internos, igualdade e benefício mútuo, e coexistência pacífica[6]. Os princípios, pouco a pouco, passaram a ser observados e defendidos tanto por outros países em suas respectivas relações exteriores, quando pela própria China em suas relações com outros países[7].

Os cinco princípios foram inspirados nos princípios contidos própria Carta das Nações Unidas, indicando que a República Popular da China endossava o discurso defendido pela instituição. Depois de constar na Declaração de Bandung de 1955[8], os princípios estavam sendo cada vez mais aclamados por outros países, principalmente na Ásia, na África e no Leste europeu.

O Sexto Comitê da Assembleia Geral da ONU aprovou, em 1970, a Resolução 2625 intitulada "Declaração sobre os Princípios de Direito Internacional relativos às relações de amizade e cooperação entre os Estados de acordo com a Carta das Nações Unidas[9]". Sobre isso, Tieya Wang ressalva:

> Pode-se observar que a finalidade da Declaração era servir para realização dos propósitos das Nações Unidas e da elaboração de seus princípios, tal como previsto no artigo 2º da Carta. Também está claro que os princípios de direito internacional enunciados na Declaração tinham ligações estreitas com os Cinco Princípios de Coexistência Pacífica e os Dez Princípios de Bandung. Em certo sentido, os esforços dos países do Terceiro Mundo na formulação

---

[6] Tradução livre. *"mutual respect for each other's territorial integrity and sovereignty, mutual non-aggression, mutual non-interference in each other's internal affairs, equality and mutual benefit, and peaceful co-existence"*. UNITED NATIONS. *Treaties and international agreements registered or filed and recorded with the Secretariat of the United Nations*. Vol. 299, 1958, p. 70-81.

[7] Outros acordos, bilaterais e multilaterais, bem como resoluções de outras organizações internacionais e declarações de governo lançaram mão dos cinco princípios da coexistência Pacífica. WANG, Tieya. International law in China: historical and contemporary perspectives, in Recueil des Cours, vol. 221 (1990). p. 263-265.

[8] Final Communiqué of the Asian-African conference of Bandung. 24 April 1955. Disponível em inglês em: http://franke.uchicago.edu/Final_Communique_Bandung_1955.pdf.

[9] UNITED NATIONS. *Declaration on Principles of International Law concerning Friendly Relations and Co-operation between States in Accordance with the Charter of the United Nations*. 1970.

da Declaração de 1970 sobre os Princípios do Direito Internacional, como disse um estudioso ocidental, era tentar 'desenvolver melhor as ideias contidas nos Cinco Princípios de Coexistência Pacífica como postulado na declaração [...] original'[10].

A questão dos princípios no direito interno chinês é bastante forte e servem como diretrizes sob as quais as leis são interpretadas, implementadas e desenvolvidas[11]. Assim como no direito interno, os princípios do direito internacional seguem a mesma função.

O documento com os Cinco Princípios de Coexistência Mútua é bastante significativo para o direito internacional público, uma vez que no contexto pós Segunda Guerra em que foram enunciados, havia uma necessidade latente de reestruturar o sistema internacional e a maneira com que os países se relacionam.

2.1. A questão de Taiwan

Meses depois da proclamação da nova república, a República Popular da China foi reconhecida *de jure* por todos os países da Europa Ocidental e alguns outros países como Índia, Israel e Reino Unido[12]. A questão de Taiwan ainda era um empecilho para que outros países e a própria ONU reconhecesse a República Popular da China.

Apesar de ter sido um dos países fundadores da ONU em 1945, entre 1949 e 1971, a representação da China na organização ficou sob responsabilidade da República da China, situado em Taiwan e governada pelo Partido Nacionalista Chinês de Chiang Kai-shek. De acordo com o artigo 3º da Carta das Nações Unidas,

---

[10] Tradução livre. "*It can be seen that the purpose of the Declaration was to serve the realization of the purposes of the United Nations and the elaboration of its principles as provided in Article 2 of the Charter. It is also clear that the principles of international law enumerated in the Declaration had close connections with the Five Principles of Peaceful Coexistence and the Ten Principles of Bandung. In a sense, the efforts of the Third World countries in formulating the 1970 Declaration on Principles of International Law, as said by one Western scholar, was to try "to put flesh on the bare bones of the five primary principles of peaceful coexistence as postulated in the original (...) declaration'*. WANG, Tieya. *International law in China... Op. cit.*, p. 270.

[11] WANG, Tieya. *International law in China... Op. cit.*, p. 273.

[12] HANQIN, Xue. *Chinese Contemporary... Op. cit.*, p. 72.

DIREITO CHINÊS CONTEMPORÂNEO

Os Membros originais das Nações Unidas serão os Estados que, tendo participado da Conferência das Nações Unidas sobre a Organização Internacional, realizada em São Francisco, ou, tendo assinado previamente a Declaração das Nações Unidas, de 1 de janeiro de 1942, assinarem a presente Carta, e a ratificarem, de acordo com o Artigo 110[13].

A República da China ainda havia assinado as Convenções de Viena sobre Relações Diplomáticas de 1961 e a Convenção de Viena sobre o Direito dos Tratados de 1969, o que reforçava a legitimidade de sua representação perante a organização.

É preciso compreender o viés político envolvido em questões de reconhecimento para o direito internacional, principalmente naquele contexto de embate ideológico da segunda metade do século XX. Reconhecer um novo país significa, em princípio, reconhecer também o novo governo. Os EUA tinham como princípio defender a separação da China em dois países, pelo estreio de Taiwan. Com a ilha de Taiwan independente do governo comunista chinês, os EUA além de apoiar o desenvolvimento do regime capitalista, teria uma zona forte influência a poucos quilômetros da divisa territorial com a China, tendo 蔣中正 *Chiang Kai-shek* como aliado.

Contudo, a Resolução 2758 de 1971 da Assembleia Geral das Nações Unidas[14] restaurou os direitos legais da República Popular da China nas ONU, reconhecendo-a como a única representante legal da representação da China e como membro permanente do Conselho de Segurança[15].

2.2. A abertura econômica e a nova abordagem do direito internacional na China

Com o início da reforma econômica e abertura econômica do final da década de 1970, a China gradativamente reconquistou sua representação na maior parte dos organismos internacionais e passou a ser um participante ativo para o direito internacional[16].

Impossível não citar o progresso econômico como um marco do direito internacional na China. Em 2001, a China aderiu à Organização Mundial do

---

[13] ORGANIZAÇÃO DAS NAÇÕES UNIDAS, *Carta das Nações Unidas*. 1948.

[14] Disponível em inglês em: <http://daccess-dds-ny.un.org/doc/RESOLUTION/GEN/NR0/327/74/ IMG/NR032774.pdf?OpenElement

[15] ORGANIZAÇÃO DAS NAÇÕES UNIDAS, Resolução 2758 da Assembleia Geral. 1971

[16] HANQIN, Xue. *Chinese Contemporary... Op. cit.*, p. 54-55.

Comércio (OMC) e, de lá pra cá "revogou, revisou, alterou e adotou mais de 3.000 leis nacionais (...) estabelecendo um quadro jurídico abrangente sobre a base da economia de mercado, incluindo a adaptação de inúmeras regras e práticas internacionais em leis internas".[17]

A intensa participação da China nas negociações da OMC e a adequação de suas leis domésticas para implementar as decisões da organização comprovam uma crescente confiança do país no sistema jurídico internacional.

A incorporação de Hong Kong (1997) e Macau (1999)[18] também demonstram um comprometimento chinês com o direito internacional. No que se refere as regras costumeiras do direito sucessório internacional em relação aos tratados e acordos internacionais aderidos anteriormente, a China foi além. A maioria dos tratados que se aplicam a Hong Kong e Macau, através da jurisdição do Reino Unido e de Portugal, continuam sendo aplicados.

De acordo com Hanqin, a China considera-se um só país, mas com dois sistemas diferentes. Ou seja, embora o governo central continue respondendo pelos assuntos que concernem a todo país, como Defesa e Relações Exteriores, as Regiões Administrativas possuem um alto grau de autonomia.

Em resumo, dois são os fatores necessários para compreensão do progresso chinês, em relação ao direito internacional: o sucesso econômico alcançado através de profundas reformas nas últimas décadas e a abertura do país, que proporcionou uma interação e comprometimento mútuo com a comunidade internacional[19].

3. Regionalismo e multilateralismo no continente asiático

Nos últimos 50 anos, a região da Ásia se destacou em aspecto de desenvolvimento econômico. Para a China, globalização e multilateralismo regional possuem funções estratégicas diferentes. Nas últimas décadas, o país vive

---

[17] Tradução livre. *"[China] repealed, revised, amended and adopted more than 3,000 national laws (...) establishing a comprehensive legal framework on the basis of market economy, including adaptation of numerous international rules and practices into Chinese domestic laws"* HANQIN, Xue. *Chinese Contemporary... Op. cit.*, p.79.

[18] Hong Kong foi colônia britânica e Macau colônia portuguesa. Atualmente, são Regiões Administrativas Especiais da República Popular da China.

[19] HANQIN, Xue. *Chinese Contemporary... Op. cit.*, p.86-87.

DIREITO CHINÊS CONTEMPORÂNEO

o dilema entre globalizar ou manter suas tradições culturais[20]. Por outro lado, parece investir cada ver mais em boas relações com seus vizinhos[21].

Uma das maiores dificuldades encontradas pela China no exercício do multilateralismo é a região do Nordeste asiático devido, principalmente, dois países: Coreia e Japão. Aliás, não só a China enfrenta esse problema, bem como o Leste e o Sudeste asiático tem seguido a tendência de se regionalizarem entre si, justamente por encontrarem barreiras nas disparidades em desenvolvimento econômico, nos sistemas sociais e políticos e ideologias, além dos profundos problemas históricos com os vizinhos do norte[22].

Contudo, até então, a China conseguiu grandes triunfos nos processos de regionalização. O fundamental papel de liderança nas negociações para a criação da Organização para a Cooperação de Xangai (OCX) é um desses exemplos.

A OCX reúne China, Rússia e países da Ásia Central, pela primeira vez na história em um mecanismo multilateral de segurança regional e cooperação econômica e cultural. Embora o objetivo inicial da OCX fosse combater o terrorismo usando a força conjunta dos Estados membros, o alcance foi expandido rapidamente nos últimos anos. Com seu rápido crescimento econômico e, particularmente, com o desenvolvimento de sua região ocidental e acelerando a demanda do país por energia, Ásia Central está se tornando estrategicamente importante para a China[23].

---

[20] Yongnian defende que a China avança cada vez mais no desenvolvimento de uma nova percepção de ordem internacional. Para o autor, isso significa que o país nem irá resgatar por completo suas tradições nem as abandonará para se tornar um potência ocidental.

[21] YONGNIAN, Zheng. Organizing China's inter-state relations: from "tianxia" (all-under-heaven) to the modern international order. In GUNGWU, Wang. *China and International Relations*, New York, Routledge, 2010, p. 316

[22] YONGNIAN, Zheng. *Organizing China's inter-state... Op. cit.*, p. 316.

[23] Tradução livre. "*The SCO brings together China, Russia and Central Asian states for the first time in history in a multilateral mechanism of regional security, and economic and cultural cooperation. While the initial goal of the SCO was to counter terrorism using the joint force of member states, the scope of the SCO has been rapidly expanded in recent years. With its rapid economic growth, and particularly with the further development of its western region and the country's accelerating demand for energy, Central Asia is becoming strategically significant for China*". YONGNIAN, Zheng. *Organizing China's inter-state... Op. cit.*, p. 316.

DIREITO INTERNACIONAL E RELAÇÕES INTERNACIONAIS NA CHINA

As rodadas de discussões e a cooperação estabelecida entre os países membros da OCX favoreceu a criação de laços entre a China e seus vizinhos. Tais laços ultrapassam a esfera política, sendo também laços econômicos, culturais e de confiança.

Outro organismo regional importante para a china é a Associação das Nações do Sudeste Asiático (ASEAN), criada em 1967. O principal combustível para sua criação foram os resquícios das relações diplomáticas estabelecidas entre os países no início da guerra fria, na tentativa de frear o avanço do comunismo na região. Além dos princípios já enumerados na Carta das Nações Unidas, como manutenção da paz e segurança internacional, a Declaração da ASEAN de 1967 estabelece objetivos comuns entre os membros de intensificação do crescimento econômico, progresso social e desenvolvimento cultural[24].

Diferentemente do que ocorreu com a OCX, a ASEAN já era um órgão suficientemente organizado e estruturado quando a China começou a se engajar nas discussões da associação. Quando a ASEAN foi criada, a China a enxergava como "forma de justificar a existência de uma 'associação militar com fins antichineses' no continente asiático[25]". Contudo, quando o contexto de bipolaridade e enfrentamento ideológico já não existia e o fluxo comercial entre a China e os países membros da ASEAN aumentou significativamente, houve maior dedicação em manter boas relações e trabalhar junto à pequenos países em prol do sucesso do regionalismo asiático, inclusive no âmbito da ASEAN.

Outros dois organismos que merecem destaque são a Organização de Cooperação Econômica do Pacífico Asiático (APEC – Asia-Pacific Economic Cooperation) e a Organização Mundial do Comércio (OMC), que embora não seja regional, representou um marco nas relações multilaterais da China.

4. Relações Internacionais e política externa

Quando a República Popular da China foi proclamada, em 1949, o governo do partido comunista chinês, sob a liderança de 毛澤東 *Máo Zédōng*, estabeleceu três princípios básicos para sua política externa, incorporados na

---

[24] POLIDO, Fabrício B. P. O desenvolvimento do novo regionalismo asiático no direito de integração, In: *Revista de Informação Legislativa*, v. 45, 2008, p. 309-311.

[25] POLIDO, Fabrício B. P. *O desenvolvimento do...* p. 321.

DIREITO CHINÊS CONTEMPORÂNEO

primeira constituição da nova nação: igualdade, respeito mútuo a soberania e integridade territorial e benefícios recíprocos entre os países[26]. As
anteriores adesões a acordos e tratados internacionais foram todas revisa-
das para se adequarem aos princípios do novo governo.

Atualmente, a China está profundamente envolvida na maior partes
dos assuntos da agenda internacional global, como por exemplo direitos
humanos, desenvolvimento sustentável, soberania, entre outros.

O processo de implementação ou manutenção dos direitos humanos,
além de somente ser possível a longo prazo, está intimamente envolvido
com a ordem social. Nesses termos, é preciso considerar que nas últimas
décadas a China tem passado por profundas mudanças sociais, o que dificulta a proteção plena dos direitos humanos[27].

Os direitos humanos e o direito são os produtos do desenvolvimento histórico. Eles estão intrinsecamente interligados, como a democracia e o Estado
de direito, em essência, são para a promoção e proteção dos direitos humanos. Na construção de seu sistema legal socialista e promovendo o desenvolvimento constitucional, China atribui grande importância à correlação entre
o desenvolvimento constitucional e direitos humanos[28].

Para Qiao Xiaoyang[29], juntamente com o Estado de Direito e a democracia, os direitos humanos são pilares fundamentais do constitucionalismo.
Contudo, sobre as críticas que o ocidente dispara contra a China, Hanqin
esclarece que estas são formuladas com base nos conceitos ocidentais, que
se diferem dos conceitos chineses. O autor ainda explana que, para com-

---

[26] HANQIN, Xue. *Chinese Contemporary... Op. cit.*, p. 63.

[27] HANQIN, Xue. *Chinese Contemporary... Op. cit.*, p. 125.

[28] Tradução Livre. *"Both human rights and law are the products of historical development. They are
intrinsically interconnected, as democracy and the rule of law, in essence, are for the promotion and
protection of human rights. In building its socialist legal system and promoting constitutional development,
China attaches importance to the correlation between the constitutional development and human rights"*.
HANQIN, Xue. *Chinese Contemporary... Op. cit.*, p. 125.

[29] Speech by Mr. Qiao Xiaoyang, Deputy Secretary-General of the Standing Committee of
the National People's Congress, "The Focus and Characteristics of the Legal Protection of
Human Rights in China", at the 7th Symposium between China and Germany on Human
Rights held on 28-29 October2005 in Beijing, in Human Rights.

preender como os direitos humanos são aplicados no país, é necessário conhecer a história do desenvolvimento jurídico[30].

4.1. China: uma potência emergente?

O conceito de potência emergente é amplamente estudado, tanto em Relações Internacionais quando em Ciências Políticas. Há uma grandiosa discussão sobre o significado de potência emergente, quanto sua equivalência com outros termos como potência média e potência intermediária e como verificar analiticamente o status de cada país.

Segundo Kai Kenkel, de acordo com a classificação funcionalista liberal, há três fatores utilizados para definição de uma potência média: pelos fatores materiais, tais como poderio militar, território e população; pela conduta, uma vez que potências emergentes são apoiadoras da governança global e; pela função no sistema internacional.

Ainda segundo Kenkel, é possível identificar elementos em comum na política externa das potências emergentes: apoio ao multilateralismo e fortalecimento das instituições internacionais em busca de uma ordem global estável; compensação da ausência de poder material com um apoio forte às normas e regras internacionais; necessidade de se integrar para atingir objetivos que não seriam possíveis individualmente, ou seja, a maior parte das potências emergentes são lideranças regionais[31].

Grande parte dos pesquisadores entendem que a China é uma potência emergente. Contudo, é preciso compreender que a China, bem como a Rússia, estão em um limbo classificatório, uma vez que são potências menores que os Estados Unidos e não são capazes de influenciar sozinhas, mas são potências maiores em relação à outros países intermediários, como África no Sul, Índia e até mesmo o Brasil.

A forte e decisiva presença da China no Conselho de Segurança das Nações Unidas como membro permanente é um aspecto que não pode ser descartado[32]. Discussões sobre a legitimidade e efetividade do Conselho de Segurança a parte, é um poder que a China possui que não se aplica

---

[30] HANQIN, Xue. *Chinese Contemporary... Op. cit.*, p.126-127.

[31] KENKEL, Kai Michel. Democracia, ajuda humanitária e operações de paz na política externa brasileira recente: as escolhas de uma potência emergente. In. *Cadernos Adenauer XI (2010)*, nº 4, Rio de Janeiro: Fundação Konrad Adenauer, novembro 2010.

[32] De acordo com o artigo 27º da Carta das Nações unidas, para que uma resolução do Conselho de Segurança seja aprovada são necessários 9 votos afirmativos no total, sem que nenhum dos

DIREITO CHINÊS CONTEMPORÂNEO

a outros países considerados emergentes. Contudo, dos cinco membros permanentes, a China foi a que menos aplicou o chamado poder de veto em toda a história do Conselho.

Para o francês Jean-Luc Domenach, cientista político especialista em China, apesar do país ter mais peso político e econômico nos dias de hoje, a maior parte das opiniões exageram no que diz respeito ao status emergente do país. Ainda assim, o autor reconhece que a China possui potencial para se tornar um superpoder global[33]. Para isso, prevê algumas condições.

> O primeiro requisito é que não deve haver nenhuma reviravolta nas perspectivas económicas internacionais das quais Pequim tem aproveitado por mais de 30 anos. [...] Da mesma forma, deve tornar-se menos orientada para o comércio e mais para o político e enfrentar outros domínios verdadeiramente exclusivos. [...] Mas a condição mais importante é obviamente interna [...] seus líderes, indiscutivelmente, tem o calibre necessário para torná-la uma[34].

Para o analista de política internacional Mark Beeson, a capacidade da China de se tornar uma liderança global é limitada[35]:

> [...] em parte por causa da natureza do sistema internacional existente, em parte por causa de restrições no mercado interno, e em parte porque qualquer tentativa de fazê-lo provavelmente será recebida com pouco entusiasmo, na melhor das hipóteses, ou hostilidade, na pior[36].

---

membros permanente tenha votado contra a resolução. São membros permanentes Estados Unidos, França, China, Reino Unido e Rússia.

[33] DOMENACH, Jean-Luc. Can We Speak of an Emerging Chinese Power?. In: Jaffrelot, C. (ed.), *Emerging States: The Wellspring of a New World Order*. New York: Columbia University Press, 2009.

[34] Tradução livre. *"The first requirement is that there should be no complete turnaround in the international economic outlook of which Beijing has taken advantage for over 30 years.(...) Similarly, should it become less trade-oriented, more political and tackle others' truly exclusive domains. (...) But the most important condition is obviously domestic. The question of whether China deserves to become a world power has been resolved: its leaders indisputably have the calibre required to make it one"*. DOMENACH, Jean-Luc. *Can We Speak of an Emerging... Op. cit.*, p. 74-75.

[35] BEESON, Mark. Can China Lead?. In Third World Quarterly, Vol. 34, No. 2, 2013, pp. 233-250.

[36] Tradução Livre. *"This is, I suggest, partly because of the nature of the existing international system, partly because of domestic constraints, and partly because any attempt to do so is likely to be met with*

DIREITO INTERNACIONAL E RELAÇÕES INTERNACIONAIS NA CHINA

Daí surge o questionamento se a China será capaz (e tentará) se igualar ou ultrapassar a posição de poder dominantes dos EUA. Por um lado, o aspecto econômico nos mostra um potencial, já que as previsões são de que a China se torne a maior economia do mundo nas próximas décadas. Necessário lembrar que quando os EUA assumiram a posição de potência hegemônica após a Segunda Guerra Mundial, o principal impulso foi a situação econômica do país perante à uma Europa completamente destruída[37].

Contudo, por outro lado, também é preciso reconhecer que a emergência dos EUA ocorreu em um momento histórico e geopolítico único, o que significa que nas atuais circunstâncias, a semelhança entre a situação dos dois países não é a única variável a ser analisada. Os EUA foram o primeiro verdadeiro sistema global de domínio e, por isso, serão capazes de continuar colocando limites as ambições chinesas, globais e regionais[38].

5. Considerações finais

Como é possível observar, as características dos regimes domésticos da China funcionam, em algumas análises, como um impedimento do progresso do país no cenário internacional. É bem verdade que o abismo das tradições culturais, que se manifesta através do próprio idioma, pode, oportunamente, dificultar o avanço da China. Contudo, como vimos anteriormente, o país tem consciência de que será necessário mesclar as tradições com a nova perspectiva de ordem internacional.

Apesar de todos os questionamentos sobre o papel da China no cenário internacional e a possibilidade de tornar-se uma grande potência, é preciso analisar não somente a capacidade da China, mas tão importante quanto é compreender o interesse do país em se tornar uma. A atenção dada a comunidade internacional, expandindo os horizontes de suas relações com os países, e suas importantes contribuições para o direito internacional são fortes indicativos de que a China exerce seu poder internacionalmente.

---

limited enthusiasm at best, outright hostility at worst". BEESON, Mark. *Can China Lead... Op. cit.*, p. 234.

[37] BEESON, Mark. *Can China Lead?... Op. cit.*, p. 233-250.

[38] BEESON, Mark. *Can China Lead?... Op. cit.*, p. 233-250.

DIREITO CHINÊS CONTEMPORÂNEO

Referências bibliográficas

Beeson, Mark. Can China Lead?, *Third World Quarterly*, Vol. 34, No. 2, 2013, pp. 233-250

Domenach, Jean-Luc. Can We Speak of an Emerging Chinese Power? In: Jaffrelot, C. (ed.), Emerging States: The Wellspring of a New World Order. New York: Columbia University Press, 2009.

Hanqin, Xue. "Chinese Contemporary Perspectives on International Law: History, Culture and International Law", *Recueil des Cours*, vol. 355 (2012). p. 41-234.

Kenkel, Kai Michel. Democracia, ajuda humanitária e operações de paz na política externa brasileira recente: as escolhas de uma potência emergente. *Cadernos Adenauer XI (2010)*, nº 4, Rio de Janeiro: Fundação Konrad Adenauer, novembro 2010.

Lisle, Jacques de. China's approach to international law: a historical perspective.*Proceedings of the American Society of International Law*. n. 1/4. 2000, p. 267-75.

Organização das Nações Unidas, Carta das Nações Unidas. 1948.

Polido, Fabrício B. P. O desenvolvimento do novo regionalismo asiático no direito de integração, *Revista de Informação Legislativa*, v. 45, 2008, p. 305-345.

United Nations. *Declaration on Principles of International Law concerning Friendly Relations and Co-operation between States in Accordance with the Charter of the United Nations.* 1970.

United Nations. *General Assembly Resolution 2758.* Disponível em: http://daccess-dds-ny.un.org/doc/RESOLUTION/GEN/NR0/327/74/IMG/NR032774.pdf?OpenElement.

United Nations. *Treaties and international agreements registered or filed and recorded with the Secretariat of the United Nations.* Vol. 299, 1958, p. 70-81. Disponível em: https://treaties.un.org/doc/publication/unts/volume%20299/v299.pdf.

Wang, Tieya. International law in China: historical and contemporary perspectives, *Recueil des Cours*, vol. 221 (1990). p. 195-369.

Yongnian, Zheng. Organizing China's inter-state relations: from "tianxia" (all--under-heaven) to the modern international order, Gungwu, Wang. China and International Relations, New York, Routledge, 2010.

CAPÍTULO 15
DIREITO INTERNACIONAL PRIVADO NA CHINA

LUCAS SÁVIO OLIVEIRA DA SILVA

1. Introdução

É inegável que hoje a China é um dos principais parceiros comerciais de diversos países no mundo. Citando apenas o caso brasileiro, em 2013 a balança comercial entre os dois países somou mais de US\$ 83.300.000.000,00 (oitenta e três bilhões e trezentos milhões de dólares).[1] Subjacentes a todo este fluxo comercial estão relações jurídicas: assunções de obrigações, fluxo de pessoas que muitas vezes passam a viver em um ou outro país por conta dos negócios, lá estabelecem família, têm filhos, se divorciam, falecem e são sucedidas.

A todo o momento o contato entre dois países gera casos civis e comerciais pluriconectados, ou seja, casos em que, com a ocorrência de um litígio, o poder judiciário acionado deverá confirmar sua competência para julgar a questão apresentada, definir qual será a lei aplicável, talvez requisitar auxílio aos juízes de outra jurisdição estatal, ou mesmo se ver como dando este apoio, ou ainda ser requerido a reconhecer e executar uma sentença proferida em outro Estado. Em linhas gerais, estes seriam momentos nos quais o direito internacional privado seria chamado a auxiliar, a dar as soluções buscadas.

---

[1] De acordo com dados do Ministério do Desenvolvimento, Indústria e Comércio Exterior brasileiro, em 2013 o Brasil exportou um total de US\$ 46.026.153.046,00(quarenta e seis bilhões, vinte e seis milhões, cento e cinquenta e três mil e quarenta e seis dólares) e importou US\$ 37.303.184.348,00 (trinta e sete bilhões, trezentos e três milhões, cento e oitenta e quatro mil, trezentos e quarenta e oito dólares) somando 83.329.337.394,00 (oitenta e três bilhões, trezentos e vinte e nove milhões, trezentos e trinta e sete mil, trezentos e noventa e quatro dólares.) Dados disponíveis em < http://aliceweb.mdic.gov.br//consulta-ncm/consultar>, acesso em 04/05/2014.

O direito internacional privado é, assim, a disciplina jurídica que se volta para as situações privadas internacionais, ou seja, casos privados em que estão evolvidos elementos que se vinculam a mais de um Estado, a dois ou mais ordenamentos jurídicos[2]. O direito internacional privado acaba, desta forma, por abarcar relações muito distintas entre si, indo desde o reconhecimento da capacidade de uma pessoa natural, passando por questões de direito de família, como filiação, matrimônio e obrigações alimentares, e sucessões, chegando a reger assuntos relacionados a obrigações contratuais ou extracontratuais e, até mesmo, relacionadas ao início, desenvolvimento e término de sociedades empresárias.

Em um país como a China, cada vez mais aberto ao exterior, a realidade do fluxo de capitais e pessoas confere ao direito internacional privado um papel central como ferramenta para a garantia da estabilidade de sua relação com os demais Estados por meio da preservação e continuidade das relações transfronteiriças. Como se verá, porém, nem sempre esta foi a realidade.

O presente capítulo a história e desenvolvimento do direito internacional privado na China até os dias atuais. Seu segundo item parte das primeiras manifestações e percorre todo o caminho até a promulgação da atual Lei sobre o Conflito de Leis em 2010. O terceiro item, por sua vez, se dedica a esta nova normativa, principalmente no que se refere aos avanços por ela apresentados. Por fim, considerações finais são feitas a partir da reflexão sobre todo o caminho percorrido pelo direito internacional privado até os dias atuais.

Ressalte-se que, ainda que o direito internacional privado seja uma disciplina apoiada em três pilares, quais sejam lei aplicável, jurisdição e reconhecimento e execução de sentenças estrangeiras, por uma escolha metodológica e pela extensão do presente trabalho, as questões relativas à lei aplicável serão o foco, ainda que em algumas passagens os outros dois pilares sejam mencionados.

---

[2] ARROYO, Diego P. Férnandez. Conceptos y Problemas del derecho internacional privado. In. *Derecho Internacional Privado de los Estados del Mercosur*. ARROYO, Diego P. Férnandez (coordenador). Buenos Aires: Zavalía, 2003. p. 45.

2. A história do Direito Internacional Privado chinês
2.1. As primeiras manifestações

As pesquisas sobre a história do direito internacional privado na China revelam não existir um consenso da doutrina sobre o que teria sido o início da disciplina no país.

Com uma visão mais estrita, Chen Weizou[3] defende que a noção de direito internacional privado, ou *guójìsīfǎ* (国际私法)[4] na transcrição dos caracteres chineses, não haveria existido durante a longa história do direito chinês tradicional. De acordo com o autor, esta ideia teria surgido apenas durante dinastia Qing (1644-1911), por meio da tradução de trabalhos sobre conflito de leis do japonês ao chinês, escritos tanto por ocidentais quanto por japoneses. Apesar de não mencionar a data exata das transcrições, Weizuo reforça seu pensamento ao explicar que, inclusive, os quatro ideogramas que hoje denominam a disciplina são praticamente os mesmos em chinês e em japonês, ainda que a pronúncia seja distinta (*kokusai shihô* em japonês[5]).

Segundo Doggen Xu, porém, partindo não da noção de uma disciplina consolidada, mas dos fundamentos das normas de direito internacional privado, seria possível identificar soluções afetas a este ramo do direito já na China antiga[6]. Lembra o autor que a China foi um país aberto[7] e com relações civis e comerciais com diversos outros países, sobretudo a partir século VII d.C. com a dinastia Tang (618-907).

Neste contexto, os estrangeiros tiveram tanto o direito de visitar quanto de residir na China, sendo inúmeros os casos de pessoas de diferentes nacionalidades, como comerciantes árabes e missionários budistas, que ficavam provisória ou definitivamente no país. Como não poderia deixar de ser, passaram a ocorrer litígios envolvendo partes de diversas nacionali-

---

[3] WEIZUO, Chen. *La codification du droit international privé chinois*. In. Recueil des Cours de la Academie de Droit International de la Haye, 359 (87-284), 2013. p. 110.

[4] O ideograma é a junção de outros quatro ideogramas, a saber: *guó* (国), que significa nação ou Estado; *jì* (际), que significa fronteira ou limite; *sī* (私), que significa privado ou pessoal; e, *fǎ* (法), que significa lei, norma, regulamento ou estatuto.

[5] . WEIZUO, Chen. La codification... *Op. cit.*

[6] XU, Donggen. *Le droit international prive en Chine: une perspective comparative*, In. Recueil des Cours de la Academie de Droit International de la Haye, 270 (107-235), 1997. p. 122.

[7] Frise-se, porém, que esta abertura foi estritamente comercial e só ocorreu por concessão do imperador à época.

DIREITO CHINÊS CONTEMPORÂNEO

dades. Teriam sido estes os primeiros casos evolvendo elementos de estraneidade, ou os chamados *shèwàiànjiàn* (涉外案件)[8], de que se tem notícia, questão jurídica e social para qual buscou-se respostas no direito positivo. Assim, em 651, foi editado pela dinastia Tang o Código Yong Hui (永徽 律令 *yǒng huī*), o qual se centrou principalmente na regulamentação da responsabilidade civil.

De acordo com Doggen Xu:

> [...] o Código previa que a disputa entre os estrangeiros pertencentes a uma mesma tribo deveria ser decidida de acordo com as regras de seu próprio costume, enquanto a disputa entre os estrangeiros de diferentes tribos deveria ser resolvido de acordo com a legislação local[9].

Em seu trabalho de pesquisa, Xu encontrou ainda outras passagens da história que demonstram a existência de normas que poderiam ser hoje consideradas como de direito internacional privado, ao menos segundo algumas tradições jurídicas[10]. Exemplo disso foi o período da dinastia Yuan (1271-1368)[11], durante o qual os estrangeiros tiveram o mesmo estatuto jurí-

---

[8] Em uma tradução literal par o português: *shè* (涉), através; *wài* (外),externo ou estrangeiro (*shèwài,* juntos, sendo o ideograma relativo a também estrangeiro ou ainda a relações exteriores); *àn* (案), caso legal; e *jiàn* (件), questão.

[9] Tradução livre do francês: *"Le Code avait prévu que le litige entre des étrangers appartenant à la même tribu devait être tranché en vertu de la règle de leur propre coutume, tandis que le différend entre des étrangers venant de tribus différentes devait être résolu selon la loi locale."* Xu, Donggen. Le droit international... *Op. cit.*, p. 123. Interessante observar que a solução encontrada não é diferente do que se conhece na tradução ocidental, ou seja, da possibilidade de que o litígio seja resolvido de acordo coma lei do local do delito (*lex loci delicti commissi*). O autor destaca, ainda, que, como o juiz chinês à época não fazia distinção entre a lei civil ou a penal, estas disposições podem ser classificadas tanto como sendo de direito internacional privado quanto de direito internacional penal.

[10] É o caso, por exemplo, na tradição francesa, a qual considera que o objeto do direito internacional privado abrange quatro matérias, a saber: a nacionalidade, a condição jurídica do estrangeiro, o conflito de leis e o conflito de jurisdições. Sobre isso, ver: DOLINGER, Jacob. *Direito Internacional Privado: parte geral.* Rio de Janeiro: Renovar, 1997. pp. 1 e ss.

[11] Há de se ressaltar, todavia, que este período foi excepcional na história da China. A Dinastia Yuan foi uma linhagem de imperadores de origem mongol, e não chinesa, o que por si só trouxe elementos que não faziam parte da tradição chinesa, podendo ser esta equiparação entre estrangeiros e nacionais chineses condiderada como um desses elementos.

314

dico dos próprios chineses[12], podendo, até mesmo exercer funções públicas, como foi o caso do navegador e mercador italiano Marco Polo, o qual foi nomeado prefeito de *Youn-Zhou*, cidade que ficava no litoral sul da China[13].

2.2. O Direito Internacional Privado moderno

É possível afirmar que a partir do início do século XX o direito internacional privado chinês passou por quatro períodos distintos: o primeiro, logo após a queda da dinastia Qing em 1911, marcado pelas regras codificadas pelo o Regulamento sobre a Aplicação das Leis de 1918; o segundo, a partir da proclamação da República Popular da China em 1949, ano em que o Regulamento de 1918 foi derrogado, até 1979, período durante o qual a China viveu a ausência de normas conflituais; o terceiro, a partir da década de 1980, com a promulgação de normas esparsas de direito internacional privado; e o último sendo caracterizado pela entrada em vigor da Lei sobre a Aplicação de Leis às Relações Civis com Elementos de Estraneidade ("Lei sobre o Conflito de Leis") promulgada em 2010. Os três primeiros períodos serão tratados nesta sessão, ao passo que o terceiro será abordado no item 3 abaixo.

2.2.1. Da queda da dinastia Qing à ascensão da República Popular da China

Pouco mais de seis anos após a fundação da República da China (1911), foi promulgado o Regulamento sobre a Aplicação das Leis em 5 de outubro de 1918 ("Regulamento de 1918"), o qual entrou em vigor neste mesmo dia. Este Regulamento refletiu uma tendência observada após a queda da dinastia Qing, qual seja a de adotar códigos, tal como na tradição ocidental própria do sistema romano-germânico (*Civil Law*[14]). Neste caso, houve, pela primeira vez na história da China, a sistematização de normas sobre o conflito de leis[15].

Fortemente influenciado pela Lei Japonesa nº 10 de 21 de junho de 1898, a qual tratava sobre regras gerais sobre a aplicação de leis, e pela Lei de

---

[12] De acordo com a tradição francesa, questões relacionadas ao estatuto jurídico do estrangeiro e a nacionalidade são afetas ao direito internacional privado.

[13] Xu, Donggen. Le droit international... *Op. cit.*, p. 124.

[14] Yigong, Liu. Chinese Legal Tradition and its Modernization. In. *US-China Law Review*. Vol. 8, Tomo 5, 2011. p. 466. Sobre o assunto, ver ainda o Capítulo 8, *Codificação e Direito Civil na China*.

[15] Weizuo, Chen. La codification... *Op. cit.*, p. 113.

DIREITO CHINÊS CONTEMPORÂNEO

Introdução ao Código Civil Alemão de 18 de outubro de 1896[16], o Regulamento de 1918 é composto por 27 artigos, dividido em sete capítulos. O primeiro deles trata sobre princípios gerais, e os seguintes sobre status jurídico da pessoa, questões relacionadas ao direito de família, sucessões, bens, forma dos atos jurídicos, existindo, por fim, uma regra supletiva.

Cabe ressaltar que o elemento de conexão por excelência no Regulamento de 1918 foi a nacionalidade[17], principalmente nas questões relacionadas à pessoa, família e sucessões[18]. Ou seja, para decidir, por exemplo, sobre a capacidade jurídica da pessoa, ou mesmo sobre filiação ou capacidade sucessória, a lei aplicável deveria ser aquela do Estado da nacionalidade da pessoa.

Na avaliação de Chen Weizou, o Regulamento de 1918 contém um número expressivo de normas de conflito que podem ser consideradas avançadas para a época de sua promulgação. Além disso, a técnica legislativa da normativa poderia ser considerada como sendo de um nível elevado, mesmo para os padrões científicos e legislativos atuais[19].

Em 1949 o Regulamento de 1918 foi revogado[20], dando início a um novo período no direito internacional privado chinês.

2.2.2. As três primeiras décadas da República Popular da China

Assim que o Partido Comunista ascendeu ao Poder, proclamando a República Popular da China em 1949, o Comitê Central do Partido revogou

---

[16] WEIZUO, Chen. La codification... *Op. cit.*, p. 111.

[17] Interessante observar que, na verdade, a escolha da nacionalidade como principal elemento de conexão refletia a forte influência das escolas italiana e alemã à época, a qual também chegou à América Latina e, em especial, ao Brasil. Dois anos antes, em 1916, era promulgado o então Código Civil dos Estados Unidos do Brasil, a já revogada Lei 3.071. Seu art. 8º estabelecia que "[a] lei nacional da pessoa determina a capacidade civil, os direitos de família, as relações pessoais dos cônjuges e o *regimen* dos bens no casamento, sendo licito quanto a este a opção pela lei brasileira".

[18] WEIZOU, Chen. The Necessity of Codification of China's Private International Law and Arguments for a Statute on the Application of Laws as the Legislative Model. In. *Tsinghua China Law Review.*,Vol. I, 2009. p. 5

[19] WEIZUO, Chen. La codification... *Op. cit.*, p. 113.

[20] Cabe ressaltar, porém, que o Regulamento de 1918 ainda reverbera até o presente, tamanha sua influência sobre o Regulamento Taiwanês sobre Aplicação de Leis às Relações Civis com Elementos de Estraneidade, promulgado em 1953 e até hoje em vigor. Sobre isto, ver WEIZUO, Chen. *La codification... Op. cit.*, p. 113.

todos os seis Códigos do *Kuomitang* (中國國民黨 *Zhōngguó Guómíndǎng*), ou seja, toda a produção legislativa existente entre 1911 e 1949. De acordo com as novas instruções, somente as novas leis do povo, editadas a partir de então, poderiam ser utilizadas.

Consequência direta disto foi a interrupção da pesquisa e do estudo do direito internacional privado na China, o qual só passou a receber um tratamento adequado a partir de 1979[21], ou seja, 30 anos após o a revogação do Regulamento de 1918[22]. Naquele ano começam os trabalhos para a elaboração de um Código Civil para a China[23], com a proposta de que normas de conflito fossem editadas[24].

James Fang chama a atenção para o fato de que a política de bloqueio e embargo levada a cabo pelos Estados Unidos e outros países ocidentais até então[25] reduziu enormemente a relação dos chineses com estrangeiros em questões civis e comerciais. Além disso:

> [...] em virtude da ideologia esquerdista então vigente, o estudo e a pesquisa de leis estrangeiras eram criticados como "adoração o capitalismo", e a aplicação da lei estrangeira [pelo judiciário] foi considerada como prejudicial à soberania e à independência da China socialista. O direito internacional privado foi excluído do currículo das faculdades de direito; pesquisadores foram expulsos desse campo e forçados a mudar suas profissões. Durante um período de 30 anos, quase não foram publicados artigos; as únicas publicações disponíveis eram três livros com tiragens muito limitadas, dois dos quais eram traduções, e um uma tese que cobria apenas uma pequena parcela da matéria[26].

---

[21] FANG, James Z.Y. The Embryo of China's Private International Law. In. *Willamette Law Review.* Vol. 23, 1987. p. 738.

[22] As pesquisas realizadas para a produção deste trabalho apontam apenas para o Decreto sobre os princípios sucessórios aplicáveis a estrangeiros na China, promulgado pelo Ministério das Relações Exteriores em 1954 e ratificado pelo Conselho de Estado, o qual, por seu escopo, tem relevância para o direito internacional privado.

[23] Sobre o assunto, ver o capítulo 8, *Codificação e Direito Civil na China*.

[24] XU, Donggen. *Le droit international... Op. cit.*, p. 128.

[25] Os Estados Unidos só reconheceram oficialmente a República Popular como o único governo legítimo da China em 1º de janeiro de 1979.

[26] Tradução libre do inglês: "*by virtue of the then prevailing leftist ideology, the study and research of foreign laws were criticized as 'worshipping the capitalism', and the application of foreign law was deemed as impairing the sovereignty and independence of socialist China. Private international law was excluded from the law school curriculum; researchers were driven out of this field and forced to change*

DIREITO CHINÊS CONTEMPORÂNEO

Tung-Pi Chen destaca ainda outros fatores para a quase ausência do direito internacional privado na China entre 1949 e 1979. Ainda sob uma perspectiva acadêmica, o autor aponta a falta de entendimento em geral sobre outros sistemas legais e, em particular, sobre a própria função do direito internacional privado[27]. Politicamente, muitos oficiais chineses à época consideravam a ausência de normas de conflito como algo benéfico para a China uma vez que a discricionariedade conferida às autoridades judiciais e administrativas encarregadas da resolução de litígios significava maior flexibilidade no processo decisório, dando-lhes maiores possibilidades para proteger os interesses nacionais[28].

A abertura do país e a reforma oficialmente iniciadas em 1978, todavia, fizeram com que esta atitude frente ao direito internacional privado se tornasse insustentável. É o que se verá.

2.2.3. A necessidade e o avanço normativo do direito internacional privado

A morte do líder político 毛澤東 *Máo Zédōng* em 1976 abre o espaço para a ascensão política de 鄧小平 *Dèng Xiǎopíng* em 1978 e para as notáveis transformações observadas a partir de então[29].

Todo esforço passa a voltar-se para a modernização do país, notadamente por meio das chamadas "Quatro Modernizações Socialistas", a saber, a modernização da agricultura, da indústria, da defesa nacional e da ciência e tecnologia. Ao mesmo tempo, o governo chinês e o Partido Comunista passaram a dar grande importância para o estabelecimento de um sistema legal chinês que pudesse promover a modernização e, principalmente, o desenvolvimento econômico[30].

---

their professions. During a span of thirty years, almost no articles were published; the only publication available were three books with very limited circulations, two of which are translations, and one is a thesis covering only a small topic of this area". FANG, James Z.Y. The Embryo of... *Op. cit.*, p. 738.

[27] CHEN, Tung-Pi. Private International Law of the People's Republic of China: An Overview. In. *American Journal of Comparative Law*, Vol. 35, Tomo 3, 1987. p. 445.

[28] CHEN, Tung-Pi. Private International Law... *Op. cit.*, p. 446.

[29] Para uma perspectiva histórica desse processo, aprofundamento na análise da abertura econômica na China e suas consequências com relação ao direito chinês, veja o capítulo 5, *China Contemporânea e Democracia.*

[30] GUOJIAN, Xu. Establishing a System of Private International Law with Chinese Characteristics. In. *Review of Socialist Law*, Vol. 15, Tomo 4, 1989. p. 334.

De acordo com Xu Goujian, o direito internacional privado passou a ter grande importância à época, com funções bem definidas:

1) acelerar a introdução do capital estrangeiro necessário e o avanço da tecnologia estrangeira para a realização das Quatro Modernizações Chinesas;
2) promover o desenvolvimento das transações e do comércio exterior, a fim de acumular o capital necessário para estas Quatro Modernizações;
3) proteger os direitos e os interesses dos estrangeiros na China e de cidadãos chineses no exterior, a fim de criar um ambiente legal mais atraente, capaz de incentivar um maior envolvimento comercial por parte dos estrangeiros e do grande número de chineses expatriados que [viviam] no exterior[31].

Neste contexto, os processos de aparelhamento legal, de estudo e de desenvolvimento do direito internacional privado[32] voltam a ocorrer. A década de 1980 é, assim, marcada pelo início da promulgação de diversas leis relativas à matéria.

Em 8 de março de 1982, ano em que também foi promulgada a atual Constituição Chinesa, o país passa a contar com um Código de Processo Civil, algo inédito na história da República Popular da China. A parte final deste Código foi inteiramente dedicada a regular questões de direito processual internacional, tais como os direitos processuais dos estrangeiros perante as cortes chinesas, arbitragem internacional (incluindo o reconhecimento e execução de sentenças arbitrais estrangeiras) e cooperação jurídica.

---

[31] Tradução livre do inglês: "1) to accelerate the introduction of the necessary foreign capital and advance foreign technology for achieving the Four Chinese Modernizations; 2) to promote the development of foreign trade and commerce in order to accumulate the capital required for these Four Modernizations; 3) by protecting the legal rights and interests of foreigners in China and of Chinese nationals abroad, to create a more attractive legal environment capable of encouraging increased commercial involvement by foreigners and the vast number of expatriate Chinese living abroad." GUOJIAN, Xu. Establishing a System... *Op. cit.*, p. 335.

[32] Para uma visão de como a academia viveu este processo na década de 1980, ver FANG, James Z.Y. *The Embryo of... Op. cit.*, pp. 739-740.

DIREITO CHINÊS CONTEMPORÂNEO

Em 10 de abril de 1985 a China adota uma lei de sucessões, a qual trazia em seu escopo regras de conflito sobre a matéria. No mesmo ano, em 21 de março, é promulgada uma lei sobre contratos econômicos com estrangeiros, aplicável a contratos internacionais entre empresas ou instituições financeiras chinesas e outras empresas, instituições econômicas ou indivíduos estrangeiros, com exceção de contratos de transporte internacional[33].

A mais importante lei promulgada nesta época, porém, foi a sobre Princípios Gerais de Direito Civil de 12 de abril de 1986, a qual entrou em vigor em 1º de janeiro de 1987. O Capítulo Oitavo desta lei trata, em 9 artigos, sobre a aplicação das leis às relações civis com elementos de estraneidade[34]. Interessante observar que estas normas foram bastante avançadas, estabelecendo, por exemplo, a primazia dos tratados e convenções ratificados pela China em relação à lei interna, o domicílio como elemento de conexão para questões de capacidade e a autonomia da vontade como regra para a escolha da lei aplicável aos contratos.

A produção legislativa contemplando normas de conflito segue, a partir de então, de forma extremamente fragmentada. Em 12 de dezembro de 1990 são emitidas pelo antigo Ministério das Relações Exteriores e Comércio as Regras para Implementação da Lei sobre Empresas de Capital Estrangeiro (revisada em 2001); em 29 de janeiro de 1991 é promulgada a Lei de Adoção (revisada em 1998); em 7 de novembro de 1992, o Código Marítimo; em 5 de outubro de 1995 a Lei sobre Instrumentos Negociáveis (revisada em 2004); em 30 de novembro de 2004, a Lei de Aviação Civil; em 15 de Março de 1999, a Lei sobre Contratos; em 25 de maio de 1999 o Ministério de Assuntos Civis adota as Medidas sobre o Registro de Adoção de Crianças por Estrangeiros; e em 27 de outubro de 2005 é promulgada a Lei das Sociedades[35]. Todas essas leis e regulamentos traziam normas de conflito, as quais deveriam ser utilizadas pelos juízes para definição da lei aplicável aos respectivos casos pluriconectados.

Somem-se as diversas interpretações feitas pela Suprema Corte do Povo ("SCP"), órgão máximo do judiciário chinês, as quais são, também, fon-

---

[33] Xu, Donggen. Le droit international... *Op. cit.*, p. 130.

[34] De acordo com Doggen Xu, o texto final terminou por ser uma simplificação do projeto inicial apresentado por juristas chineses, o qual era composto por 28 artigos. Xu, Xu, Donggen. *Le droit international... Op. cit.*, p. 129.

[35] Para uma relação completa dos artigos que contêm normas de conflito nestas leis, ver Weizou, Chen. *The Necessity of... Op. cit.*, pp. 8-10.

tes do direito na China[36]. São exemplo as Opiniões da SCP sobre Diversas Questões relativas à Implementação da Lei de Sucessões (9 de novembro de 1985); as Opiniões da SCP sobre Diversas Questões relativas à Implementação dos Princípios Gerais de Direito Civil (26 de janeiro de 1988); e as Regras da SCP sobre Diversas Questões relativas à Aplicação de Leis em Julgamentos de Disputas Civis e Comerciais Envolvendo Elemento Estrangeiro (11 de junho de 2007).

Esta multiplicidade de fontes e a ausência de sistematização significavam, de acordo com Zhengxin Hou, problemas à legislação chinesa em matéria de direito internacional privado, que poderiam ser assim sumarizados:

> (1) as regras de conflitos contidas em vários estatutos e regulamentos chineses [eram] incompletas, (2) algumas regras de conflito [eram] insuficientes ou mesmo desatualizadas, (3) algumas regras de conflito [contradiziam] a outras, (4) algumas regras de conflito incluídas nas interpretações judiciais da Suprema Corte Popular [estavam] em desarmonia com as regras de conflito legisladas e (5) a legislação em direito internacional privado existente [carecia] de técnica legislativa consistente[37].

Ao analisar esta situação fática com base na teoria geral do direito, tal como Norberto Bobbio a concebeu, percebe-se que estes problemas relacionam-se diretamente com a compreensão (ou a falta dela) do que seja um ordenamento jurídico. De acordo com o autor:

> [...] só se pode falar em direito quando existe um conjunto de normas formadoras de um ordenamento [...], portanto, o direito não é a norma, mas um

---

[36] Sobre isso, veja o capítulo 6, *Organização Política e Judiciária na República Popular da China*.

[37] Tradução livre do inglês: *"(1) the conflict rules contained in various Chinese statutes and regulations are incomplete, (2) some statutory conflict rules are insufficient or even out of date, (3) some conflict rules contradict each other, (4) some conflict rules included in the judicial interpretations of the Supreme' People's Court are in disharmony with statutory conflict rules and (5) the existing Chinese private international law legislation lacks consistent legislative technique."* HUO, Zhengxin. Highlights of China's New Private International Law Act: From the Perspective of Comparative Law. In. *Reveu Juridique Themis*, Vol. 45, Tomo 3, 2011. p. 644. Para uma análise completa das razões apontadas pela doutrina para a codificação do direito internacional privado chinês, ver WEIZOU, Chen. The Necessity of... *Op. cit.*, p. 12 e seguintes.

conjunto coordenado de normas; em suma, [...] uma norma jurídica nunca está sozinha, mas ligada a outras com as quais forma um sistema normativo[38].

Para Bobbio um ordenamento jurídico deve apresentar uma unidade, na qual a hierarquia entre as normas é bem definida; deve ser conformado como um sistema, no qual as normas constituem uma totalidade ordenada, coerente; e, ainda, ser um sistema completo, no qual não existam, portanto, lacunas.

Ocorre que, como visto pela análise de Zhengxin Hou, a ausência de unidade, coerência e completude do que se tem por ordenamento jurídico chinês refletiam diretamente no direito internacional privado. As contradições entre as normas, a não definição do que deve prevalecer, se a própria norma posta ou a interpretação dela pela mais alta corte do país, a ausência de uma técnica legislativa adequada, a qual dê a ordem necessária ao conjunto das normas, e mesmo a inexistência de normas que deem soluções às situações apresentadas são todos problemas os quais devem ser, ao máximo, evitados em um ordenamento jurídico.

Era, assim, premente a reforma do sistema de normas conflituais chinês, o que veio finalmente acontecer em 2010.

3. O Direito Internacional Privado chinês contemporâneo

Em 28 de outubro de 2010, o Comitê Permanente promulgou a Lei sobre o Conflito de Leis[39] durante a 11ª Assembleia Nacional do Povo. Trata-se de um evento histórico que marca não só a modernização do sistema de direito internacional privado chinês como também a culminação da elaboração do "sistema legal socialista com características chinesas[40]".

Dois fatos podem ser considerados como o início do processo que levou à promulgação da Lei sobre o Conflito de Leis: a adesão da China à Organização Mundial do Comércio[41], o que aumentou consideravelmente o número e a complexidade de casos civis e comerciais envolvendo o ele-

---

[38] BOBBIO, Norberto. *Teoria Geral do Direito*. 2ª Ed. São Paulo: Martins Fontes, 2008. p. 175.

[39] Uma tradução para o inglês feita por Song Lu foi publicada pelo *The Chinese Journal of Comparative Law*. LU, Song. Law of the People's Republic of China on the Laws Applicable to Foreign-Related Civil Relations (full text). In. *The Chinese Journal of Comparative Law*. Vol. 1, No. 1, 2013, pp. 185-193.

[40] HUO, Zhengxin. Highlights of China's... *Op. cit.*, p. 641.

[41] Sobre a adesão à OMC, veja o capítulo 18, *A China e a Organização Mundial do Comércio*.

mento estrangeiro perante os tribunais chineses, e o próprio processo de codificação do direito civil, também iniciado em 2001 por iniciativa da Assembleia Nacional do Povo[42].

A ideia inicial de elaborar um código civil abrangente, incluindo não apenas normas substantivas relativas às diversas áreas do direito civil, mas também normas de conflito, as quais figurariam no nono livro, acabou sendo abandonada e substituída pela adoção de leis separadas, cada uma correspondendo a um dos livros do que seria o código civil. Assim, a perspectiva era de que em 2010 fosse promulgada uma lei de direito internacional privado, o que de fato ocorreu[43], tendo a Lei sobre Conflito de Leis entrado em vigor em 1º de janeiro de 2011.

De acordo com Chen Weizou, "como todas as outras codificações nacionais recentes no campo do direito internacional privado, a nova lei chinesa sobre direito internacional privado também foi inspirada na evolução internacional do direito internacional privado contemporâneo".[44] Pode-se afirmar, porém, que a principal inspiração foi a codificação suíça de 1987, considerada a mais importante do fim do século XX, a qual influenciou várias das iniciativas nacionais posteriores de reforma, tais como a italiana, em 1995, e a belga, em 2004[45]. Outra influência é a própria evolução jurisprudencial chinesa após a abertura do país[46].

---

[42] É importante frisar que na academia este processo começou antes de 2001. Em 2000 a Sociedade Chinesa de Direito Internacional Privado já havia elaborado uma Lei Modelo de Direito Internacional Privado da República Popular da China, na esperança de que os legisladores adotassem uma normativa abrangente sobre a matéria, indo desde questões sobre jurisdição internacional, passando por conflitos de leis e cooperação jurídica, até reconhecimento e execução de sentenças estrangeiras. ZHU, Weidong. China's Codification of Conflict of Laws: publication of a draft text. In. *Journal of Private International Law*. Vol. 3, Tomo II, 2007. p. 284. Para uma visão completa dos debates doutrinários e propostas para a nova lei de direito internacional privado, ver WEIZOU, Chen. La codification du... *Op. cit.*, p. 132 e seguintes.

[43] A história completa sobre o processo de adoção da Lei sobre Conflito de Leis pode ser encontrada em HUO, Zhengxin. Highlights of China's... *Op. cit.*, p.644 e seguintes.

[44] Tradução livre do francês: *"Comme toutes les autres codifications nationales récentes dans le domaine du droit international privé, la nouvelle loi chinoise de droit international privé s'est inspirée, elle aussi, de l'évolution internationale du droit international privé contemporain"*. WEIZOU, Chen. *La codification du... Op. cit.*, p. 107.

[45] WEIZOU, Chen. *La codification du ... Op. cit.*, p. 108.

[46] WEIZOU, Chen. *La codification du ... Op. cit.*, p. 146.

3.1. Considerações gerais acerca da Lei sobre Conflito de Leis

A nova lei é composta de 52 artigos e pode ser entendida como estando dividida em uma parte geral, correspondente aos artigos de 1 a 10, os quais compõe o primeiro capítulo sobre princípios gerais, e uma parte especial, composta pelos demais artigos e capítulos, os quais tratam sobre sujeitos de direito em matéria civil (artigos de 11 a 20), casamento e família (artigos 21 a 30), sucessões (artigos 31 a 35), direitos reais (artigos 36 a 40), obrigações (artigos. 41 a 47), propriedade intelectual (artigos 48 a 50), e disposições adicionais (artigos 51 e 52), cada tema alocado em um capítulo distinto.

Como é possível perceber a partir de suas subdivisões, a Lei sobre Conflito de Leis abrange apenas norma-conflituais em matéria civil, tendo ficado excluído o regramento em matéria de jurisdição internacional, cooperação jurídica e reconhecimento e execução de sentenças estrangeiras.

Frise-se que a compreensão acerca da Lei sobre Conflito de Leis deve ter como referência não apenas o texto legal, mas, também, a interpretação da Lei dada pela Suprema Corte do Povo em 10 dezembro de 2012[47] ("Interpretação da SCP"). Dentre as questões tratadas pela interpretação, destaque-se o esclarecimento do papel da autonomia da vontade no direito internacional privado chinês e os meios pelos quais essa autonomia pode ser exercida validamente, a própria operação das normas de conflito, além da definição do significado de termos utilizados na lei, tais como "residência habitual" e "local da incorporação[48]".

3.2. Principais novidades introduzidas pela Lei no sistema de direito internacional privado chinês

Partindo da análise realizada por Chen Weizou em seu curso na Academia de Direito Internacional da Haia[49], pode-se afirmar que a Lei sobre

---

[47] Uma tradução para o inglês feita por Qisheng He foi publicada pelo *The Chinese Journal of Comparative Law*. HE, Qisheng. Interpretation I of the Supreme People's Court on Certain Issues Concerning the Application of the 'Law of the People's Republic of China on Application of Law to Foreign-Related Civil Relations'. In. *The Chinese Journal of Comparative Law*. Vol. 2, No. 1, 2014, pp. 175-180.

[48] FRANZINA, Pietro; CAVALIERI, Renzo. The 2012 'Interpretation' of The Supreme People's Court of China Regarding the 2010 Act on Private International Law. In. *Diritto del Commercio Internazionale*. Anno XXVII, Fasc. 4, 2013. p. 893.

[49] WEIZOU, Chen. La codification du... *Op. cit.*

Conflito de Leis modernizou e sistematizou as regras de conflito chinesas; consolidou a residência habitual como principal elemento de conexão e a aplicação dos princípios da conexão mais estreita[50] e da autonomia da vontade[51] como bases do sistema; reforçou a proteção da parte hipossuficiente, o tratamento igualitário entre a *lex fori* e a lei estrangeira e, ainda, conferiu segurança jurídica, notadamente pela flexibilidade das novas regras.

Considerando a história do país, refletida na evolução do direito internacional privado neste trabalho analisada, destacam-se algumas destas questões.

3.2.1. A residência habitual

Para definir a lei aplicável a questões relacionadas à pessoa, tais como capacidade, direitos de família e sucessões, dois são os elementos de conexão tradicionais: a nacionalidade e o domicílio. Aquele costuma ser, hoje, o elemento de conexão em países de tradição jurídica anglo-americana; este em estados afetos à tradição romano-germânica, sendo, por exemplo, o elemento de conexão adotado pelo Brasil[52]. Todavia, ambos apresentam problemas.

Ter a nacionalidade como elemento de conexão pode não refletir a situação atual de uma pessoa que, apesar de ter, por exemplo, nascido em lugar, viva há anos em outro e, assim, não tenha mais qualquer ligação com o Estado de sua nacionalidade. O domicílio, por sua vez, ficção jurídica que leva em conta tanto elementos objetivos quanto subjetivos, tal como a vontade de permanecer em determinado local, tem sua

---

[50] O princípio da conexão mais estreita pode ser entendido, de maneira geral, como o princípio que define que uma relação jurídica deve ser regida pela lei do país com o qual tenha as conexões mais estreitas, as quais são definidas não por regras de conflito abstratas, mas pelas características de cada caso, de forma a alcançar o que seria mais justo naquela determinada situação. Sobre o tema, ver: LAGARDE, Paul. *Le Principe de Proximité dans le Droit International Privé Contemporain*. In. Recueil des Cours de la Academie de Droit International de la Haye, 196 (9-238), 1986.

[51] Sobre este princípio, ver o item 3.2.2 abaixo.

[52] A Lei de Introdução às Normas do Direito Brasileiro, Decreto-lei nº 4.657 ("LINDB"), de 4 de setembro de 1942, define em seu art. 7º que "[a] lei do país em que domiciliada a pessoa determina as regras sobre o começo e o fim da personalidade, o nome, a capacidade e os direitos de família".

definição variável de Estado para Estado, o que poderia levar a problemas de qualificação[53].

Pensando em resolver questões como estas, a residência habitual passou a ganhar força como elemento de conexão por tratar-se de uma definição objetiva, fática, e de fácil aferição, a qual refletiria de forma apropriada as relações do sujeito com determinado local. No caso da China esta escolha se explicaria, também, pela "tendência à mundialização econômica", caracterizada pelo aumento das relações civis e comerciais entre chineses e estrangeiros. Neste contexto, a residência habitual passa a ser o centro de gravidade da vida da pessoa, e, em muitos casos, o local onde se concentra a maior parte de sua propriedade[54].

Ressalte-se, porém, que a Lei sobre Conflito de Leis não qualificou residência habitual. Assim, a Interpretação da SCP o fez, estabelecendo que se trata do local que representa o centro da vida da pessoa, no qual ela tenha residido por no mínimo de 1 ano, salvo nos casos em que a pessoa tenha passado a viver em determinado local por questões médicas ou laborais.

3.2.2. O princípio da autonomia da vontade

O princípio da autonomia da vontade em direito internacional privado significa a prerrogativa dada às partes de, por escolha própria, definirem qual será a lei aplicável a determinado caso envolvendo elemento de estraneidade. Ou seja, as partes definem, por si sós, qual será o ordenamento jurídico, sistema normativo ou conjunto de regras que determinará os direitos e obrigações relacionados àquela relação jurídica com liame internacional. Importante observar que a amplitude desta liberdade e os casos a qual ela se aplica são definidos pela lei do foro segundo o qual se analisa a situação, ou seja, a *lex fori*[55].

---

[53] Em direito internacional privado, qualificar é a ação de interpretar determinado fato social de forma a definir a categoria jurídica a qual corresponde.

[54] WEIZOU, Chen. La codification du... *Op. cit.*, p. 149.

[55] Importante, ainda, que fique clara a diferença entre autonomia da vontade, tal qual definida acima, e autonomia privada, princípio próprio do direito civil em matéria de contratos, o qual estabelece a liberdade negocial das partes, as quais podem definir o conteúdo dos contratos dentro dos limites estabelecidos pela própria legislação que rege a relação jurídica. Neste sentido, em si tratando de contratos internacionais, a autonomia da vontade, quando aceita, precede a autonomia privada, no sentido de que aquela elegerá a lei a qual ditará o escopo de autonomia privada conferida às partes.

No caso chinês, o art. 3º da Lei sobre o Conflito de Leis é claro ao estabelecer que, de acordo com as regras nela estabelecidas, as partes podem expressamente escolher a lei aplicável às relações civis com elemento de estraneidade. Por tratar-se de uma regra da parte geral da Lei, verifica-se que o princípio da autonomia da vontade tem importância central na nova normativa, o que sem dúvida é prova da abertura chinesa, principalmente à aplicação de leis estrangeiras por seus tribunais.

Na parte especial, a autonomia da vontade passa a ser a regra não só para a definição da lei aplicável às relações contratuais (art. 41), mas também à representação por mandato (art. 16), às relações fiduciárias (art. 17), à convenção de arbitragem (art. 18), às questões patrimoniais entre cônjuges (art. 24), ao divórcio consensual (art. 26), aos direitos reais de coisas móveis (art. 37), à transferência de direitos reais de coisas móveis em trânsito (art. 38), a responsabilidade civil, quando a escolha se dá após o dano (art. 44), ao enriquecimento ilícito e à gestão dos negócios (art. 47), à utilização e transferência de direitos de propriedade intelectual (art. 49) e à responsabilidade civil resultante de violações de direitos de propriedade intelectual.

É notável o quão avançadas são estas normas levando-se em conta todos os campos aos quais foi aberta às partes a prerrogativa de escolher a lei que será aplicável à relação jurídica existente entre elas, principalmente se comparadas com uma legislação como a brasileira, que sequer permite a autonomia da vontade para questões contratuais[56], quiçá para questões envolvendo direito de família como faz a lei chinesa.

Todavia, ao analisar a atual Constituição Chinesa, verifica-se em seu artigo 51 que "no exercício das suas liberdades e dos seus direitos, os cidadãos da República Popular da China não podem atentar contra os interesses do Estado, da sociedade e da coletividade ou contra as legítimas liberdades

---

[56] No Brasil, a norma que define a lei aplicável aos contratos internacionais é o art. 9º da LINDB, o qual estabelece que "[p]ara qualificar e reger as obrigações, aplicar-se-á a lei do país em que se constituírem.", privilegiando a regra da *lex loci celebracionis*. Frise-se que a inexistência de regra expressa quanto à autonomia da vontade no Brasil tem gerado grande incerteza por parte da doutrina, a qual se divide no sentido de afirmar que, de fato, não há a possibilidade de escolha de lei no Brasil por um lado, e defender que a ausência expressa da norma não significa proibição neste sentido. Sobre o tema, ver ARAÚJO, Nádia de. *Contratos Internacionais: Autonomia da Vontade, Mercosul e Convenções Internacionais*. 3. ed. Rio de Janeiro: Renovar, 2004.

DIREITO CHINÊS CONTEMPORÂNEO

e direitos dos outros cidadãos[57]". Fica, assim, sempre a dúvida sobre até que ponto os juízes chineses não considerarão a escolha feita pelas partes como sendo atentatória aos interesses do Estado, fazendo com que ela seja preterida quando contrária, por exemplo, aos princípios comunistas que regem o país.

3.2.3. O tratamento igualitário entre "lex fori" e lei estrangeira

Superando a tendência já observada no passado de rechaçar a possibilidade de aplicação da lei estrangeira, e mais uma vez demonstrando sua abertura, o legislador chinês não adotou sequer uma norma unilateral na Lei sobre Conflito de Leis, na qual todas as normas conflituais são bilaterais. Isso significa que todas as normas são abertas à aplicação seja da lei chinesa seja da lei de qualquer Estado por ela apontada. Existe, assim, um tratamento igualitário.

A lei estrangeira indicada pela norma de conflito apenas não será aplicada se for contra o interesse público e social da República Popular da China (art. 5), ou se a lei do Estado indicado não contiver nenhuma disposição que regule o caso em questão (art. 10).

4. Conclusões

A história social, política e econômica da China está intimamente relacionada com o próprio desenvolvimento do direito internacional privado no país, seus momentos de ascensão, total inexistência e atual consolidação como disciplina central para os objetivos econômico-expansionista chineses.

Chama a atenção o fato, porém, de que todo o desenvolvimento e as escolhas normativas realizadas parecem estar desvinculadas do objetivo de construção de um ordenamento jurídico caracterizado pela unidade, completude e coerência. Mesmo após a reforma das normas conflituais realizada em 2010, concebida como solução os diversos problemas apresentados pela normativa esparsa anterior, verifica-se que problemas relacionados à hierarquia entre as fontes ainda permanece. Da mesma forma como fez em 2012, nada impede que a Suprema Corte Popular realize novas inter-

---

[57] Retirado de tradução não oficial para o português da Constituição da República Popular da China de 4 de dezembro de 1982, disponível em: http://bo.io.gov.mo/bo/i/1999/constituicao/index.asp Acesso em 25/05/2014.

pretações da nova lei, as quais podem, até mesmo, ser conflitantes com o texto positivado. Não assustaria se razões políticas, pautadas em suposto interesse superior do Estado, fossem o fundamento no caso aventado.

É notável o fato de que ainda que hoje a China conte com um sistema de normas conflituais bastante avançado, principalmente considerando sua realidade política, todo o processo de modernização teve início há pouco mais que quarenta anos. Algumas décadas têm a amplitude de séculos quando o tema é o desenvolvimento legislativo chinês, como vêm confirmando os estudos e discussões realizados no Programa de Pós-Graduação em Direito da UFMG.

Neste sentido, as escolhas normativas, apesar de refletirem o avanço do direito internacional privado no mundo como um todo, tendo como inspiração modernas leis como a suíça, aparentam não refletir a realidade do próprio povo chinês, ou ao menos de sua grande maioria e, ainda, a compreensão existente sobre o poder do Estado. É possível indagar-se sobre até que ponto, por exemplo, a grade abrangência dada à autonomia da vontade é ou será compreendida pelas partes, não apenas no sentido de compreender a possibilidade que lhes é aberta, mas as consequências e os vários fatores existentes na escolhe deste ou daquele ordenamento. Além disso, existem questões tão sensíveis, principalmente em um sistema autoritário como o chinês, como as relacionadas à família, que fazem vacilar sobre a efetiva aplicação das escolhas realizadas pelas partes por parte de um juiz que, inevitavelmente, está imerso nesta cultura.

Resta, assim, a dúvida sobre até que ponto a prática judiciária refletirá de maneira adequada todo o esforço acadêmico em grande medida aceito e positivado pelo legislador chinês. Os poucos mais de três anos da entrada em vigor da Lei sobre Conflito de Leis não são tempo suficiente para consolidar a prática dos tribunais.

Referências bibliográficas

ARAÚJO, Nádia de. *Contratos Internacionais: Autonomia da Vontade, Mercosul e Convenções Internacionais*. 3ª Ed. Rio de Janeiro: Renovar, 2004.

ARROYO, Diego P. Férnandez. Conceptos y Problemas del derecho internacional privado. In. *Derecho Internacional Privado de los Estados del Mercosur*. ARROYO, Diego P. Férnandez (coordenador). Buenos Aires: Zavalía, 2003.

CHEN, Tung-Pi. Private International Law of the People's Republic of China: An Overview. In. *American Journal of Comparative Law*, Vol. 35, Tomo 3, 1987.

DOLINGER, Jacob. *Direito Internacional Privado: parte geral*. Rio de Janeiro: Renovar, 1997.

FANG, James Z.Y. The Embryo of China's Private International Law. In. *Willamette Law Review*. Vol. 23, 1987.

FRANZINA, Pietro; CAVALIERI, Renzo. The 2012 'Interpretation' of The Supreme People's Court of China Regarding the 2010 Act on Private International Law. In. *Diritto del Commercio Internazionale*. Anno XXVII, Fasc. 4, 2013.

GUOJIAN, Xu. Establishing a System of Private International Law with Chinese Characteristics. In. *Review of Socialist Law*, Vol. 15, Tomo 4, 1989.

HE, Qisheng. Interpretation I of the Supreme People's Court on Certain Issues Concerning the Application of the 'Law of the People's Republic of China on Application of Law to Foreign-Related Civil Relations'. In. *The Chinese Journal of Comparative Law*. Vol. 2, No. 1, 2014.

HUO, Zhengxin. Highlights of China's New Private International Law Act: From the Perspective of Comparative Law. In. *Reveu Juridique Themis*, Vol. 45, Tomo 3, 2011.

LAGARDE, Paul. *Le Principe de Proximité dans le Droit International Privé Contemporain*. In. Recueil des Cours de la Academie de Droit International de la Haye, 196 (9-238), 1986.

LU, Song. Law of the People's Republic of China on the Laws Applicable to Foreign--Related Civil Relations (full text). In. *The Chinese Journal of Comparative Law*. Vol. 1, No. 1, 2013.

WEIZOU, Chen. *La codification du droit international privé chinois*. In. Recueil des Cours de la Academie de Droit International de la Haye, 359 (87-284), 2013.

WEIZOU, Chen. The Necessity of Codification of China's Private International Law and Arguments for a Statute on the Application of Laws as the Legislative Model. In. *Tsinghua China Law Review.*, Vol. I, 2009.

XU, Donggen. *Le droit international prive en Chine: une perspective comparative*. In. Recueil des Cours de la Academie de Droit International de la Haye, 270 (107-235), 1997.

YIGONG, Liu. Chinese Legal Tradition and its Modernization. In. *US-China Law Review*. Vol. 8, Tomo 5, 2011.

ZHU, Weidong. China's Codification of Conflict of Laws: publication of a draft text. In. *Journal of Private International Law*. Vol. 3, Tomo II, 2007.

CAPÍTULO 16
A LEI DE DIREITO INTERNACIONAL PRIVADO DE 2010 NA SUPREMA CORTE DO POVO DA CHINA[1]

PIETRO FRANZINA E RENZO CAVALIERI

1. Introdução

Em 10 de dezembro de 2012, a Corte Suprema do Povo da República Popular da China apresentou uma "interpretação" (*jieshi*) (doravante, a "Interpretação de 2012")[2] abordando várias questões relativas à Lei de 28 de outubro de 2010 sobre a Lei Aplicável às Relações Privadas com Ele-

---

[1] Versão traduzida e adaptada para o português do artigo publicado na revista "Diritto del Commercio Internazionale", da Giuffrè Editore de Milão (Tomo 4, de 2013) sob o título *"The 2012 Interpretation of the Supreme People's Court of China regarding the 2010 Act on Private International Law"*. Os autores gostariam de agradecer à Giuffrè Editore, pela permissão de publicação da versão traduzida do artigo como capítulo na presente coletânea, e a Lucas Sávio de Oliveira da Silva, Filipe Greco de Marco Leite, Rafael Machado da Rocha e Fabrício Bertini Pasquot Polido, pelas tarefas de tradução, revisão técnica e adaptação do artigo para o presente capítulo.

[2] O texto em chinês da interpretação está disponível em http:/www.chinacourt.org. Uma tradução em inglês, feita por Ilaria Aquironi, está anexada a este artigo. Para uma análise da Interpretação e uma tradução para o alemão, ver Z. HUO. Two Steps Foward, One Step Back: A Commentary on the Judicial Interpretation on the Private International Law Act of China. In. *Hong Kong Law Journal*. 2013, p. 685 ss; P. LEIBKÜCHLER. Erste Interpretation des Obersten Volksgerichts zum neuen Gesetz über das Internationale Privatrecht der VR China. In. *Zeitschrift für chinesisches Recht*, 2013, p. 89 ss; P. LEIBKÜCHLER. *Erste Verlautbarungen des Obersten Volksgerichts zum neuen Gesetz über das Internationale Privatrecht der Volksrepublik China – Vorboteumfassen der justizieller Interpretation?* In. *Zeitschrift für Chinesisches Recht*, 2012, p. 17 s. Ver também, em Chinês, X. GAO, *Zuigao Renmin Fayuan "Guanyu shiyong Zhonghua Gongheguo shiwai minshi guanxi falü shiyong fa ruogan wentide jieshi"* [Uma Análise da Aplicação da Interpretação da Corte Suprema do Povo da República Popular da China sobre Várias Questões Relativas à Aplicação da Lei da República Popular da China sobre Lei Aplicável às Relações Privadas com Elementos de Estraneidade], *Falü Shiyong* [Revista de Aplicação do Direito], 2013, no. 3, p. 38 ss.

mentos de Estraneidade (doravante, a "Lei de 2010"), *i.e.* a codificação chinesa sobre normas de conflito de leis[3].

Trata-se de uma prática corrente da Suprema Corte Chinesa a publicação de detalhados pronunciamentos (normalmente chamados de *yijian*, "entendimentos", ou *sifajieshi*, "interpretações judiciais") para orientar as cortes inferiores sobre como normas legislativas devem ser interpretadas e aplicadas. Ao adotar estes pronunciamentos, a Corte Suprema realiza de

---

[3] A Lei está em vigor desde 1º de abril de 2011. Uma tradução para o inglês pode ser encontrada em <http://cjcl.oxfordjournals.org>. Sobre a codificação chinesa em matéria de normas de conflito de leis, ver J. BASEDOW; K. B. PISSLER (eds.). *Private International Law in Mainland China, Taiwan and Europe.* Mohr Siebeck, 2014; M. BLUMER. *Chinese Private International Law – English Translation of the Chinese Law on the Application of Law in Foreign-Related Civil Relationships with an Introduction.* Fajus Verlag, 2013; W. CHEN, L. BERTRAND. La nouvelle loi chinoise de droit international privé du 28 octobre 2010: contexte législatif, principals nouveautés et critiques. In. *Journal du droit international,* 2011, p. 375 ss., com a tradução em francês da Lei; Z. HUO. *An Imperfect Improvement: The New Conflict of Laws Act of the People's Republic of China.* In. International and Comparative Law Quarterly, 2011, p. 1065 ss.; K.B. PISSLER. Das neue Internationale Privatrecht der Volksrepublik China: Nach den Steinen tastend den Fluss über queren. In. *Rabels Zeitschrift,* 2012, p. 1 ss.; Q. HE. The EU Conflict of Laws Communitarization and the Modernization of Chinese Private International Law. In. *Rabels Zeitschrift,* 2012, p. 47 ss.; W. CHEN. *La nouvelle codification du droit international privé chinois.* In. *Recueil des cours de l'Académie de droit international de La Haye,* vol. 359, 2012, p. 87 ss; W. LONG. The First Choice-of-Law Act of China Mainland: an Overview. In. *IPRax,* 2012, p. 273 ss.; J. HUANG. *Creation and Perfection of China's Law Applicable to Foreign-Related Civil Relations.* In. *Yearbook of Private International Law,* 2012-2013, p. 269 ss. Ver também os Artigos de R. CAVALIERI, S. D'ATTOMA, P. FRANZINA, A. GARDELLA, W. LONG, S. LU, L. RADICATI DI BROZOLO, L. SEMPI and L. ZHANG, compilados em *Il nuovo diritto Internazionale privato della Repubblica Popolare Cinese. La legge del 28 ottobre 2010 sul diritto applicabile ai rapporti civili com elementi di estraneità,* editado por R. Cavalieri e P. Franzina, Milão, 2012 (com uma tradução em italiano da Lei e de uma seleção de textos relacionados). Aspectos específicos da Lei de 2010 são examinados, 'inter alia', por G. TU, M. XU. "Contractual Conflicts in the People's Republic of China: The Applicable Law in the Absence of Choice". In. *Journal of Private International Law,* 2011, p. 179 ss., Q. HE. Reconstruction of Lex Personalis in China. In. *International and Comparative Law Quarterly,* 2013, p. 137 ss.; Z. HUO. Reshaping Private International Law in China: The Statutory Reform of Tort Conflicts. In. *Journal of East Asia and International Law,* 2012, p. 93 ss.; Q. HE. *Changes to Habitual Residence in China's Lex Personalis.* In. *Yearbook of Private International Law,* 2012-2013, p. 323 ss.; G. TU. *The Codification of Conflict of Laws in China: What Has / Hasn't yet been Done for Cross-Border Torts?, ibidem,* p. 341 ss.; W. LIANG, *The Applicable Law to Rights In Rem under the Act on the Law Applicable to Foreign-related Civil Relations of the People's Republic of China, ibidem,* p. 353 ss.; W. ZHU, *The New Conflicts Rules for Family and Inheritance Matters in China, ibidem,* p. 369 ss.

A LEI DE DIREITO INTERNACIONAL PRIVADO DE 2010...

fato uma função quase legislativa, refletindo a peculiar alocação de poderes consagrada pela Constituição Chinesa[4]. Na prática, opiniões consultivas não se restringem a esclarecer ou explicar normas existentes, mas na verdade suplementam e incrementam aquelas normas à luz da experiência prática e das contribuições doutrinarias[5].

A Interpretação de 2012, a qual entrou em vigor em 1º de janeiro de 2013[6], não é o primeiro exercício consultivo levado a cabo pela Suprema Corte Chinesa a respeito da Lei de 2010. Em dezembro de 2010, poucas semanas após a promulgação da normativa, uma nota foi adotada lidando, em particular, com questões de direito intertemporal (a Nota de 2010[7]). Ao mesmo tempo, o trabalho consultivo empreendido pela Corte a respeito da codificação chinesa de Direito Internacional Privado não se pretende

---

[4] Ver em geral sobre este tema S. FINDER. The Supreme People's Court of the People's Republic of China. In. *Journal of Chinese Law*, 1993, em especial p. 147 ss. e p. 164 ss., e N. LIU. *Legal Precedents with Chinese Characteristics: Published Cases in the Gazette of the Supreme People's Court, ibidem*, 1991, p. 107 ss. Ver também I. CASTELLUCCI. *Rule of Law and Legal Complexity in the People's Republic of China*, Trento, 2012, p. 30 ss.

[5] Por exemplo, um detalhado e abrangente exercício consultivo no ramo do direito privado foi levado a cabo pela Suprema Corte em sua Interpretação em Questões Sobre a Implementação dos Princípios Gerais de Direito Civil da República Popular da China de 1988 (a Interpretação de 1988), da qual uma tradução em inglês pode ser vista em *Law and Comtemporary Problems*, 1989, p.59 ss.

[6] De acordo com o Artigo 20, a Interpretação deve ser aplicada a todos os procedimentos civis iniciados após a entrada em vigor da Lei de 2010, exceto nos casos que tenham transitado em julgado antes da entrada em vigor da interpretação. Quanto à abrangência "geográfica" da Interpretação, o Artigo 19 estabelece que questões relacionadas à lei aplicável às relações privadas com elementos de estraneidade envolvendo as Regiões Administrativas Especiais de Hong Kong e Macau serão tratadas da mesma forma de acordo com a Interpretação.

[7] Uma tradução para o inglês da Nota da Suprema Corte do Povo sobre o Correto Estudo e Implementação da Lei da República Popular da China sobre a Aplicação de Leis às Relações Privadas com Elementos de Estraneidade pode ser encontrada em http://www.lawinfochina. com. Para uma tradução italiano, ver *Il nuovo diritto internazionale privato dela Repubblica Popolare Cinese* (*supra*, nota 3), p. 224, ss. O Artigo 21 da Interpretação de 2012 deixa claro que em caso de contradição entre opiniões judiciais anteriores dadas pela Suprema Corte e a Interpretação de 2012, esta deve prevalecer. Esta afirmação deve ser lida de forma a significar que a Interpretação de 2012 deve igualmente prevalecer sobre as opiniões dadas pela Suprema Corte a respeito de outras disposições legais em matéria de direito internacional privado, na medida em que estas não sejam afetadas pela Lei de 2010 (sobre esse aspecto, ver mais *infra*, seção 3).

DIREITO CHINÊS CONTEMPORÂNEO

terminado com a Interpretação de 2012. Outras opiniões consultivas estão sendo levadas em consideração pelo Comitê Judicial da Suprema Corte.

2. As questões tratadas pela Interpretação da Corte e sua relevância prática

A Interpretação de 2012 se preocupa basicamente com quatro conjuntos de questões. Para começar, a Interpretação esclarece as condições de aplicação da Lei de 2010, ou seja, sobre a aplicação *ratione temporis* e a primazia da Lei sobre regras de conflito de diferentes fontes. Em segundo lugar, a Interpretação fornece uma clara explicação sobre o papel da autonomia da vontade nos conflitos de leis, incluindo casos relacionados a acordos arbitrais, e ilustra os meios pelos quais a autonomia pode ser validamente exercidas. Em terceiro lugar, ela aborda uma seleção de tópicos relacionados à "parte geral" do novo regime, *i.e.* questões relacionadas à operacionalização das regras de conflito, tais como as particularidades das normas de polícia[8] e o tratamento das "questões preliminares". Finalmente, a Interpretação esclarece o significado de determinadas noções empregadas em várias disposições especiais da Lei, a saber as noções de "residência habitual" e "local de incorporação".

Com relação a alguns destes pontos, a Interpretação não faz mais que reafirmar soluções interpretativas que possuem amplo consenso entre doutrinadores e profissionais, se já não previstas na legislação chinesa existente ou em opiniões consultivas anteriores. Em outros aspectos, todavia, a Corte trata de assuntos bastante controversos, argumentando conclusivamente sobre um lado do debate em detrimento do outro.

Contudo, a Interpretação marca um importante passo na consolidação da codificação chinesa do direito internacional privado, uma vez que desenvolve a redação muitas vezes lacônica da Lei de 2010 e estabelece as condições para uma aplicação mais previsível de suas regras.

3. As condições de aplicação da Lei de 2010

Os Artigos 1 a 5 da Interpretação de 2012 auxiliam os tribunais chineses a identificar as situações as quais a Lei de 2010 se destina a aplicar.

O Artigo 1 trata do requisito da internacionalidade. Ele estabelece uma lista não exaustiva de elementos que podem ser interpretados como con-

---

[8] NdT: No original "overriding mandatory provisions".

A LEI DE DIREITO INTERNACIONAL PRIVADO DE 2010...

ferindo um caráter internacional a determinada relação para os propósitos da Lei[9]. É feita referência, sem surpresas, à nacionalidade ou à residência habitual das partes, bem como a características objetivas da relação em questão[10]. Pode ser inferido da redação deste parágrafo que os tribunais chineses lidando, por exemplo, com uma sucessão de um nacional chinês que resida no exterior deveriam tratar a questão como transfronteiriça, e, desta forma, recorrer à Lei de 2010 para determinar a lei aplicável. Um contrato entre duas companhias chineses deveria igualmente ser considerado como tendo implicações transfronteiriças sempre que, por exemplo, o acordo tenha sido feito fora do território chinês ou que o contrato tenha sido concluído a respeito de um investimento estrangeiro.

Para acionar a aplicação da Lei, a situação deve de todas as maneiras demonstrar um elemento estrangeiro *genuíno*. Quando as partes, ou uma delas, criou intencionalmente um conjunto de fatos com o único propósito de mascarar uma situação que de outra maneira seria considerada puramente doméstica, esta – é submetido – não deve ser considerada como abrangida pelo escopo de aplicação da Lei de 2010. Este entendimento para ser amparado pelo Artigo 11 da Interpretação de 2012, que será analisado abaixo[11].

Questões intertemporais são tratadas pelo Artigo 2. Ao reiterar que situações ocorridas antes da entrada em vigor antes da Lei de 2010 estão sujeitas, a princípio, regras de conflito pré-existentes aplicáveis (de acordo com a tradicional regra *tempus regitactum*), a Interpretação deixa claro que – quando nenhuma disposição específica for encontrada na legislação em vigor à época – os tribunais chineses estão autorizados a referir-se à Lei de 2010. Uma disposição praticamente idêntica já havia aparecido na Nota da Suprema Corte de 2010, mencionada acima[12]. O dispositivo reflete as dificuldades práticas experimentadas pelos tribunais chineses antes da codificação de 2010, quando as normas de conflito estavam dispersas em

---

[9] A Lei, como disposto em seu Artigo 1, se aplica apenas a relações privadas com "elementos de estraneidade". Todavia, a Lei não estabelece as circunstâncias nas quais uma relação civil deve ser considerado com tendo "elemento de estraneidade" para seus propósitos.

[10] A afirmação da Corte em grande medida reflete o Artigo 178 da Interpretação de 1988. Nenhuma referencia, todavia, é feita na referida disposição sobre a residências habitual da(s) pessoa(s) envolvidas.

[11] Ver *infra,* seção 5.

[12] Ver Artigo 3 da Nota.

DIREITO CHINÊS CONTEMPORÂNEO

vários textos, muitas vezes sem o desejável nível de precisão[13]. A aplicação contínua de normas preexistentes pode de fato perpetuar as mencionadas dificuldades, pondo assim em risco os objetivos de segurança jurídica e facilidade na administração de casos transfronteiriços perseguidos pelo legislador. Os tribunais são, então, autorizados a recorrer à Lei de 2010 como uma ferramenta para aprimorar a aplicação da "antiga" legislação[14] sempre que a clareza e o grau de precisão desta pareçam ser insuficientes.

O Artigo 3 reafirma a primazia das disposições da Lei de 2010 sobre as regras de conflito existentes em outros instrumentos normativos[15]. Como uma exceção a este princípio, a Interpretação deixa claro que as disposições pertinentes existentes em instrumentos normativos "especiais" – a saber a Lei da República Popular da China sobre Títulos Negociáveis, a Lei Marítima da República Popular da China, A Lei de Aviação Civil da República Popular da China e outros instrumentos (não especificados) em matéria de comercial e de propriedade intelectual – ainda são aplicáveis apesar da codificação de 2010. Com esta afirmação, a Suprema Corte ilustra o significado do Artigo 2 da Lei, segundo o qual, no âmbito da codificação, disposições especiais – tais como disposições promulgadas com o objetivo de regular a uma classe particular de pretensões ou situações, tendo assim em conta as características de tais situações e pedidos – devem prevalecer sobre as gerais[16].

---

[13] A esse respeito, ver Q. HE. *The EU Conflict of Laws Communitarization and the Modernization of Chinese Private International Law (supra*, nota 3), p. 54 ss.

[14] A linguagem empregada pela Corte sugere que, quando casos "antigos" estão sob análise, o que está em questão não – propriamente dizendo – a *aplicação* da Lei de 2010, mas sim a capacidade destas disposições para servir como guias para o intérprete, sem realmente dificultar sua aplicação.

[15] Este dispositivo segue a regra sistémica *lex specialis derogat generali* (e a regra *lex posterior derogat priori*) disposta no Artigo 83 da Lei Legislativa da República Popular da China de 2000, de acordo com a qual "[c]om relação a leis, regulamentos administrativos, regulamentos locais, regulamentos autônomos, regulamentos ou regras separadas, caso formulada pelo mesmo e único órgão e caso haja contradições entre as regras especiais e as regras gerais, as regras especiais devem prevalecer; caso haja contradição entre as novas regras e as regras antigas, as regras novas devem prevalecer". Sentiu-se, porém, ser útil um esclarecimento a esse respeito: ver, por exemplo, J. HUANG. *Creation and Perfection of China's Law Applicable to Foreign-related Civil Relations (supra*, nota 3), p. 287 ss.

[16] Ver, porém, Artigo 51 da Lei de 2010, segundo o qual a Lei prevalece sobre as disposições de regras de conflito especiais dispostas nos Artigos 146 e 147 da Lei de Princípios Gerais

A LEI DE DIREITO INTERNACIONAL PRIVADO DE 2010...

No Artigo 4º, a Interpretação lida com a relação entre a Lei de 2010 e outros dispositivos que tratem de casos privados transfronteiriços, existentes em tratados e convenções. A esse respeito, os tribunais chineses são instruídos a assegurar a aplicação das regras dos tratados, ao invés da Lei de 2010. Como a Interpretação mesma relembra, a primazia das convenções internacionais já é estabelecida em diversos textos legais, incluindo os Princípios Gerais do Direito Privado da República Popular da China[17].

O mesmo Artigo acrescenta que a dita primazia não deve ser aplicada a casos abrangidos pelo escopo de aplicação dos tratados internacionais em matéria de direitos relativos a propriedade intelectual, quando estes tratados já tenham sido implementados na ordem jurídica da República Popular da China, ou quando a República Popular da China esteja sob a obrigação de os implementar. Em uma área política e economicamente sensível, como o direito da propriedade intelectual, é importante – do ponto de vista da Corte – que a referência seja feita em primeiro lugar para as medidas implementadas em âmbito doméstico, e não às disposições internacionais subjacentes[18].

A redação do Artigo 4º indica que a primazia dos tratados internacionais engloba todos os tipos de normas internacionalmente uniformes destinadas a regular situações transnacionais (incluindo disposições abordando, sem distinção, situações domésticas e transnacionais), não importando se elas são normas de conflito ou normas substantivas. Assim, por exemplo,

---

do Direito Privado da República Popular da China, relativos a atos ilícitos civis e casamento, assim como no Artigo 36 da Lei de Sucessões em caso de Morte da República Popular da China. Uma tradução para o inglês tanto dos Princípios Gerais quanto da Lei de Sucessões podem ser encontradas em http://www.leggicinesi.it. Para uma tradução para o italiano dos dispositivos pertinentes, ver *Il nuovo diritto Internazionale privato dela Repubblica Popolare Cinese* (*supra*, nota 3), p. 227 e p. 239.

[17] O Artigo 142(2) dos Princípios Gerais tem a seguinte redação: "Se um tratado internacional é concluído ou ao qual a República Popular da China adira inclui dispositivos que sejam diferentes daqueles das leis civis da República Popular da China, os dispositivos do tratado internacional devem ser aplicados, a menos que estes dispositivos a respeito dos quais a República Popular da China tenha feito reserva". Sobre o lugar ocupado pelos tratados internacional em meio às fontes do direito internacional privado na China, ver W. CHE. *La nouvelle codification du droit international privé chinois* (*supra*, nota. 2), p. 251 ss.

[18] Sobre o assunto, ver G. ZHANG, S. RUI, *TRIPS Xieyi ji xiangguan guoji gongyue zai woguode shiyong* [*The application of TRIPS and Related Conventions in our Country*], in *Zhishi Chanquan* [*Journal of Intellectual Property*], 2007, p. 58.

pode se entender que o Artigo 4º da Interpretação afirma que quando um contrato para a venda internacional de mercadorias encontra-se sob apreciação, deve-se referir, em primeiro lugar, à Convenção das Nações Unidas sobre a Venda Internacional de Mercadorias (CISG), da qual a República Popular da China é parte desde 1º de janeiro de 1988. Assim, o Artigo 41 da Lei de 2010, que contém a norma de conflito geral para em matéria de contratos, deveria ser utilizado apenas quando a utilização de normas de direito internacional privado não está em conflito com (ou, ao contrário é requerido pela) CISG, em particular quando a questão a ser decidida não está entre as que são reguladas pelas regras uniformes nela dispostas (e não estão de outra maneira esclarecidos pelos princípios sob os quais a Convenção se baseia[19]).

O Artigo 5º da Interpretação diz respeito aos usos internacionais e o papel que eles podem ter no preenchimento ou integração de lacunas, em conexão com os dispositivos domésticos, isto é, com as normas da Lei de DIP de 2010. Os tribunais inferiores são instruídos a utilizar esses usos em conformidade com a legislação chinesa, e, mais particularmente, com os Princípios Gerias do Direito Privado. O Artigo 142(3) dos Princípios Gerais estabelece que os usos comerciais podem ser invocados quando nenhuma disposição chinesa, assim como nenhuma convenção internacional em vigor na China, regule a matéria de forma específica.

4. O escopo da autonomia da vontade e as condições para uma escolha de lei válida

Uma das características mais importantes da Lei de DIP de 2010 é o papel atribuído à autonomia da vontade na determinação da lei aplicável às relações jurídicas transfronteiriças[20]. Uma regra geral relativa a escolha de lei

---

[19] Por outro lado, as regras de conflito não têm, a princípio, nenhum papel a desempenhar perante os tribunais da República Popular da China com o objetivo de determinar a aplicabilidade da própria Convenção. A China declarou, nos termos do Artigo 95 da Convenção, que ela não está obrigada ao Art. 1(1)(b), ou seja, ao dispositivo de acordo com o qual a CISG é aplicável "quando as normas de Direito Internacional Privado levarem à aplicação da lei de um Estado Contratante".

[20] Ver, em geral, a respeito deste aspecto da codificação: K.B. PISSLER. *Das neue Internationale Privatrecht der Volksrepublik China (supra, nota. 3)*, p. 9, e W. LONG. L'autonomia privata e le norme imperative nella prima codificazione cinese dele norme sui conflitti di leggi. In. *Il nuovo diritto Internazionale privato dela Repubblica Popolare Cinese (supra, nota. 2)*, p. 83 ss.; Ver

A LEI DE DIREITO INTERNACIONAL PRIVADO DE 2010...

pode ser encontrada no Artigo 3. Ela dispõe que as partes são autorizadas a escolher a lei que regerá sua relação, desde que o façam de maneira expressa e "em conformidade com as disposições pertinentes" da Lei. Vários dispositivos, estabelecidos tanto na Lei quanto nas leis especiais mencionadas na seção anterior, preveem a possibilidade de uma *electio iuris* a respeito de determinados institutos legais, incluindo agência (Artigo 16), trustes (Artigo 17), regimes dos bens no matrimônio (Artigo 24) e contratos (Artigo 41).

O propósito dos Artigos 6º a 9º da Interpretação de 2012 é a de dar um melhor entendimento à abrangência da autonomia da vontade no direito internacional privado chinês e de esclarecer as condições segundo as quais um acordo válido entre as partes pode ser celebrado para este efeito.

De acordo com o Artigo 6º, a escolha da lei é admissível somente na ocasião em que as normas de conflito chinesas pertinentes "claramente estabeleçam" que, nas circunstâncias, as partes estão autorizadas a fazê-lo. O dispositivo deixa claro que a regra da autonomia da vontade, prevista no Artigo 3º, não pode ser interpretada como uma norma cabível em todos os casos, a qual permita às partes designar a lei aplicável por mútuo ajuste. Desde que isso [na verdade] não seja especificamente proibido pelas regras pertinentes. O Artigo 3º deve, antes, ser visto como uma declaração de caráter "pedagógico": de certa forma, seu objetivo é "declarar" a nova atitude do Direito Internacional Privado chinês no que concerne à autonomia das partes, deixando às disposições especiais pertinentes a tarefa de determinar, à luz das características da relação jurídica em análise e das políticas envolvidas, se a escolha da lei é permitida no caso concreto e, em caso afirmativo, quais características devem revestir o acordo.

O Artigo 7º, por sua vez, relaciona-se com o objeto da escolha feita pelas partes. Ele prevê que, em princípio, não há necessidade de que exista uma conexão entre a situação analisada e o Estado cujo direito material está sendo designado pelas partes[21]. Na prática, a escolha não teria de se basear

---

também J. LIANG. Statutory Restrictions on Party Autonomy in China's Private International Law of Contract: How Far Does the 2010 Codification Go?. In. *Journal of Private International Law*, 2012, p. 77 ss.

[21] É claro, o Parágrafo 7º não é aplicável quando as regras pertinentes do conflito de normas restringem explicitamente as opções disponíveis para as partes, ao exigir que uma determinada conexão existente entre a lei escolhida e da relação jurídica a que o acordo se refere. O Artigo 26 da Lei de 2010, por exemplo, prevê que, em matéria de divórcio por mútuo consen-

DIREITO CHINÊS CONTEMPORÂNEO

nas características geográficas da situação ou estar fundamentada em suas implicações sociais e econômicas. A escolha poderia, então, simplesmente refletir o fato de que, na opinião das partes, a lei do país indicado é a que melhor atende às suas necessidades, tendo em vista o conteúdo substantivo de suas disposições, sua estabilidade ou seu grau de desenvolvimento técnico. Em suma, nos termos da Interpretação, se uma das partes apresentasse uma objeção no curso de um processo judicial, alegando que a escolha da lei aplicável é inválida, tendo por base o fato de não existir conexão genuína entre a lei escolhida e a relação disputada, o tribunal demandado não deverá acatar o pedido feito.

Poder-se-ia perguntar se a declaração da Suprema Corte deve ser entendida no sentido de que, *sob nenhuma hipótese*, a corte demandada deverá ter direito a desconsiderar o acordo das partes, por razões relacionadas ao objeto da escolha, isto é, em razão desta escolha não estar suficientemente conectada com a realidade da situação, a ponto de ser tida como uma manobra cujo objetivo seria afastar a aplicação da lei chinesa. Em relação a isso, especificamente, deve-se observar que duas estratégias já estão em vigor na Lei de 2010, com o objetivo de lidar especificamente com a questão. Assim, por um lado, vale ressaltar que as normas substantivas fundamentais do sistema jurídico chinês estão protegidas pelas normas de aplicação imediata do foro, bem como pela exceção de ordem pública, conforme disposto nos Artigos 4º e 5º da Lei de DIP de 2010.A proteção, desse modo, abrangeria os casos em que as partes, de comum acordo, determinam a aplicação de uma lei estrangeira, independentemente de a indicação refletir uma verdadeira conexão entre a situação em causa e a lei escolhida e, ainda, nos casos em que a legislação estrangeira é designada mediante elemento de conexão "objetivo". Por outro lado, há que se recordar que, nos termos do Artigo 11 da Interpretação, as partes não estão autorizadas a tirar proveito, para fins de conflito de leis, de um conjunto de fatos a que elas mesmas tenham dado causa, de maneira artificial, com o intuito de afastar a aplicação da lei chinesa. Isso parece sugerir que as partes, em nenhuma hipótese, poderão realizar validamente a escolha da lei aplicável para uma situação em relação à qual inexista um elemento internacional "genuíno". Pela mesma razão, quando esse elemento está presente, mas

timento dos cônjuges, as partes só podem optar pela lei do país em que um deles tenha sua residência habitual ou pela legislação do país da nacionalidade de um deles.

a gama de opções disponíveis para as partes é limitada nos termos da Lei, as partes não poderão escolher a lei de um país com o qual a situação em análise não tenha mais que uma conexão artificial.

Enfim, alega-se que nenhuma revisão deve ser realizada pelos tribunais chineses quanto ao objeto de escolha do direito aplicável feita em conformidade com as normas relativas à autonomia da vontade das partes, uma vez que (e na medida em que) práticas elisivas e fraudulentas parecem já estar devidamente tuteladas pela aplicação das normas de aplicação imediata, exceção de ordem pública e pela proibição geral de fraude à lei.

O Artigo 8º da Interpretação de 2012 se debruça sobre as modalidades de escolha. Afirma-se, pois, que o prazo para as partes estabelecerem um acordo sobre a lei aplicável, incluindo um acordo visando a modificar uma escolha anterior, deve ser realizado até o fim do trâmite em primeira instância. Vale relembrar que, nos termos do Artigo 141 da Lei de Processo Civil da República Popular da China[22], com as alterações introduzidas em 2012, as demandas judiciais incluem um requerimento de abertura apresentado pelo autor, uma resposta apresentada pelo réu (seguido de declarações apresentadas por terceiros, se houver) e uma discussão entre os dois lados. O juiz então pede que as partes apresentem os seus pareceres finais. As partes estão, portanto, em condições de chegar a um acordo quanto à legislação que rege o mérito da controvérsia, o mais tardar, quando da apresentação dos referidos pareceres finais.

Como forma de facilitar a celebração de acordos sobre a lei aplicável, o Artigo 8 esclarece, ainda, que as cortes chinesas podem concluir que as partes realmente fizeram um acordo sobre a legislação aplicável, quando ambas já fizeram referência à lei de um mesmo país e nenhuma delas tenha se oposto quanto à sua aplicabilidade.

O Artigo 9 da Interpretação de 2012 prevê que, caso as partes em um contrato se refiram a um tratado internacional (especificamente, um tratado que estabelece regras uniformes de Direito Privado material), e o referido tratado não esteja em vigor na República Popular da China (ou seja, na hipótese de não consistir em um tratado cujas disposições sejam "imediatamente" aplicáveis a processos chineses em virtude das medidas internas de implementação enquanto uma alternativa para as regras de conflito de normas), tribunais chineses poderão determinar os direitos e

---

[22] Para tradução em inglês ver http://chinalawinfo.com.

obrigações das partes, em conformidade com o tratado em questão, desde que estas não violem as normas de aplicação imediata ou o interesse público e social da República Popular da China.

A disposição do Artigo 9 levanta uma questão teórica controversa. De acordo com a visão tradicional, tal como consagrado, nomeadamente, nas regras europeias sobre a lei aplicável às obrigações contratuais estabelecidas no Regulamento (CE) n.º 593/2008, de 17 de junho de 2008 ("Roma I")[23], um acordo por meio do qual as partes decidem submeter sua relação a um tratado internacional não constitui, para ser mais correto, uma escolha de lei aplicável. Para efeitos de regras de conflito de normas, a escolha da lei é normalmente entendida como sendo uma escolha capaz de designar apenas o direito de um país, ou seja, a lei de um Estado. Sempre que é feita uma referência ao direito não-estatal, o acordo entre as partes deve, antes, ser considerado como que realizando uma *incorporação material* das normas materiais designadas ao contrato. Incorporação, nesse sentido, significa uma expressão do substantivo, em oposição a conflito, autonomia. Isso implica que a incorporação pode ser considerada válida somente se e na medida em que a lei aplicável ao contrato, ou seja, a ordem jurídica interna a que o contrato está submetido, nos termos das regras referentes a conflitos de normas, permite que as partes realmente exerçam autonomia desta maneira[24]. Em outras palavras, a admissibilidade e os efeitos da incorporação devem ser avaliados sob a égide da *lex contractus*, com a *lex fori* possivelmente afetando a relação em questão apenas na medida em que as disposições que as partes (validamente) concordaram em incorporar ao contrato infringirem as normas de aplicação imediata do foro ou forem contra ordem pública deste.

A solução seguida pela Suprema Corte Popular da China parece estar embasada em diferentes premissas teóricas. A Interpretação de 2012,

---

[23] O Artigo 3 do Regulamento, dado que os contratos que consubstanciam um elemento internacional são regidos pela lei escolhida pelas partes, deve ser lido como a permitir que as partes designem apenas a lei de Estados. A relevância de um acordo referindo-se a direito não-estatal é esclarecida pelo Considerando 13 do Regulamento, segundo o qual as partes não estão impedidas "de incluírem, por referência, no seu contrato um corpo não-estatal de Direito ou uma convenção internacional".

[24] Ver recentemente sobre estes tópicos C. KOHLER, L'autonomie de la volonté en droit international privé: un principe universel entre libéralisme et étatisme, in *Recueil des cours de l'Académie de droit international de La Haye*, vol. 359, 2012, p. 314 ss.

embora de fato invista tribunais chineses com nada mais do que uma faculdade ("os tribunais podem determinar os direitos e obrigações das partes, em conformidade com o tratado..."), parece sugerir que as disposições do tratado designado [pelas partes] seriam aplicáveis independentemente da *lex contractus*, como se a designação [pelas partes] esvaziasse todas as outras regras de conflito de normas aplicáveis às circunstâncias. Na verdade, uma leitura possível do Artigo 9 seria a de que, em princípio, a escolha de uma convenção só poderia estar sujeita às mesmas limitações – a aplicação irrestrita das normas de aplicação imediata do Direito Chinês e a exceção baseada na deferência em razão do interesse público e social da República Popular da China – que afetariam igualmente uma "escolha de lei (de Estado)" nos termos do Artigo 41 da Lei de 2010. Esta é, no entanto, uma leitura duvidosa, uma vez que a expressão "normas de aplicação imediata", empregada no Artigo 9 (bem como no Artigo 4 da Lei de 2010 e no Artigo 11 da Interpretação [de 2012]), pode ser entendida, gramaticalmente, como englobando tanto as disposições internacionalmente obrigatórias quanto as disposições obrigatórias domésticas.

Enquanto uma profunda compreensão dos fundamentos teóricos desta declaração, e de suas implicações práticas, exigiria uma análise mais cuidadosa, vale observar que, ao reconhecer a "imediata" relevância de regras materiais uniformes a nível internacional, a Suprema Corte Popular da China está, de fato, contribuindo para o desenvolvimento do debate sobre a natureza e o alcance da autonomia das partes nos conflitos contratuais, bem como na reavaliação da relação entre o Direito estatal e as normas-não-estatais[25]. Neste contexto, o Artigo 9 da Interpretação de 2012 ecoa algumas das discussões que se deram em torno da elaboração do que é agora o Artigo 3 do Projeto de Princípios de Haia sobre a escolha da lei em Contratos Internacionais, atualmente em elaboração no âmbito da Conferência da Haia sobre Direito Internacional Privado. As últimas disposições, como forma de elucidar o significado do Artigo 2, segundo o qual um contrato "é regido pela lei escolhida pelas partes", deixam claro que, nos

---

[25] Na realidade, de acordo com alguns estudiosos chineses, o Artigo 41 da Lei 2.010 em si não pode ser interpretado como excluindo a possibilidade de uma escolha de Direito não--estatal em matéria contratual: ver W. Long, The Feasibility of Parties' Choice of the PICC in Sino-European Commercial Contracts: An Overview of the Chinese Legal Framework, in *Uniform Law Review*, 2013, p. 1 ss.

DIREITO CHINÊS CONTEMPORÂNEO

Princípios, "uma referência à legislação inclui normas de Direito que são geralmente aceitas a nível internacional, supranacional ou regional como um conjunto neutro e equilibrado das regras, a menos que a lei do foro disponha em contrário"[26].

Algumas observações devem finalmente ser dedicadas a uma outra questão abordada pela Interpretação de 2012, em conexão com a autonomia das partes, ainda que em um contexto bastante peculiar de arbitragem. Deve-se lembrar, em princípio, que nos termos do Artigo 18 do Lei de 2010, as partes têm o direito de escolher a legislação que rege o seu acordo arbitral. Na ausência de uma escolha das partes, o acordo deve ser sujeito à lei do país onde a instituição arbitral escolhida está estabelecida ou à lei do país em que a arbitragem tem a sua sede. O Artigo 14 da Interpretação esclarece que, como regra, quando as partes não tiverem escolhido a lei aplicável ao seu contrato arbitral ou a instituição arbitral ou [ainda] a sede da arbitragem, a validade do acordo será determinada em razão da legislação chinesa. O mesmo se aplicaria quando a escolha feita pelas partes não estivesse clara.

5. Questões relativas à "parte geral" da codificação

A Interpretação de 2012 aborda, nos Artigos 10 a 13 e 17 a 18, uma série de questões relacionadas ao que normalmente se denomina "parte geral" dos conflitos de normas; isto é, questões relativas às premissas teóricas das regras de Direito Internacional Privado, bem como aquelas relativas à sua estrutura e regimes de funcionamento.

O Artigo 10 diz respeito à identificação das normas de aplicação imediata para os fins do Artigo 4 da Lei de 2010[27]. Cortes chinesas são instru-

---

[26] Em relação aos Princípios de Haia e a relevância dos "estados de direito", fora do Direito estatal, ver M. Pertegás Sender, Les travaux de la Conférence de La Haye sur un instrument non contraignant favorisant l'autonomie des parties, in *Le règlement communautaire "Rome I" et le choix de loi dans les contrats internationaux*, Paris, 2011, p. 19 ss., and L.G. Radicati di Brozolo, Non-National Rules and Conflicts of Laws: Reflections in Light of the Unidroit and Hague Principles, in *Rivista di diritto internazionale privato e processuale*, 2012, p. 841 ss. See also F. de Ly, Choice of Non-State Law and International Contracts, in *Diritto del commercio internazionale*, 2012, p. 825 ss.

[27] Ver, de modo geral, sobre o assunto R. Qin, *Eingriffs normen im Recht der Volksrepublik China und das neue chinesische IPR-Gesetz*, in *IPRax*, 2011, p. 603 ss., W. Chen, *La nouvelle codification du droit international privé chinois (supra*, fn. 2), p. 174 ss., and Y. Gan, Mandatory Rules in Private

344

A LEI DE DIREITO INTERNACIONAL PRIVADO DE 2010...

ídas a considerar como normas de aplicação imediata aquelas disposições que, dentro dos limites da lei e dos regulamentos, satisfaçam os seguintes requisitos: o seu propósito deve ser o de proteger os interesses públicos e sociais da República Popular da China; não podem ser derrogadas pelas partes e [por fim] devem ser diretamente aplicáveis à relação jurídica em apreço. Uma lista não exaustiva de ramos do Direito mais propensos ao aparecimento de normas de aplicação imediata é fornecida pelo próprio Artigo 10. As áreas em questão incluem Direito do Trabalho, "Direito de Segurança de Alimentos", Direito do Mercado Financeiro e de Capital, Direito de Concorrência.

O teste de três passos, empregado pela Interpretação de 2012, juntamente com os exemplos que constituem o Artigo 10, reflete uma compreensão bastante comum do que seriam as características distintivas das normas de aplicação imediata. De fato, se observa, tanto na China quanto em outros lugares, que a aplicação de regras de conflito de normas só pode ser limitada por disposições (do foro) calcadas em políticas substanciais e com um alto grau de força imperativa, desde que estas disposições – em vista de sua abrangência e finalidade – estejam "dispostas" a se aplicar à situação transfronteiriça em questão (ou a um conjunto de situações, não importando se nacionais ou transnacionais)[28]. O Artigo 10 pode, assim, ser visto como uma confirmação robusta, embora concisa, para alguns posicionamentos doutrinários recorrentes[29].

Nesse contexto, vale ressaltar que, alguns pontos, apesar de muitas vezes mencionados em outras definições (legais ou doutrinárias) de nor-

---

International Law in the People's Republic of China, in *Yearbook of Private International Law*, 2012-2013, p. 305 ss.

[28] Na definição prevista no Parágrafo 10, pode-se reconhecer alguns dos elementos constitutivos da definição dada pelo Artigo 9 (1), do Regulamento (CE) n.º 593/2008 relativo à lei aplicável às obrigações contratuais (Roma I) : "normas de aplicação imediata são aquelas consideradas fundamentais por um país para a salvaguarda do interesse público, como a sua organização social, política e econômica , a tal ponto que sejam relevantes a qualquer situação abrangida pelo seu âmbito de aplicação, independentemente da lei aplicável ao contrato protegido por esse Regulamento".

[29] Ver, de forma geral, sobredisposiçõesimperativas, T. GUEDJ, *The Theory of the Lois de Police, a Functional Trend in Continental Private International Law – A Comparative Analysis with Modern American Theories, in American Journal of Comparative Law*, 1991, p. 661 ss., and A. BONOMI, *Mandatory Rules in Private International Law – The quest for Uniformity of Decision in a Global Environment*, in *Yearbook of Private International Law*, 1999, p. 215 ss.

DIREITO CHINÊS CONTEMPORÂNEO

mas de aplicação imediata, *não* são abordadas de forma explícita na Interpretação de 2012.

Por outro lado, nada no conteúdo do Artigo 10 tende a sugerir que um rigoroso padrão deva ser empregado para determinar a caracterização de uma norma como "de aplicação imediata" [grifo nosso], dentro da concepção do Artigo 4 da Lei de 2010, de modo a evitar o risco de o funcionamento "normal" das regras bilaterais de conflitos de normas ser perturbado com muita frequência. O silêncio da Suprema Corte não deve ser entendido como uma permissão às cortes chinesas para que optem por uma construção demasiadamente ampla da categoria em questão. O fato é que, na falta de uma orientação nesse sentido, os tribunais chineses podem se inclinar a desenvolver uma "tendência de volta para casa" no processo de caracterização e passar, assim, a definir como norma de aplicação imediata um vasto leque de disposições materiais do Direito chinês.

Noutro giro, como no Artigo 4 da Lei de 2010, apenas as normas de aplicação imediata do foro são consideradas. Nenhuma orientação é expressamente sugerida às cortes chinesas quanto à eventual relevância, em circunstâncias apropriadas, das normas de aplicação imediata de um terceiro país, ou seja, normas de aplicação imediata de um Direito diferente da *lexfori* e da *lex causae*, com o qual a relação em apreço está intimamente ligada. Isto é uma questão controversa e não há soluções assentadas na prática internacional de Direito Internacional Privado[30]. Não enfrentando o problema na Interpretação de 2012, a Suprema Corte, embora, de fato, desencoraje tribunais chineses a recorrer às normas de aplicação imediata de um terceiro país, deixou a questão em aberto.

A questão da fraude no conflito de normas é tratada no Artigo 11[31]. A disposição se dá no sentido de que sempre que uma parte intencional-

---

[30] Na Europa, o Regulamento Roma I, garantindo a aplicação das normas de aplicação imediata da lei do foro, prevê, no Artigo 9 (3) que "pode ser dada prevalência às normas de aplicação imediata da lei do país onde as obrigações decorrentes do contrato devam ser ou tenham sido executadas, na medida em que aquelas normas de aplicação imediata tornem a execução do contrato ilegal. Considerando-se dar cumprimento a estas disposições, será considerada sua natureza e objeto, bem como as consequências da sua aplicação ou não aplicação". Ver, nesteponto, sob umaperspectivaeuropeia M. HELLNER, *Third Country Overriding Mandatory Rules in the Rome I Regulation: Old Wine in New Bottles*, in *Journal of Private International Law*, 2009, p. 447 ss.

[31] No queconcerne a fraude, ver, de maneirageral, Y. LIU, *Evasion in the Conflict of Laws and Its Possible Solution in China*, in *Frontiers of Law in China*, 2010, p. 626 ss.

A LEI DE DIREITO INTERNACIONAL PRIVADO DE 2010...

mente der origem a um conjunto de fatos que sirvam de elemento de conexão para uma relação privada estrangeira, com vista a desencadear a aplicação de uma lei alienígena sob circunstâncias em que as normas de aplicação imediatasda legislação ou regulamentos da República Popular da China seriam de fato afastadas, aconselha-se aos tribunais chineses que recusem a aplicação a lei estrangeira designada. A ideia, aqui, é que o funcionamento das regras de Direito Internacional Privado deve refletir uma verdadeira conexão entre a situação em causa e o país cuja lei é designada. Como observado anteriormente, a regra deve ser interpretada extensivamente, de modo a aplicar-se a todas as situações em relação às quais o funcionamento das normas de conflito de leis pode ser "manipulado" pelas partes. O Artigo 11 pode, assim, ser invocado não só nos casos em que os elementos são simulados, mas também naqueles em que se configure uma situação puramente "doméstica", colorida artificialmente com características transfronteiriças.

Preocupações quanto a "genuinidade" não são algo novo no Direito Internacional Privado. Disposições específicas sobre este assunto podem ser encontradas em várias codificações nacionais de Direito Internacional Privado[32], enquanto naqueles países onde não há tais previsões, as cortes se permitem desconsiderar táticas evasivas[33]. Em termos gerais, uma fraude

---

[32] É o caso, nomeadamente, da Bélgica e do Uruguai. O Artigo 18 do *Code de droitinternationalprivé* de 2004 dispõe que "[p]our la détermination du droit applicable en une matière où les personnes ne disposent pas librement de leurs droits, il n'est pas tenu compte des faits et des actes constitués dans le seul but d'échapper à l'application du droit désigné par la présente loi" ("quando se trata de identificar a lei aplicável em uma matéria em relação à qual as partes não podem dispor livremente dos seus direitos, não se deve ter em conta as ocorrências e os atos praticados com o único propósito de subtrair a aplicação da lei designada pelas disposições do presente Estatuto"). Nos termos do Artigo 7 da *Ley General de Derecho Internacional Privado* uruguaia de 2009 "[n]o se aplicará el derecho designado por una norma de conflicto cuando artificiosamente se hubieren evadido los principios fundamentales del orden jurídico de la República" ("a aplicação de uma lei designada por uma disposição de conflitos de lei será excluída em caso de evasão artificial dos princípios fundamentais da ordem jurídica da República do Uruguai"). Ver, mais detalhadamente, G. PARRA-ARANGUREN, *Fraude à la loi in Recent Codifications of Private International Law in the American Hemisphere*, in *Intercontinental Cooperation through Private International Law – Essays in Memory of Peter E. Nygh*, The Hague, 2004, p. 263 ss.

[33] Para mais referências, em relação a diferentes sistemas legais, ver recente E. CORNUT, *Théorie critique de la fraude à laloi: étude de droitinternationalprivé de lafamille*, Paris, 2006, e M. RÜTTEN, *Gesetzesumgehung im internationalen Privatrecht*, Zurique, 2003.

é tida como existente nos mesmos parâmetros daqueles contemplados na Interpretação de 2012, isto é, quando uma situação fictícia é *intencionalmente* criada pela parte (ou pelas partes) interessada[s], e quando o objetivo buscado por esta[s] é *somente* (ou *essencialmente*) evitar a aplicação de uma norma de aplicação imediata do foro.

Os Artigos 12 e 13 se relacionam a situações nas quais duas ou mais (especiais) regras de conflito de normas entram em ação concomitantemente, de maneira que surge a necessidade de coordenar suas mútuas operacionalizações. Particularmente, o Artigo 12 se ocupa da lei aplicável às questões "preliminares" ou "incidentais". Em resumo, estas podem ser definidas como as questões legais que devem ser dirimidas em primeiro lugar, para que se decida uma outra questão, a "principal", devido a uma relação lógica em particular (subordinação, interdependência, etc.) existente entre as duas questões. Por exemplo, em se tratando da identificação dos beneficiários de uma sucessão, pode ser preciso determinar, de início, o *status* familiar daqueles que alegam ser os herdeiros do *de cujus*, e o grau de seu parentesco com este. Quando um elemento estrangeiro encontra-se presente, surge o problema da determinação da lei segundo a qual a questão preliminar deve ser decidida: na prática, se a questão preliminar deve ser decidida em conformidade com a mesma lei substantiva que governa a questão principal (da maneira como identificada por meio das regras de conflito relevantes para tal questão principal), ou em conformidade com uma lei diferente; e, quando a última opção é adotada, à qual lei se deve recorrer para este propósito.

Uma variedade de soluções tem tradicionalmente sido sugeridas para lidar com este problema clássico da teoria do Direito Internacional Privado, favorecendo a harmonia internacional ou consistência internacional, senão, algumas vezes, buscando uma mistura destas (e outras) políticas[34]. A Interpretação de 2012, por sua vez, adota o posicionamento no sentido de que as questões preliminares devem ser regidas pela lei que iria regê-las se elas tivessem que ser decididas separadamente, isto é, como se – a despeito de sua conexão com a questão principal no caso concreto – elas tivessem sido levadas perante a corte como questões isoladas e autônomas. A abordagem seguida pela Suprema Corte Chinesa corresponde à abor-

---

[34] Veja, de maneira geral, O. KAHN-FREUND, *General Problems of Private International Law*, em *Recueildes Cours de l'Académie de droit international de la Haya*, vol. 143, 1974, p. 437 ss.

A LEI DE DIREITO INTERNACIONAL PRIVADO DE 2010...

dagem que tende a ser sugerida por um grande número de doutrinadores fora da China, bem como com a abordagem prestigiada pela prática das cortes – e algumas vezes legislação – de vários países[35].

No Artigo 13, a situação considerada é a de um caso envolvendo duas ou mais relações privadas, cada uma apresentando um elemento estrangeiro. Diferentemente do cenário considerado com relação às questões preliminares, as relações em apreço não precisam gerar questões interdependentes ou de qualquer maneira conectadas. A solução, no entanto, é a mesma: aqui, com razão mais forte, as cortes chinesas são instruídas a determinar a lei aplicável separadamente para cada relação.

Os Artigos 17 e 18 lidam com um outro tópico relacionado à parte geral da codificação, especificamente o procedimento por meio do qual as cortes chinesas, quando apreciando um caso sujeito à lei estrangeira, devem determinar o conteúdo de tal lei[36]. O Artigo 10 da Lei de 2010 estabelece que, em princípio, cabe à corte à qual o caso foi submetido, realizar a determinação. Ele adiciona, contudo, que quando o caso deve ser decidido de acordo com a lei escolhida pelas partes, as próprias partes têm o dever de fornecer informações quanto ao conteúdo da lei designada. Quando o conteúdo da lei estrangeira não pode, de fato, ser determinado, a lei chinesa será aplicada.

Em conexão a este aspecto, a Interpretação de 2012 inicia lembrando, no Artigo 17, que as cortes chinesas podem se familiarizar com o conteúdo da lei estrangeira aplicável por meio da cooperação das partes, pelos meios estabelecidos nos tratados internacionais em vigor para a China, pela assistência de juristas chineses ou estrangeiros e outros canais apropriados. De maneira mais importante, fica expresso que quando, não obs-

---

[35] Veja, comoreferência, O. KAHN-FREUND, *General Problems of Private International Law* (supra, rodapé 33) e R. SCHUZ, *A Modern Approach to the Incidental Question*, The Hague, 1997. No que diz respeito a legislações sobre questões incidentais, veja, por exemplo, o recente Artigo 10:4 do Código Civil Holandês, de acordo com o qual "Indien de vraagwelkerechtsgevolgenaaneenfeittoekomenbijwijze van voorvraag in verbandmeteenandere, aanvreemdrechtonderworpenvraagmoetwordenbeantwoord, wordt de voorvraagbeschouwdalseenzelfstandigevraag" ("Se a pergunta acerca de quais consequências legais devem ser atribuídas a um fato por meio de uma questão preliminar deve ser respondida em conexão a outra questão que está sujeita a lei estrangeira, a questão preliminar deve ser considerada uma questão autônoma").

[36] Veja, de maneira extensa em conexão a isto Y. GUO, *Legislation and Practice on Proof of Foreign Law in China*, in *Yearbook of Private International Law*, 2012-2013, p. 289 ss.

DIREITO CHINÊS CONTEMPORÂNEO

tante, permaneça impossível adquirir conhecimento apropriado da lei estrangeira especificada, a corte à qual o caso é submetido pode declarar que tal lei não pode ser averiguada. Isto desencadearia a aplicação automática da *Lex fori* de conformidade com o Artigo 10 (2) da Lei de 2010. O mesmo deve ser aplicado nos casos nos quais as partes têm o dever de fornecer informações acerca da lei estrangeira que escolheram, sempre que as partes "sem justificativa, deixam de fornecer tal informação dentro de um prazo razoável, à Corte do Povo competente".

Em linha com o princípio adversarial, o Artigo 18 lembra à corte à qual o caso foi submetido de que as partes devem ser consultadas acerca do conteúdo, interpretação e aplicação da lei estrangeira aplicável. A redação da declaração da Suprema Corte indica que um diálogo entre a corte à qual o caso foi submetido e as partes, neste sentido, deve ter lugar tanto quando as partes têm o dever de fornecer evidências acerca da lei estrangeira aplicável quanto quando a corte tem o dever de realizar tal trabalho por sua própria iniciativa.

O Artigo 18 estabelece ainda que, quando as partes não discordam sobre o conteúdo, interpretação e aplicação da lei especificada pelas regras de conflito relevantes, a corte à qual o caso é submetido fica autorizada a decidir o caso de acordo com a visão compartilhada pelas partes. Uma investigação independente pela corte será, de fato, necessária apenas caso a visão de uma parte esteja variante com relação à visão das outra(s). Aqui, a declaração da Suprema Corte busca algo próximo de um "acordo processual" (*accords procéduraux*) admitido por (lei e) prática na França e em outros países[37]. De fato, ao entrar nestes acordos (possivelmente tácitos) as partes fazem uso de uma autonomia "estendida": de fato, sob a égide do Artigo 18, a relevância do acordo processual não se encontra explicitamente confinada às situações nas quais as partes estão autorizadas a escolher a lei aplicável, de conformidade com o Artigo 3 da Lei de 2010 e com as provisões relevantes "especificando claramente" que uma *electio iuris* é de fato permitida. Naturalmente, isto não quer dizer que a autonomia conflitual que as partes têm o direito de exercer por meio de um acordo processual pode ser visto como irrestrito. De fato, o Artigo 18 se limita a reconhecer que as cortes chinesas "estão autorizadas" a decidir o caso de acordo com

---

[37] Veja, de maneira geral em literatura recente, B. FAUVARQUE-COSSON, *L'accord procedural à l'épreuve du temps, in Le droit interational privé: esprit et méthodes – Mélanges en l'honneur de Paul Lagarde*, Paris, 2005, p. 263 ss.

A LEI DE DIREITO INTERNACIONAL PRIVADO DE 2010...

a visão compartilhada pelas partes. Em contraste com os casos nos quais as partes estão legalmente investidas de plena autonomia, isto é, nos casos contemplados no Artigo 3 da Lei de 2010 e "claramente especificados" nas disposições específicas, compete à corte à qual o caso foi submetido decidir se, naquelas circunstâncias, um acordo processual deve ser aprovado ou não. Isto é particularmente verdadeiro para situações nas quais as partes processualmente concordam com a aplicação de lei estrangeira. No exercício desta discricionariedade, as cortes chinesas, está consignado, devem considerar as políticas subjacentes à matéria em questão e o papel que a autonomia da vontade das partes é autorizada a desempenhar em relação aos pedidos que são objeto do procedimento[38].

6. A noção de "residência habitual" e "local de incorporação"

Na Lei de 2010, o fator principal empregado para determinar a lei aplicável a situações de natureza pessoal e patrimonial relativas a pessoas físicas é a sua "residência habitual". Nenhuma menção pode ser encontrada no Ato especificando o significado desta noção[39]. Orientação é agora fornecida pelo Artigo 15 da Interpretação de 2012. A residência habitual de uma pessoa deve ser identificada como o local que representa o "centro de sua vida". Para que a corte fique satisfeita com a sua conclusão neste ponto, deve ser normalmente estabelecido, no momento no qual uma relação com conexões estrangeiras seja criada, modificada ou extinta, que a pes-

---

[38] De fato, naqueles países nos quais as partes são autorizadas a realizar acordos processuais para os propósitos de determinar a lei aplicável à parte material da disputa, a validade do acordo está geralmente limitada a casos relativos a direitos disponíveis. Na França isto já é jurisprudência consolidada: veja, *inter alia*, Cour de Cassation, 29 April 1988, *Rohov. Caron*, in *Revue critique de droit international privé*, 1989, p. 68 ss., com uma nota sobre o caso de H. Batiffol.

[39] Apenas algumas provisões sobre este ponto estavam contidas no Artigo 9(1) da Interpretação da Suprema Corte da República Popular da China sobre Vários Aspectos Relativos à Implementação dos Princípios Gerais de Direito Privado da República Popular da China (para Implementação de Julgamentos) de 1988 ("O local onde um cidadão vive por um ano consecutivo após deixar o domicílio é sua residência habitual, excluídos os casos nos quais o cidadão mora em hospital para tratamento médico") e no Artigo 5 da Interpretação da Suprema Corte da República Popular da China sobre Vários Aspectos Relativos a Aplicação da Lei de Processo Civil da República Popular da China de 1992 ("A residência habitual de um cidadão se refere ao local onde ele tem residido continuamente por mais de um ano a partir do momento no qual ele deixou seu domicílio até o momento da reclamação, exceto o local onde ele encontra hospitalizado").

DIREITO CHINÊS CONTEMPORÂNEO

soa física em questão estava vivendo continuamente no local em questão por pelo menos um ano. A mera presença da pessoa relevante em determinado local será, contrariamente, insuficiente para o propósito de determinar tal local como sua residência habitual, sempre que tal presença seja devido a razões médicas ou em outras circunstâncias que demonstrem que sua presença naquele local pretende ser temporária.

A definição da Suprema Corte, baseada em aspectos objetivos e subjetivos, isto é, a presença contínua da pessoa em questão em dado local e a sua intenção de fazer daquele local o centro da sua vida, reflete amplamente um entendimento comum sobre o que residência habitual deve ser. Neste sentido, a presença de fato, combinada com *animus manendi* é geralmente necessário para fundamentar a residência habitual sob a égide das várias convenções da Haia que fazem menção a esta noção, bem como sob a Lei da União Europeia e as legislações domésticas de Direito Internacional Privado de vários países[40]. O que parece ser peculiar com relação à abordagem seguida na Interpretação de 2012 é a ideia de que um período de tempo específico (uma permanência contínua de um ano) deva ser usado como parâmetro, embora de maneira flexível, enquanto em outros países e em relação tanto às convenções da Haia e instrumentos europeus, geralmente diz-se que, em circunstâncias apropriadas, um período muito curto de tempo pode ser necessário para que uma pessoa adquira uma nova residência habitual (particularmente quando exista indícios fortes e inequívocos da vontade da pessoa de se estabelecer em dado local). É também importante notar que nenhuma distinção é feita na Interpretação de 2012 baseada nas características pessoais do indivíduo com relação ao qual se está avaliando a residência habitual, enquanto que o uso de parâmetros "personalizados" é frequentemente sugerido com relação às convenções da Haia e fontes europeias com o propósito, por exemplo, de determinar a residência habitual de uma criança pequena em comparação com a residência habitual de um adulto[41].

---

[40] Veja, de maneira geral, P. STONE, *The Concept of Habitual Residence in Private International Law*, in *Anglo-American Law Review*, 2000, p. 342 ss.; P. MCELEAVY, *La résidence habituelle, un critère de rattachement enquête de son identité: perspectives de common law*, in *Travaux du Comité Français de droit international privé*, 2008-2010, p. 127 ss. Veja também D. BAETGE, *Der gewohnliche Aufenthalt im international en Privatrecht*, Tübingen, 1994.

[41] Veja, por exemplo, na sequência do julgamento pela Corte Europeia de Justiça, de 22 de dezembro de 2010, caso C-497/10 PPU, *Mercredi* v. *Chaffe* em EuropeanCourtReports, 2010,

Finalmente, o Artigo 16 da Interpretação de 2012 trata da noção de "local de incorporação" de companhias e outras pessoas jurídicas para os propósitos da Lei de 2010, especificamente o Artigo 14. As cortes chinesas estão instruídas a identificar este local como o local no qual a companhia, ou outra entidade legal em questão, tem a sua sede social.

Referências Bibliográficas

BAETGE, D. *Der gewöhnliche Aufenthalt im internationalen Privatrecht*, Tübingen, 1994.

BONOMI, A. Mandatory Rules in Private International Law – The quest for Uniformity of Decision in a Global Environment, in *Yearbook of Private International Law*, p. 215, 1999.

CASTELLUCCI, I. Rule of Law and Legal Complexity in the People's Republic of China, *Trento*, p. 30, 2012.

CAVALIERI, R.; FRANZINA, P. Il nuovo diritto internazionale privato della Repubblica Popolare Cinese. *La legge del 28 ottobre 2010 sul diritto applicabile ai rapporti civili con elementi di estraneità*. Giuffrè: Milão, 2012.

CHEN, W. La nouvelle codification du droit international privé chinois, *Recueil des cours de l'Académie de droit international de La Haye*, vol. 359, p. 87, 2012.

CHEN, W.; BERTRAND, L. La nouvelle loi chinoise de droit international privé du 28 octobre 2010: contexte législatif, principales nouveautés et critiques, *Journal du droit international*, p. 375, 2011.

CORNELOUP, S.; JOUBERT, N. Les lois de police, une approche de droit comparé, *Le règlement communautaire "Rome I" et le choix de loi dans les contrats internationaux*, Dijon, 2011.

CORNUT, E. *Théorie critique de la fraude à la loi: étude de droit international privé de la famille*. Paris, 2006.

DE LY, F. Choice of Non-State Law and International Contracts, *Diritto del commercio internazionale*, p. 825, 2012.

FAUVARQUE-COSSON, B. L'accord procedural à l'épreuve du temps, *Le droit interational privé: esprit et méthodes – Mélanges en l'honneur de Paul Lagarde*, Paris, p. 263, 2005.

FINDER, S. The Supreme People's Court of the People's Republic of China, *Journal of Chinese Law*, p. 147 e p. 164, 1993.

p. I-14309 ss., a análise de K. SIEHR, *Kindesentführung und EuEheVO – Vorfragen und gewöhnlicher Aufenthalt im Europäischen Kollisionsrecht*, in *IPRax*, 2012, p. 316 ss.

GAN, Y. Mandatory Rules in Private International Law in the People's Republic of China, *Yearbook of Private International Law*, p. 305, 2012-2013.

GAO, X. Zuigao Renmin Fayuan "Guanyu shiyong Zhonghua Gongheguo shiwai minshi guanxi falü shiyong fa ruogan wentide jieshi" jiedu [An Analysis of the Application of the Interpretation of the Supreme Court of the People's Republic of China on Several Issues Concerning the Application of the Act of the People's Republic of China on the Law Applicable to Foreign-related Civil Relations], *Falü Shiyong [Journal of Law Application]*, no. 3, p. 38, 2013.

GUEDJ, T. The Theory of the Lois de Police, a Functional Trend in Continental Private International Law – A Comparative Analysis with Modern American Theories, *American Journal of Comparative Law*, p. 661, 1991.

GUO, Y. Legislation and Practice on Proof of Foreign Law in China, *Yearbook of Private International Law*, p. 289, 2012-2013.

HE, Q. Changes to Habitual Residence in China's Lex Personalis, *Yearbook of Private International Law*, p. 323, 2012-2013.

HE, Q. The EU Conflict of Laws Communitarization and the Modernization of Chinese Private International Law, *Rabels Zeitschrift*, p. 47, 2012.

HE, Q., Reconstruction of Lex Personalis in China, *International and Comparative Law Quarterly*, p. 137, 2013.

HELLNER, M., Third Country Overriding Mandatory Rules in the Rome I Regulation: Old Wine in New Bottles, *Journal of Private International Law*, p. 447, 2009.

HUANG, J. Creation and Perfection of China's Law Applicable to Foreign-Related Civil Relations, *Yearbook of Private International Law*, p. 269, 2012-2013.

HUO, Z. An Imperfect Improvement: The New Conflict of Laws Act of the People's Republic of China, *International and Comparative Law Quarterly*, p. 1065, 2011.

HUO, Z. Reshaping Private International Law in China: The Statutory Reform of Tort Conflicts, *Journal of East Asia and International Law*, p. 93, 2012.

KHAN-FREUND, O. General Problems of Private International Law, *Recueil des cours de l'Académie de droit international de La Haye*, vol. 143, 1974.

KOHLER , C. L'autonomie de la volonté en droit international privé: un principe universel entre libéralisme et étatisme, *Recueil des cours de l'Académie de droit international de La Haye*, v. 359, p. 314, 2012.

LEIBKÜCHLER, P. Erste Interpretation des Obersten Volksgerichts zum neuen Gesetz über das Internationale Privatrecht der VR China, *Zeitschrift für chinesisches Recht*, p. 89, 2013.

LIANG, J. Statutory Restrictions on Party Autonomy in China's Private International Law of Contract: How Far Does the 2010 Codification Go?, *Journal of Private
International Law*, p. 77, 2012.

LIANG, W. The Applicable Law to Rights In Rem under the Act on the Law Applicable to Foreign-related Civil Relations of the People's Republic of China, *Yearbook
of Private International Law*, p. 353, 2012-2013.

LIU, N. Legal Precedents with Chinese Characteristics: Published Cases in the Gazette
of the Supreme People's Court, *Journal of Chinese Law*, p. 107, 1991.

LIU, Y. Evasion in the Conflict of Laws and Its Possible Solution in China, *Frontiers
of Law in China*, p. 626, 2010.

LONG, W. The Feasibility of Parties' Choice of the PICC in Sino-European Commercial Contracts: An Overview of the Chinese Legal Framework, *Uniform Law
Review*, p. 1, 2013.

LONG, W. The First Choice-of-Law Act of China Mainland: an Overview, *IPRax*, p.
273, 2012.

MCELEAVY, P. La résidence habituelle, un critère de rattachement en quête de son
identité: perspectives de common law, *Travaux du Comité Français de droit international privé*, 2008-2010.

PARRA-ARANGUREN, G. Fraude à la loi in Recent Codifications of Private International Law in the American Hemisphere, *Intercontinental Cooperation through
Private International Law – Essays in Memory of Peter E. Nygh*, The Hague, p. 263,
2004.

PERTEGÁS, M. Les travaux de la Conférence de La Haye sur un instrument non contraignant favorisant l'autonomie des parties, *Le règlement communautaire "Rome I"
et le choix de loi dans les contrats internationaux*, Paris, p. 19, 2011.

PISSLER, K.B. Das neue Internationale Privatrecht der Volksrepublik China: Nach
den Steinen tastend den Fluss überqueren, *Rabels Zeitschrift*, p. 1, 2012.

QIN, R. Eingriffsnormen im Recht der Volksrepublik China und das neue chinesische IPR-Gesetz, *IPRax*, p. 603, 2011.

RADICATI DE BROZOLO, L.G. Non-National Rules and Conflicts of Laws: Reflections in Light of the Unidroit and Hague Principles, *Rivista di diritto internazionale
privato e processuale*, p. 841, 2012.

RUI, S.; ZHANG, G. *TRIPS* Xieyi ji xiangguan guoji gongyue zai woguode shiyong [The
application of TRIPS and Related Conventions in our Country], *Zhishi Chanquan
[Journal of Intellectual Property]*, p. 58, 2007.

RÜTTEN, M. *Gesetzesumgehung im internationalen Privatrecht*, Zürich, 2003.

SHUZ, R. *A Modern Approach to the Incidental Question*, The Hague, 1997.

SIEHR, K. Kindesentführung und EuEheVO – Vorfragen und gewöhnlicher Aufenthalt im Europäischen Kollisionsrecht, *IPRax*, p. 316, 2012.

STONE, P. The Concept of Habitual Residence in Private International Law, in *Anglo--American Law Review*, p. 342, 2000.

TU, G. The Codification of Conflict of Laws in China: What Has / Hasn't yet been Done for Cross-Border Torts?, *Yearbook of Private International Law*, p. 341, 2012--2013.

TU, G.; XU; M. Contractual Conflicts in the People's Republic of China: The Applicable Law in the Absence of Choice, *Journal of Private International Law*, p. 179, 2011.

ZHU, W. The New Conflicts Rules for Family and Inheritance Matters in China, *Yearbook of Private International Law*, p. 369, 2012-2013.

Anexo

Interpretação da Suprema Corte do Povo sobre Questões Relacionadas à Aplicação da Lei da República Popular da China sobre a Lei Aplicável às Relações Civis com Elementos de Estraneidade (Parte 1)

最高人民法院关于适用〈中华人民共和国涉外民事关系法律适用法〉若干问题的解释（一）

《最高人民法院关于适用〈中华人民共和国涉外民事关系法律适用法〉若干问题的解释（一）》已于2012年12月10日由最高人民法院审判委员会第1563次会议通过，现予公布，自2013年1月7日起施行。
最高人民法院
2012年12月28日
法释〔2012〕24号

Interpretação da Suprema Corte do Povo sobre Questões Relacionadas à Aplicação da Lei da República Popular da China sobre a Lei Aplicável às Relações Civis com Elementos de Estraneidade (Parte 1) adotada pelo Comitê Judicial da Suprema Corte do Povo da República Popular da China quando de sua 1563ª reunião, em 10 de dezembro de 2012, é pela presente promulgada e entrará em vigor em 7 de dezembro de 2013[1].

Suprema Corte do Povo

28 de dezembro de 2012

Número do Documento: (2012) no. 24

---

[1] Tradução para o português realizada por Filipe Greco De Marco Leite, Lucas Sávio Oliveira da Silva e Rafael Machado da Rocha a partir da tradução para o inglês feita por Ilaria Aquironi.

最高人民法院关于适用《中华人民共和国涉外民事关系法律适用法》若干问题的解释（一）

Interpretação da Suprema Corte do Povo sobre Questões Relacionadas à Aplicação da Lei da República Popular da China sobre a Lei Aplicável às Relações Civis com Elementos de Estraneidade (Parte 1)

（2012年12月10日最高人民法院审判委员会第1563次会议通过）

(Adotada pelo Comitê Judicial da Suprema Corte do Povo da República Popular da China quando de sua 1563º reunião, em 10 de dezembro de 2012)

为正确审理涉外民事案件，根据《中华人民共和国涉外民事关系法律适用法》的规定，对人民法院适用该法的有关问题解释如下：

O objetivo desta Interpretação é auxiliar os Tribunais do Povo a decidir de forma apropriada casos civis com elementos de estraneidade de acordo com as disposições estabelecidas pela Lei da República Popular da China sobre a Lei Aplicável às Relações Civis com Elementos de Estraneidade, esclarecendo as seguintes questões relativas à aplicação da referida Lei.

第一条 民事关系具有下列情形之一的，人民法院可以认定为涉外民事关系：

（一）当事人一方或双方是外国公民、外国法人或者其他组织、无国籍人；

（二）当事人一方或双方的经常居所地在中华人民共和国领域

1. Os Tribunais do Povo devem considerar que uma relação civil tem elementos de estraneidade nas seguintes circunstâncias:

1) uma mais partes são nacionais de um país estrangeiro, pessoas jurídicas estrangeiras ou apátridas;

2) a residência habitual de uma ou mais partes está situada fora do

外；

（三）标的物在中华人民共和国
领域外；

（四）产生、变更或者消灭民事
关系的法律事实发生在中华人民
共和国领域外；

（五）可以认定为涉外民事关系
的其他情形。

território da República Popular da China;

3) o objeto da relação está localizado fora do território da República Popular da China;

4) o fato relevante, seja a criação, a modificação ou a extinção da relação jurídica em análise, ocorreu fora do território da República Popular da China;

5) outras circunstâncias nas quais uma relação civil com elementos de estraneidade possa ser estabelecida.

第二条 涉外民事关系法律适用法
实施以前发生的涉外民事关系，
人民法院应当根据该涉外民事关
系发生时的有关法律规定确定应
当适用的法律；当时法律没有规
定的，可以参照涉外民事关系法
律适用法的规定确定。

2. Os Tribunais do Povo devem determinar a lei aplicável à relação civil com elementos de estraneidade criadas antes da entrada em vigor da Lei sobre a Lei Aplicável às Relações Civis com Elementos de Estraneidade de acordo com os dispositivos que estavam em vigor quando a relação foi criada; se, naquela época, as questões sob análise não eram abordadas pela lei, poder-se-á fazer referência aos dispositivos da Lei sobre a Lei Aplicável às Relações Civis com Elementos de Estraneidade.

第三条 涉外民事关系法律适用法
与其他法律对同一涉外民事关系
法律适用规定不一致的，适用涉
外民事关系法律适用法的规定，
但《中华人民共和国票据法》、
《中华人民共和国海商法》、《

3. Caso exista contradição entre a Lei sobre a Lei Aplicável as Relações Civis com Elementos de Estraneidade e outras leis que estabeleçam regras de direito internacional privado relativas à relação civil com ele-

DIREITO CHINÊS CONTEMPORÂNEO

中华人民共和国民用航空法》
等商事领域法律的特别规定以及
知识产权领域法律的特别规定除
外。

mentos de estraneidade sob análise, a Lei deverá prevalecer. Este dispositivo não se aplica aos casos que se enquadrem no âmbito de aplicação de regras especiais relativas a questões comerciais, tais como a Lei da República Popular da China sobre Títulos Negociáveis, a Lei Marítima da República Popular da China, a Lei de Aviação Civil da República Popular da China, ou outros dispositivos especiais no campo do direito da propriedade intelectual.[2]

涉外民事关系法律适用法对涉外
民事关系的法律适用没有规定而
其他法律有规定的，适用其他法
律的规定。

Se a Lei sobre a Lei Aplicável a Relações Civis com Elementos de Estraneidade não determinou a leis aplicável para a relação civil com elementos de estraneidade em questão, mas outra lei sim, as normas desta última devem ser aplicadas.

第四条 涉外民事关系的法律适用
涉及适用国际条约的，人民法院
应当根据《中华人民共和国民法
通则》第一百四十二条第二款以
及《中华人民共和国票据法》第
九十五条第一款、《中华人民共
和国海商法》第二百六十八条第
一款、《中华人民共和国民用航
空法》第一百八十四条第一款等
法律规定予以适用，但知识产权
领域的国际条约已经转化或者需

4. Se uma relação civil com elementos de estraneidade envolve a aplicação de um tratado internacional, os Tribunais do Povo devem garantir a aplicação do tratado em conformidade com o Artigo 142, parágrafo 2º, dos Princípios Gerais de Direito Civil da República Popular da China, o Artigo 95, parágrafo 1º, da Lei da República Popular da China sobre Títulos Negociáveis,

---

[2] Para melhor compreensão, o texto original em chinês deste parágrafo, escrito em apenas uma frase, foi dividido em duas orações separadas.

360

要转化为国内法律的除外。

o Artigo 268, parágrafo 1º da Lei Marítima da República Popular da China, o Artigo 184, parágrafo 1º da Lei de Aviação Civil da República Popular da China e outros dispositivos, quando pertinentes. Este dispositivo não deve ser aplicado a casos que estejam abrangidos pelo escopo de aplicação de tratados internacionais no campo dos direitos de propriedade intelectual, os quais tenham sio implementados, ou que devam ser implementados, na ordem jurídica da República Popular da China[3].

第五条 涉外民事关系的法律适用涉及适用国际惯例的，人民法院应当根据《中华人民共和国民法通则》第一百四十二条第三款以及《中华人民共和国票据法》第九十五条第二款、《中华人民共和国海商法》第二百六十八条第二款、《中华人民共和国民用航空法》第一百八十四条第二款等法律规定予以适用。

5. Se uma relação civil com elementos de estraneidade envolve a aplicação de um uso internacional, os Tribunais do Povo devem aplicar esse uso em conformidade com o Artigo 142, parágrafo 3º, dos Princípios Gerais de Direito Civil da República Popular da China, o Artigo 95, parágrafo 3º, da Lei da República Popular da China sobre Títulos Negociáveis, o Artigo 268, parágrafo 2º da Lei Marítima da República Popular da China, o Artigo 184, parágrafo 2º da Lei de Aviação Civil da República Popular da China e outros dispositivos, quando pertinentes.

---

[3] Para melhor compreensão, o texto original em chinês deste parágrafo, escrito em apenas uma frase, foi dividido em duas orações separadas.

第六条 中华人民共和国法律没有明确规定当事人可以选择涉外民事关系适用的法律，当事人选择适用法律的，人民法院应认定该选择无效。

6. A escolha da lei pelas partes será considerada inválida por Tribunais do Povo, a menos que a lei da República Popular da China preveja claramente que, na circunstância, as partes têm o direito de escolher a lei aplicável à sua relação civil com elementos de estraneidade.

第七条 一方当事人以双方协议选择的法律与系争的涉外民事关系没有实际联系为由主张选择无效的，人民法院不予支持。

7. Se uma das partes alega que a escolha da lei é inválida, com o fundamento de que não existe nenhuma conexão genuína entre a lei escolhida por acordo mútuo e a relação civil com elemento de estraneidade, os Tribunais do Povo devem rejeitar a alegação.

第八条 当事人在一审法庭辩论终结前协议选择或者变更选择适用的法律的，人民法院应予准许。各方当事人援引相同国家的法律且未提出法律适用异议的，人民法院可以认定当事人已经就涉外民事关系适用的法律做出了选择。

8. Os Tribunais do Povo devem permitir às partes a escolha da lei aplicável, sendo válida sua modificação até o final do debate tribunal de primeira instância.
Se as partes referirem-se à lei de um mesmo país e nenhumas delas se opuser a que esta seja a lei aplicável, os Tribunais do Povo poderão concluir que as partes, então, escolheram a legislação aplicável à sua relação privada com elementos de estraneidade.

第九条 当事人在合同中援引尚未对中华人民共和国生效的国际

9. Em um contrato, se as partes se referirem a um tratado internacio-

条约的，人民法院可以根据该国际条约的内容确定当事人之间的权利义务，但违反中华人民共和国社会公共利益或中华人民共和国法律、行政法规强制性规定的除外。

nal que ainda não está em vigor para a República Popular da China, Tribunais Populares podem determinar os direitos e obrigações destas, em conformidade com o conteúdo do referido tratado, a menos que este viole os interesses públicos e sociais da República Popular da China ou as disposições obrigatórias das leis[4] e regulamentos[5] da República Popular da China.

第十条 有下列情形之一，涉及中华人民共和国社会公共利益、当事人不能通过约定排除适用、无需通过
冲突规范指引而直接适用于涉外民事关系的法律、行政法规的规定，人民法院应当认定为涉外民事关系法律适用法第四条规定的强制性规定：

10. Os Tribunais do Povo devem considerar como normas de aplicação imediata, na acepção do artigo 4 da Lei que trata da legislação aplicável às relações privadas com elementos de estraneidade, as disposições das leis e regulamentos que envolvem interesses públicos e sociais da República Popular da China, na medida em que a sua aplicação não possa ser afastada por um acordo entre as partes, devendo ainda ser diretamente aplicável às relações privadas com elementos de estraneidade em apreço, relativamente a um dos seguintes pontos:

（一）涉及劳动者权益保护的；

1) A proteção dos direitos dos trabalhadores;

（二）涉及食品或公共卫生安全的；

2) segurança alimentar e saúde pública;

---

[4] O termo "leis" refere-se aos instrumentos promulgados pelo Congresso Nacional do Povo e seu Comitê Permanente .

[5] O termo "regulamentos" refere-se aos instrumentos promulgados pelo Conselho de Estado.

（三）涉及环境安全的；
（四）涉及外汇管制等金融安全的；
（五）涉及反垄断、反倾销的；
（六）应当认定为强制性规定的其他情形。

3) a proteção ao meio ambiente;
4) o controle do câmbio e do mercado financeiro;
5) anti-trust e anti-dumping;
6) outras questões que possam ser consideradas passíveis de ser regidas por normas de aplicação imediata .

第十一条 一方当事人故意制造涉外民事关系的连结点，规避中华人民共和国法律、行政法规的强制性规定的，人民法院应认定为不发生适用外国法律的效力。

11. Se uma parte manipular intencionalmente o elemento de conexão em uma relação privada com elementos de estraneidade, com o intuito de afastar a as disposições imperativas de leis ou regulamentos da República Popular da China, os Tribunais Populares devem desconsiderar os efeitos de qualquer lei estrangeira designada.

第十二条 涉外民事争议的解决须以另一涉外民事关系的确认为前提时，人民法院应当根据该先决问题
自身的性质确定其应当适用的法律。

12. Quando, para se decidir uma questão que diga respeito a um relação civil conectada com o estrangeiro, uma questão diferente tiver que ser decidida anteriormente como uma questão preliminar, a Corte do Povo deverá determinar a lei aplicável à última questão como se esta fosse considerada em isolamento.

第十三条 案件涉及两个或者两个以上的涉外民事关系时，人民法院应当分别确定应当适用的法律。

13. Se um caso envolver duas ou mais relações civis conectadas ao estrangeiro, a Corte do Povo deverá determinar a lei aplicável separadamente para cada relação.

A LEI DE DIREITO INTERNACIONAL PRIVADO DE 2010...

第十四条 当事人没有选择涉外仲裁协议适用的法律，也没有约定仲裁机构或者仲裁地，或者约定不明的，人民法院可以适用中华人民共和国法律认定该仲裁协议的效力。

14. Quando as partes não tiverem escolhido a lei aplicável à sua cláusula arbitral ou a instituição arbitral ou a sede da arbitragem, ou quando a escolha não é clara, a validade da cláusula de arbitragem poderá ser determinada pela Corte do Povo segundo a lei da República Popular da China.

第十五条 自然人在涉外民事关系产生或者变更、终止时已经连续居住一年以上且作为其生活中心的地方，人民法院可以认定为涉外民事关系法律适用法规定的自然人的经常居所地，但就医、劳务派遣、公务等情形除外。

15. Se, no momento em que uma relação estrangeira é criada, modificada ou extinta, uma pessoa física estiver vivendo de maneira contínua por pelo menos um ano em determinado local, o qual deseja represente o centro de sua vida, a Corte do Povo poderá considerar este local como sendo a residência habitual da pessoa física em questão para os propósitos do Ato sobre a Lei Aplicável às Relações Civis Conectadas ao Estrangeiro. Esta provisão não será aplicada às situações nas quais a residência de uma pessoa física é fixada em determinado local apenas por razões médicas, no contexto de um posto de trabalho, para uma função oficial ou em outras circunstâncias[6].

---

[6] Para facilitar a compreensão, o texto original em Chinês deste parágrafo, composto de uma sentença, foi dividido em duas sentenças distintas.

第十六条 人民法院应当将法人的设立登记地认定为涉外民事关系法律适用法规定的法人的登记地。

16. A Corte do Povo deverá identificar o local de incorporação de uma pessoa jurídica, para os propósitos do Ato sobre a Lei Aplicável às Relações Civis Conectadas ao Estrangeiro, como o local onde a pessoa jurídica tem sua sede social.

第十七条 人民法院通过由当事人提供、已对中华人民共和国生效的国际条约规定的途径、中外法律专家提供等合理途径仍不能获得外国法律的，可以认定为不能查明外国法律。

17. Quando a Corte do Povo não conseguir adquirir conhecimento sobre a lei estrangeira aplicável, não obstante a assistência das partes, os meios estabelecidos pelos tratados internacionais vigentes para a República Popular da China, a assistência de juristas chineses ou estrangeiros e outros meios apropriados, ela poderá declarar que a lei estrangeira não pode ser averiguada.

根据涉外民事关系法律适用法第十条第一款的规定，当事人应当提供外国法律，其在人民法院指定的合理期限内无正当理由未提供该外国法律的，可以认定为不能查明外国法律。

Segundo o Artigo 10, parágrafo 1, do Ato sobre a Lei Aplicável às Relações Civis Conectadas ao Estrangeiro, as partes devem fornecer informações sobre a lei estrangeira designada; se as partes, sem justificativa, deixam de fornecer tais informações dentro de um prazo razoável à Corte do Povo competente, esta poderá declarar que a lei estrangeira em questão não pode ser averiguada.

第十八条 人民法院应当听取各方当事人对应当适用的外国法律的内容及其理解与适用的意见，

18. A Corte do Povo deverá consultar as partes acerca do conteúdo, interpretação e aplicação da lei estrangeira aplicável; se as partes não

当事人对该外国法律的内容及其理解与适用均无异议的，人民法院可以予以确认；当事人有异议的，由人民法院审查认定。

divergem sobre o conteúdo, interpretação e aplicação da lei, a corte do Povo poderá decidir o caso de acordo com este entendimento; se as partes divergem, a Corte do Povo deverá conduzir sua própria investigação.

第十九条 涉及香港特别行政区、澳门特别行政区的民事关系的法律适用问题，参照适用本规定。

19. A presente interpretação se aplica *mutatis mutandis* a questões relacionadas à lei aplicável às relações civis conectadas com o estrangeiro envolvendo as Regiões Administrativas Especiais de Hong Kong e Macau.

第二十条 涉外民事关系法律适用法施行后发生的涉外民事纠纷案件，本解释施行后尚未终审的，适用本解释；本解释施行前已经终审，当事人申请再审或者按照审判监督程序决定再审的，不适用本解释。

20. A presente interpretação se aplica aos procedimentos civis instituídos após a entrada em vigor do Ato sobre a Lei Aplicável às Relações Civis Conectadas ao Estrangeiro, com a condição de que um julgamento final não tenha sido ainda emitido antes da entrada em vigor da presente interpretação; se um julgamento final tiver sido emitido antes da entrada em vigor da presente interpretação, e se as partes solicitarem um novo julgamento ou a corte decidir conduzir um novo julgamento, segundo os procedimentos de revisões de decisões, a presente interpretação não se aplicará.

DIREITO CHINÊS CONTEMPORÂNEO

第二十一条 本院以前发布的司法解释与本解释不一致的，以本解释为准。

21. Caso surja alguma inconsistência entre interpretações judiciais anteriores desta Corte e a presente interpretação, a segunda deverá prevalecer.

CAPÍTULO 17
CONTRATOS INTERNACIONAIS E ARBITRAGEM NA CHINA

FILIPE GRECO DE MARCO LEITE

1. Introdução

Por muito tempo a China viveu sem uma lei específica que regulasse as relações contratuais entre indivíduos, entidades privadas e públicas, tanto em âmbito doméstico quanto no âmbito das relações comerciais internacionais. Apesar disto, e de maneira aparentemente contraditória, a história das relações contratuais neste país remonta aos seus primórdios, regulada inicialmente de forma consuetudinária e posteriormente por legislações esparsas e mais preocupadas com o controle do uso dos contratos do que com seu conteúdo propriamente dito[1].

De modo semelhante à grande parte do restante da "evolução" do direito chinês, as alterações mais significativas nas regulações das relações contratuais vieram entre os anos de 1980 e 1990. No caso específico dos contratos, é nítido o fato de que a legislação sofreu alterações que visavam à inserção da China no mercado mundial e, com isso, o gradual abandono da visão planificada de economia que imperou no país até os anos de Mao. Algumas das evidências mais significativas deste fato, como a adoção pela China da Convenção de Viena sobre a Compra e Venda Internacional de Mercadorias (CISG) antes mesmo da criação de uma lei uniforme para contratos domésticos, e as influências dos princípios da UNIDROIT na legislação interna chinesa sobre contratos, serão analisadas mais adiante.

Estas modificações na visão legislativa chinesa, com a tentativa de fomento de relações comerciais internacionais, no entanto, não necessariamente foi acompanhada pelas Cortes chinesas. Neste contexto, a incerteza criada pela falta de uniformidade nas interpretações dos instru-

---

[1] CHEN, Jianfu. *Chinese Law: context and transformation.* Leiden: Martinus Nijhoff Publishers, 2008, p. 443.

mentos legais, aliado à fata de autonomia e liberdade do poder judiciário chinês, contribuíram para que, no cenário do comércio internacional, predomine a utilização da arbitragem como forma de solução de conflitos derivados de contratos. Com isso, ocorre também o surgimento e consolidação de Câmaras de Arbitragem chinesas atuantes no cenário internacional. Sendo a China parte da Convenção de Nova York sobe reconhecimento e execução de sentenças arbitrais estrangeiras[2] cria-se, no mínimo, maior expectativa nas partes não chinesas de que as decisões tomadas por tribunais arbitrais serão de fato reconhecidas e executadas na China.

Neste sentido, o presente artigo se propõe a analisar o direito chinês contemporâneo sobre duas óticas distintas, mas intimamente ligadas: sob o ponto de vista do direito material relativo a contratos, incluindo-se, nesse ponto, as influencias sofridas e exercidas por este campo na esfera das codificações e tentativas de uniformização desta matéria em âmbito internacional e sob o ponto de vista da aplicação do direito, focando a análise na utilização da arbitragem como forma de solução de conflitos envolvendo partes chinesas, bem como na execução das sentenças arbitrais estrangeiras pelas Cortes chinesas e nos instrumentos convencionais aplicáveis nesse âmbito.

2. A Convenção de Viena sobre a Compra e Venda Internacional de Mercadorias e a China

2.1. Panorama geral sobre a Convenção de Viena sobre a Compra e Venda Internacional de Mercadorias

A Convenção de Viena sobre a Compra e Venda Internacional de Mercadorias (CISG) foi o fruto de uma conferência diplomática realizada em 1980 com a presença de 62 Estados, os quais, ao final dos trabalhos, aprovaram unanimemente o texto da CISG. Com apenas 6 anos de existência, já se registrava o depósito de instrumentos de adesão à CISG por mais 11 estados[3].

---

[2] Veja http://www.uncitral.org/uncitral/en/uncitral_texts/arbitration/NYConvention_status. html acesso em 25/5/2014.

[3] Veja HONNOLD, John O. *Uniform Law for International Sales under the 1980 United Nations Convention.* 4ª Edição. London: Wolters Kluwer, 2009, p. 3.

Com o intuito de promover as relações amigáveis entre os Estados por meio do comércio internacional e objetivando a criação de uma lei uniforme que regulasse tais relações considerando, na maior medida possível, as várias nuances dos diferentes sistemas jurídicos existentes no mundo, a criação da CISG mostrou-se, ao longo dos anos, um esforço absolutamente bem sucedido. Nas palavras de Franco Ferrari:

> A Convenção das Nações Unidas de 1980 sobre Contratos de Compra e Venda Internacional de Mercadorias (CISG) é considerada a convenção mais bem sucedida na promoção do comércio internacional. Em vista do fato de que ela encontra-se em vigência em 70 países ao redor do mundo e de que cobre mais de dois terços do fluxo de comércio no mundo, isso não parece surpreender[4].

A intenção de uniformização e facilitação das práticas do comércio internacional materializadas no texto da CISG parece coincidir em grande medida com o pulso da evolução do direito chinês sobre contratos na mesma época em que foi criada a CISG. Com isso, não surpreende também o fato de ter sido a China um dos primeiros países a adotar a CISG, tendo esse instrumento normativo internacional influenciado os rumos não somente da inserção da China no mercado internacional, mas também da própria evolução de seu direito interno em matéria contratual.

2.2. A adesão pela China da CISG e seu impacto na legislação doméstica

O nascimento da CISG coincide com o início da abertura econômica e reforma na China, ou seja, o começo dos anos de 1980. A China foi um dos primeiros países do mundo a assinar a CISG, logo no ano de 1981, tendo a Convenção entrado em vigor para este país no ano de 1988[5]. A entrada em vigor da CISG antes mesmo da criação de uma lei uniforme para regular os contratos em âmbito doméstico, demonstra o interesse chinês à época do início das reformas e abertura de seu mercado, de atrair e fomentar as relações comerciais internacionais. Uma consequência notória desta ade-

---

[4] FERRARI, Franco. *The CISG and its Impact on National Legal Systems*. Munich: Salier, 2008, prefácio.

[5] Dados disponíveis em: http://www.uncitral.org/uncitral/en/uncitral_texts/arbitration/ NYConvention_status.html acesso em 25/5/2014.

DIREITO CHINÊS CONTEMPORÂNEO

são prematura da CISG pela China foi a influência que os princípios e fundamentos da Convenção tiveram no direito chinês sobre contratos com a posterior adoção da Lei de 1999 sobre Contratos[6]. Dessa maneira, tem-se desde o nascedouro do direito contratual chinês moderno, a influência de um instrumento normativo cuja intenção era a de criar um sistema de regras no qual houvesse a confluência harmônica dos diversos sistemas legais nesta matéria existentes no mundo. Mais uma vez, as tentativas de abertura e inserção do mercado chinês no cenário do comércio internacional ficam evidentes à luz das influências que serão aqui tratadas.

A incorporação da CISG ao ordenamento chinês sobre contratos, que até 1999 permaneceu esparso, carente de uniformização e complementado por medidas administrativas, faz, portanto, todo o sentido quando analisamos os propósitos da Convenção e o propósito reformador que movia as alterações no direito doméstico Chinês à época da criação da Convenção.

Com a adoção da CISG pela China e a consequente e gradativa utilização da Convenção por Cortes chinesas, advogados e partes, é natural que a Convenção influencie de alguma maneira o raciocínio jurídico no âmbito das obrigações contratuais, como inevitavelmente ocorreu em todos os países nos quais a CISG passou a ser parte integrante de seu ordenamento doméstico. O que se viu no caso específico da China, no entanto, foi uma influência muito maior da CISG na própria redação da Lei de 1999 sobre Contratos, como explica Shiyuan Han:

> Como descrito pelo Professor Huixing Liang, que é um dos principais responsáveis pela Lei sobre Contratos de 1999, os redatores da Lei 'consultaram e absorveram regras da CISG sobre oferta, aceitação, rescisão (resilição) com Nachfrist, responsabilidades por quebras de contrato, interpretação de um contrato e contrato de compra e venda de mercadorias'. Pode ser dito, portanto, que os impactos da CISG na Lei de Contratos não se limitam a tópicos específicos sobre compra e venda, tendo tido, ainda, impacto em aspectos não relacionados à compra e venda[7].

---

[6] CHEN, Jianfu. *Chinese Law: context and transformation*. Leiden: Martinus Nijhoff Publishers, 2008, p. 450.

[7] No original: *"Just as Professor Huixing Liang, who is a main drafter of CL (P.R.C), has put it, drafters of the law 'have consulted and absorbed rules of the CISG on offer and acceptance, avoidance (termination) with a Nachfrist, liabilities for breach of contract, interpretation of a contract and sales contract'. So it may be said that the CISG's impacts on CL (P.R.C) are not only limited to sale-specific topics, it has had*

A consequência prática mais notória desta influência exercida pela CISG no texto da Lei de 1999 sobre Contratos diz respeito à sua aplicação: quanto mais familiarizada estiver a comunidade jurídica chinesa (neste âmbito inserindo-se principalmente os membros do judiciário chinês, mas também advogados e partes em potencial) com os princípios e institutos contidos na CISG, mais fácil e mais fiel à intenção do texto da Convenção será a sua aplicação. A utilização de uma lei doméstica que contenha ou reflita estas práticas e institutos próprios do comércio internacional mesmo em questões puramente domésticas, é, sem dúvida, um grande estimulo à correta e efetiva aplicação do espírito norteador da CISG.

Em semelhante compasso, a interpretação legal na China sofreu forte e importante influência da lógica interpretativa contida na CISG, como explica Shiyuan Han:

> Atualmente, estudiosos na China têm prestado mais e mais atenção para seguir os métodos de interpretação das leis e preenchimento de lacunas. Eles têm atribuído muita importância à recepção de teorias legais relativistas quando a recepção das leis tenha sido alcançada. CL (P.R.C) [Lei de 1999 sobre Contratos] é um produto do direito comparado. De modo a interpretar aqueles artigos que derivam da ou são inspirados pela CISG, os estudiosos do direito civil chinês têm prestado muito atenção às teorias relativistas da CISG e à sua interpretação[8].

A influência de um instrumento normativo internacional que tem como objetivo, desde sua criação, a uniformização das práticas comerciais internacionais, por outro lado, demonstra o quanto as reformas e abertura do mercado Chinês foram precisamente voltadas à integração deste país ao cenário internacional. A consequência mais notória deste fato é a influência

---

an impact on non sale-specific issues as well." HAN, Shiyuan. China. In FERRARI, Franco. The CISG and its Impact on National Legal Systems. Munich: Salier, 2008, p. 84

[8] No original: "Nowadays scholars in China have paid more and more attention to following methods of law interpretation and gap-filling. They have attached much importance to receptions of relative legal theories when the reception of law has been achieved. CL (P.R.C.) is a product of comparative law. In order to interpret those articles which derive from or are inspired by the CISG, Chinese civil law scholars have paid much attention to CISG's relative theories and interpretations." HAN, Shiyuan. China. In FERRARI, Franco. The CISG and its Impact on National Legal Systems. Munich: Salier, 2008, p. 91.

DIREITO CHINÊS CONTEMPORÂNEO

subsequente que a lógica e as práticas do comércio internacional uniforme, consubstanciadas no texto da CISG, tiveram sobre o direito interno em matéria de contratos, especialmente sobre a Lei de 1999 sobre Contratos. A mentalidade internacionalista do legislativo chinês à época bebeu também da fonte dos princípios UNIDROIT sobre contratos, incorporando ao referido instrumento normativo doméstico muito de seu texto e princípios, como veremos adiante.

3. Os Princípios sobre Contratos Comerciais Internacionais do UNIDROIT e a China

3.1. Panorama Geral sobre os Princípios sobre Contratos Comerciais Internacionais do UNIDROIT

Os Princípios sobre Contratos Comerciais Internacionais editados pelo Instituto Internacional para a Unificação do Direito Privado (UNIDROIT), atualmente em sua terceira edição, têm como objetivo a uniformização e harmonização na interpretação dos contratos internacionais pelos vários sistemas legais existentes no mundo. De maneira semelhante à intenção consubstanciada no texto da CISG, os Princípios UNIDROIT visam à criação de um direito que seja capaz de superar as minucias próprias aos variados sistemas legais existentes no mundo, de modo a incentivar a aplicação uniforme do direito no cenário internacional. É o que explica Lauro Gama Jr.:

> Os Princípios do UNIDROIT refletem a tendência contemporânea de criação de um direito transnacional próprio das relações comerciais internacionais, cada mais desvinculadas de um ordenamento nacional em particular. Seu principal objetivo é prover os agentes do comércio internacional de normas uniformes versando os vários aspectos da relação contratual, como formação, validade, interpretação, execução e inexecução dos contratos, compensação, a cessão de créditos, dívidas e contratos, e os prazos de prescrição. Tais normas, dotadas de suficiente flexibilidade, podem servir aos contratantes em vários contextos, permitindo-lhes superar, de um modo geral, as desconfianças recíprocas que derivam do natural apego de cada parte ao seu respectivo direito nacional[9].

---

[9] GAMA JR, Lauro. *Contratos Internacionais à luz dos Princípios UNIDROIT 2004 – Soft Law, Arbitragem e Jurisdição*. Rio de Janeiro: Renovar, 2006, p. 3.

Esta perspectiva trazida pelos Princípios UNIDROIT, em conjunto ao fato de estarem eles em constante trabalho de revisão e atualização, gerou um interessante fenômeno de influencias recíprocas entre este instrumento de *soft law* e o ordenamento doméstico chinês em matéria de contratos, como veremos a seguir.

3.2. Princípios UNIDROIT e o direito chinês sobre contratos

Os Princípios UNIDROIT, de maneira curiosa, sofreram influência significativa de diferentes fontes, inclusive do próprio direito chinês em determinadas matérias referentes a contratos vigentes à época do primeiro grupo de trabalho responsável pelo desenvolvimento da primeira edição dos referidos princípios, como explica Lauro Gama:

> Não sendo factível levar em conta o direito, individualmente considerado, de cada estado nacional, nem tampouco conferir igual peso a todos os sistemas jurídicos no tratamento de cada um dos temas eleitos, o Grupo de Trabalho resolveu adotar a seguinte postura: dentre as *compilações legislativas* e *codificações nacionais*, optou pelas mais recentes, como o *Uniform Commercial Code* e o *Restatement (Second) of the Law of Contracts* norte-americanos; o Código Civil da Argélia, de 1975; a Lei Chinesa sobre Contratos Econômicos Estrangeiros; e os então projetos de Código Civil da Holanda (que entrou em vigor em 1992), e da Província do Québec, Canadá (aprovado em 1994)[10].

Muitos dos aspectos existentes na atual legislação chinesa sobre contratos foram, por sua vez, influenciadas ou, em alguns casos, copiadas dos Princípios UNIDROIT. Aspectos como quebra contratual e danos[11], oferta e aceitação[12], entre outros, foram claramente produtos da ótica trazida pelos Princípios UNIDROIT. Interessante notar, contudo, que o legislador chinês à época das reformas que culminaram na criação da Lei de 1999 sobre Contratos, mostrou-se relutante a prever expressamente um dos princípios basilares contidos nos Princípios UNIDROIT, a liberdade contratual. É o que explica Jianfu Chen:

---

[10] GAMA JR, *Contratos Internacionais à luz dos Princípios UNIDROIT 2004 – Soft Law, Arbitragem e Jurisdição, cit.*, p. 211.

[11] CHEN, *Chinese Law: context and transformation.* Leiden: Martinus Nijhoff Publishers, 2008, p. 458.

[12] CHEN, *Chinese Law, cit.*, p. 452.

Interessante notar que, apesar de a Lei de 1999 sobre contrato ser fortemente influenciada pelos Princípios UNIDROIT, ela lida com este princípio de maneira indireta, ao invés de prever explicitamente o princípio da liberdade contratual. Especificamente, a Lei contém uma série de provisões que ou endossam ou restringem a liberdade contratual[13].

Essa retroalimentação entre os Princípios UNIDROIT e a legislação doméstica chinesa evidencia o fato de que a influência exercida pelos Princípios UNIDROIT no ordenamento chinês não afastou por completo a ótica vigente antes da reforma de 1999. Este fato torna-se evidente principalmente em se tratando de matérias anteriormente reguladas por leis específicas, como era o caso dos contratos econômicos estrangeiros. Dessa forma, a influência dos regimes jurídicos anteriores cuidou de manter a coerência necessária à modernização eficaz do direito chinês em matéria de contratos.

Comparativamente ao escopo estreito da CISG, abarcando apenas contratos de compra e venda internacional de mercadorias, os princípios da UNIDROIT pretendem servir de guia para todos os contratos comerciais, constituindo "[...] *elemento importante porquanto busque uma necessária, haja vista que surge para direcionar relações entre nações que têm seu modelo próprio de direito* [...][14]". Com a forte influência sofrida pelos princípios da UNIDROIT, a Lei de 1999 sobre Contratos se mostra, portanto, uma enorme evolução do direito interno chinês no mesmo sentido que pretendia à época, e ainda pretende, caminhar a economia daquele país: no da internacionalização e inserção no contexto do mercado mundial.

De maneira contrastante a este ritmo de evolução do direito substancial, o qual sofreu influências importantes dos mais modernos instrumentos normativos internacionais, como analisamos acima, a incerteza criada pela falta de uniformidade na interpretação dos instrumentos legais chineses e a aparente falta de autonomia do Poder Judiciário chi-

---

[13] No original: *"Interestingly, even though the 1999 Contract Law is heavily influenced by the UNIDROIT Principles, it approaches this fundamental principle in an indirect way, instead of providing an explicit principle of freedom of contract. Specifically, the Law contains a number of provisions which either endorse or restrict freedom of contract."* In CHEN, *Chinese Law, cit.*, p. 456.

[14] PEREIRA, Luciano de Almeida. Axiologia Principiológica do UNIDROIT. In FINKELSTEIN, Cláudio; VITA Jonathan; CASADO FILHO, Napoleão. Arbitragem Internacional – UNIDROIT, CISG e Direito Brasileiro. São Paulo: Quartier Latin, 2010, p. 298.

nês contribuíram para que, no cenário do comércio internacional, predominasse a utilização da arbitragem como forma de solução de conflitos derivados de contratos, além de promover o surgimento e consolidação de Câmaras de Arbitragem chinesas atuantes no cenário internacional.[15] Esta tendência parecer ter sido estimulada, também, pelo fato de que a China faz parte da Convenção de Nova York sobre reconhecimento e execução de sentenças arbitrais estrangeiras[16] criando-se, desta maneira, maior expectativa nas partes não chinesas de que as decisões tomadas por tribunais arbitrais serão de fato reconhecidas e executadas na China.

Passaremos, portanto a analisar a Convenção de Nova York e os desdobramentos mais significativos de sua aplicação pelas Cortes chinesas especificamente no contexto do comércio internacional.

4. Convenção de Nova York, arbitragem e as cortes chinesas

Apesar das rápidas alterações e da modernização do sistema legal chinês em matéria de contratos, especialmente com a adoção da CISG no plano internacional e a criação da Lei de 1999 sobre Contratos no plano interno, as Cortes chinesas parecem não estar acompanhando esta evolução no mesmo ritmo:

> Um de seus problemas é que só há um estilo de julgamento para milhares de casos [...]. O estilo fixo de julgamento é criticado por ser uma forma de 'Ba Gu', que significa um tipo especial de escrita popular na Dinastia Ming (do ano 1368 ao ano 1644) e na Dinastia Qing (do ano 1644 ao ano 1911) na China, e que é hoje um termo contendo sentido depreciativo. Um de seus embaraços é que as pessoas podem encontrar alguns artigos de lei sendo aplicados no julgamento, mas as pessoas, algumas vezes, não conseguem descobrir o porquê de o caso ser decidido daquela maneira específica, e qual é o exato significado da regra aplicada ao caso concreto. Outro embaraço é o fato de a jurisprudência (*case law*) e doutrina (obras de estudiosos), sem distinção entre Chineses e

---

[15] A título de curiosidade, destacam-se duas proeminentes câmaras de arbitragem em franca ascensão, a *China International Economic and Trade Arbitration Comission* (CIETAC) e, mais recentemente, a *Chinese European Arbitration Centre* (CEAC).

[16] Dados disponíveis em: http://www.newyorkconvention.org/contracting-states/list-of-contracting-states acesso em 25/5/2014.

do exterior, não são citados ou mencionados em julgamentos. Uma razão para isto é que eles não constituem uma fonte de direito na China[17].

Com o crescimento da arbitragem internacional envolvendo partes chinesas, cresce também a necessidade de reconhecimento e homologação de sentenças arbitrais estrangeiras perante as Cortes chinesas. Sendo a China parte da Convenção de Nova York sobre o Reconhecimento e Execução de Sentenças Arbitrais Estrangeiras de 1958, este instrumento internacional rege o reconhecimento e execução de sentenças arbitrais estrangeiras pelas Cortes Chinesas, estando estas limitadas pelas restritas possibilidades de negativa de reconhecimento e execução previstas pela Convenção.

Passaremos, portanto, a apresentar um panorama geral sobre a Convenção de Nova York para, em seguida, analisar alguns aspectos mais relevantes de sua aplicação pelas Cortes chinesas.

4.1. Panorama geral sobre a Convenção de Nova York
Assinada em 1958, a Convenção de Nova York sobre Reconhecimento e Execução de Sentenças Arbitrais estrangeiras (Convenção de Nova York) é um dos instrumentos mais importantes da aplicação prática da arbitragem internacional até os dias atuais. Nas palavras de Martin Hunter:

> De toda forma, a Convenção de Nova Iorque permanece um dos tratados multilaterais de maior sucesso de todos os tempos, com 148 Estados signatários até o fim de 2012 e com poucos autores que acreditam numa urgência que justificasse a promoção de uma nova verão perante todos os Estados signatários. [...] O 'propósito' era – e permanece – o de fazer com que sentenças de

---

[17] No original: *"One problem of them is that, there is only one fixed style of judgment for thousands of cases [...]. The fixed stile of judgment is criticized as a kind of "Ba Gu", which means a special style of writing popular in the Ming Dynasty (from the year 1368 to 1644) and Qing Dynasty (from 1644 to 1911) in China and which is now a word with derogatory meaning. One trouble of them is that people can find some articles of law being applied in the judgment, but people sometimes cannot find out why the case is decided in that specific way and what the exact meaning of the rule applied in the case is. Another trouble of them is that, jurisprudence (case law) and doctrine (scholarly writings), no matter Chinese ones or foreign ones, have not been cite or mentioned in judgment. A reason for it is that they are not sources of law in China."* HAN, Shiyuan. China. *In* FERRARI, Franco. The CISG and its Impact on National Legal Systems. Munich: Salier, 2008, p.77.

tribunais arbitrais internacionais fossem exequíveis imediatamente em qualquer Estado signatário em que a parte perdedora tivesse patrimônio, sem a necessidade, ou oportunidade, de as cortes daquele Estado conduzirem uma análise adicional do mérito da sentença do tribunal arbitral[18].

Desta maneira, a Convenção de Nova York busca restringir as possibilidades de negativa de reconhecimento e execução de sentenças proferidas por tribunais arbitrais em arbitragens internacionais quando estas sentenças são apresentadas aos tribunais domésticos dos países signatários da Convenção. Para os propósitos deste artigo, passaremos a analisar a interação entre uma das situações previstas na Convenção de Nova York como passível de gerar a negativa de reconhecimento e execução, o conceito de ordem pública, e sua aplicação pelas Cortes chinesas.

4.2. Ordem pública e as cortes chinesas

Um dos pontos mais importantes no que diz respeito à interpretação e aplicação da Convenção de Nova York em todo o mundo, e sem dúvida o ponto de maior tensão doutrinária dentre os conceitos englobados pela Convenção, é a questão da ordem pública, trazida pelo Art. V (2) (b) da Convenção de Nova York. Sobre a questão da ordem pública na Convenção de Nova York, Daniel Barbosa, citando Eduardo Damião explica que: *"a função essencial da exceção de ordem pública [nesse contexto] é a proteção do ordenamento jurídico contra interseções de origem externa nocivas à integralidade e coerência do próprio ordenamento[19]"*.

O conceito de ordem como deve ser entendido na interpretação da Convenção de Nova York foi assim descrito por Jan Van den Berg:

> É impossível, dentro do limitado escopo deste estudo, tentar rever as inúmeras doutrinas sobre ordem pública (ou os seus equivalentes) e arbitragem. Pode ser suficiente chamar atenção à importante distinção entre ordem pública doméstica e ordem pública internacional. Esta distinção tem ganhado crescente aceitação também em matérias de arbitragem. De acordo

---

[18] HUNTER, Martin, Prefácio, in MARTINI, Pedro (coord.), Revista de Arbitragem – Ed. Especial Convenção de Nova Iorque, Belo Horizonte: Editora Del Rey, 2013, p. xvii.
[19] BARBOSA, Daniel Machado Coelho, Artigo V(2), in MARTINI, Pedro (coord.), Revista de Arbitragem – Ed. Especial Convenção de Nova Iorque, Belo Horizonte: Editora Del Rey, 2013, p. 232.

DIREITO CHINÊS CONTEMPORÂNEO

com essa distinção, o que é considerado como pertencente à ordem pública nas relações domésticas, não necessariamente pertence à ordem pública nas relações internacionais[20].

No caso específico da China, no entanto, apesar de todos os esforços por parte dos redatores da Convenção de Nova York e dos doutrinadores que a interpretam, de disseminar um conceito mais restrito e internacionalista de ordem pública como base para negativa de reconhecimento e execução de sentenças estrangeiras, parece que, também neste ponto, as Cortes têm tomado uma posição mais protecionista.

O posicionamento chinês em termos de orientação jurisprudencial no que diz respeito à aplicação da Convenção de Nova York fica claro quando avaliamos as diretivas interpretativas ao Artigo V da Convenção emitidas pela Corte Suprema do Povo:

> O Art. 4 da Notícia de 10 de abril de 1987 exclui o discricionário 'poderá' na aplicação do Art. V da Convenção de Nova York, estipulando que as Cortes Chinesas 'devem' ('yingdang') recusar execução se uma das sete circunstâncias listadas no Art. V existir. O Art. 4 prevê que 'quando [a corte] entende que qualquer da circunstâncias listadas no Art. V, par. 1 da forma como trazida pelo requerido, existe, ela deverá rejeitar o pedido e negar-se a reconhecer e executar a sentença. Portanto, as Cortes chinesas não podem exercer qualquer poder discricionário, da forma como prevista pelo Art. V da Convenção de Nova York. [...] Desta maneira, a China não implementou uma visão pró-arbitragem no que diz respeito a sentenças estrangeiras[21].

---

[20] No original: *"It is impossible within the limited scope of this study to make even an attempt to review the numerous doctrines of public policy (or its equivalent) and arbitration.339 It may suffice to draw the attention to the important distinction between domestic and international public policy. This distinction is gaining increasing acceptance in matters of arbitration as well. According to this distinction what is considered to pertain to public policy in domestic relations does not necessarily pertain to public policy in international relations."* VAN DEN BERG. Albert Jan. *The New York Arbitration Convention of 1958*. The Hague: Kluwer Law and Taxation Publishers, 1981, p. 360.

[21] No original: *"Art. 4 of the Notice of April 10, 1987 excludes the discretionary 'may' in applying Art. V of the New York Convention by stipulating that the Chinese Courts 'must' ('yingdang') refuse enforcement if one of the seven circumstances enlisted in Art. V is met. Art. 4 provides that 'where [the court] finds that any of the circumstances listed in Article V par. 2 is given, or that any of the circumstances listed in Article V par. 1 as brought forward by the defendant is given, is must reject the application and refuse to recognize and enforce the award. Therefore, Chinese courts cannot exercise any discretionary power as provided for*

A determinação do que constitui ordem pública deve, de fato, ficar a cargo das cortes de cada país, baseando-se nos princípios e tradições caras a cada ordenamento jurídico, exatamente para que se opere de pleno direito a já referida proteção do ordenamento jurídico doméstico contra conceitos que são a ele estranhos. A tentativa uniformizadora e pró-arbitragem da Convenção de Nova York, no entanto, estimula a homogeneização deste conceito, cunhando o supracitado termo *"ordem pública internacional"*. No caso chinês, contudo, não parece ser esta a interpretação dominante:

> Contudo, apesar do suposto requisito para interpretar o termo 'interesse público e social' de maneira restritiva, já é óbvio que a interpretação chinesa não é limitada pela ordem pública internacional. Isto é confirmado por uma explicação dada pelo Juiz Gao Xioli, da Corte Suprema do Povo, que explicou que uma sentença arbitral pode ser entendida como violando o interesse público e social quando: (iii) violar os princípios básicos refletidos/regulados pela Constituição ou os Quatro Princípios Fundamentais da China; (iv) causar danos à soberania ou à segurança do estado da China; [iii] esteja violando as regras fundamentas do direito chinês; [iv] for contrário a obrigações assumidas pela China; ou [v] for contrário aos princípios pública[mente] reconhecidos de igualdade e justiça no direito internacional. Os Quatro Princípios Fundamentais da China são: (v) aderir ao caminho socialista; [ii] aderir à ditadura democrática do povo; [iii] aderir à liderança do Partido Comunista; [iv] aderir ao pensamento Marxista-Leninista[22].

---

in Article V of the New York Convention. [...] Therefore, China did not implement a pro-arbitration bias with respect to foreign awards" In MAURER, Anton G. *The public policy exception under the New York Convention.* New York: Juris, 2012, p. 307-308.

[22] No original: *"However, despite the alleged requirement to interpret the term 'social and public interest' narrowly, it is already obvious that the Chinese interpretation is not limited international public policy. This is confirmed by an explanation given by judge Gao Xioli from the Supreme People's Court who explained that an award may be deemed to violate the social and public interest where the award (iii) is in violation of the basic principles reflected/regulated in the Constitution or the Four Fundamental Principles of China; (iv) will damage the sovereignty or State security of China; [iii] is in violation of the fundamental rules of Chinese law; [iv] is against the obligations that China concluded; or [v] against the public[vi] recognized principles of fairness and justice in international law. The Four Fundamental Principles of China are: (v) to adhere to the socialist road; [ii] to adhere to the people's democratic dictatorship; [iii] to adhere to the leadership of the Communist Party; [iv] to adhere to Marxism-Leninism and Mao's*

DIREITO CHINÊS CONTEMPORÂNEO

Fica, desta maneira evidente que as Cortes chinesas tendem a interpretar o conceito de ordem pública de maneira extensiva, adotando, também neste ponto, um posicionamento "anti-arbitragem" no que diz respeito ao reconhecimento e execução de sentenças arbitrais estrangeiras na China. Há de se fazer, no entanto, uma importante ressalva quanto ao que foi até o momento exposto: os estudos estatísticos acerca da aplicação prática do conceito de ordem pública e do posicionamento interpretativo nos casos concretos de aplicação da Convenção de Nova York na China são extremamente prejudicados pela falta de informações e dados oficias. Com isso, as conclusões doutrinárias mais aceitas baseiam-se em casos paradigmáticos e em orientações dos tribunais superiores chineses no sentido de tentativa de padronização das decisões.

Um dado, no entanto, parece ser contundente: as cortes chineses tendem a negar reconhecimento execução de sentenças arbitrais estrangeiras baseando-se na exceção de ordem pública (ou, na interpretação chinesa, no "interesse público e social") na grande maioria dos casos envolvendo empresas estatais chinesas. A tendência é a utilização do referido mecanismo convencional de negativa de reconhecimento e execução quando a parte desfavorecida pela sentença arbitral for ume entidade pública chinesa:

> Contudo, analisando casos, pode-se perceber os esforços da Corte Suprema do Povo de basear a negativa de execução nas previsões do Art. V, especialmente quando entidades públicas chinesas estão envolvidas. Das 83 sentenças arbitrais, somente 43 foram completamente executadas, isto é, menos de 52%, e 7 foram executadas parcialmente. Parece ser difícil executar uma sentença arbitral estrangeira na China contra uma empresa estatal chinesa[23].

---

thought." MAURER, Anton G. *The public policy exception under the New York Convention.* New York: Juris, 2012, p. 320-321.

[23] No original: *"However, analyzing cases, one can also see the efforts of the Supreme People's Court to base the refusal of enforcement on the grounds stipulated in Art. V, especially when Chinese public entities were involved. Of the 83 awards, only 43 were fully enforced, e.g. less than 52 per cent, and 7 partially. It seems to be difficult to enforce a foreign arbitral award in the PRC against a State owned Chinese company."* MAURER, Anton G. *The public policy exception under the New York Convention.* New York: Juris, 2012, p. 329-330.

De maneira geral, a aparente tentativa de evitar as Cortes chinesas no cenário do comércio internacional utilizando a arbitragem como meio de solução de controvérsias, encontra, inevitavelmente um percalço: a interpretação da Convenção de Nova York pelas Cortes sob a ótima protecionista e, até certo ponto, excessivamente formalista e apegada a preceitos e conceitos domésticos. Este parece ser, portanto, o ponto no qual precisem evoluir mais as decisões e diretivas interpretativas do judiciário chinês, no sentido de abraçar o conceito proposto por Van den Berg e estimular a interpretação da ordem pública de maneira internacionalista, para que a utilização da arbitragem no âmbito internacional não se veja frustrada pela necessária execução das sentenças perante as Cortes chinesas.

5. Conclusões

O contraponto entre a maturidade e a internacionalidade do direito substantivo chinês em matéria contratual e a visão conservadora adotada pelas cortes chinesas ao aplicar tais conceitos, parece revelar um dos grandes paradoxos da evolução e abertura da China: uma cultura jurídica que deseja inserir-se no contexto do comércio internacional e se abrir às relações com o ocidente, mas que, na prática ainda se mostra relutante a abandonar por completo a visão de economia e mercado planificados que dominou a China até muito recentemente.

A mesma história se repete quando analisamos a maneira como as Cortes chinesas lidam com decisões arbitrais estrangeiras: apesar da adoção precoce pela China da Convenção de Nova York de 1958, as Cortes ainda parecem relutantes em aceitar a visão internacionalista e pró-arbitragem adotada pela Convenção, apegando-se a preceitos e princípios domésticos na interpretação e aplicação das exceções previstas ao reconhecimento e execução de sentenças arbitrais estrangeiras. De forma semelhante, e apesar da natural complexidade inerente ao tema, a aplicação do conceito de ordem pública como forma de barrar o reconhecimento e execução de sentenças arbitrais estrangeiras parece ser inconsistente e extremamente casuística, sendo invocada de maneira reiterada quando interesses do Estado chinês estão em jogo.

Buscou-se ao longo deste artigo a apresentação de vários conceitos relativos tanto ao direito material sobre contratos na china quanto na aplicação prática desse direito, sobretudo no cenário internacional e por meio de arbitragem. De fato, o direito Chinês contemporâneo tem sido moldado, em grande medida, por vontades políticas muito mais que por coerência jurídica; no entanto, tais motores de mudanças nem sempre se mostram maléficos, como é o caso da legislação sobre contratos, que bebeu das fontes mais modernas sobre a matéria no cenário internacional.

Apesar de todo o esforço visivelmente envidado pela China nos anos recentes para atualizar e internacionalizar seu direito, seu mercado, sua economia e sua cultura, tal esforço não pode se concentrar em frentes isoladas; de nada adianta ter à disposição das partes um direito material extremamente completo e de vanguarda, inteiramente alinhado com o cenário internacional e com os princípios ali dominantes, se a aplicação deste direito é feita por Cortes que mantêm a mesma ótica que tinham antes das reformas. Para que a China se insira no cenário internacional e para que seu desenvolvimento mantenha coerência entre seus ideais e sua aplicação prática, é preciso abandonar a zona de conforto jurisprudencial que parece ter sido construída até o momento por um poder judiciário pouco independente e à mercê de interesses políticos.

Referências bibliográficas

CHEN, Lei. *The historical development of the Civil Law tradition in China: a private law perspective.* Leiden: Martinus Nijhoff Publishers, 2010.

CHEN, Jianfu. *Chinese Law: context and transformation.* Leiden: Martinus Nijhoff Publishers, 2008.

FERRARI, Franco. *The CISG and its Impact on National Legal Systems.* Munich: Salier, 2008.

GAMA JR, Lauro. *Contratos Internacionais à luz dos Princípios UNIDROIT 2004 – Soft Law, Arbitragem e Jurisdição.* Rio de Janeiro: Renovar, 2006.

HAN, Shiyuan. China. *In* FERRARI, Franco. The CISG and its Impact on National Legal Systems. Munich: Salier, 2008.

HONNOLD, John O. Uniform Law for International Sales under the 1980 United Nations Convention. 4a Edição. London: Wolters Kluwer, 2009.

MAURER, Anton G. The public policy exception under the New York Convention. New York: Juris, 2012.

PEREIRA, Luciano de Almeida. Axiologia Principiológica do UNIDROIT. In FINKELSTEIN, Cláudio; VITA Jonathan; CASADO FILHO, Napoleão. Arbitragem Internacional – UNIDROIT, CISG e Direito Brasileiro. São Paulo: Quartier Latin, 2010.

Revista de Arbitragem – Edição Especial Convenção de Nova Iorque. Belo Horizonte, 2013.

VAN DEN BERG. Albert Jan. The New York Arbitration Convention of 1958. The Hague: Kluwer Law and Taxation Publishers, 1981.

http://www.uncitral.org/uncitral/en/uncitral_texts/arbitration/NYConvention_status.html acesso em 25/5/2014.

CAPÍTULO 18
A CHINA E A ORGANIZAÇÃO MUNDIAL DO COMÉRCIO

ANA LUÍSA SOARES PERES
LETÍCIA DE SOUZA DAIBERT

1. Introdução

A adesão da China à Organização Mundial do Comércio (OMC) foi um momento fundamental na história de inserção do país no mercado internacional. Nas palavras do então presidente Hu Jintao:

> A acessão da China à OMC é um marco na reforma e na abertura da China, nos trazendo a uma nova era de abertura ainda maior. O ingresso na OMC foi uma importante decisão estratégica, baseada em uma análise abrangente da situação doméstica e internacional, a fim de fazer avançar a reforma e a abertura da China e a modernização socialista[1].

As últimas décadas, principalmente após o fim da Guerra Fria, vêm sendo marcadas pelo fenômeno da globalização e, consequentemente, pela ativa interação entre os Estados, o que dificulta as posições isolacionistas e protecionistas do período entre guerras. Nesse sentido, a acessão da China à OMC em 11 de dezembro de 2001 representa um marco para o desenvolvimento tanto da economia chinesa, como do sistema multilateral do comércio[2].

---

[1] (Tradução livre) *"China's accession to the WTO is a milestone in China's reform and opening-up, bringing us into a new era to further open up. To join the WTO was a major strategic decision based on our comprehensive analysis of the situation at home and abroad in order to push forward China's reform and opening-up and socialist modernization drive."* China and the WTO: past, present and future. Report by Permanent China's Mission on the WTO, 2011. Disponível em http://www.wto.org/english/thewto_e/acc_e/s7lu_e.pdf. Acesso em 08 de maio de 2014.

[2] CHEN, Chunlai. *China's Integration with the Global Economy – WTO Accession, Foreign Direct Investment and International Trade.* Cheltenham: Edward Elgar, 2009, p. 1.

DIREITO CHINÊS CONTEMPORÂNEO

O presente artigo propõe analisar, sem pretensão de esgotar, os aspectos centrais relativos à acessão da China à OMC. Para tanto, conta com cinco seções, além deste primeiro item introdutório. No segundo item, explora-se o contexto de institucionalização de um sistema multilateral de regulamentação das relações comerciais e, posteriormente, da OMC. O terceiro item examina a entrada da China na OMC, considerando o processo de negociação de sua adesão, os compromissos firmados pelo país quando de sua entrada, bem como os impactos jurídicos e econômicos frequentemente associados com a sua acessão à entidade. No item quatro, apresenta-se a forma de atuação da China na OMC e as características do mercado doméstico que são frequentemente confrontadas pelos demais membros da Organização. O quinto item exibe a forma de atuação do país junto ao Órgão de Solução de Controvérsias (OSC), a partir de um caso paradigmático envolvendo direitos de propriedade intelectual. Nas considerações finais, reforçam-se as impressões derivadas das análises desenvolvidas ao longo do artigo, especialmente, os aspectos positivos decorrentes do ingresso da China na OMC.

2. A Organização Mundial do Comércio (OMC): considerações iniciais
2.1. Contexto histórico da institucionalização de um sistema multilateral de comércio

A Grande Depressão[3] (1929) transformou as relações comerciais internacionais no período entre guerras, alterando o paradigma da antiga eco-

---

[3] "Em primeiro lugar, a extrema violência da depressão deve ser percebida. Nas três potências industriais líderes do mundo – Estados Unidos, Grã-Bretanha e Alemanha – 10.000.000 de trabalhadores ficaram ociosos. Há poucas indústrias em qualquer parte gerando lucro suficiente para a sua expansão – o que é um teste para a verificação do progresso. Ao mesmo tempo, nos países de produção primária, a renda obtida com a mineração e a agricultura é auferida com a venda, no caso de quase todas as *commodities* importantes, a um preço que, para muitos ou para a maioria dos produtores, não cobre os seus custos. (...) não há exemplo na história moderna de uma queda de preços tão grande e tão rápida (...). Eis a magnitude da catástrofe." Tradução livre do trecho: *"First of all, the extreme violence of the slump is to be noticed. In the three leading industrial countries of the world–the United States, Great Britain, and Germany–10,000,000 workers stand idle. There is scarcely an important industry anywhere earning enough profit to make it expand–which is the test of progress. At the same time, in the countries of primary production the output of mining and of agriculture is selling, in the case of almost every important commodity, at a price which, for many or for the majority of producers, does not cover its cost. (...) there is no example in modern history of so great*

nomia liberal. Os Estados iniciaram um processo de isolamento, com o soerguimento de barreiras comerciais cada vez maiores para proteger seus mercados internos e as suas respectivas moedas contra os efeitos das crises mundiais.

O chamado *princípio da nação mais favorecida*[4] desapareceu de 60% dos 510 acordos comerciais assinados entre 1931 e 1939, permanecendo de forma limitada nos demais. Este processo de progressivo retraimento levou ao enfraquecimento das bases de florescimento de um sistema multilateral de comércio de longo prazo. Com efeito, o comércio mundial caiu 60% em quatro anos (1929-32)[5].

As potências aliadas na Segunda Guerra Mundial compartilhavam o entendimento de que o isolacionismo econômico dos Estados teria contribuído enormemente para o aprofundamento da Grande Depressão e para a eclosão do conflito. Foram exatamente estas preocupações de cunho econômico que levaram à realização da Conferência de *Bretton Woods*, em julho de 1944[6].

A Conferência resultou na criação de duas organizações internacionais: o Fundo Monetário Internacional, com atribuição de promover a estabilidade do sistema financeiro internacional; e o Banco Internacional para Reconstrução e Desenvolvimento, cuja principal atribuição inicial foi a de financiar a reconstrução dos países europeus no pós-guerra.

Em 1945, os Estados Unidos da América (EUA) sugeriram a fundação da Organização Internacional do Comércio (OIC), cujo mandato estaria vinculado à regulamentação das relações comerciais internacionais, mas também das relações de emprego e práticas negociais. A proposta inicial não foi bem sucedida. A recusa do Congresso dos EUA a aprovar a carta instituidora da OIC, em dezembro de 1950, levou ao fim definitivo das negociações[7].

---

and rapid a fall of prices (...). Hence the magnitude of the catastrophe." KEYNES, John Maynard. *The Great Slump of 1930*. Londres: The Nation & Athenæum, 1930. Part I.

[4] Princípio segundo o qual os Estados devem conferir o mesmo tratamento a todos os seus parceiros comerciais.

[5] HOBSBAWN, Eric. *The Age of Extremes – The short twentieth century (1914-1991)*. Londres: Abacus, 1994, p. 94.

[6] PALMETER, David; MAVROIDS, Petros C. *Dispute Settlement in the World Trade Organization: Practice and Procedure*. Cambridge: Cambridge University Press, 2ª edição, 2004, p. 1.

[7] *Ibidem*, p. 2

O Acordo Geral de Tarifas e Comércio[8] de 1947 (GATT/47), cujo objetivo era o de regular a flexibilização de tarifas aduaneiras e de outras restrições comerciais até a efetiva criação da OIC, sobreviveu ao fim das negociações para a criação da organização. Como a Carta de Havana[9] nunca entrou em vigor, o GATT/47 foi aplicado de forma "provisória" às relações comerciais internacionais por quarenta e sete anos, até ser substituído pela OMC, em 1995.

O GATT/47 transformou-se em uma instituição, apesar de os seus dispositivos não fazerem qualquer menção a um arcabouço institucional, já que esta função seria desempenhada pela OIC. O que seria apenas um tratado internacional voltado para a liberalização do comércio de bens móveis se converteu em uma organização de fato. As inovações estruturais surgiram conforme as necessidades dos seus Estados membros, verificadas no curso de suas relações comerciais. A criação da OMC veio justamente preencher esta lacuna institucional[10].

2.2. A Organização Mundial do Comércio

O Acordo de Marraqueche estabelecendo a OMC foi assinado em 15 de abril de 1994 e entrou em vigor em 1º de janeiro de 1995. A estrutura da OMC foi planejada de acordo com as experiências acumuladas ao longo dos quarenta e sete anos de vigência do GATT/47.

Da mesma forma que o GATT/47, a OMC apresenta como objetivos principais o aumento dos padrões de vida de todos, a garantia do pleno emprego e a promoção do crescimento da renda e da demanda efetiva de forma ampla e estável, por meio da expansão da produção mundial e do intercâmbio comercial.

A assinatura de tratados mutualmente benéficos, envolvendo a redução de tarifas e outras barreiras ao comércio, bem como a eliminação do tratamento discriminatório no comércio internacional, são apresentados como mecanismos que contribuiriam para a realização destes propósitos.

---

[8] *General Agreement on Tariffs and Trade.*

[9] Nome atribuído ao tratado que, se entrasse em vigor, viria a instituir a Organização Internacional do Comércio.

[10] HOEKMAN, Bernard M. e MAVROIDIS, Petros C. *The World Trade Organization: law, economics and politics.* Nova Iorque: Routledge, 2007, p. 7-8.

A CHINA E A ORGANIZAÇÃO MUNDIAL DO COMÉRCIO

A liberalização do comércio, portanto, não é um fim em si mesmo, mas um meio para a realização dos objetivos da Organização[11].

Ao contrário do GATT/47, todos os acordos da OMC se aplicam a todos os seus Estados membros[12]. Uma outra mudança importante se refere ao sistema de solução de controvérsias. Sob a OMC, a formação de painéis, a adoção das decisões, bem como a autorização para retaliar, só são impedidas pelo consenso negativo, ou seja, caso todos os Estados membros da OMC votem negativamente à formação, adoção ou retaliação.

A OMC pode ser definida, em linhas gerais, como um fórum de troca de compromissos políticos comerciais e de debates para o estabelecimento de normas de conduta comuns. O seu arcabouço normativo inclui um conjunto de obrigações legais que regulam as políticas comerciais dos seus Estados membros. Os principais acordos seriam o Acordo Geral de Tarifas e Comércio de 1994 (GATT/1994)[13], o Acordo Geral de Comércio de Serviços (GATS) e o Acordo sobre Aspectos dos Direitos de Propriedade Intelectual Relacionados ao Comércio (TRIPS)[14].

3. A acessão da China à OMC
3.1. Antecedentes e negociações
O processo de acessão da China à OMC levou quinze anos para ser concluído. Este foi o segundo processo de negociação internacional mais longo do qual a República Popular da China participou, atrás somente das tratativas de reingresso do país na Organização das Nações Unidas (ONU)[15].

A partir das políticas de reformas econômicas no final da década de 1970, a China iniciou esforços de aproximação com a comunidade internacional[16]. De fato:

---

[11] *Ibidem*, p. 14.

[12] Princípio conhecido como *single undertaking*.

[13] O GATT/47 foi atualizado e incorporado ao arcabouço normativo da OMC como GATT/94.

[14] HOEKMAN; MAVROIDIS, *op. cit*, p. 15.

[15] CHEONG, Ching; e YEE, Ching Hung. *Handbook on China's WTO Accession and its Impacts*. Singapura: World Scientific Publishing, 2003, p. V.

[16] BLUMENTAL, M. David. Applying GATT to Marketizing Economies: The Dilemma of WTO Accession and Reform of China's State-Owned Enterprises (SOES). *Journal of International Economic Law*, 1999, p. 113-153, p. 118. Na década de 1980, a China passou a internacionalizar sua economia, constituindo importantes avanços nessa direção a sua inserção no FMI e no Banco Mundial.

DIREITO CHINÊS CONTEMPORÂNEO

Com a queda do comunismo ortodoxo que prevaleceu nas três primeiras décadas após o estabelecimento da nova China, a liderança pragmática chinesa, com Deng Xiaoping em seu centro, sentiu-se pressionada a reintroduzir a política de Portas Abertas. A nova política de Portas Abertas não foi apenas uma repetição da antiga. Desta vez, o governo chinês não estava sendo forçado pelas potências ocidentais a abrir as suas portas, mas pela sua própria ânsia por prosperidade. A nova política de Portas Abertas deu o tom dos últimos vinte anos. A decisão da China de aderir ao GATT e, posteriormente, à OMC, são resultados desta política[17].

O crescimento econômico chinês e a sua maior integração com a economia mundial não foram imediatamente acompanhados da sua adesão ao GATT/47 ou ao seu sucessor, a OMC, os únicos entes internacionalmente encarregados do fomento e da criação de normas vinculantes sobre comércio internacional no período.

A não conformidade da legislação interna com as normas da OMC era causa de limitação à atuação internacional das empresas chinesas e também de restrições de investimentos estrangeiros no país[18]. A exportação e importação de bens e serviços eram estritamente controladas pelo Estado, que detinha monopólio sobre a maior parte deles.

A China foi um dos membros originários do GATT/47. Após a Revolução Chinesa de 1949, no entanto, o governo de Taiwan anunciou que a China deixaria o sistema. Muito embora a China nunca tenha notificado o secretariado do GATT/47 de sua retirada, em 1986 ela formalmente informou a sua decisão de retomar a sua qualidade de membro junto ao acordo multilateral[19].

---

[17] Tradução livre "*With the failure of orthodox communism that prevailed in the three decades following the establishment of the new China, the realist-minded Chinese leadership, with Deng Xiaoping as its core, felt the pressure to reintroduce the Open Door policy.3 The new Open Door policy was not just a repetition of the old one. It differed from it in that this time the Chinese government was no longer forced by western powers to open its doors, but motivated by its anxiety for prosperity. The new Open Door policy set the tone for the past twenty years. China's decision to join the GATT, and later the WTO, was a result of this policy.*" KONG, Quingjiang. China's WTO accession: Commitments and Implications. *Journal of International Economic Law,* 2000, p. 655-690, p. 656.

[18] LO, Vai Io Lo; e TIAN, Xiaowen. Law and Investment in China. *The legal and business environments after WTO accession.* Nova Iorque: Routledge, 2005, p. 323.

[19] China's Status as a Contracting Party – Communication from the People's Republic of China, L/6017, 14 July of 1986.

392

No ano 2000, a China já era uma das principais potências exportadoras e importadoras do mundo. Ela também já era a segunda maior receptora de investimentos estrangeiros diretos no período, atrás somente dos EUA. Ao mesmo tempo, o aumento do número de empresas chinesas investindo no exterior a elevou à categoria de maior investidor entre os países em desenvolvimento[20].

O processo de negociação de acesso da China à OMC verificava dois entraves principais: (i) a transformação da economia chinesa em uma economia de livre mercado; e (ii) as condições mais gravosas que os Estados membros da OMC pretendiam impor ao país para a sua acessão à Organização.

A admissão da China estava sujeita à transição de uma economia planejada por um governo central, para uma economia de livre mercado, de acordo com o regime da OMC. Esta transição era desafiadora tanto do ponto de vista ideológico, quanto estrutural, uma vez que as transformações requeridas pela OMC levariam tempo para serem concluídas.

Além disso, o temor de que a adesão da China à OMC se convertesse em um aumento exponencial de seu poder econômico fez com que os países desenvolvidos impusessem condições excepcionalmente severas ao país. Um exemplo importante é a negação do status de "país em desenvolvimento", muito embora vários indicadores econômicos apontem que ela ainda se enquadra nesta categoria. Deste fato resulta que a China não pode recorrer a medidas protetivas com relação à agricultura, que são acessíveis até mesmo a países plenamente desenvolvidos como o Japão[21].

3.2. Compromissos firmados pela China perante a OMC por ocasião de sua acessão

Ao aceder à OMC, a China aderiu aos princípios da Organização, tais como livre comércio, princípio da nação mais favorecida, tratamento nacional e transparência, conforme estabelecido no preâmbulo da maior parte dos acordos vigentes tanto na OMC, quanto no GATT/47.

---

[20] *Ibidem*, p. 330.
[21] CHEONG, *op. cit.*, p. V e VI.

O comércio de bens, a partir do Protocolo de Adesão da China à OMC (Protocolo)[22], deve obedecer ao princípio do tratamento nacional, conforme estabelecido pelo artigo III do GATT/1994. Isso significa que todos os bens devem estar sujeitos às mesmas regras para comercialização interna, principalmente as relativas à oferta, venda, compra, transporte, distribuição, uso e acesso aos consumidores finais.

De acordo com o disposto na cláusula 3 do Protocolo[23], empresas e indivíduos estrangeiros, incluindo aqueles sem estabelecimento comercial ou residência na China, devem receber um tratamento tão favorável quanto aquele concedido às empresas chinesas com relação ao direito ao comércio.

O último *Trade Police Review* da China[24], apesar de ressaltar os esforços realizados pelo governo chinês para se adequar às normas multilaterais, expressou a preocupação de diversos membros com a dificuldade da China em seguir os princípios da OMC, em especial o da transparência e o do tratamento nacional. Nesse sentido, Suíça, União Europeia (UE), EUA, Japão e Noruega enfatizaram a necessidade da China de intensificar seus esforços para coibir práticas discriminatórias, principalmente no que se refere à atuação do governo.

O país se comprometeu a liberalizar progressivamente o direito ao comércio, de forma que, no prazo de três anos contado da sua acessão, todas as empresas chinesas poderiam comercializar quaisquer bens e serviços. Exceção é feita aos bens listados no Anexo 2 do Protocolo, que continuam sob monopólio estatal e passaram a ser regulados conforme aquele documento[25]. O direito a comercializar, neste contexto, deve ser entendido como o direito de importar e de exportar bens.

---

[22] Declaração Ministerial sobre a Acessão da República Popular da China de 10 de novembro de 2001 (WT/L/432), como adotada em 23 de novembro de 2001. Trata-se de um documento muito extenso e detalhado, no qual a China assume vários compromissos que se estendem além do campo do comércio internacional e que acabam por ter efeito direto na administração interna e no direito chinês.

[23] Declaração Ministerial sobre a Acessão da República Popular da China (WT/L/432).

[24] Trade Policy Review China, WT/TPR/M/264, 17 July 2012. *Trade Policy Review* é um mecanismo de controle da OMC que realiza avaliações periódicas, a fim de avaliar a conformidade das políticas comerciais dos membros com as normas da Organização.

[25] São exemplos de produtos cujo comércio segue sob monopólio estatal: algodão, chá, açúcar, tabaco, algodão e soja. Anexo 2 da Declaração Ministerial sobre a Acessão da República Popular da China.

A CHINA E A ORGANIZAÇÃO MUNDIAL DO COMÉRCIO

O Protocolo também determina que a China faça as alterações legislativas necessárias internamente, para que estas mudanças possam ser implementadas na prática. Os dirigentes chineses iniciaram então um processo de verificação da legislação comercial, a fim de averiguar sua conformidade com o direito da OMC. Durante essa análise, algumas leis foram revogadas, outras emendadas e, ainda, novos dispositivos foram criados.

Além dessa reforma, que proporcionou maior segurança jurídica para os parceiros comerciais da China, o país se comprometeu a observar os princípios expressos no Protocolo – aplicação uniforme em todo território das obrigações assumidas, transparência do sistema legal e controle jurisdicional independente e imparcial dos atos da administração relacionados às regras da OMC. Tais medidas, concernentes à administração do regime comercial, podem, de fato, significar a adoção de uma espécie de "Estado de direito econômico", com a noção de um governo pela lei (*yīfǎzhìguó* – 依法治国), sem a influência de elementos ideológicos[26].

Percebe-se, assim, a ocorrência da globalização do direito, caracterizada pela conformidade e pela harmonização de regulações internas com normas e preceitos acordados em nível multilateral. Entretanto, o referido Estado de direito seria desenvolvido de fora para dentro, porquanto não seria acompanhado de avanços democráticos e legitimação popular, mas seria alcançado por meio da internacionalização da economia chinesa[27].

A dificuldade em implementar os compromissos assumidos fica evidente ao analisar a atuação do Partido comunista chinês, que ainda detém controle total do governo do país e submete à sua influência todas as esferas de poder. A transparência do legislativo e a independência do judiciário, indispensáveis para a correta aplicação das normas da OMC, já possuem um vício inerente ao seu próprio funcionamento. Nesse contexto, a construção e consolidação de um "Estado de Direito Econômico" seria, na prática, o mais conveniente para os interesses chineses, uma vez que evitaria, ou ao menos protelaria, a democratização das instituições políticas, assegurando, ao mesmo tempo, a observância a certas regras internacionais.

---

[26] CHOUKROUNE, Leila. L'accession de la Chine à l'OMC et la rêforme juridique: vers un Etat de droit par l'internationalisation sans démocratie ? In: DELMAS-MARTY, Mireille; WILL, Pierre-Étienne. *La Chine et la Democratie*. Paris: Fayard, 2007, p. 625-627.

[27] Para maiores detalhes ver capítulo 5, *China Contemporânea e Democracia*.

A China também aderiu a normas especiais regulando setores específicos da economia, tais como produtos têxteis e agricultura[28]. O país se comprometeu igualmente a adaptar a sua Lei de Direitos Autorais, Marcas e Patentes aos parâmetros mínimos estabelecidos pelo TRIPS, e a estabelecer e aplicar sanções administrativas mais eficazes no combate à violação dessa lei[29].

Para que a China pudesse completar o seu processo de acessão à OMC, ela deveria buscar o apoio dos seus principais parceiros comerciais, renegociando acordos comerciais especiais anteriormente firmados[30] de forma a eliminá-los ou a fazer com que estivessem conforme as normas da OMC.

3.3. Reflexos internos

Para se adequar às exigências mencionadas, a China passou a adotar certos procedimentos mais específicos, com impacto direto na organização interna. Além de anular leis locais incompatíveis com a OMC, o governo passou a restringir o poder autônomo das províncias de criar normas comerciais, de modo a garantir a segurança e previsibilidade jurídica em um sistema administrativo e legislativo considerado prolixo.

Ressalta-se também o papel do Ministério do Comércio (MOFTEC-MOFCOM)[31] como mecanismo de controle doméstico, encarregado de investigar as denúncias de aplicação não uniforme do direito. Outra consequência para o arranjo chinês é a crescente formação de altos funcionários e especialistas em comércio internacional, muitas vezes financiada pelos EUA e pela UE, os quais são essenciais para a eficiente execução dos mecanismos criados a partir do Protocolo[32]. Esses oficiais acabam por assimilar os valores ocidentais de livre mercado, o que resulta em uma crise de valores dentro do país.

---

[28] Declaração Ministerial sobre a Acessão da República Popular da China de 10 de novembro de 2001 (WT/L/432), como adotada em 23 de novembro de 2001.

[29] Para maiores informações sobre o tema, ver capítulo 9, *Direito de Propriedade e Propriedade Intelectual na China*

[30] CHEONG, *op. cit*, p. VI.

[31] O MOFTEC-MOFCOM também sofreu uma reestruturação interna, durante a qual houve a criação de comitês específicos relacionados à OMC.

[32] Não há, contudo, nenhuma informação de como esse sistema funciona, nem dos resultados obtidos. CHOUKROUNE, *op. cit.*, p. 629.

A corrupção está cada vez mais presente na sociedade chinesa, apesar de não ser exclusividade do país. Esse fenômeno, que se traduz na perda de poder do Partido sobre alguns aspectos da política local, com a relativa autonomia legislativa das assembleias populares[33], incita as práticas protecionistas regionais e compromete a aplicação uniforme do direito. A busca por uma solução para a corrupção encontra obstáculos na falta de consenso entre as correntes conservadoras e reformistas, que têm posições opostas no tocante à influência do capitalismo internacional na economia chinesa[34].

Nota-se, dessa forma, a existência de esforços para a aplicação dos tratados da OMC na esfera doméstica e é possível constatar alguns avanços nesse sentido. Ainda há, porém, um longo caminho a ser percorrido para que a China consiga adequar-se a todos os compromissos assumidos e transpor os obstáculos de uma organização política e social contraditória.

3.4. Reflexos econômicos da acessão da China à OMC

A participação da China no comércio mundial adquiriu maior relevância após a sua acessão à OMC, em 2001. A rápida expansão dos intercâmbios mercantis internacionais contribuiu enormemente para o crescimento econômico do país.

A China é atualmente a segunda maior potência econômica mundial[35], atrás apenas dos EUA. O volume total de comércio do país em 2012 che-

---

[33] Para mais informações sobre o processo legislativo, capítulo 6, *Organização Política e Judiciária na República Popular da China*. O autor também trata da organização da justiça na China, tema de grande importância, uma vez que tribunais independentes e imparciais são fundamentais para o controle jurisdicional que garanta a aplicação eficaz das leis sobre comércio internacional, segundo o compromisso assumido pelo país no Protocolo.

[34] Enquanto os conservadores consideram a corrupção um reflexo da influência nefasta do capitalismo, os reformadores veem a corrupção como uma demonstração da necessidade de reformas mais profundas, uma vez que ela se alimenta da descentralização financeira e da relativa autonomia legislativa das assembleias populares locais. CHOUKROUNE, *op. cit.*, p. 632.

[35] De acordo com novo estudo publicado pelo Banco Mundial em abril de 2014, a economia chinesa está mais forte do que anteriormente previsto e, dependendo do índice utilizado, poderá ultrapassar a economia norte-americana até o final do ano de 2014. Disponível em http://siteresources.worldbank.org/ICPINT/Resources/270056-1183395201801/Summary--of-Results-and-Findings-of-the-2011-International-Comparison-Program.pdf. Acesso em 7 de maio de 2014.

DIREITO CHINÊS CONTEMPORÂNEO

gou a US$3 trilhões e 867 bilhões, com um superávit de US$230 bilhões, correspondente a 2,8% do PIB chinês[36].

3.4.1. Fluxos internacionais de comércio

Segundo relatório da Missão Permanente da China na OMC, o país tornou--se o maior exportador mundial de mercadorias; o segundo maior importador mundial de mercadorias; o quarto maior exportador de serviços; o terceiro maior importador de serviços; o maior receptor de investimentos estrangeiros diretos entre os países em desenvolvimentos; e o maior investidor direto entre os países em desenvolvimento[37].

A tabela abaixo demonstra o crescimento do volume de comércio chinês por período, a partir de 2005 (percentuais anuais)[38]:

	2005-2012	2011	2012
Exportações	11%	9%	6%
Importações	10%	9%	3,5%

A alta taxa de crescimento da China após a sua entrada na OMC foi favorecida por uma série de fatores. A transferência do excedente de mão--de-obra do setor agrícola, de baixa produtividade, para os setores secundários e terciários da economia, de alta produtividade, é o principal deles[39]. Este fenômeno resultou no aumento da população urbana, de 37,7% em 2001, para 52% em 2013[40].

---

[36] World Trade Organization International Trade Statistics 2013, P. 15. Disponível em www.wto.org/its2013. Último acesso em 14 de maio de 2014.

[37] China and the WTO: past, present and future. Permanent Mission of China to the WTO. P. 14. Disponível em http://www.wto.org/english/thewto_e/acc_e/s7lu_e.pdf. Acesso em 08 de maio de 2014.

[38] World Trade Organization International Trade Statistics 2013. P. 19. Disponível em www.wto.org/its2013. Último acesso em 14 de maio de 2014.

[39] CHEN, *op. cit*, p. 2.

[40] World Bank. http://data.worldbank.org/indicator/SP.URB.TOTL.IN.ZS

A CHINA E A ORGANIZAÇÃO MUNDIAL DO COMÉRCIO

3.4.2. Fluxos internacionais de investimentos

Ao lado do crescimento do comércio exterior, a China transformou-
-se no maior receptor de investimentos estrangeiros diretos em 2012.
O afluxo de capitais totalizou US$253 bilhões, o que corresponde a 18%
do total de investimentos estrangeiros diretos mundialmente realizados
no período[41].

A tabela abaixo demonstra o crescimento da participação dos investimentos estrangeiros diretos sobre o PIB chinês (% sobre o PIB)[42]:

	2008	2009	2010	2011	2012
Recepção de Investimento Estrangeiro Direto	3.9%	2.3%	3.1%	3.1%	3.1%

Não restam dúvidas, portanto, de que o estabelecimento de um sistema econômico mais transparente e conforme as regras internacionalmente adotadas sobre comércio internacional, construído após a acessão
da China à OMC, conduziu o país ao aprofundamento da sua integração
com a economia mundial.

4. A atuação da China na Organização Mundial do Comércio

A China passou a desempenhar progressivamente um papel mais importante dentro da OMC, evoluindo de uma posição tímida e defensiva, para
uma postura assertiva e reivindicatória, como fica explícito na sua participação no OSC, estudada na próxima seção. A abordagem utilizada, "aprender ao fazer", implicou o aperfeiçoamento de setores governamentais e a
formação de um corpo de especialistas, como já citado anteriormente, além
da parceria entre escritórios de advocacia chineses e estrangeiros. O país
tornou-se ativo no procedimento de produção de regras da OMC, com a

---

[41] OECD International direct investment database, IMF. OECD/DAF- INVESTMENT
DIVISION. Disponível em http://www.oecd.org/daf/inv/FDI%20in%20figures.pdf. Último
acesso em 14 de maio de 2014.

[42] OECD International direct investment database, IMF. OECD/DAF- INVESTMENT
DIVISION. Disponível em http://www.oecd.org/daf/inv/FDI%20in%20figures.pdf. Último
acesso em 14 de maio de 2014.

DIREITO CHINÊS CONTEMPORÂNEO

submissão de propostas para revisão de normas e a indicação de nacionais para cargos na Organização[43].

O desenvolvimento chinês está amplamente relacionado ao comércio, por isso o país necessita assegurar que suas exportações não serão objeto de medidas protecionistas. O peso dos compromissos assumidos pela China em sua acessão, desse modo, é menor que as vantagens obtidas pelo amparo das normas da Organização, conforme demonstrado no item 3.4 acima. Os membros da OMC, por outro lado, com grande interesse no amplo mercado interno chinês, valem-se das regras da Instituição para controlar a "invasão dos produtos chineses", de forma a garantir que aquele Estado opere dentro do sistema multilateralmente acordado[44].

Um dos temas que demanda a atenção da China na OMC é o de medidas *antidumping*[45], já que o país é o principal alvo de tais políticas. Nesse contexto, a China solicitou a reforma dos dispositivos referentes ao tratamento especial e diferenciado, para ampliar ainda mais os benefícios já existentes[46] no Acordo *Antidumping*. Sua principal reivindicação é que seja reconhecida como economia de mercado[47], pois os membros frequentemente recorrem ao status diferenciado do país para requerer a sua responsabilização[48].

---

[43] HSIEH, Pasha L., China's Development Of International Economic Law and WTO Legal Capacity Building, Journal of International Economic Law 13(4), 997–1036, 2010, p. 999.

[44] THORSTENSEN, Vera; OLIVEIRA, Ivan Tiago Machado (Org.). Os BRICS na OMC: Políticas Comerciais Comparadas de Brasil, Rússia, Índia e África do Sul. Brasília: IPEA, 2012, p. 25.

[45] São medidas previstas pelo Acordo *Antidumping*, aplicadas desde que seja comprovada a prática de *dumping*, o dano à indústria nacional e seja possível calcular o valor da extensão do *dumping*. Têm como objetivo proteger a indústria doméstica de um membro contra aquele que exporta determinado produto por um preço inferior ao que é normalmente praticado no mercado interno.

[46] Tratamento dispensado aos países em desenvolvimento e de menor desenvolvimento relativo.

[47] Na OMC, os membros possuem certas garantias e instrumentos contra aquele que não é considerado uma economia de mercado, o que facilita, por exemplo, a comprovação de *dumping* e, consequentemente, adoção de medidas *antidumping*. O Brasil prometeu, em 2004, reconhecer a China como economia de mercado, o que limitaria a implementação de políticas defensivas contra o país. Na prática, contudo, esse reconhecimento ainda não foi realizado, em razão, principalmente, da pressão empresarial.

[48] HSIEH, Pasha L., *op. cit.*, p. 1027.

A China integra o G-20 comercial[49] e dentro da OMC, assim como no cenário internacional de forma geral, concede primazia à atuação por meio da formação de coalizões com países em desenvolvimento, uma vez que é esse o status que o país julga possuir. À parte dos interesses relativos à sua posição singular como uma não economia de mercado, as exigências da China estão relacionadas ao desenvolvimento e à situação dos países em desenvolvimento dentro da OMC. Como exemplo, a China propôs que o tratamento especial e diferenciado fosse estendido para o OSC, para que os países desenvolvidos sejam mais moderados em casos contra países em desenvolvimento[50].

Desde o estabelecimento da nova rodada de negociação em 2001, a Rodada Doha, também conhecida como a Rodada do Desenvolvimento, e o surgimento do G-20 comercial, as necessidades dos países em desenvolvimento e de menor desenvolvimento relativo começaram a ser consideradas nas discussões. A dificuldade em se atingir um acordo final na Rodada Doha demonstra a sensibilidade da questão e torna imperativa a reforma da OMC, para que ela seja um fórum multilateral efetivamente inclusivo e democrático. Nesse contexto, a adesão de países de grande expressividade econômica, como a China, constitui um passo que garante maior legitimidade e credibilidade à Organização.

A entrada da China na OMC também significou o ressurgimento de novos temas multidimensionais e sensíveis que, apesar de relacionados ao comércio, ainda não são regulados pela Instituição. Entre eles, pode-se citar o emprego da flutuação cambial como medida protecionista e o *dumping* social, que confere uma vantagem desleal à indústria doméstica.

4.1. Manipulação cambial

Durante as negociações do GATT/47 foi levantada a necessidade de proteção contra as desvalorizações da taxa de câmbio com o intuito de favorecer produtos domésticos, o "*dumping* monetário". O acordo final, entretanto,

---

[49] Grupo formado em 2003 pelos países em desenvolvimento. Atualmente possui 23 membros e tem como principal objetivo garantir que o tema agricultura seja regulado pela OMC, em contraposição aos interesses dos países desenvolvidos.

[50] HSIEH, Pasha L. *op. cit.*, p. 1028.

DIREITO CHINÊS CONTEMPORÂNEO

não abordou em profundidade essa prática[51], que já era disciplinada pelas normas do FMI[52].

A flutuação das taxas de câmbio tem efeito direto sobre o comércio internacional, pois o valor da moeda influencia a exportação e importação de um determinado país. A adoção de políticas monetárias intervencionistas, em detrimento do câmbio livre, é um importante instrumento governamental de proteção aos produtores internos. Na prática, opta-se pela desvalorização cambial, o que diminui o valor da moeda, para garantir o aumento das exportações e restringir as importações.

A China intervém de forma constante na taxa de câmbio para impedir a valorização do *yuan*, o que contribui para o crescente superávit comercial chinês, tanto multilateral quanto bilateralmente. Os EUA são um dos principais críticos da política cambial chinesa e afirmam que os superávits comerciais da China são consequência direta da manipulação cambial[53].

De 1994 a 2005, o governo chinês manteve a taxa de câmbio do *yuan* constante em 8.28 em relação ao dólar. Após pressões externas, a China apreciou um pouco a sua moeda e a taxa, em 2010, passou a ser de 6.83 em comparação ao dólar. O mesmo ocorreu com a taxa *yuan*/euro- após muitos anos desvalorizada, sofreu uma pequena valorização, principalmente após o colapso financeiro. A moeda chinesa permanece, no entanto, com um valor bem abaixo em comparação àquelas de outras potências econômicas[54].

Até 2008, a China estava no centro das acusações sobre manipulação cambial. A crise financeira daquele ano demonstrou que tal política não é exclusividade do governo chinês. Vários países, inclusive grandes economias como EUA, UE e Japão, desvalorizaram suas moedas como forma de

---

[51] O art. 15 do GATT/47, incorporado ao GATT/94, trata de políticas cambiais que frustrariam o objetivo do Acordo. A prova de tal relação cabe ao autor da acusação e é muito difícil de ser obtida, já que a manipulação cambial pode ter diversos propósitos. A especialidade da matéria também seria um desafio para levar um caso de *dumping* monetário ao OSC.

[52] Até a década de 1970, o FMI conseguiu coibir a prática da manipulação cambial, por meio da regra do câmbio fixo. Com a crise do petróleo, foi impossível manter o padrão dólar e o câmbio fixo, medidas que constituíam o pilar do sistema financeiro acordado em Bretton Woods. A partir de então, a manipulação cambial passou a ser utilizada como política protecionista. THORSTENSEN, Vera; RAMOS, Daniel; MULLER, Carolina. The 'Missing Link' Between the WTO and the IMF, *Journal of International Economic Law* 16(2), 353-381, 2013, p. 369.

[53] STAIGER, Robert W.; SYKES, Alan O. 'Currency manipulation' and world trade, *World Trade Review*, 9, pp 583-627, 2010, p. 584.

[54] *Ibidem*, p. 587.

incentivar o crescimento econômico, o que dificultou ainda mais a regulamentação da matéria[55].

O Brasil já apresentou três propostas na OMC sobre a necessidade do controle da manipulação cambial, ressaltando a ausência de mecanismos que protejam os membros da Instituição vítimas de tais oscilações[56]. De forma geral, as sugestões foram recebidas com reserva e ceticismo, inclusive da China, que teme sofrer novos ataques na OMC em relação ao assunto[57]. O país considera o FMI como único fórum apropriado para tratar dessa discussão[58].

4.2. Dumping social

Assim como ocorreu com a manipulação cambial, o *dumping* social também foi discutido nas negociações que antecederam à criação do GATT/47, mas não foi incluído no documento final. Concluiu-se que o assunto deveria ser abordado pelo sistema da ONU, com o protagonismo da Organização Internacional do Trabalho (OIT)[59].

O *dumping* social é caracterizado pela vantagem desleal obtida por um determinado país no seu processo produtivo em decorrência de leis trabalhistas mais brandas, que diminuem o custo de produção. Em um Estado onde não há muitas garantias concedidas aos trabalhadores, os salários tendem a ser mais baixos e os outros gastos sociais com funcionários são praticamente inexistentes. Todos esses fatores resultam no barateamento do preço do produto, que fica mais baixo em comparação a um bem similar fabricado em outro país que adota regras trabalhistas mais rígidas[60].

---

[55] THORSTENSEN; RAMOS; MULLER. *The 'Missing Link'... op. cit.*, p. 373.

[56] The Relationship between Exchange Rates and International Trade- WT/WGTDF/W/53 (abril de 2011), The Relationship between Exchange Rates and International Trade- WT/WGTDF/W/56 (setembro de 2011) e The Relationship between Exchange Rates and International Trade- WT/WGTDF/W/68 (novembro de 2012)

[57] OMC: proposta brasileira sobre câmbio é recebida com desconfiança: http://www.ictsd.org/bridges-news/pontes/news/omc-proposta-brasileira-sobre-c%C3%A2mbio-%C3%A9-recebida-com-desconfian%C3%A7a. Acesso em 05 de maio de 2014.

[58] THORSTENSEN; RAMOS; MULLER. *The 'Missing Link'... op. cit.*, p. 373.

[59] *Ibidem*, p. 369.

[60] Alguns autores também incluem no conceito de dumping social as vantagens econômicas desleais advindas do baixo nível de proteção ambiental. Devido à complexidade e os vários

DIREITO CHINÊS CONTEMPORÂNEO

Essa prática é utilizada, muitas vezes, para atrair investimentos estrangeiros e filiais de multinacionais, de modo a intensificar o fenômeno da terceirização da produção e dos serviços. Os trabalhadores são os que mais sofrem com o *dumping* social, pois veem sua posição decair com a chamada "corrida para o nivelamento por baixo", a qual resulta em salários ínfimos e direitos trabalhistas quase nulos[61].

A China é constantemente acusada de praticar *dumping* social, por se aproveitar da sua vasta reserva de mão de obra, que trabalha em condições precárias. Nesse sentido, não apenas os produtos chineses ficam mais baratos no mercado internacional, mas o país atrai novos investimentos e negócios, constituindo-se hoje em base territorial de várias fábricas de empresas transnacionais. O governo norte-americano, em resposta a *lobbies* internos, vem pressionando a China a adequar seus sistemas de produção à observância dos direitos humanos, enquanto outros membros da OMC, como a UE e o Brasil, adotam uma postura mais conciliadora, fundada no diálogo[62].

As tentativas de inclusão de uma cláusula social na OMC, que regularia a obtenção de vantagens econômicas advindas da diferença do nível de proteção concedido aos trabalhadores, foram frustradas até o momento. Não somente a China, mas vários países em desenvolvimento são reticentes em adotar tal norma, vista como uma manobra dos países desenvolvidos para restringir um dos poucos instrumentos que aqueles possuiriam de permanecerem competitivos no mercado internacional.

A formação de redes horizontais[63] entre a OMC e outras organizações internacionais correlatas poderia contribuir enormemente para o combate dos *dumpings* social e monetário. Nesse contexto, a aproximação da OMC com as organizações internacionais que tratam dessas questões, como as agências especializadas da ONU, pode ser a alternativa mais eficaz para a correta regulação de assuntos que possuem característica multidisciplinar.

---

aspectos da matéria, a melhor classificação é aquela que separa o dumping social do dumping ambiental.

[61] CORDELLA, Tito; GRILO, Isabel. Social Dumping and Relocation: Is There a Case for Imposing a Social Clause?, *Regional Science and Urban Economics* 31 (2001) 643-668, p. 644.

[62] TAY, Alice E. S.; REDD, Hamish. *China: Trade, Law and Human Rights* In: CASS, Deborah Z.; WILLIAMS, Brett G.; BARKER, George. *China and the World Trading System Entering the New Millennium*. Cambridge: Cambridge University Press, 2003, p. 159.

[63] Redes horizontais seriam vínculos de cooperação formal ou informalmente estabelecidos entre as unidades das instituições e/ou indivíduos que exercem funções correspondentes.

5. A China no Órgão de Solução de Controvérsias[64]

Como parte de sua postura cada vez mais ativa na OMC, a China tem intensificado sua participação no OSC, seja como demandante, demandada ou como terceiro interessado[65].

O envolvimento do país com o OSC, no entanto, apresenta vários desafios tanto para o governo chinês quanto para a OMC, os quais são elencados por Manjiao:

> (i) as condutas do governo chinês não foram suficientemente analisadas domesticamente, devido principalmente a sua estrutura política unitária; (ii) a China é economicamente, socialmente e politicamente singular comparada a vários outros membros da OMC; (iii) a política comercial unilateral da China tem impactos extraterritoriais significativos, em razão de sua grande importância econômica; e (iv) a China tem sido tradicionalmente relutante em resolver disputas por meio de cortes e tribunais internacionais[66].

Há, por outro lado, grandes avanços. Apesar da resistência chinesa em recorrer a tribunais internacionais, os dados demonstram a intensa atuação do país no OSC, o que pode ser explicado, em parte, pela natureza comercial das disputas, que não envolvem temas sensíveis ligados à política e segurança. Não existe ainda na legislação interna definições claras dos procedimentos para implementação das decisões do OSC, nem do status legal de tais sentenças e recomendações no sistema legal chinês.

---

[64] O OSC é um dos principais avanços da OMC e, ao longo de quase 20 anos, tem se mostrado bastante efetivo, em grande parte por ter a capacidade de autorizar a implementação de sanções, o que contribui para que as regras da Organização sejam observadas. Podem existir até quatro etapas distintas no OSC: Consultas, Painel, Órgão de Apelação e Implementação.

[65] Até maio de 2014, o país já participou de 12 casos como demandante, 31 como demandado e 109 como terceiro interessado, o que contabiliza 152 casos. Member Information- China http://www.wto.org/english/thewto_e/countries_e/china_e.htm. Acesso em 07 de maio de 2014.

[66] Tradução Livre *"(i) China's government conducts have been insufficiently scrutinized domestically due chiefly to its unitary political structure; (ii) China is economically, socially, and politically unique compared to many other WTO members;(iii) China's unilateral trade policies have significant extraterritorial impacts, given its huge economic size; and (iv) China has been traditionally reluctant to settle disputes by resorting to international courts or tribunals."* MANJIAO, Chi. China's Participation in WTO Dispute Settlement Over the Past Decade: Experiences and Impacts. *Journal of International Economic Law 15(1), 29–49,* 2012, p. 30-31.

DIREITO CHINÊS CONTEMPORÂNEO

Essa lacuna não impede, entretanto, que o país execute as decisões e recomendações proferidas pelo OSC no âmbito doméstico, como vem ocorrido
desde sua adesão à OMC[67].

5.1. Breves reflexões sobre o caso "China: Direitos de Propriedade Intelectual"

Um dos mais emblemáticos casos submetidos à apreciação do OSC tendo
a China como demandada é o "China: Direitos de Propriedade Intelectual[68]". O tema de proteção aos direitos de propriedade intelectual no país
é bastante sensível, uma vez que a sua indústria interna é frequentemente
alvo de acusações de pirataria e engenharia reversa[69].

Em 10 de abril de 2007, os EUA requereram o estabelecimento de consultas com a China sobre medidas relacionadas com a proteção e a efetivação de direitos de propriedade intelectual no país.

Os EUA acusaram a China de adotar medidas internas inconsistentes
com as obrigações por ela assumidas após a adesão ao TRIPS, quais sejam:
a lei penal chinesa e as interpretações dadas a ela pela Suprema Corte
Popular (SPC), estabelecendo uma série de requisitos para a iniciação de
processos criminais e aplicação de penas às infrações de direitos de propriedade intelectual; os regulamentos alfandegários chineses e medidas
de efetivação sobre o descarte de bens confiscados pelas autoridades; e
o artigo 4 da Lei de Propriedade Intelectual Chinesa, que nega proteção a obras cuja publicação e distribuição não tenham sido autorizadas
na China.

Os EUA argumentaram, em breve síntese, que certos atos de contrafação e de pirataria deveriam ser submetidos a procedimento criminal
e penas; que bens que infringissem direitos de propriedade intelectual
deveriam ser confiscados pelas autoridades alfandegárias chinesas e ter
removidas todas características que implicassem infração a direitos de
propriedade intelectual; que o escopo de abrangência dos procedimentos criminais e penas para reprodução e/ou distribuição não autorizada de
obras protegidas por direitos autorais deveria ser aumentado; e que deveriam ser concedidos direitos autorais e demais direitos relacionados com

---

[67] MANJIAO, *op. cit.*, p. 38-40.
[68] Dispute Settlement. Dispute DS362.
[69] Para mais informações sobre direitos de propriedade intelectual na China, ver capítulo 9.

A CHINA E A ORGANIZAÇÃO MUNDIAL DO COMÉRCIO

a proteção e a efetivação de proteção a obras criativas, gravações sonoras e performances, inclusive a obras cuja publicação ou distribuição não tenha sido autorizada na China.

Em 20 de abril de 2007, o Japão requereu a sua aderência às consultas. Em 25 de abril de 2007, o Canadá e as Comunidades Europeias também o fizeram. Em 26 de abril de 2007, o México solicitou participar das consultas. Todos os requerimentos foram aceitos pela China e informados ao OSC.

Em 13 de agosto de 2007, os EUA demandaram o estabelecimento do Painel, que foi deferido pelo OSC em 31 de agosto do mesmo ano.

O Painel concluiu que o mero fato de a legislação penal chinesa excluir algumas infrações a direitos de marca e de autor de responsabilização criminal, por meio do estabelecimento de critérios mínimos baseados em receita, lucro, volume de vendas ou número de cópias de bens que transgridam direitos de propriedade intelectual, não é suficiente para configurar violação ao artigo 61 do TRIPS[70], uma vez que o acordo não impõe a criminalização da infração a direitos de propriedade intelectual.

O Painel decidiu também que medidas alfandegárias não estão sujeitas à observância dos artigos 51 a 60[71] do TRIPS, na medida em que elas se apliquem às exportações. Com relação às importações, o Painel afirmou que a forma como as autoridades chinesas leiloam os bens apreendidos é inconsistente com o artigo 59[72], porque permite, como regra, a venda dos bens após a simples remoção da marca.

---

[70] "Art. 61. Os Membros proverão a aplicação de procedimentos penais e penalidades pelo menos nos casos de contrafação voluntária de marcas e pirataria em escala comercial. Os remédios disponíveis incluirão prisão e/ou multas monetárias suficientes para constituir um fator de dissuasão, de forma compatível com o nível de penalidades aplicadas a crimes de gravidade correspondente. Em casos apropriados, os remédios disponíveis também incluirão apreensão, perda e destituição dos bens que violem direitos de propriedade intelectual e de quaisquer materiais e implementos cujo uso predominante tenha sido na consecução do delito. Os Membros podem prover a aplicação de procedimentos penais e penalidades em outros casos de violação de direitos de propriedade intelectual, em especial quando eles forem cometidos voluntariamente em escala comercial".

[71] Exigências Especiais Relativas a Medidas de Fronteira.

[72] "Art. 59. Remédios: Sem prejuízo dos demais direitos de ação a que faz jus o titular do direito e ao direito do réu de buscar uma revisão por uma autoridade judicial, as autoridades competentes terão o poder de determinar a destruição ou a alienação dos bens que violem direitos de propriedade intelectual, de acordo com os princípios estabelecidos no Artigo 46.

DIREITO CHINÊS CONTEMPORÂNEO

O Painel concluiu que embora a China tenha o direito de proibir a circulação e a exibição de obras, conforme o artigo 17 da Convenção de Berna para a Proteção das Obras Literárias e Artísticas (Convenção de Berna)[73], isto não justifica a negação de qualquer proteção de direitos de propriedade intelectual relacionados com tais obras. A falha da China em conferir proteção a obras proibidas, como as que são banidas por terem conteúdo ilegal foi considerada, portanto, inconsistente com o artigo 5(1) da Convenção de Berna, conforme incorporado no artigo 9.1 e no artigo 41.1 do TRIPS, uma vez que retira eficácia de tais direitos.

Em 15 de abril de 2009, a China informou que pretendia implementar as recomendações e decisões exaradas pelo OSC, mas precisaria de um período de tempo razoável para fazê-lo, que ficou estabelecido em doze meses a partir da adoção do relatório do Painel. Referido período terminou em 17 de março de 2010. Em 19 de março de 2010, a China relatou que em 26 de fevereiro daquele mesmo ano, o Comitê Permanente do 11º Congresso Popular Nacional tinha adotado a decisão de rever os Regulamentos para Proteção Alfandegária de Direitos de Propriedade Intelectual. Desta forma, ela teria tomado todas as medidas legislativas internas necessárias para efetivar as recomendações e decisões proferidas pelo OSC.

6. Conclusão

A acessão chinesa à OMC é uma opção política, que demonstra a preocupação do governo em incluir o país no cenário internacional e adequar seu regulamento interno às normas e preceitos acordados multilateralmente. Especificamente no campo da economia e comércio internacional, essa nova postura favoreceu os negócios chineses, provendo maior segurança e garantias para seus parceiros, e contribuiu para que a China alcançasse o status de grande potência. O desafio dessa alternativa está na diferença existente entre o modelo chinês e aquele adotado pela OMC, o qual está fundamentado, em grande parte, nos interesses dos Estados ocidentais desenvolvidos. Nesse sentido, uma análise que não considera as idiossincrasias da cultura chinesas é parcial e ineficiente.

Com relação a bens com marca contrafeita, as autoridades não permitirão sua reexportação sem que sejam alterados, nem os submeterão a procedimento alfandegário distinto, a não ser em circunstâncias excepcionais".

[73] A Convenção de Berna Relativa à Proteção das Obras Literárias e Artísticas (1986) foi o primeiro instrumento multilateral a regular direitos de autor.

Como lembra Huntington:

O Ocidente está, por exemplo, tentando integrar as economias das sociedades não-ocidentais num sistema econômico global que é dominado por ele. Através do FMI e de outras instituições econômicas internacionais, o Ocidente promove seus interesses econômicos e impõe a outras nações as políticas econômicas que ele considera apropriadas[74].

A OMC é uma Organização ainda recente, que completará vinte anos de existência em 2015. Mesmo com alguns problemas e críticas, é uma Instituição necessária para a regulamentação do comércio internacional. Para que a OMC consiga alcançar seus objetivos de liberalização comercial e elevação do padrão de vida global, é imprescindível que ela seja capaz de evoluir e responder às transformações da sociedade internacional. As relações comerciais estão em constante mudança; uma organização que pretenda supervisioná-las deve acompanhá-las.

A tradicional postura chinesa no cenário mundial, pautada pela desconfiança e certo isolacionismo, em consonância com uma atitude que busca evitar o conflito, vem sendo modificada na atuação do país na OMC, como pode ser comprovado pelas disputas levadas ao OSC. A questão é saber se esse novo posicionamento, de afirmação e participação, é um fato circunscrito exclusivamente ao sistema multilateral de comércio ou representa o início de uma mudança mais profunda, compatível com o papel que o país possui na sociedade internacional.

Por fim, é válido refletir sobre o crescimento econômico da China, proporcionado em grande parte pelo comércio internacional. A dependência profunda da importação de insumos estrangeiros, bem como a relevância das exportações para o país, tem levado ao questionamento sobre a autossustentabilidade da economia chinesa. A importância apenas recentemente atribuída, pelos produtores e pelos reguladores, ao mercado consumidor doméstico, em ampla expansão, evidencia a preocupação do governo da China com a solidez do modelo econômico, para que esse não se sujeite somente aos fluxos e interesses internacionais.

---

[74] HUNTINGTON, Samuel P. *O Choque de Civilizações e a Recomposição da Ordem Mundial*. Rio de Janeiro: Objetiva, 1997, p. 228.

Depreende-se assim que o país está, paulatinamente, adequando-se às exigências do comércio internacional, de modo a formular soluções para os desafios que naturalmente surgem no decorrer de um processo ainda recente e inédito para a economia chinesa.

Referências bibliográficas

I – Livros e artigos científicos

BLUMENTAL, M. David. Applying GATT to Marketizing Economies: The Dilemma of WTO Accession and Reform of China's State-Owned Enterprises (SOES). *Journal of International Economic Law*, 1999, Pgs. 113-153.

CORDELLA, Tito; GRILO, Isabel. Social Dumping and Relocation: Is There a Case for Imposing a Social Clause?, *Regional Science and Urban Economics* 31 (2001) 643-668.

CHEN, Chunlai. *China's Integration with the Global Economy – WTO Accession, Foreign Direct Investment and International Trade*. Cheltenham: Edward Elgar, 2009.

CHEONG, Ching; e YEE, Ching Hung. *Handbook on China's WTO Accession and its Impacts*. Singapura: World Scientific Publishing, 2003.

CHOUKROUNE, Leila. L'accession de la Chine à l'OMC et la rêforme juridique: vers un Etat de droit par l'internationalisation sans démocratie ? In: DELMAS-MARTY, Mireille; WILL, Pierre-Étienne. *La Chine et la Democratie*. Paris: Fayard, 2007.

HOBSBAWN, Eric. *The Age of Extremes: the short twentieth century (1914-1991)*. Londres: Abacus, 1994.

HOEKMAN, Bernard M. e MAVROIDIS, Petros C. *The World Trade Organization: law, economics and politics*. Nova Iorque: Routledge, 2007.

HSIEH, Pasha L., China's Development Of International Economic Law and WTO Legal Capacity Building, *Journal of International Economic Law* 13(4), 997-1036, 2010.

HUNTINGTON, Samuel P. *O Choque de Civilizações e a Recomposição da Ordem Mundial*. Rio de Janeiro: Objetiva, 1997.

KEYNES, John Maynard. *The Great Slump of 1930*. Londres: The Nation & Athenæum, 1930. Disponível em http://www.gutenberg.ca/ebooks/keynes-slump/keynes--slump-00-h.html.

KONG, Quingjiang. China's WTO accession: Commitments and Implications. *Journal of International Economic Law*, 2000, Pgs. 655-690.

LO, Vai Io Lo; e TIAN, Xiaowen. *Law and Investment in China. The legal and business environments after WTO accession*. Nova Iorque: Routledge, 2005.

MANJIAO, Chi. China's Participation in WTO Dispute Settlement over the Past Decade: Experiences and Impacts. *Journal of International Economic Law* 15(1), 29-49, 2012.

PALMETER, David; e MAVROIDS, Petros C. *Dispute Settlement in the World Trade Organization: Practice and Procedure*. Cambridge: Cambridge University Press, 2ª edição, 2004.

STAIGER, Robert W.; SYKES, Alan O. 'Currency manipulation' and world trade, *World Trade Review*, 9, pp 583-627, 2010.

TAY, Alice E. S.; REDD, Hamish. China: Trade, Law and Human Rights In: CASS, Deborah Z.; WILLIAMS, Brett G.; BARKER, George. *China and the World Trading System Entering the New Millennium*. Cambridge: Cambridge University Press, 2003.

THORSTENSEN, Vera; RAMOS, Daniel; MULLER, Carolina. The 'Missing Link' Between the WTO and the IMF, *Journal of International Economic Law* 16(2), 353--381, 2013

THORSTENSEN, Vera; OLIVEIRA, Ivan Tiago Machado (Org.). *Os BRICS na OMC: Políticas Comerciais Comparadas de Brasil, Rússia, Índia e África do Sul*. Brasília: IPEA, 2012.

II – Instrumentos internacionais

Acordo sobre Aspectos dos Direitos de Propriedade Intelectual Relacionados ao Comércio, de 15 de abril de 1994, doc. OMC LT/UR/A-1C/IP/1.

Acordo Geral sobre Tarifas e Comércio, de 15 de abril de 1994, doc. OMC LT/UR/A--1A/1/GATT/1.

Acordo de Marraqueche Constitutivo da Organização Mundial do Comércio, de 15 de abril de 1994, doc. OMC LT/UR/A/2.

China's Status as a Contracting Party- Communication from the People's Republic of China, L/6017, 14 July of 1986.

Convenção de Berna para Proteção dos Trabalhos Literários e Artísticos, de 9 de setembro de 1886, última revisão em 1 de julho de 1967, UNTS Vol. 8288, p. 221.

Declaração Ministerial sobre a Acessão da República Popular da China de 10 de novembro de 2001 (WT/L/432), como adotada em 23 de novembro de 2001.

Trade Policy Review China, WT/TPR/M/264, 17 July 2012.

The Relationship between Exchange Rates and International Trade WT/WGTDF/ /W/53 (abril de 2011).

The Relationship between Exchange Rates and International Trade WT/WGTDF/ /W/56 (setembro de 2011).

The Relationship between Exchange Rates and International Trade WT/WGTDF/ /W/68 (novembro de 2012).

III – Jurisprudência

China – Measures Affecting the Protection and Enforcement of Intellectual Property Rights (Dispute Settlement: Dispute DS362), como adotado em 20 de março de 2009.

IV – Outras fontes

China and the WTO: past, present and future. Permanent Mission of China to the WTO. Disponível em http://www.wto.org/english/thewto_e/acc_e/s7lu_e.pdf.

World Bank. http://data.worldbank.org/indicator/SP.URB.TOTL.IN.ZS.

World Trade Organization International Trade Statistics 2013, disponível em www. wto.org/its2013.

OECD International direct investment database, IMF. OECD/DAF- INVESTMENT DIVISION, disponível em http://www.oecd.org/daf/inv/FDI%20in%20figures.pdf.

OMC: proposta brasileira sobre câmbio é recebida com desconfiança: http:// www.ictsd.org/bridges-news/pontes/news/omc-proposta-brasileira-sobre- -c%C3%A2mbio-%C3%A9-recebida-com-desconfian%C3%A7a.

Member Information- China: http://www.wto.org/english/thewto_e/countries_e/ china_e.htm.

Purchasing Power Parities and Real Expenditures of World Economies: http://site-resources.worldbank.org/ICPINT/Resources/270056-1183395201801/Summary- -of-Results-and-Findings-of-the-2011-International-Comparison-Program.pdf.

CAPÍTULO 19
ECONOMIA, POLÍTICA E RELAÇÕES INTERNACIONAIS DA CHINA CONTEMPORÂNEA

LUCAS COSTA DOS ANJOS

1. Considerações iniciais

Ha-Joon Chang afirma que países tecnológica e economicamente avança-dos parecem ter "chutado a escada" do desenvolvimento no século XX, por meio de imposições sociais, econômicas e institucionais a países emergen-tes e de menor desenvolvimento relativo[1]. Se pensarmos como a China se enquadra nessa metáfora, é possível inferir que ela não apenas construiu a própria escada com destino ao desenvolvimento, como também passou a liderar esse movimento contemporâneo de ascensão, reconfigurando a ordem política e econômica internacional.

Segundo estudos da Organização para a Cooperação e Desenvolvimento – OCDE, a China conseguiu, entre 2005 e 2012: aumentar sua renda *per capta* de US$ 4.950 para US$ 10.924; crescer sua economia em 10% ao ano, em média; quadruplicar os investimentos estrangeiros no país; mais que dobrar suas exportações no setor de comunicação e tecnologia; e reduzir pela metade a taxa de mortalidade infantil, entre outros impressionan-tes indicadores de desenvolvimento[2]. De acordo com o Fundo Monetário Internacional[3], em outubro de 2014 a China ultrapassou os Estados Uni-dos em relação à Paridade do Poder de Compra (PPP – *purchasing power*

---

[1] CHANG, Ha-Joon. *Kicking away the ladder: development strategy in historical perspective.* London: Anthem, 2002, p. 03.

[2] ORGANISATION FOR ECONOMIC CO-OPERATION AND DEVELOPMENT. *Country statis-tical profile: China,* 2005 a 2012 [on line]. Disponível em http://www.oecd-ilibrary.org/eco-nomics/country-statistical-profile-china_csp-chn-table-en. Acesso em 03 de novembro de 2014.

[3] BIRD, Mike. China Just overtook the US as the world's largest economy. In: *Business Insider* [on line]. Disponível em: http://www.businessinsider.com/china-overtakes-us-as-worlds-largest-economy-2014-10, acesso em 07 de dezembro de 2014.

parity), ou seja, os trabalhadores chineses têm em média uma capacidade de consumo (poder de compra) maior que os estadunidenses.

Atualmente, devido a seu crescimento econômico e social, a China desempenha papel de destaque nos principais foros mundiais, desde discussões sobre desenvolvimento sustentável no âmbito do Programa das Nações Unidas para o Meio Ambiente – PNUMA[4], até questões de coordenação e de regulação financeira, no contexto do Fundo Monetário Internacional[5]. Independentemente da área de atuação, é cada vez mais necessário que países e demais atores internacionais dialoguem com o corpo diplomático e com o empresariado chinês para atingir consensos, firmar acordos e coordenar políticas.

É possível perceber a proeminência chinesa nos mais variados âmbitos da agenda internacional[6]. Por essa razão, este texto visa a elucidar as atuais características da política e das relações internacionais da China nesses contextos. A economia e o comércio internacional serão abordados, entre outras formas, por meio de estudo sobre atuação da China nos principais mercados do globo, na ordem financeira mundial e na Organização Mundial do Comércio – OMC. Em relação a aspectos políticos, será analisado o papel chinês em foros como o BRICS e a Organização das Nações Unidas – ONU, além de sua atuação integracionista diante de resistências enfrentadas no Tibete e em Hong Kong, por exemplo. No que diz respeito

---

[4] UNITED NATIONS ENVIRONMENTAL PANNEL. *China's pathway to a green economy* [on line]. Disponível em http://www.unep.org/greeneconomy/AdvisoryServices/China/tabid/56270/ Default.aspx. Acesso em 1º de novembro de 2014.

[5] SWANSON, Ana. Will China fund the world's next round of economic expansion? In: *Forbes*, em 26 de outubro de 2014 [on line]. Disponível em: http://www.forbes.com/sites/ anaswanson/2014/10/26/will-china-fund-the-worlds-next-round-of-economic-expansion/. Acesso em 1º de novembro de 2014.

[6] Em 1994, Henry Kissinger já previa: "A China está a caminho do status de superpotência. Com uma taxa de crescimento de 8%, que é menos do que ela teve nos anos 1980, o Produto Nacional Bruto da China chegará perto dos Estados Unidos por volta do final da segunda década do século XXI. Muito antes disso, a sombra política e militar da China cairá sobre a Ásia e afetará os cálculos das outras potências, por mais contida que a atual política chinesa possa parecer. As outras nações asiáticas provavelmente buscarão contrapesos para uma China crescentemente poderosa, como já o fazem em relação ao Japão. Embora o neguem, as nações do sudeste asiático estão incluindo o até então temido Vietnã em seu agrupamento da Associação das Nações do Sudeste Asiático (Asean), em grande parte para equilibrar a China e o Japão". KISSINGER, Henry. *Diplomacia*. São Paulo: Saraiva, 2012, p. 777.

à temática ambiental internacional, buscam-se esclarecer as contradições que fazem da China um dos maiores poluidores mundiais[7], mas também o país que mais investe em tecnologia verde atualmente[8]. Nas considerações finais, objetiva-se obter respostas ou direcionamentos acerca dos caminhos e das tendências do país no para o futuro.

2. A economia internacional e o *boom* chinês

Grande parte das relações internacionais contemporâneas da China está voltada para questões econômicas. É impossível pensar em uma discussão sobre câmbio no âmbito internacional sem considerar a importância crescente do Yuan, a moeda chinesa, assim como a cotação do preço mundial de *commodities* (minério de ferro, carvão, cobre, soja, entre outras), que depende largamente da demanda do mercado chinês. É importante situar o lugar que a China ocupa na economia mundial, para então analisar o âmbito de sua influência sobre as relações econômicas internacionais.

Ha-Joon Chang afirma que, apesar de todas as críticas ocidentais às instituições e políticas públicas da China, conseguiram-se manter taxas de crescimento extraordinárias nas décadas de 1980 e 1990. O autor explica que parte desse sucesso econômico (*catch up process*, segundo Chang) se

---

[7] "Como a maior fonte de emissões carbônicas internacionalmente, a China é responsável por um terço da produção de gases do efeito estufa do planeta e tem dezesseis das vinte cidades mais poluídas do mundo. A expectativa de vida no Norte diminuiu em 5,5 anos devido à poluição do ar; severa contaminação e escassez hídricas acarretaram deterioração da terra. A degradação ambiental custou ao país cerca de 9% da renda nacional em 2008, de acordo com o Banco Mundial, ameaçando comprometer o crescimento do país e exaurir a paciência do povo com o ritmo das reformas pelo governo". Tradução livre do trecho: *"As the world's largest source of carbon emissions, China is responsible for a third of the planet's greenhouse gas output and has sixteen of the world's twenty most polluted cities. Life expectancy in the north has decreased by 5.5 years due to air pollution, and severe water contamination and scarcity have compounded land deterioration problems. Environmental degradation cost the country roughly 9 percent of its gross national income in 2008, according to the World Bank, threatening to undermine the country's growth and exhausting public patience with the government's pace of reform".* Xu, Beina. China's environmental crisis. In: *Council on foreign relations*, em 25 de abril de 2014 [on line]. Disponível em: http://www.cfr.org/china/chinas-environmental-crisis/p12608. Acesso em 1º de novembro de 2014.

[8] PERKOWSKI, Jack. China leads the world in renewable energy investment. In: *Forbes* [on line], em 27 de junho de 2012. Disponível em http://www.forbes.com/sites/jackperkowski/2012/07/27/china-leads-the-world-in-renewable-energy-investment/. Acesso em 1º de novembro de 2014.

DIREITO CHINÊS CONTEMPORÂNEO

deve a práticas efetivamente contrárias ao receituário neoliberal do Consenso de Washington[9] e da OMC, como a proteção da indústria nacional por meio de tarifas, a concessão de subsídios a produtores nacionais e algumas políticas monetárias consideradas heterodoxas[10].

O Brasil, desde a criação da OMC em 1994, continuou com uma política de liberalização do comércio e com a inversão de poucos investimentos em pesquisa e desenvolvimento, o que causou atraso do país no setor de inovação. Como afirma Alice H. Amsden:

> Argentina, Brasil, Chile e México haviam ficado em geral muito atrás de Coreia, Taiwan, China e Índia em termos de patentes e publicações em periódicos acadêmicos, da parcela do PIB representada por ciência e tecnologia, da parcela dos gastos com P&D por parte do setor manufatureiro e da participação do setor privado nas atividades de P&D[11].

Em 2001, durante a Conferência Ministerial da OMC realizada em Doha, no Quatar, foi acertada a entrada da China na organização[12], o que garantiria maior acesso de empresas estrangeiras a seu mercado interno,

---

[9] "De acordo com essa agenda, 'boas políticas' são, em geral, aquelas prescritas pelo assim chamado Consenso de Washington. Elas incluem políticas macroeconômicas restritivas, liberalização do comércio e do investimento internacionais, privatização e desregulação. As 'boas instituições' são, basicamente, as encontradas em países desenvolvidos, especialmente as anglo-americanas. As instituições-chave incluem: democracia; 'boa' burocracia; um judiciário independente; direitos de propriedade privada fortemente protegidos (incluindo direitos de propriedade intelectual); e governança corporativa e das instituições financeiras transparente e orientada para o mercado (incluindo um banco central independente)". Tradução livre do trecho: *"According to this agenda, 'good policies' are broadly those prescribed by the so-called Washington Consensus. They include restrictive macroeconomic policy, liberalization of international trade and investment, privatization and deregulation. The 'good institutions' are essentially the Anglo-American ones. The key institutions include: democracy; 'good' bureaucracy; an independent judiciary; strongly protected property rights (including intellectual property rights); and transparent and market-oriented corporate governance and financial institutions (including a politically independent central bank)".* CHANG, Ha-Joon. *Kicking away the ladder: development strategy in historical perspective*. London: Anthem, 2002, p. 03.

[10] CHANG, Ha-Joon. *Kicking away the ladder: development strategy in historical perspective*. London: Anthem, 2002, p. 133-134.

[11] AMSDEN, Alice H. *A ascensão do "resto": os desafios ao Ocidente de economias com industrialização tardia*. São Paulo: Editora Unesp, 2009. p. 478.

[12] Ver capítulo 18, *A China e a Organização Mundial do Comércio*.

consolidaria suas tarifas de importação em média significativamente menor[13] e acarretaria maior transparência comercial, estabilidade econômica e segurança jurídica para as transações comerciais firmadas com empresas chinesas. Esse foi o caso, por exemplo, da necessária adequação a regimes internacionais de direito à propriedade intelectual e à propriedade privada no país[14]. Em contrapartida, a China aumentou sua competitividade no cenário econômico internacional.

Desde então, houve significativa alteração no padrão de comércio chinês, que passou a exportar grande volume de manufaturas com média e alta intensidade tecnológica. Anteriormente, o país era conhecido por sua exportação de manufaturas de baixa intensidade tecnológica[15].

É importante notar que a relação entre China e Estados Unidos, por mais antagônica que seja nos contenciosos do sistema de solução de controvérsias da OMC, é, na verdade, de extrema dependência, principalmente monetária. Como ressalta Abdellatif Benachenhou:

> A disputa comercial incessante entre os Estados Unidos e a China particularmente sempre mobilizarão [sic] a OMC, um tribunal de resolução de conflitos submetido a certa relação de forças. A recente entrada da Rússia enriquecerá o debate. Por quanto tempo ainda a poupança chinesa, isto é, a contração de consumo interno, continuará a financiar os déficits americanos a bons preços, conhecendo-se a política monetária americana[16]?

[13] A tarifa média praticada pela China atualmente é de 9,5%, enquanto a do Brasil chega a 13,5%. WORLD TRADE ORGANIZATION. *International trade and market access data*, em 2012 [on line]. Disponível em http://www.wto.org/english/res_e/statis_e/statis_bis_e. htm?solution=WTO&path=/Dashboards/MAPS&file=Tariff.wcdf&bookmarkState={%22i mpl%22:%22client%22,%22params%22:{%22langParam%22:%22en%22}}. Acesso em 1º de novembro de 2014.

[14] Ver capítulo 9, *Direito de Propriedade e Propriedade Intelectual na China*.

[15] HIRATUKA, Célio; CUNHA, Samanta. *Qualidade e diferenciação das exportações brasileiras e chinesas: evolução recente no mercado mundial e na ALADI*, [on line]. Brasília: Instituto de Pesquisa Econômica Aplicada, 2011, p. 15.

[16] BENACHENHOU, Abdellatif. *Países emergentes*. Brasília: FUNAG, 2013, p. 229. O financiamento dos déficits norte-americanos por meio da poupança chinesa é uma situação que pode estar com seus dias contados, visto que a política governamental do Partido Comunista nos últimos anos tem privilegiado o aumento do consumo interno e a inclusão de novos indivíduos à economia, por meio de políticas de distribuição de renda. Dessa forma, percebe-se a formação de tendência futura de sustentabilidade econômica na China, cada vez menos

No âmbito do G20 Financeiro[17], e a partir da crise internacional de 2008, a China passou a defender internacionalmente maior regulamentação de fluxos de capital e a reforma dos mecanismos globais de governança financeira, por meio da democratização de foros como o FMI e do Banco Mundial (aumento de cotas para países emergentes nesses foros). Após reforma no sistema de distribuição de cotas do FMI em 2010, a China passará em breve a ser a terceira maior detentora e, o Brasil, décimo. No Fundo, quanto maior for a porcentagem de cotas, maior é o poder decisório[18].

China e Brasil, no entanto, acreditam que as reformas do FMI não sejam inclusivas o suficiente[19]. Junto com África do Sul, Rússia e Índia, esses

---

voltada para investimentos junto à dívida pública norte-americana e mais preocupada com o mercado interno chinês.

[17] O G20 Financeiro é hoje um grupo que engloba 60% do território e da população mundial, e 80% de seu PIB. Sua formação foi objeto de muita barganha e criou um conjunto muito heterogêneo de países. São economias sistemicamente importantes, já que crises financeiras e bancárias em seus sistemas econômicos internos interferem fortemente na conjuntura global. Sua evolução complementou e tem ofuscado o G7, com mais autonomia e independência temática. Para a reunião em novembro de 2014, discutem-se temas como a regulação de *shadow banking systems*, a resiliência de instituições financeiras e o fim do *"too big to fail"*. GROUP OF 20. *About the G20* [on line]. Disponível em: https://www.g20.org/about_G20. Acesso em 05 de novembro de 2014.

[18] Com sede em Washington (EUA), o FMI conta hoje com US$ 362 bilhões em cotas, 188 países membros e US$ 185 bilhões em contratos de empréstimo. INTERNATIONAL MONETARY FUND. *The IMF at a glance*. Disponível em: http://www.imf.org/external/np/exr/facts/glance. htm. Acesso em 07 de dezembro de 2014.

[19] Segundo Oliver Stuenkel: "Enquanto líderes europeus e americanos pedem a países emergentes para agir como "investidores responsáveis", eles estão muito indispostos a incluir construtivamente novos atores e a permitir que eles assumam lideranças nas instituições vigentes. Uma das consequências disso é o apoio crescente no Brasil e em outros mercados emergentes pela criação do Banco de Desenvolvimento dos BRICS. A hesitação das potências existentes é curiosamente míope: enquanto a manutenção do *status quo* produz poucos benefícios para os Estados Unidos e a Europa, isso aumenta o déficit de confiança entre o "Norte global" e os BRICS, o que aumenta o poderio daqueles em Pequim, Nova Délhi e em qualquer outro lugar onde se afirme que as instituições são rígidas demais e, por essa razão, precisam ser esvaziadas". Tradução livre do trecho: *"While European and U.S. leaders have asked emerging powers to act as "responsible stakeholders," they are largely unwilling to constructively engage new actors and allow them to assume leadership within existing institutions. One of the consequences is growing support in Brazil and other emerging markets for the creation of a BRICS Development Bank. The dithering and hesitation of established powers is remarkably short-sighted: While clinging to the status quo produces only tiny short-term benefits for Europe and the United States, it increases the trust deficit between the*

países criaram o Banco de Desenvolvimento dos BRICS, com capital inicial de US$ 50 bilhões. Essa iniciativa é uma resposta aos efeitos da crise financeira de 2008 e à resistência desses foros de financiamento em democratizar suas formas participação, principalmente para países emergentes.

A proximidade crescente entre membros do BRICS, notadamente Brasil e China acarretou que o Banco de Desenvolvimento da China abrisse financiamentos de US$ 10 bilhões para a Petrobras e de US$ 1 bilhão para a Oi. No mesmo contexto, o Banco da China iniciou suas operações em São Paulo em 2009, assim como a Wisco, que atua em parceria com a EBX no projeto do Porto de Açu, no Rio de Janeiro. Os investimentos chineses no Brasil também se estendem a setores como infraestrutura energética, siderurgia e extração de minérios. Em 2013, a China liderou os resultados das exportações brasileiras (19% de participação), bem como de importação (15,6% de participação), o que faz do país o principal parceiro comercial do Brasil atualmente[20].

Em contrapartida, o Brasil tem perdido espaço em terceiros mercados para a China. Na África, há crescentes investimentos chineses no comércio de bens e de serviços. Nos Estados Unidos, cresceu o *market share* chinês no setor de têxteis e de calçados. No âmbito da Associação Latino-Americana de Integração – ALADI, o *market share* brasileiro chega a ser menor que o chinês[21].

Esses dados evidenciam a presença chinesa em diversos setores da economia. Atualmente, desconsiderar a força econômica e as potencialidades de eventuais parcerias com a China é financeira e economicamente impossível para qualquer empreendedor, esteja ele inserido ou não no contexto do comércio internacional.

"Global North" and the BRICS, strengthening the hand of those in Beijing, Delhi, and elsewhere who argue that existing institutions are too rigid and therefore need to be undermined". STUENKEL, Oliver. The case for IMF quota reform. In: *Council on foreign relations*, em 11 de outubro de 2012 [on line]. Disponível em: http://www.cfr.org/international-organizations-and-alliances/case-imf-quota-reform/p29248. Acesso em 05 de novembro de 2014.

[20] MINISTÉRIO DO DESENVOLVIMENTO, INDÚSTRIA E COMÉRCIO EXTERIOR. *Balança comercial brasileira: 2013* [on line]. Disponível em http://www.desenvolvimento.gov.br/arquivos/dwnl_1388692200.pdf. Acesso em 05 de novembro de 2014.

[21] HIRATUKA, Célio; CUNHA, Samanta. *Qualidade e diferenciação das exportações brasileiras e chinesas: evolução recente no mercado mundial e na ALADI,* [on line]. Brasília: Instituto de Pesquisa Econômica Aplicada, 2011, p. 34.

DIREITO CHINÊS CONTEMPORÂNEO

3. China e a ordem política mundial

Nos últimos anos, a China expandiu suas formas de influência política no mundo. Em termos militares, a mudança mais notável tem sido o renascimento de tensões na Ásia, que, entre outras, envolvem antigas disputas com o Japão (Ilhas Senkaku). Há também acirramento da presença chinesa na região do Sudeste Asiático em contraposição aos Estados Unidos, que cooperam militarmente com o Japão, com a Austrália e com a Coréia do Sul[22].

Tensões também decorrem da estratégia integracionista da China em relação ao Tibete e a Hong Kong. Atualmente, o status de Hong Kong é de Região Administrativa Especial da República Popular da China[23]. Em outubro de 2014, diversos estudantes da ilha foram às ruas protestar contra o Partido Comunista e a favor de liberdades democráticas na ex-colônia da Grã-Bretanha. Mais de 100 mil pessoas acamparam nas principais avenidas de Hong Kong, em busca de maior representatividade em instâncias políticas e de eleições diretas[24].

De acordo com os termos constitucionais que regem a situação legal de Hong Kong junto à China, mantêm-se: as políticas econômicas, financeiras e monetárias em curso; a independência do dólar de Hong Kong; o status aduaneiro independente para o porto da ilha; e o não recolhimento de impostos pelo governo da China em Hong Kong. Em termos econômicos, a relação entre China e a região de Hong Kong é, verdadeiramente,

---

[22] BENACHENHOU, Abdellatif. *Países emergentes*. Brasília: FUNAG, 2013, p. 230.

[23] Hong Kong passou a integrar o Império Britânico após a Guerra do Ópio (1839 a 1842). Outros territórios continentais (Península de Kowloon) foram cedidos temporariamente à Grã-Bretanha por meio de tratado, cujo termo seria de 99 anos. Após a Primeira Guerra Mundial, Hong Kong, que chegou a ser ocupada pelo Japão, retornou ao status de colônia da Grã-Bretanha. Em 1997, expirou o prazo de ocupação dos territórios continentais e eles foram devolvidos à China. Segundo os termos do tratado, Hong Kong poderia ter sido mantida como colônia britânica, mas, na prática, seria necessária a integração de trabalhadores, de recursos e de outras especificidades da porção continental. Dessa forma, o controle político da ilha voltou às mãos de Pequim. O mesmo ocorreu com a colônia portuguesa de Macau, que voltou à governança pela República Popular da China em 1999. DILLON, Michael. *Contemporary China: an introduction*. New York: Routledge, 2007, p. 183.

[24] BALDWIN, Clare. *Hong Kong students fine-tune plan to take democracy call to Beijing*, em 5 de novembro de 2014. In: *Reuters* [on line]. Disponível em: http://www.reuters.com/article/2014/11/05/us-hongkong-china-idUSKBN0IP0I920141105. Acesso em: 05 de novembro de 2014.

420

exemplo da máxima "um país, dois sistemas", ainda que maior autonomia política seja uma demanda corrente[25].

No Tibete, os movimentos separatistas alegam que a autonomia e a independência *de facto* da região ocorreu em 1911, durante a queda do Império Qing[26]. Na segunda metade do século XX, a China aumentou gradativamente sua presença na região, o que despertou conflitos separatistas. Essa temática ganha especial notoriedade devido à atuação de membros e apoiadores do Dalai Lama à separação do Tibete da China continental, o que capitaneia maior publicidade entre os praticantes do budismo no Ocidente. O Partido Comunista age de forma a estimular a presença de outras etnias na região, visto que a pluralidade étnica dificultaria a manutenção dos ideais separatistas, bem como por meio da construção de ferrovias, como a Qinghai–Tibet Railway, que podem aumentar os laços do Tibete com o resto da China continental[27].

Em relação à Coreia do Norte, a China é um dos poucos países a efetivamente manter relações de cooperação com o regime de Kim Jong-un. Segundo Beina Xu e Jayshree Bajoria:

> A China é o aliado mais importante da Coreia do Notre, seu maior parceiro comercial e sua principal fonte de alimentação, armas e energia. O país tem ajudado a sustentar o que é hoje o regime de Kim Jong-um, e tem se oposto historicamente à efetivação de sanções internacionais mais duras contra a Coreia do Norte, na esperança de evitar o colapso do regime e um influxo de refugiados por sua fronteira. No entanto, após o terceiro teste nuclear de Pyongyang, em fevereiro de 2013, analistas afirmam que a paciência da China pode estar próxima de seu limite[28].

---

[25] DODSWORTH, John; MIHALJEK, Dubravko. *Hong Kong, China: growth, structural change, and economic stability during the transition*. New York: Routledge, 2007, p.71.

[26] DILLON, Michael. *Contemporary China: an introduction*. New York: Routledge, 2007, p. 168.

[27] DILLON, *Contemporary China: an introduction, cit.*, p. 175.

[28] Tradução livre do trecho: "*China is North Korea's most important ally, biggest trading partner, and main source of food, arms, and energy. The country has helped sustain what is now Kim Jong-un's regime, and has historically opposed harsh international sanctions on North Korea in the hope of avoiding regime collapse and a refugee influx across their border. But after Pyongyang's third nuclear test in February 2013, analysts say that China's patience with its ally may be wearing thin*". XU, Beina; BAJORIA, Jayshree. The China-North Korea relationship. In: *Council on foreign relations*, em 22 de agosto de 2014

DIREITO CHINÊS CONTEMPORÂNEO

Apesar da cooperação com esse regime, a política externa chinesa evita situações de intervencionismo militar internacional, tendo sido contra medidas mais radicais face à Síria e se abstido de votar na resolução do Conselho de Segurança da ONU que autorizou intervenção militar na Líbia, em 2011. Ainda que apoie regimes polêmicos, a China tem prezado pela resolução diplomática de conflitos.

A China não expressou apoio oficial à entrada do Brasil como membro permanente do Conselho de Segurança da ONU, assim como à entrada do Japão e da Índia. No entanto, o país defende maior presença brasileira e indiana nos foros decisórios internacionais. Nesse sentido, a parceria dos BRICS tem ocorrido também no Conselho de Segurança, onde Brasil e China normalmente votam da mesma forma.

4. A China na ordem ambiental internacional

À primeira análise, pode parecer estranho que a China seja o Estado que mais investe em tecnologia verde contemporaneamente, e que sua diplomacia atue como protagonista de diversas discussões ambientais internacionais[29].

No contexto ambiental internacional, a China normalmente negocia juntamente ao Brasil, à África do Sul e à Índia, por meio do BASIC, grupo articulado em 2009[30]. A diplomacia chinesa procura, assim como outros membros do BASIC (Brasil e África do Sul, notadamente), capitanear iniciativas diplomáticas na área ambiental, como é o caso das reduções vinculantes de emissão de dióxido de carbono[31]. A liderança diplomática nessa área, devido ao fato de a China ser um dos maiores poluidores atualmente, representaria efetiva mudança da ordem ambiental internacional, princi-

---

[on line]. Disponível em: http://www.cfr.org/china/china-north-korea-relationship/p11097. Acesso em 05 de novembro de 2014.

[29] PERKOWSKI, Jack. China leads the world in renewable energy investment. In: *Forbes* [on line], em 27 de junho de 2012. Disponível em http://www.forbes.com/sites/jackperkowski/2012/07/27/china-leads-the-world-in-renewable-energy-investment/. Acesso em 1º de novembro de 2014.

[30] Esse grupo é formado por quatro países de industrialização recente: Brasil África do Sul, Índia e China. Sua coordenação na temática ambiental ocorre desde a Conferência das Partes de 2009, realizada em Copenhague.

[31] VICTOR, David G.; KENNEL, Charles F; RAMANATHAN, Veerabhadram. The climate threat we can beat. In: *Foreign Affairs,* vol. 91, n. 3, maio/junho, 2012, p. 119 e 121.

422

palmente se fosse acompanhada por países da União Europeia, pela Índia e pelos Estados Unidos.

Uma das grandes fontes de poluição no país ainda é a queima de carvão para uso doméstico, no aquecimento de residências, principalmente aquelas mais pobres, ou que ainda se encontram em áreas rurais. Se houvesse a eliminação dessa forma de aquecimento residencial no país, suas emissões de gás carbônico seriam reduzidas em mais de 50%[32]. É importante lembrar que 47% da população chinesa, o que representa em torno de 620 milhões de pessoas, ainda vive no campo[33].

As fontes energéticas chinesas são muito poluentes e dependentes da utilização em larga escala de termoelétricas: 69% da energia do país derivam da queima de carvão; 18% de derivados do petróleo; 6% de energia hidrelétrica; e 4% de gás natural[34].

O país tem, no entanto, revelado interesse em adotar fontes alternativas de energia, como o etanol em parceria com o Brasil. Atualmente, é um dos maiores produtores mundiais de painéis de captação de energia solar. Além disso, de acordo com Victor, Kennel e Ramanatham:

> Esses objetivos são ambiciosos, mas não ilusórios. Motivadas por razões de interesse nacional em curto prazo, não relacionadas com mudanças climáticas, China e Índia têm tentado diminuir a poluição do ar, que mancha suas cidades e diminui sua produtividade agrícola. A China implementou um programa elaborado de documentação dos custos decorrentes da poluição local e tem estabelecido a eficiência energética como o centro de seu mais recente plano quinquenal[35].

---

[32] Victor, David G.; Kennel, Charles F; Ramanathan, Veerabhadram. The climate threat we can beat. In: *Foreign Affairs*, vol. 91, n. 3, maio/junho, 2012, p. 114 e 117.

[33] World Bank. *Urban population data,* em 2009-2013 [on line]. Disponível em http://data.worldbank.org/indicator/SP.URB.TOTL.IN.ZS. Acesso em 2 de novembro de 2014.

[34] U.S. Energy Information Administration. *China overview,* em 2011 [on line]. Disponível em http://www.eia.gov/countries/cab.cfm?fips=CH. Acesso em 7 de dezembro de 2014.

[35] Tradução livre do trecho: *"These aims are ambitious but not unrealistic. Driven by short-term national interests unrelated to climate change, China and India are already trying to cut the air pollution that sullies their cities and undermines their agricultural productivity. China has put in place and elaborate program to document the national economic costs of local pollution and has made energy efficiency a centerpiece of its most recent five-year plans".* Victor, David G.; Kennel, Charles F;

DIREITO CHINÊS CONTEMPORÂNEO

Essas informações nos permitem concluir que, devido a sua importância econômica e populacional, em termos absolutos e relativos, a China representa grande parcela das fontes de poluição e de consumo atualmente. Sua participação em questões ambientais é essencial para que possam ocorrer progressos efetivos em temáticas como aquecimento global, eliminação de resíduos, utilização de fontes energéticas alternativas, entre outras.

5. O *soft power* da política internacional chinesa

Algumas ideologias informais regem a diplomacia chinesa atualmente. Segundo Steven Levine:

> É difícil resumir essa ideologia informal que consiste em uma série de pensamentos aqui e ali sobre o que os chineses pensam e sentem sobre si mesmos e sobre outros no contexto das relações internacionais. Vamos sugerir apenas algumas dessas crenças e expectativas, com foco na perspectiva chinesa sobre si mesmos e sobre como eles acreditam que devem ser tratados: 1. Os chineses são um povo grandioso e a China é uma grande nação; 2. A nação chinesa merece um destino muito melhor do que aquele que tem vivenciado no mundo moderno; 3. A China deveria receber tratamento compensatório pelos países que a insultou ou a prejudicou no passado; 4. Como uma grande nação, a China naturalmente ocupa uma posição central no âmbito dos assuntos internacionais e deve ser tratada como uma grande potência.; 5. A soberania nacional da China deve ser absolutamente respeitada, e esse respeito prevalece sobre qualquer crítica em relação à política interna chinesa; 6. A virtude especial da China em assuntos internacionais consiste no fato de que sua política externa é baseada não em utilitarismo, mas em princípios imutáveis que expressam valores universais, como a justiça e a equidade.[36]

RAMANATHAN, Veerabhadram. The climate threat we can beat. In: *Foreign Affairs*, vol. 91, n. 3, maio/junho, 2012, p. 118.

[36] Tradução livre do trecho: *"It is difficult to summarize this informal ideology which consists of many disparate bits and pieces concerning how Chinese think and feel about themselves and others in the context of international relations. Let us suggest just a few of these beliefs and expectations focusing on Chinese views of themselves and how they believe they should be treated. 1. The Chinese are a great people, and China is a great nation. 2. The Chinese nation deserves a much better fate than that which it has experienced in the modern world. 3. China should be accorded compensatory treatment from those powers which have insulted or injured it in the past. 4. As a great nation, China naturally occupies a central position in world affairs and must be treated as a Great Power. 5. China's national sovereignty*

ECONOMIA, POLÍTICA E RELAÇÕES INTERNACIONAIS DA CHINA CONTEMPORÂNEA

Levando em consideração esses ideais revisionistas chineses, qual seria a forma de o país reforçar sua centralidade no âmbito da política internacional contemporânea? A principal estratégia adotada pela China atualmente diz respeito a táticas de *soft power* (expressão cunhada por Joseph Nye nos anos 1980), ou seja, "*a habilidade de um país de persuadir outros a realizar suas vontades sem o uso da força ou da coerção*[37]".

A China vem empreendendo diversas medidas de exercício de influência e de poder de manipulação em vários âmbitos do contexto internacional: econômico, político e até mesmo cultural. Esse tipo de ação é normalmente silencioso e atua de forma despercebida. Quando muito, outros Estados percebem, mas se mostram incapazes de impor contramedidas às ações chinesas de *soft power*.

No contexto econômico, por exemplo, a China atua ostensivamente em todos os cantos do globo. Na África, onde sua influência é notável, os investimentos chineses concentram-se em energia, infraestrutura e indústria. A percepção é a de que a China interfere menos em assuntos de política doméstica do que os Estados Unidos e a União Europeia, o que garante enorme vantagem para esses países africanos e uma rápida expansão da influência chinesa sobre a economia do continente[38].

A política internacional é altamente influenciada pela presença da China. Além do assento permanente do país no Conselho de Segurança da ONU, a organização conta atualmente com mais de três mil soldados em operações de manutenção da paz. Muitos estados receiam uma apro-

---

must be respected absolutely, and such respect precludes any foreign criticism of China's internal politics. 6. China's special virtue in international affairs consists in the fact that its foreign policy is based not on expediency but on immutable principles that express universal values such as justice and equity". LEVINE, Steven I. Perception and ideology in Chinese foreign policy. ROBINSON, Thomas W.; SHAMBAUGH, David (Org.). In: *Chinese foreign policy: theory and practice.* Oxford: Oxford University, 1994, p. 41-42.

[37] Tradução livre do trecho: "*ability of a country to persuade others to do what it wants without force or coercion*". NYE, Joseph S. Soft power: the means to success in world politics. In: *Foreign Affairs* [on line], Maio-Junho de 2004. Disponível em: http://www.foreignaffairs.com/articles/59732/g-john-ikenberry/soft-power-the-means-to-success-in-world-politics. Acesso em 07 de dezembro de 2014.

[38] WHITE, David. US and Europe fight back as China's influence grows in Africa. In: *Financial Times* [on line]. Disponível em: http://www.ft.com/intl/cms/s/0/0e1a6852-1e55-11e4-ab52-00144feabdc0.html#axzz3LGJIw3xa. Acesso em 07 de dezembro de 2014.

DIREITO CHINÊS CONTEMPORÂNEO

ximação mais efetiva com a China, justamente pela falta de efetivos preceitos políticos como a democracia e a liberdade de expressão no país[39].

Em relação à influência cultural, Nye observa que, desde o *hit* cinematográfico *O tigre e o dragão*, de Ang Lee, bem como o Prêmio Nobel de Literatura para Gao Xingjian, em 2000, a cultura chinesa tem invadido também o universo do entretenimento e da cultura ocidentais[40]. Há cada vez mais turistas ocidentais em visitas à China e atualmente mais de 480 Institutos Confúcio estão espalhados pelo mundo[41]. Essa influência se estende também por meio dos esportes, o que pode ser observado pelo fato de a China ter sediado em 2008 os Jogos Olímpicos Mundiais.

Levando em consideração essas formas de atuação econômica, política e cultural, estaria a China empreendendo uma nova forma de política externa atualmente? Ao contrário dos Estados Unidos, da Europa e do Japão, a política internacional chinesa visa ao estabelecimento de relacionamentos de coordenação e de cooperação, em vez de redes regionais de subordinação, o que favorece sua receptividade, bem como a rápida expansão dos braços de expansão chineses no resto do mundo.

6. Considerações finais

Após a ascensão da China a assentos de destaque nos mais diversos foros do cenário internacional contemporâneo, resta saber que tipo de papel esse gigante das relações internacionais irá desempenhar. Seria o crescimento chinês um contraponto à hegemonia econômica norte-americana e europeia? Ou seria sua ascensão acompanhada de mais acirramentos políticos e militares, aumentando assim a polarização do cenário internacional?

A partir das informações sobre os diversos âmbitos de atuação da política internacional chinesa, nos questionamos sobre seu futuro nas relações internacionais. Estaria a expansão dos mercados, das finanças, da diplomacia e das populações (diáspora chinesa nas *Chinatowns* das cidades glo-

---

[39] NYE, Joseph S. The rise of China's soft power. In: *Wall Street Journal Asia [on line]*, December 29, 2005. Disponível em: http://belfercenter.hks.harvard.edu/publication/1499/rise_of_chinas_soft_power.html. Acesso em 07 de dezembro de 2014.

[40] NYE, Joseph S. The rise of China's soft power. In: *Wall Street Journal Asia [on line]*, December 29, 2005. Disponível em: http://belfercenter.hks.harvard.edu/publication/1499/rise_of_chinas_soft_power.html. Acesso em 07 de dezembro de 2014.

[41] Esses institutos são responsáveis pela disseminação da língua e da cultura chinesa, e contam com apoio direto do governo chinês na realização de suas atividades.

bais) relacionada a uma efetiva estratégia de restauração dessa "posição central no âmbito dos assuntos internacionais" e da harmonia de um passado distante?

A consecução da grandiosa sociedade chinesa, objetivo que tanto permeia essa cultura milenar, transparece, também, no âmbito externo, em que a China busca resgatar sua grandiosidade e lugar natural de grande potência mundial. Mas será esse um processo efetivamente harmônico?

Referências bibliográficas

AMSDEN, Alice H. *A ascensão do "resto": os desafios ao Ocidente de economias com industrialização tardia.* São Paulo: Editora Unesp, 2009.

BALDWIN, Clare. *Hong Kong students fine-tune plan to take democracy call to Beijing,* em 5 de novembro de 2014. In: *Reuters* [on line]. Disponível em: http://www.reuters. com/article/2014/11/05/us-hongkong-china-idUSKBN0IP0I920141105. Acesso em: 05 de novembro de 2014.

BENACHENHOU, Abdellatif. *Países emergentes.* Brasília: FUNAG, 2013.

BIRD, Mike. China Just overtook the US as the world's largest economy. In: *Business Insider* [on line]. Disponível em: http://www.businessinsider.com/china-overtakes-us-as-worlds-largest-economy-2014-10, acesso em 07 de dezembro de 2014.

CHANG, Ha-Joon. *Kicking away the ladder: development strategy in historical perspective.* London: Anthem, 2002.

DILLON, Michael. *Contemporary China: an introduction.* New York: Routledge, 2007.

DODSWORTH, John; Mihaljek, Dubravko. *Hong Kong, China: growth, structural change, and economic stability during the transition.* New York: Routledge, 2007.

GROUP OF 20. *About the G20* [on line]. Disponível em: <https://www.g20.org/about_G20>. Acesso em 05 de novembro de 2014.

HIRATUKA, Célio; Cunha, Samanta. *Qualidade e diferenciação das exportações brasileiras e chinesas: evolução recente no mercado mundial e na ALADI,* [on line]. Brasília: Instituto de Pesquisa Econômica Aplicada, 2011.

INTERNATIONAL MONETARY FUND. *The IMF at a glance.* Disponível em: http://www. imf.org/external/np/exr/facts/glance.htm. Acesso em 07 de dezembro de 2014.

KISSINGER, Henry. *Diplomacia.* São Paulo: Saraiva, 2012, p. 777.

LEVINE, Steven I. Perception and ideology in Chinese foreign policy. Robinson, Thomas W.; Shambaugh, David (Org.). In: *Chinese foreign policy: theory and practice.* Oxford: Oxford University, 1994.

DIREITO CHINÊS CONTEMPORÂNEO

Liqun, Zhu. China's foreign policy debates. In: *Chaillot papers*, setembro 2010. Disponível em http://www.iss.europa.eu/uploads/media/cp121-China_s_Foreign_Policy_Debates.pdf. Acesso em 1º de novembro, 2014.

Lyrio, Mauricio Carvalho. *A ascensão da China como potência: fundamentos políticos internos*. Brasília: FUNAG, 2010.

Ministério do Desenvolvimento, Indústria e Comércio Exterior. *Balança comercial brasileira: 2013* [on line]. Disponível em http://www.desenvolvimento.gov.br/arquivos/dwnl_1388692200.pdf. Acesso em 05 de novembro de 2014.

Nye, Joseph S. Soft power: the means to success in world politics. In: *Foreign Affairs* [on line], Maio-Junho de 2004. Disponível em: http://www.foreignaffairs.com/articles/59732/g-john-ikenberry/soft-power-the-means-to-success-in-world-politics. Acesso em 07 de dezembro de 2014.

Nye, Joseph S. The rise of China's soft power. In: *Wall Street Journal Asia* [on line], December 29, 2005. Disponível em: http://belfercenter.hks.harvard.edu/ publication/1499/ rise_of_chinas_soft_power.html. Acesso em 07 de dezembro de 2014.

Organisation for Economic Co-Operation and Development. *Country statistical profile: China*, 2005 a 2012 [on line]. Disponível em http://www.oecd-ilibrary.org/economics/country-statistical-profile-china_csp-chn-table-en. Acesso em 03 de novembro de 2014.

Perkowski, Jach. China leads the world in renewable energy investment. In: *Forbes* [on line], em 27 de junho de 2012. Disponível em http://www.forbes.com/sites/jackperkowski/2012/07/27/china-leads-the-world-in-renewable-energy-investment/. Acesso em 1º de novembro de 2014.

Stuenkel, Oliver. The case for IMF quota reform. In: *Council on foreign relations*, em 11 de outubro de 2012 [on line]. Disponível em: http://www.cfr.org/international-organizations-and-alliances/case-imf-quota-reform/p29248. Acesso em 05 de novembro de 2014.

Swanson, Ana. Will China fund the world's next round of economic expansion? In: *Forbes*, em 26 de outubro de 2014 [on line]. Disponível em: http://www.forbes.com/sites/anaswanson/2014/10/26/will-china-fund-the-worlds-next-round-of-economic-expansion/. Acesso em 1º de novembro de 2014.

United Nations Environmental Pannel. *China's pathway to a green economy*. Disponível em http://www.unep.org/greeneconomy/AdvisoryServices/China/tabid/56270/Default.aspx. Acesso em 1º de novembro de 2014.

U.S. Energy Information Administration. *China overview*, em 2011 [on line]. Disponível em http://www.eia.gov/countries/cab.cfm?fips=CH. Acesso em 7 de dezembro de 2014.

ECONOMIA, POLÍTICA E RELAÇÕES INTERNACIONAIS DA CHINA CONTEMPORÂNEA

VICTOR, David G.; Kennel, Charles F; Ramanathan, Veerabhadram. The climate threat we can beat. In: *Foreign Affairs*, vol. 91, n. 3, maio/junho, 2012, p. 112-121.

WORLD BANK. *Urban population data*, em 2009-2013 [on line]. Disponível em http://data.worldbank.org/indicator/SP.URB.TOTL.IN.ZS. Acesso em 2 de novembro de 2014.

WHITE, David. US and Europe fight back as China's influence grows in Africa. In: *Financial Times* [on line]. Disponível em: http://www.ft.com/intl/cms/s/0/0e1a6852-1e55-11e4-ab52-00144feabdc0.html#axzz3LGJIw3xa. Acesso em 07 de dezembro de 2014.

WORLD TRADE ORGANIZATION. *International trade and market access data*, em 2012 [on line]. Disponível em http://www.wto.org/english/res_e/statis_e/statis_bis_e.htm?solution=WTO&path=/Dashboards/MAPS&file=Tariff.wcdf&bookmarkState={%22impl%22:%22client%22,%22params%22:{%22langParam%22:%22en%22}}. Acesso em 1º de novembro de 2014.

XU, Beina. China's environmental crisis. In: *Council on foreign relations*, em 25 de abril de 2014 [on line]. Disponível em: http://www.cfr.org/china/chinas-environmental-crisis/p12608. Acesso em 1º de novembro de 2014.

XU, Beina; Bajoria, Jayshree. The China-North Korea relationship. In: *Council on foreign relations*, em 22 de agosto de 2014 [on line]. Disponível em: http://www.cfr.org/china/china-north-korea-relationship/p11097. Acesso em 05 de novembro de 2014.

YEUNG, Henry Wai-chiung. *Chinese capitalism in the global era: towards hybrid capitalism*. New York: Routledge, 2004.

SOBRE OS ORGANIZADORES

FABRÍCIO BERTINI PASQUOT POLIDO

Professor Adjunto de Direito Internacional da Faculdade de Direito e Ciências do Estado da Universidade Federal de Minas Gerais (UFMG). Professor do corpo permanente do Programa de Pós-Graduação em Direito da UFMG. Doutor em Direito Internacional pela Faculdade de Direito da Universidade de São Paulo. Pesquisador Visitante – nível Pós-Doutorado – do *Max-Planck Institute for Comparative and International Private Law*, Hamburgo, Alemanha. Membro do Comitê de Direito Internacional Privado e Propriedade Intelectual da *International Law Association* (ILA), Sociedade de Direito Internacional Econômico e da Associação Americana de Direito Internacional Privado.

MARCELO MACIEL RAMOS

Professor Adjunto da Faculdade de Direito e Ciências do Estado da Universidade Federal de Minas Gerais (UFMG), onde leciona as disciplinas Antropologia Jurídica, História do Direito, Filosofia do Direito e Cidadania Cultural. Professor do corpo permanente do Programa de Pós-Graduação em Direito da UFMG. Doutor em Direito pela Universidade Federal de Minas Gerais, tendo realizado parte de suas pesquisas doutorais no *Institut de la Pensée Contemporaine* da *Université Paris-Diderot*. Pesquisador visitante da *Fondation Maison Sciences de l'Homme* (FMSH) em Paris, França. Membro da *European Association for Chinese Studies* (EACS) e do Instituto Brasileiro de Estudos de China e Ásia-Pacífico (IBECAP).

SOBRE OS AUTORES

ANA LUÍSA SOARES PERES
Mestranda em Direito Internacional com bolsa CAPES e Graduada em Direito pela Universidade Federal de Minas Gerais, com formação jurídica complementar pela *Baylor University School of Law*. Professora voluntária da Faculdade de Direito da Universidade Federal de Minas Gerais (2014). Co-coordenadora do Centro de Estudos Brasil-OMC (CEB-OMC), grupo de pesquisa e de extensão em atividade na Universidade Federal de Minas Gerais.

ANDRÉ GARCIA LEÃO REIS VALADARES
Mestrando em Direito na Universidade Federal de Minas Gerais (UFMG). Pós-graduado em Direito Tributário pela Faculdade de Direito Milton Campos. Graduado em Direito pela UFMG. Advogado.

AIQING ZHENG
Professora Associada da Faculdade de Direito da 中国人民大学 *Renmin Univesity of China*. Diretora de Relações Internacionais do Comitê da Faculdade de Direito e orientadora de mestrado. Bacharel e Mestre em Direito pela中国人民大学 *Renmin Univesity of China*. Doutora pela *Université Paris I Panthéon-Sorbonne*, tendo feito parte do programa *Law in Europe*. Realizou estudos de pós-doutorado no *Institut d'Études Avancées de Nantes*, na França e é a correspondente na China da *Revue de Droit du Travail*.

FABRÍCIO BERTINI PASQUOT POLIDO
Professor Adjunto de Direito Internacional da Faculdade de Direito e Ciências do Estado da Universidade Federal de Minas Gerais (UFMG). Professor do corpo permanente do Programa de Pós-Graduação em Direito da UFMG. Doutor em Direito Internacional pela Faculdade de Direito da Universidade de São Paulo. Pesquisador Visitante – nível Pós-Doutorado – do *Max-Planck Institute for Comparative and International Private Law*, Hamburgo, Alemanha. Membro do Comitê de Direito Internacional Privado e Propriedade Intelectual da *International Law Association* (ILA), Sociedade

DIREITO CHINÊS CONTEMPORÂNEO

de Direito Internacional Econômico e da Associação Americana de Direito Internacional Privado.

FILIPE GRECO DE MARCO LEITE

Bacharel em Direito pela Universidade Federal de Minas Gerais e Mestrando em Direito Internacional pela mesma instituição. Foi intercambista na *Università Degli Studi di Bologna*, Itália. É, desde o início de sua graduação, membro de diversos grupos de estudos em Direito do Comércio Internacional e Arbitragem Internacional. É membro do Comitê Brasileiro de Arbitragem (CBAr) e da Comissão de Mediação e Arbitragem da Ordem dos Advogados do Brasil, Seção Minas Gerais. É advogado em Belo Horizonte nas áreas de arbitragem, comércio internacional, contratações internacionais e propriedade intelectual.

GUILHERME BACELAR PATRÍCIO DE ASSIS

Juiz Federal vinculado ao Tribunal Regional Federal da 1ª Região. Mestrando do Programa de Pós-Graduação em Direito na UFMG. Graduado em Direito pela Faculdade de Direito Milton Campos/MG.

LETÍCIA DE SOUZA DAIBERT

Mestranda em Direito Internacional Público na Universidade Federal de Minas Gerais. Especialista em Estudos Diplomáticos pela Faculdade de Direito Milton Campos. Bacharel em direito pela Universidade Federal de Minas Gerais, com formação complementar pela *Universidad Nacional del Litoral* e pela *Universität Leipzig*. Foi professora voluntária de Direito Internacional Público na Universidade Federal de Minas Gerais. É co-coordenadora do Centro de Estudos Brasil-OMC (CEB-OMC), grupo de pesquisa e de extensão em atividade na Universidade Federal de Minas Gerais.

LUCAS COSTA DOS ANJOS

Mestrando e bacharel em Direito pela Universidade Federal de Minas Gerais (UFMG), com formação complementar pela *Baylor University School of Law*. Especialista em Direito Internacional pelo Centro de Direito Internacional (CEDIN). Bolsista CAPES e estagiário docente dos cursos Ciências do Estado, Relações Econômicas Internacionais e Direito (UFMG). Membro do Grupo de Estudos Internacionais de Propriedade Intelectual, Internet e Inovação (GNet) e da Associação Brasileira de Relações Internacionais (ABRI).

LUCAS SÁVIO OLIVEIRA DA SILVA

Mestrando em Direito na Universidade Federal de Minas Gerais (UFMG) e bacharel em Direito pela mesma instituição de ensino. Membro da Associação Americana de Direito Internacional Privado (ASADIP), do Grupo de Estudos em Arbitragem e Con-

SOBRE OS AUTORES

tratos Internacionais da UFMG (GACI-UFMG) e do Núcleo de Estudos, Pesquisas e Documentação de Arbitragem e Mediação Professor Guido Soares da CAM/CCBC. Advogado nas áreas de Contratos, internacionais e domésticos, e Direito Internacional. Realizou estudos de graduação na *Universidad de Buenos Aires* (UBA), Argentina.

LUISA FERNANDA TURBINO TORRES
Mestranda em Direito e Bacharel em Ciências do Estado pela Universidade Federal de Minas Gerais. É bolsista pela CAPES e está envolvida em pesquisas nas áreas de estudos estratégicos, segurança nacional e direitos fundamentais. Atualmente, faz parte da equipe docentes da graduação em Ciências do Estado como estagiária.

MARCELO MACIEL RAMOS
Professor Adjunto da Faculdade de Direito e Ciências do Estado da Universidade Federal de Minas Gerais (UFMG), onde leciona as disciplinas Antropologia Jurídica, História do Direito, Filosofia do Direito e Cidadania Cultural. Professor do corpo permanente do Programa de Pós-Graduação em Direito da UFMG. Doutor em Direito pela Universidade Federal de Minas Gerais, tendo realizado parte de suas pesquisas doutorais no *Institut de la Pensée Contemporaine* da *Université Paris-Diderot*. Pesquisador visitante da *Fondation Maison Sciences de l'Homme* (FMSH) em Paris, França. Membro da *European Association for Chinese Studies* (EACS) e do Instituto Brasileiro de Estudos de China e Ásia-Pacífico (IBECAP).

PABLO LEURQUIN
Doutorando em Direito Econômico pela UFMG, com bolsa do CNPq. Doutorando em Direito Internacional e Europeu na *Université Paris I, Panthéon-Sorbonne*. Mestre em Direito Econômico pela UFMG, financiado pelo CNPq. Foi pesquisador visitante no *Institut de Recherche Juridique de la Sorbonne* (IRJS) de *l'École de Droit de la Sorbonne* (*Université Paris I, Panthéon-Sorbonne*). Bacharel em Direito pela UFRN. Pesquisador do Grupo de Pesquisa em Direito Econômico (GPDE) da FDUFMG.

PEDRO AUGUSTO GRAVATÁ NICOLI
Professor de Direito do Trabalho. Pós-doutorando do Programa de Pós-Graduação em Direito da Universidade Federal de Minas Gerais (UFMG), com bolsa CAPES PNPD. Doutor em Direito pela UFMG. Esteve em temporada de pesquisas (doutorado-sanduíche, com bolsa da CAPES) no *Collège de France*, de 2013 a 2014, tendo sido recebido como pesquisador visitante na Organização Internacional do Trabalho em Genebra e no *Institut d'Etudes Avancées de Nantes*. É membro de grupo de pesquisa IdEx RSE-O da *Université de Strasbourg*/CNRS. Fez parte de seus estudos de graduação na *University of Wisconsin – Madison*.

PIETRO FRANZINA

Professor Associado de Direito Internacional da Faculdade de Direito da *Università degli studi di Ferrara*, Itália. Bacharel em Direito pela mesma universidade (1998). Doutor em Direito, História e da Teoria das Relações Internacionais pela *l'Università di Padova* (2003). Professor visitante no Programa de Pós-graduação em Direito da UFMG (2014).

RAFAEL MACHADO DA ROCHA

Bacharel em Direito (2014) pela Universidade Federal de Minas Gerais (UFMG) e Mestrando em Filosofia do Direito no Programa de Pós Graduação em Direito da UFMG. Desenvolveu atividade de pesquisa sobre experiências normativas não ocidentais (2013) e atuou como estagiário docente junto ao curso de Ciências do Estado (2014).

RENZO CAVALIERI

Pesquisador Associado na Escola de Estudos Orientais e Africanos da *London University*. Professor associado de direito da Ásia Oriental na *Università Ca' Foscari di Venezia*. Graduado em Direito pela Universidade de Milão (1987).

VENÍCIO BRANQUINHO PEREIRA FILHO

Bacharel em Direito (2013) pela Universidade Federal de Minas Gerais (UFMG) e Mestrando em Direito Econômico pelo Programa de Pós Graduação em Direito da UFMG (prev. 2015). Integrante do Grupo de Estudos de Defesa Comercial Internacional da UFMG (2010), do Grupo de Estudos de Direito Econômico Internacional da UFMG (2011) e do Grupo de Pesquisa em Concorrência e Regulação da UFMG (2012). Advogado nas áreas de Direito Empresarial e Econômico.

VICTOR BARBOSA DUTRA

Mestrando em Direito Processual Civil pela Universidade Federal de Minas Gerais – UFMG (2014-2016). Graduação em Direito pela Universidade Federal de Minas Gerais – UFMG (2008). Especialista em Direito Tributário pela UNIDERP (2010). Advogado e Professor.

ÍNDICE

NOTA DOS ORGANIZADORES
Horizontes e Desafios do Dirieto Chinês Contemporâneo   5

AGRADECIMENTOS   11

PREFÁCIO   13

PARTE 1
A CULTURA E O DIREITO NA CHINA:
ENTRE A TRADIÇÃO E O DEVIR

CAPÍTULO 1
RAÍZES DO PENSAMENTO CHINÊS: CONFUCIONISMO,
TAOÍSMO E LEGALISMO
RAFAEL MACHADO DA ROCHA   27

CAPÍTULO 2
A REINVENÇÃO DO CONFUCIONISMO NA CHINA CONTEMPORÂNEA
RAFAEL MACHADO DA ROCHA   43

CAPÍTULO 3
A EXPERIÊNCIA NORMATIVA NA CHINA: PASSADO E PRESENTE
ANDRÉ GARCIA LEÃO REIS VALADARES   59

CAPÍTULO 4
TRADIÇÃO CHINESA E DIREITOS HUMANOS
FILIPE GRECO DE MARCO LEITE   77

DIREITO CHINÊS CONTEMPORÂNEO

CAPÍTULO 5
CHINA CONTEMPORÂNEA E DEMOCRACIA
PABLO LEURQUIN   93

PARTE 2
O SISTEMA LEGAL CHINÊS E SUAS INSTITUIÇÕES

CAPÍTULO 6
ORGANIZAÇÃO POLÍTICA E JUDICIÁRIA NA REPÚBLICA
POPULAR DA CHINA
GUILHERME BACELAR PATRÍCIO DE ASSIS   115

CAPÍTULO 7
DIREITO CONSTITUCIONAL NA CHINA
VENICIO BRANQUINHO PEREIRA FILHO   137

CAPÍTULO 8
CODIFICAÇÃO E DIREITO CIVIL NA CHINA
VICTOR BARBOSA DUTRA   159

CAPÍTULO 9
DIREITO DE PROPRIEDADE E PROPRIEDADE INTELECTUAL
NA CHINA
LUCAS COSTA DOS ANJOS   179

CAPÍTULO 10
LITÍGIO E MEDIAÇÃO: A CULTURA DA CONCILIAÇÃO
LUCAS SÁVIO OLIVEIRA DA SILVA   197

CAPÍTULO 11
TRABALHO, DO CONCEITO AO DIREITO:
ENTRE A CHINA E O OCIDENTE
MARCELO MACIEL RAMOS / PEDRO AUGUSTO GRAVATÁ NICOLI   215

CAPITULO 12
DIREITO DO TRABALHO NA CHINA
AIQING ZHENG   253

ÍNDICE

CAPÍTULO 13
EDUCAÇÃO JURÍDICA E PROFISSÕES LEGAIS NA CHINA
Fabrício Bertini Pasquot Polido   267

PARTE 3
DIREITO E RELAÇÕES INTERNACIONAIS NA CHINA

CAPÍTULO 14
DIREITO INTERNACIONAL E RELAÇÕES INTERNACIONAIS
NA CHINA
Luísa Fernanda Turbino Torres   297

CAPÍTULO 15
DIREITO INTERNACIONAL PRIVADO NA CHINA
Lucas Sávio Oliveira da Silva   311

CAPÍTULO 16
A LEI DE DIREITO INTERNACIONAL PRIVADO DE 2010
NA SUPREMA CORTE DO POVO DA CHINA
Pietro Franzina e Renzo Cavalieri   331

CAPÍTULO 17
CONTRATOS INTERNACIONAIS E ARBITRAGEM NA CHINA
Filipe Greco de Marco Leite   369

CAPÍTULO 18
A CHINA E A ORGANIZAÇÃO MUNDIAL DO COMÉRCIO
Ana Luísa Soares Peres Letícia de Souza Daibert   387

CAPÍTULO 19
ECONOMIA, POLÍTICA E RELAÇÕES INTERNACIONAIS
DA CHINA CONTEMPORÂNEA
Lucas Costa dos Anjos   413

SOBRE OS ORGANIZADORES   431

SOBRE OS AUTORES   433